KB199677

체육학연구방법론

위 성 식 · 이 현 섭 공저

저 | 자 | 소 | 개

위 성 식

중앙대학교 사범대학 체육교육학과 졸업
중앙대학교 대학원 체육학석사
국민대학교 대학원 이학박사
한국여가레크리에이션협회 부회장
한국여가레크리에이션학회 부회장
서울특별시 정구연맹 부회장
한국체육학회 부회장
고려대학교 사회체육학과 교수
한국사회체육학회 회장
현 한국여가레크리에이션협회 회장

저서 : "사회체육학총론" 외 37권
학술논문 : "사회체육 전공자의 희망 진로 탐색에 관한 연구" 외 71편

이 현 섭

고려대학교 사범대학 체육교육학과 졸업
고려대학교 일반대학원 체육학석사
고려대학교 일반대학원 이학박사

체육학연구방법론

초판발행/2010년 8월 27일
초판2쇄/2024년 3월 5일
발행인/김영대
발행처/대경북스
ISBN/978-89-5676-306-4

등록번호 제 1-1003호
서울특별시 강동구 천중로 42길 45 (길동) 2F
전화: 02) 485-1988, 485-2586~87 · 팩스: 02) 485-1488
e-mail: dkbooks@chol.com · http://www.dkbooks.co.kr

머리말

인간의 움직임 자체를 연구대상으로 하는 학문인 체육학의 연구 역사는 그리 오래된 것은 아니며, 엄밀한 의미에서의 본격적인 연구의 시작은 제2차 세계대전 이후로 볼 수 있다. 모든 학문이 그 자체영역만으로 구성 · 조직된 것이 아니듯이 체육학 역시 많은 인접학문들과의 관계를 맺고, 독특한 종합과학의 성격을 띠며 발전해 오고 있다.

그중 체육학연구법은 체육현장에서 벌어지는 현상을 과학적 안목으로 붙잡아 음미해 보고 분석 · 검사해 보며, 그것을 일정한 가치기준에 비추어 정리 · 해석할 수 있는 능력과 기술을 익히며, 아울러 보고서 작성방법까지 익히지 않으면 안되는 영역이다.

체육학연구법은 '방법론적'분류와 '기술론적'분류로 나누어 생각할 수 있는데, 전자는 체육문제의 연구분야를 생리학적, 심리학적, 사회학적, 역사학적 및 수학적 영역에 걸쳐 실제 시행하고 있는 연구법을 제시하고 있는 반면, 후자는 연구기술을 예시하여 그중에서 연구자가 자기의 연구방향에 따라서 자유로이 응용할 수 있도록 상세한 방법을 알려주는 데 그 차이가 있다. 이 양자는 체육학연구에서 서로 다른 양면적인 특성이 있는 반면, 상호보완적인 측면도 인정하지 않을 수 없다. 본 서는 최초『현대 체육학연구법』으로 출간되어 제2전정판, 제3전정판을 거치면서 내용 및 구성이 보다 체계화되어 온 것에 연구자 및 동료 교수들의 직언과 조언을 통해 많은 부분을 첨삭하여 새롭게 출판하게 되었다.

본 서의 구성을 간략하게 소개하면 다음과 같다.

제1장 연구를 수행하고자 하는 학생과 연구원들이 갖추어야 할 자세와 연구의 의미에 대해서 기술하였다.

제2장 연구의 유형과 방법들에 대해서 과거와 현재에 걸쳐 상세하게 다루었으며, 사회과학분야에서 자주 사용하게 되는 설문지 조사방법에 대해서 구체적이고 체계적으로 다루었다.

제3장 연구의 수행절차 및 형태와 양식에 대해서 다루었다. 이는 논문을 작성할 때 반드시

습득해야 할 필수적인 내용이다.

제4장 연구설계, 즉 실험 디자인과 깊은 관련이 있는 부분으로 가설, 변인의 통제, 표본 추출 방법 등을 세세하게 다루었다.

제5장 실험에서 다루게 되는 자료의 성격에 대한 내용으로, 신뢰도 및 타당도에 대한 개념과 검사방법까지 다루고 있으며, 통계적 분석 시 반드시 필요한 부분이다.

제6장 논문 작성방법에 대해서 기술한 부분으로, 규정화되어 있는 논문 작성법을 논문작성 순서에 맞춰 세세하게 다루었다.

제7장 체육학을 전공하는 학생이나 관심 있는 학생들이 알아야 할 체육학의 연구동향을 전공영역별로 나누어 성격 및 특성을 기술하였다. 이 장의 내용을 통해 각 전공영역의 특징을 살펴볼 수 있을 것이다.

제8장 통계적 분석을 위한 이론적 설명 및 실습을 통한 분석 절차와 정확한 결과 해석을 위한 내용들로 구성되어 있다. 특히 자주 사용하는 분석방법들을 단계적으로 설명함으로써 연구수행에 직접적인 도움이 될 수 있도록 하였다.

위와 같은 내용을 통해서 본 서는 첫째, 논문작성을 위한 방법을 두루 공부할 수 있도록 체육현장의 실례를 들어 구성하였으며 둘째, 체육학연구의 각 영역별 연구동향을 방법론적 측면에서 다루어 체계적인 연구방향을 설정할 수 있도록 하는 데 그 특징이 있다. 나아가 전공자 및 연구자들의 연구수행에서 요구되는 기초지식과 필수적인 구체적 수행 및 분석방법 등을 두루 갖추고 있다. 앞서 제3전정판까지 출간된 책의 정수를 종합한 본 서를 통해 체육학 입문자나 전공자 모두 자신에게 필요한 이론 및 수행 내용을 습득할 수 있을 것이다.

필자의 연구를 집대성한 본 서가 아무쪼록 체육학을 전공하는 학생 및 연구자들에게 좋은 참고서가 될 수 있기를 바라며, 선후배 및 동료 교수님들의 기탄없는 비평과 성원을 부탁드린다.

2010년 8월

저 자 씀

차 례

제1장 연구의 의의

제2장 연구의 유형과 방법

제3장 연구절차

제4장 연구설계(실험설계법)

제5장 자료의 측정 및 수집

제6장 연구논문 작성방법

第7장 체육학의 연구동향

제8장 연구에 필요한 통계학의 지식과 활용

연구란 미지의 것에 대한 계속적인 발견인 동시에 그에 대한 해답의 탐구이다. 연구란 위대한 힘을 가진 도구이며, 인간의 문제들을 해결해주는 최대의 봉사이다. 이처럼 인간에게 있어 중요한 연구란 과연 무엇일까?

이 장에서는 우리들이 흔히 쓰고 있는 연구라는 용어의 의미를 알아보고, 일반적인 연구에 대해서 정의해 보며, 또한 왜 연구가 필요한가, 그리고 무엇을 위해 연구를 하는가와, 마지막으로 연구자로서 갖추어야 할 자세에 대해서 다룬다.

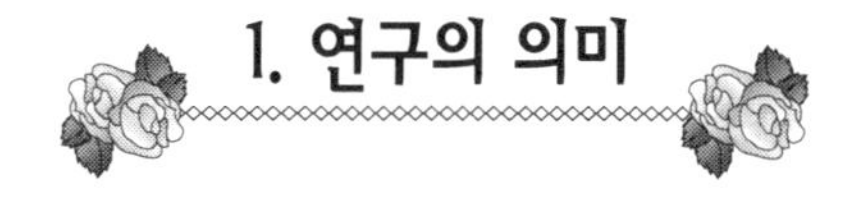

1. 연구의 의미

우리 주위의 여러 가지 자연현상 또는 사회현상을 설명하고 예견하기 위하여 역사 이래로 많은 학자들이 다양한 형태의 연구를 수행해 왔으며 현재도 수행하고 있다. 이들 연구는 주위에서 일어나고 있는 갖가지 의문에 대한 해답을 체계적으로 얻으려는 노력에서 이루어진다.

과학적이며 체계적으로 문제를 해결하려는 과정에서도 '연구'라는 용어의 개념이 분명하게 정의되어 사용되는 것은 아니다. 영어로는 연구를 study, survey, investigation, research 등을 구별하여 사용하고 있다. 우리말로는 뚜렷한 구별없이 연구라고 번역하고 있으나, 대개 다음과 같이 구별해서 해석할 수 있을 것이다.

- Study : 문헌연구. 철학적 연구 · 사상적 연구 · 역사적 연구 등과 같이 주로 문헌을 뒤지고 찾아서 새로운 증거자료를 발견하고 연결해서 그간의 결과를 재검토하고 결론을 도출해내는 연구방법이다.

- **Survey : 조사연구.** 주로 행동관찰이나 질문지 조사를 통하여 숨겨져 있는 현상을 포괄적으로 밝혀 통합이나 기인 등을 분석하는 방법으로 조사연구가 여기에 해당한다.

- **Investigation : 탐사.** survey와 같은 의미로 해석할 수 있으나, 하나하나의 사실이나 현상을 면밀하게 검사하고 분석하려는 방법을 말한다. 사회측정지위 조사나 사례연구 등이 여기에 해당한다.

- **Research : 연구.** 일반적으로 가장 많이 사용되는 용어로 신중하고 체계적인 방법으로 자료를 조사하고 대상을 실험하고 측정하여 결과를 과학적 절차에 의하여 검증하여 결론을 얻어내는 실험연구로서, 표준화검사방법 등이 여기에 해당된다.

연구란 여러 가지 의미를 포함하고 있기 때문에 한마디로 연구에 대한 정의를 내리기는 쉽지 않다. 연구를 '과학적 분석방법을 적용한 보다 형식적이고 체계적이며 집중적인 과정'이라고 Best(1970)는 정의하고 있고, Mouly(1963)는 '계획적이고 체계적인 자료의 수집과 분석을 통해서 문제 해결방법을 알아내려는 과정'으로 보았다. Best는 과학적 방법을, Mouly는 문제해결을 강조하고 있음을 볼 수 있다. 어느 정의에서도 발견될 수 있는 공통적인 내용은 '연구란 과학적인 방법과 체계적인 절차에 의해서 자료를 수집하고 검증해서 새로운 지식을 도출해내는 과정'이라는 의미를 포함하고 있다. Tuckman(1978)은 연구란 체계적 · 논리적 · 경험적 · 축약적이며, 그리고 반복 가능한 특성을 갖는다고 하였다. 따라서 과학적 연구란 연구자가 결과에 대해서 확신을 갖게끔 철저하게 통제되고 체계적이어야 하며, 이 상황에서 다른 연구자가 연구를 하여도 동일한 결과가 나타날 수 있도록 객관성을 유지하는 것이 중요하다.

2. 연구의 필요성

Steinhaus가 『연구방법』에 쓴 'Why this Research?'라는 제명의 논문에는 "연구는 왜 필요한가?"라는 것이 있다. 그는 "체육(physical education)은 예술(art)이나 과학은 아니다."라고 전제하고 있다. 반대 입장의 사람도 있겠으나, 우선 이러한 입장에 동조한다. 왜냐하면 이 점을 확실히 해두지 않으면 이야기가 혼돈을 야기할 것 같기 때문이다.

음악은 예술이며, 음향학은 과학(science)이라고 말할 수 있다. Steinhaus는 보기 드문 현명한 사람이었다. 그는 처음에는 동물학을 전공하고, 그 후 체육학을 전공하여 일생을 체육의 발전을 위하여 헌신한 사람이다. 그는 다음과 같은 예를 들었다. 여기에 온도계

(thermometer)와 온도제어기(thermostats)가 있다고 하자. 온도계는 온도를 측정할 수 있다. 이에 대하여 온도제어기는 온도를 조정할 수 있다. 이를 체육에 비유하면, 과학자는 온도계의 역할을 하는 사람이다. 그리고 온도계에 의해 측정한 결과를 이용하여 일정한 목적을 달성케 하는 온도제어기는 교육자라고 할 수 있다. 과학자는 여러 가지 측정자료를 교육자에게 제공하고, 교육자는 이것을 기초로 하여 인간을 바람직한 방향으로 이끌어간다. 객체의 성질은 서로 다르나, 이상적인 것은 객체를 상세히 조사하여 그 성질을 토대로 한 교육을 실시하는 것이다. 따라서 교육에서 과학자의 역할이 없어서는 안된다.

연구(research)가 필요할 때 연구자(researcher)가 생겨나게 된다. 체육에서 "연구자가 교육자와 동일인일 수 있을까?"에 대하여 생각해 볼 필요가 있다. 필자는 당연히 동일인 일 수 있다고 생각한다. 연구와 교육은 독립된 것이기는 하나, 동일인이 두 가지를 수행할 수 없다는 근거는 전혀 없다. 의학에서도 한 사람이 연구자임과 동시에 임상의사인 이치와 같은 이유이다. 경우에 따라서 이러한 것이 바람직할 수도 있다. 한편 두 사람이 협력하여 행하여도 나쁘지는 않는 경우도 있다. 단지 "그때에 무엇을 연구하고 무엇을 얻어야 할까?"라는 시도가 연구자와 임상가, 연구자와 교육자 사이에 자연스럽게 이루어져야 한다.

3. 연구의 목적과 자세

1) 연구의 목적

연구란 연구영역이나 관심 분야에 따라서 달라지겠지만, 모든 연구는 궁극적으로 지식의 확장과 문제의 해결을 수행하는 것이다. 이들 두 목적은 상호 배타적인 것이 아니며, 서로 같이 협력하는 관계이다. 다시 말해서 연구의 목적은 "즉시적이고 확정된 문제를 해결하기 위하여 수행되고 있는가?", 아니면 "결과의 즉시적인 유용성에 관계없이 주로 지식기반을 확장하려고 수행되고 있는가?"라는 두 가지 물음에 대한 답이라 할 수 있다(박도순, 2002). 예를 들어 '운동선수의 운동수행능력을 높이기 위해서 웨이트트레이닝을 어떻게 해야 적절한가'는 문제해결을 수행하는 것이고, '최대산소섭취량을 간접적으로 측정하기 위한 가장 훌륭한 변인은 무엇인가'에 대한 연구는 직접적으로 문제를 해결해 주지는 않지만 그 분야의 이론을 발전시키는 데 유용할 것이다. 이와 같은 연구의 목적은 다시 네 가지로 분류되는데, 그것은 자연현상이나 사회현상을 기술, 설명, 예측, 통제하려는 데 있다(이종승, 1984).

(1) 기 술

연구의 일차적 목적은 현상을 기술하는 데 있다. 기술(description)이란 어떤 사건이나 현상에 대하여 관찰한 사실들을 있는 그대로 기록하는 것이며, 일반적 수준에서 관찰한 사건의 특징을 진술하는 것이다. 기술은 무슨 사건이 언제 어떻게 발전하였으며, 어떠한 사실이 있는지 등에 관한 정보를 제공한다.

(2) 설 명

설명(explanation)은 '왜'라는 의문에 대답하는 것으로 어떠한 사실이 발생하게 된 근거는 무엇인가를 밝히는 것이다. "사회체육 참여로 삶의 만족도가 높아졌다."는 식의 결과를 단지 기술만 하는 것이 아니고, '왜 그렇게 되는가'하는 이유를 밝히는 것이다. 또한 여러 현상을 개별적으로 설명하지 않고 통합적으로 설명할 수 있는 일반적 법칙과 이론을 추구하게 된다. 이러한 원리를 발견하게 되면, 이 원리를 다른 상황에도 적용시켜 폭넓은 법칙과 이론으로 자연과 사회현상을 좀더 알 수 있게 된다.

(3) 예 측

예측(prediction)이란 어떠한 현상에 대한 설명으로 법칙과 이론이 정립되고 난 후 미래의 사건을 예측하고자 하는 것이다. 신장과 체중만으로 비만 정도를 설명하는 법칙이 정립되면, 차후에 이 법칙으로 비만을 예측할 수 있다. 자연과학은 상당히 많은 부분을 예측할 수 있으며, 사회과학분야는 예측이 매우 어렵기 때문에 비교적 단순한 현상에 제한된다.

(4) 통 제

연구자는 사건의 원인과 결과를 밝히는 인과관계를 밝히기 위해 깊이 연구하고, 미래를 예측할 수 있기를 원한다. 그러나 연구자는 여기에 만족하지 않고 한 걸음 더 나아가 통제할 수 있기를 원한다. 통제(control)란 어떤 현상의 원인 또는 필수적인 조건을 조작함으로써 인간의 힘으로 그 현상을 일어나게도 하고, 혹은 일어나지 않게도 하는 것을 말한다. 예를 들어 비만은 성인병의 원인이라는 사실을 알고 있으며, 비만이 지속되면 위험하게 된다는 사실도 알고 있다. 그러므로 연구자는 비만한 피험자에게 운동처방을 해줌으로써 비만을 조절하게 한다.

2) 연구의 자세

연구활동에서 가장 중요한 것은 연구의 주체인 사람이다. 즉 연구자를 외면하고는 어떤 주요한 연구도 이루어질 수 없다는 뜻이다. 이런 의미에서 볼 때 연구는 연구를 행하는 연구자의 지혜 및 개인적 자질에 전적으로 그 결과 및 그 일의 우수성 등이 좌우되는 문제이다. 여기에서는 연구자가 기본적으로 갖추어야 될 자질이나 태도에 대하여 살펴보기로 한다.

(1) 개방된 정신과 문제의식

독단적 판단의 오류를 범하지 않기 위하여 새로운 문제에 관심을 갖되, 문제의 함정에 빠지지 않기 위해서는 조사 · 관찰 · 실험의 범위를 넓혀야 한다. 또 되풀이되는 연구일 때도 다른 각도에서 검토하고 분석하는 개발된 정신과 새로운 각도에서 문제를 발견하려는 문제의식이 필요하다.

(2) 적절한 전문화

어떤 문제를 연구하기 위해서는 그 분야에 대해서 상당한 전문적인 지식과 능력을 갖고 있어야 한다. 너무 좁고 깊게 연구하다보면 관련 학문을 잘 몰라 전문성을 상실할 염려가 있고, 전문화의 능력이 없으면 상식선에서 헤매는 정도에서 그칠 가능성이 있다.

(3) 관련학문의 이해

모든 과학은 연관되어 있고 상호의존적이다. 따라서 체육분야에만 전문적인 이해를 갖고 있고 자연과학이나 철학 · 교육학 · 심리학 · 사회학 · 통계적 방법 등에 대한 이해가 없이는 과학적인 체육연구를 할 수 없다.

(4) 지적 호기심과 의욕

연구는 지적 호기심을 만족시키려는 방법의 하나이며, 새로운 지식을 찾아내려는 과정이므로 지적 호기심이 연구의 첫째 조건임을 말할 것도 없다. 그리고 호기심만으로는 연구가 이루어질 수 없고, 그 문제에 대한 과학적 결론을 얻기 위해서는 정열이 있어야 한다. "과학은 당신의 열의가 있어야 한다. 당신의 연구와 작업에는 언제나 끊임없는 정열이 있어야 한다." 라고 Pavlov는 말했다.

(5) 창의성과 발명력

모든 과학적 연구에서는 많은 기술 · 장비 및 도구를 요구하지만 가장 중요한 것은 인간의 정신이며, 그중에서도 창의성과 발명력이다. 왜냐하면 내적 상태를 표현하는 창의성과 장치와 도구를 만들어내는 생산적 창의성(발명력)을 모두 가지고 있어야 과학적인 결과와 연구의 독창적인 진행이 가능하기 때문이다.

결론적으로 연구자는 연구분야 자체에 정확한 사실과 원칙을 구성하고 있는 자료들을 제공함으로써 그 대상 분야의 일을 건전하게 실천할 수 있는 철학을 심어 주어야 하며, 동시에 실천하고자 하는 일들을 따뜻하게 받아들이는 열정을 심어줄 수 있는 사상을 제공해주어야 한다. 또한 일반대중을 위해 헌신할 수 있는 연구 · 조사를 천직으로 생각하며, 새로운 문제에 과감히 도전할 행동력을 지니는 동시에 새로운 기회를 포착할 수 있는 세심함도 지녀야 한다.

다음에 연구 자세를 대변할 수 있는 구절을 인용하는 것으로 결론을 좀더 명확히 해둔다.

"각 세대의 사람들은 그 이전 세대의 사람들이 해결하지 못한 것에 대해 독자적인 해답을 찾는 노력을 계속해야 하며, 다음 세대의 사람들이 탐구해야 할 새로운 문제점들을 제기해야 한다."

요 약

이 장에서는 연구의 일반적인 정의와 목적에 대해서 알아보았다. 연구란 과학적인 방법과 체계적인 절차에 의해서 자료를 수집하고 검증해서 새로운 지식을 도출해내는 과정으로 볼 수 있으며, 연구의 목적은 지식의 확장과 문제의 해결에 있다.

이 연구의 목적은 다시 네 가지로 구분해서 분류할 수 있는데, 이는 현상을 기술(description)하고, 설명(explanation)하고 예측(prediction)하고 통제(control)하는 데 있다. 연구의 일차적 목적이 현상을 기술하는 데 있다면, 그다음 그 현상이 어떻게 일어났는가를 밝혀야 하며, 이를 토대로 미래를 예측해야 한다. 또한 적절한 통제를 통해서 연구의 목적을 달성하게 된다.

연구문제

1. study, survey, investigation, research의 개념을 정의하고 체육학에서는 어떤 것들이 이루어지고 있는지 설명하라.

2. 포괄적인 연구의 정의는 어떤 것인가?

3. 연구가 필요성과 목적은 무엇인가?

4. 연구자가 갖추어야 할 자세에는 어떠한 것들이 있는가?

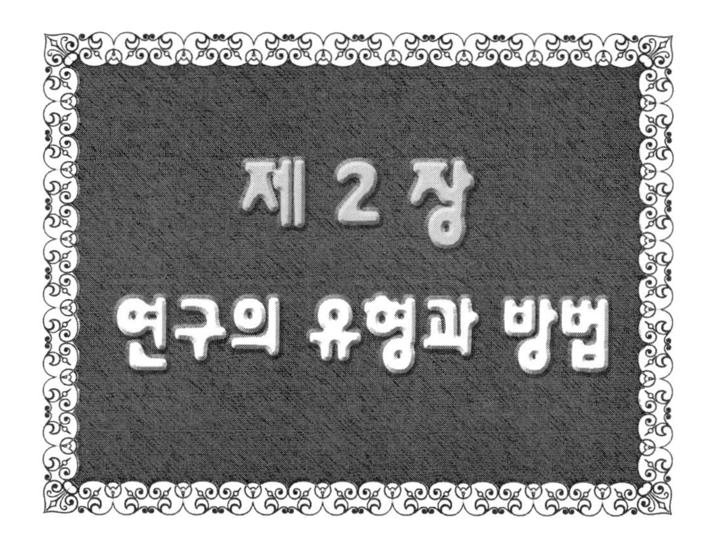

이 장에서는 연구가 방법에 따라 어떤 유형으로 나누어지는가를 다루며, 이들의 세부적인 방법과 절차 그리고 유의할 점에 대해서 알아보고 직접 연구에 임할 때 지침이 되도록 하였다. 그리고 후반부에서는 현재 체육학의 주요 연구영역을 다룬다.

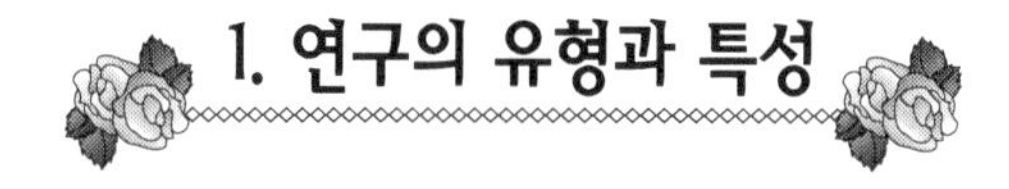

1) 연구의 유형

연구는 목적 또는 목표에 따라 크게 응용연구와 기초연구로 나눌 수 있다.

(1) 응용연구

응용연구(applied research)는 직접적인 문제, 사람을 피험자로 하여 실제현장에 바로 적용, 한정적으로 제어 가능한 연구환경 등의 특성을 가지고 있으며, 바로 현장적용이 가능한 결과를 제공해준다.

(2) 기초연구

기초연구(basic research)는 이론적인 문제, 실험실에서 동물을 이용, 정교하게 제어할 수 있는 연구환경 등의 특성을 가지고 있으며, 바로 현장적용에는 한계가 있다.

2) 연구유형별 특성

응용연구의 장점은 기초연구에서는 약점이 될 수 있고, 반대로 기초연구의 장점은 응용연구에서는 단점으로 작용한다. 연구자는 어느 한쪽으로 치우침이 없이 잘 제어된 이론적인 틀 안에서 연구를 행하고, 다음으로 적용 가능한 연구를 하는 것이 좋을 것이다. 효율적으로 연구를 하려면 연구방법뿐만 아니라 관련된 기본지식의 이해(예를 들면 운동생리학, 운동행동, 교육학, 사회과학, 물리학, 생물학 등)가 필요하다.

표 2-1. 연구유형별 특성

응용연구	기초연구
직접적인 문제의 해답	이론적인 문제를 다룸
인간피험자	동물을 이용한 실험
실제상황에서 연구	실험실에서 연구
제어 불가	제어 가능
바로 적용 가능한 결과	바로 적용하기 어려운 결과

2. 연구의 방법

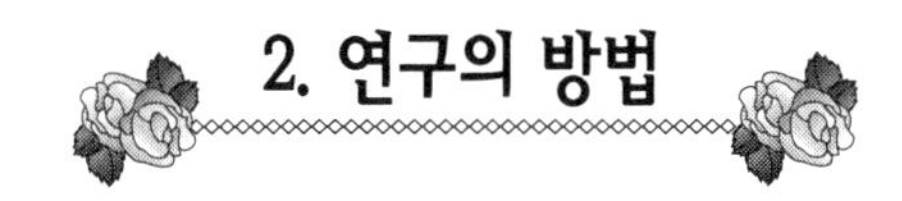

연구란 문제해결을 위한 구조적인 방법을 말한다. 체육 · 운동과학 그리고 스포츠과학분야에서는 서로 다른 문제들을 다루며, 이같은 문제를 해결하기 위해 사용되는 연구의 유형도 다르다. 연구 · 조사방법은 분야에 따라 수없이 다르게 적용되지만, 그 근본원리는 거의 같다. 이들을 구성하고 있는 필수적인 요소는 ① 관찰, ② 기록 · 조직화 및 관찰한 데이터의 처리, ③ 이론형성의 일반화, ④ 새로 형성된 것을 보다 앞서 검토하는 일 등의 네 가지 요소로 집약된다.

여기서는 다음에 제시되는 8가지 연구방법들을 구체적인 예를 들어 설명한다.

1) 문헌적 연구
2) 역사적 연구
3) 논리적 연구
4) 측정적 연구
5) 실험적 연구
6) 설문조사
7) 델파이기법
8) 메타분석

그러나 여기에 제시되지 않은 연구방법론도 있을 수 있으며, 때때로 전례가 없는 방법을 고안해야 될 경우도 있다. 이러한 경우가 생길 때 여기서 제시한 예를 염두에 두고 독창성이 넘치는 새로운 연구방향을 모색하는 것이 바람직한 태도이다. 즉 새로운 연구방향에 의해 시도된 논문도 객관적 · 논리적인 보고라면 충분한 가치가 있을 것이다.

1) 문헌적 연구

체육학연구법에 관한 서적은 많이 출판되고 있으나, 문헌적 연구법은 상세히 소개되고 있지 않다. 과거의 연구보고인 문헌연구에 관심을 갖고 추구한다면 훌륭한 연구내용을 갖출 수 있을 것이다.

일반적으로 어떠한 연구문제를 설정하게 되면 대개 누적된 지식이 있기 마련이다. 그러므로 연구자는 관련된 기존의 이론이나 연구결과를 탐색하여 전반적으로 검토해야 한다. 이러한 문헌연구는 연구를 본격적으로 시작하기 전에 이루어져야 한다. 문헌을 조사할 때에는 그 문헌에 있는 참고문헌 일람을 이용하면 수집해야 할 문헌 파악 등에 도움이 될 것이다. 문헌수집을 시작하면 문헌이 기하급수적으로 늘어나 어느 정도가 되면 문헌이 포화상태가 되어 쉽게 작업이 진행되지 않는다. 새롭게 발표된 문헌에는 관심을 집중해야 하기 때문에 여러 학술연구지에 관심을 기울여야 한다.

한편 연구발표회 · 세미나 · 심포지움 등에 참석하여 어떤 연구자가 어떤 종류의 연구를 진행하고 있는가를 파악하는 것도 중요하다. 이런 경우 언제, 어디에서, 누가, 어떤 연구발표를 하는가를 알 수 있는데, 이것은 다음과 같은 원칙이 있기 때문이다.

보통 한 사람의 연구자가 새로운 연구 프로젝트를 시작할 때 주위 사람들에게 자신의 아이디어를 말한다. 주위 사람들의 반응에 따라 연구의 착수 여부를 결정하면 예비실험(조사)을 시작한다. 대체로 예비실험이 성공되면 소규모 연구발표회에서 자신의 실험결과를 보고하게 된다. 이때 자신의 연구가 새로운 독창성을 갖고 있으면 곧 자신이 그 아이디어의 창시자가 되며, 하루가 다른 학문의 세계에서 '특허권'이라 할 수 있는 자신의 독창성을 등록하고 공개하게 된다. 최초의 연구착상이 떠오르고 난 후 예비발표까지 1년도 걸리지 않은 경우가 많으므로 연구자들의 발표시기를 짐작할 수 있다.

연구자는 즉시 본실험과 연구에 착수하여 그 결과를 학술대회 등에서 발표하게 된다. 그리고 연구가 더욱 확실히 진전되면 학회지(한국사회체육학회지 등)에 게재하여 그 논문이 명실공히 자신의 연구업적으로 정립되도록 심혈을 기울인다.

일반적으로 문헌연구는 객관적인 사실은 추구하는 것이 좋다. 왜냐하면 처음 연구를 시도하고 있는 사람은 이 방법이 훨씬 수월하며, 잘못을 범할 가능성이 적기 때문이다.

다음은 문헌적 연구의 유의점을 정리한 것이다.

문헌적 연구의 유의점

1. 연구테마의 해결에 필요한 문헌은 총망라했는가?……만약 문헌이 빠진 것이 확실하다

면 '수집한 범위에서'라는 한정을 설정하고 연구를 진행할 수 있을 것이다.

2. 관련된 영역의 문헌은 모았는가?……예컨대 '철봉에서 2회전 공중돌아 내리기'에 대한 문헌을 찾는다면, 링이나 마루운동뿐만 아니라 트램폴린(trampoline)이나 높이뛰기 2회전 공중돌기에 관한 문헌도 수집해두는 것이 좋다. 그 이유는 여기에 생각지도 않은 힌트가 숨어 있을 수 있기 때문이다.
3. 용어의 불일치에 주의하고 있는가?……'오래달리기'에 대하여 조사할 때 몇 m 이상이 오래달리기인가에 대해서 여러 가지 의견이 있다. 너무 전문적인 견지에서 1,500m 달리기는 중거리라고 한정짓지 말고, 폭넓게 문헌을 수집해야 한다.
4. 정기간행물을 읽어보고 있는가?……특히 최신판과 전문분야에 관련된 잡지에 주의한다.
5. 문헌카드를 만들어 번호를 붙여보자.……이 경우 필자명의 가나다순이 보통이다.
6. 문헌카드를 연대순으로 배열해 보자.……연구테마와 관련된 문헌을 발표연도순으로 정리한다.
7. 내용별로 문헌카드를 정리해 보자.……유사한 내용의 보고를 비교하면서 공통점 · 상이점 등을 명확히 한다. 이 경우에는 특히 용어에 주의한다.
8. 발표자의 성별 · 연령 · 출신지 등의 배경과 그에 따른 연구경향도 고찰해 본다.
9. 문헌조사결과를 객관적으로 표현한다.……예를 들면 도표를 사용하는 것이다.

2) 역사적 연구

이 세상에서 존재하는 모든 것 중에서 시간의 흐름을 무시할 수 있는 것은 없다. 어느 것에든 역사가 있고, 또 미래가 있다. 모든 학문은 역사적인 측면을 가지고 있으므로 역사적 연구를 제외한 연구는 성립하지 않는다고 할 수 있다. 어떤 연구에는 그 연구를 시작하게 된 역사적 배경이 있고, 그 연구에 사용된 방법에도 과거로부터 누적되어 온 그 무엇이 있게 된다. 그러므로 이것이 제외된 연구는 부모 없는 자식과 같이 존재이유가 희박하다.

일반적으로 역사적 연구에 이용되는 자료는 문헌에 의지하는 경향이 많다. 이와 같은 의미에서 이는 문헌적 연구방법과 비슷한 경우도 있으며, 또 이같은 과정을 무시한 역사적 연구는 바람직하지 않다. 역사적 연구에서는 자료수집 범위가 넓어야 그만큼 신뢰성을 줄 수 있다.

역사적 연구의 수단은 다음의 세 가지가 있다.

① 사료학

② 사료비판

③ 종합

역사적 연구를 예를 들어 설명한다. 어느 오래된 학교의 창고에서 목제 덤벨을 발견했다고 하자. 그러면 그 학교에서 이것을 사용한 체조를 언제부터 시작하였으며, 그 후 어떻게 변천되었는지를 고찰할 수 있을 것이다. 이와 같은 역사적 유물은 역사적 연구에서 직접적인 역할을 한다는 점에서 제1차 사료라고도 하는데, 제1차 사료에는 이것 이외에도 다음과 같은 것들이 있다. 이런 사료는 진품 여부와 틀림없는 사실인지의 여부를 당연히 검토하여야 한다.

① 목격자 · 체험자들의 진술
② 공문서 · 서명이 되어 있는 기록
③ 기록인이 확실한 기록
④ 발굴물 · 유적
⑤ 본인과 직접적인 면담기록

이와는 반대로 책(또는 문헌 등)에 의지할 수 없고 '전문(傳聞)'이 필수적인 것들은 간접적이라는 의미에서 제2차 사료라고 하는데, 여기에는 다음과 같은 것들이 있다.

① 간접적인 목격자의 담화수록
② 제3자에 의한 보도 · 보고서 · 기록
③ 제1차 사료의 사진집이나 요약 · 전기

한편 필자는 소위 '제3차 사료'라는 것도 있을 수 있다고 생각한다. 앞의 두 가지 사료에는 포함되지 않고, 또 사료로서의 의도도 갖지 않는 기록물이라도 그 사료에서 어떤 한계성을 판별할 수 있다면 어느 정도 사료로서의 가치가 있다고 본다. 예를 들면 다음의 것들은 제3차 사료가 될 수 있다.

① 문학작품(문학작품이 제1차, 제2차 사료는 될 수 없지만, 그 작품을 통하여 그당시 사람들의 생활내용을 판단하는 기준이 될 수 있기 때문에 역사적 연구자료로서의 가치는 충분히 있다)
② 과거에 작품도구로서 사용되었다고 상상되는 자료

다음에는 역사적 연구의 유의점들을 보기로 한다. 사료에 대해서는 그 신빙성을 항상 주의깊게 확인하여야 한다. 서적 등은 출판연도나 발행처가 있으므로 쉽게 확인할 수 있다. 소개서나 논평류보다 원전 쪽이 훨씬 그 가치가 높다. 소개서나 논평류에서 원전의 발행일자가 누락되어 있다면, 신뢰도는 저하될 수밖에 없다. 출판연도가 없는 경우에는 인쇄기술 · 지질 · 활자 등으로 연대를 추정할 수 있다. 우표를 감정할 때 같은 디자인이라도 색채 · 지질 · 활자 · 풀의 종류와 2중인쇄 여부 등을 발행연도를 추정하는 단서로 보는 것과 같은 원리이다.

그런데 제1차 사료라 해도 자신의 판단이 틀렸을 수도 있다. 즉 그것과 모순되는 사료가 몇 가지 있을 때에는 제1차 사료를 정정할 수도 있는 것이다. 이는 특히 본인에게 학술적 소양이 있는지의 여부와도 관계가 있다. 학자가 아니라고 하더라도 사실을 본 그대로 객관적으로 표현할 수 있는 사람도 있지만, 무슨 일이든 사건을 섞어가면서 설명하고자 하거나 자기의 신념과 모순되는 현상은 무리하게 왜곡시켜 보지 않으면 직성이 안 풀리는 사람도 있다. 특히 오래된 체험담 등을 취재하러 가면 이런 유형의 노인들이 의외로 많음을 알 수 있다. 그러므로 연구자는 이런 것들을 잘 파악해서 어디까지나 객관적인 내용만을 추출 · 기록하는 자세를 갖는 것이 역사적 연구를 성공으로 이끄는 지름길이라고 할 수 있다.

체육학에서 역사적 연구의 흥미는 다음과 같은 점에 있다.

① 체육사에서는 여러 가지 사건의 시간적 배열(체육사 전반이나 특정 영역에 대한 연표작성)
② 연표에 추가 또는 수정
③ 역사상 시간적 추이에 동반한 현상변화의 인과관계 추구(시간적 추이의 연결)
④ 풍물지에서 체육적 측면 추구
⑤ 사회 전반에 걸친 동정이 체육사적 사건을 좌우한 경우, 그에 관한 해명
⑥ 특정 개인 또는 단체의 체육적 사상이나 활동의 배열과 그 내용
⑦ 체육사에 작용하고 있는 특정사상이나 사회운동의 추구
⑧ 체육사에 관련된 특정 개인 · 단체 또는 사건의 평가
⑨ 이상의 사항에 기여할 수 있는 사료의 발견 · 추정 · 비판 · 평가
⑩ 체육사에 관련된 사건에서 미래사회의 사상을 예측하고, 그 방향 설정에 공헌하는 것

한편 체육사적 연구에서 범하기 쉬운 오류는 다음과 같다.

① 사료의 과신
② 사료의 오해
③ 근거 없는 추측을 단정 또는 혼동하는 것
④ 사실이나 해석을 고의적으로 왜곡시키는 것
⑤ 선입관을 갖고 연구하는 것
⑥ 논리정연하지 못함에도 불구하고 무리하게 추론하는 것
⑦ 부주의하게 논문을 작성하는 것
⑧ 연대의 오류(예컨대 서기 · 연호 · 간지의 환산, 월 · 일의 누락 등)
⑨ 평가가 내려지지 않은 역사적 사건을 고의로 강조하거나 기각하는 것
⑩ 뜻밖의 결과가 나올 수 있는 가능성을 무시한 채 정설만을 고집하는 것

체육의 역사란 곧 인간의 역사이다. 매우 학문적으로 보이는 체육사도 그 원인을 밝혀보면 인간적인 냄새가 물씬 풍기는 사실의 누적에 지나지 않는다. 따라서 작은 사건을 흘려버린다

든가, 또는 그것을 끄집어내어 새로운 학문발전의 실마리로 삼는 것은 어떤 분야의 연구법에서든 같다.

다음에 역사적 연구의 유의점을 정리하였다.

역사적 연구의 유의점

1. 연구의 목적을 확립하고, 거기에 따른 연구법을 사용하고 있는가?
2. 사료의 타당성을 음미하고 있는가?……혹시 제2차 사료였다거나, 제1차 사료가 충분히 정리되지 않았다면 한정된 조건을 기입하여 다음 과정으로 진행할 수 있다.
3. 사료의 연대는 틀림없는가?
4. 사료에 있는 용어는 정확히 해석하고 있는가?……현재 사용하고 있는 용어라 하더라도 그 의미가 다르다거나, 역어에 잘못이 있을 수도 있다.
5. 문헌은 원전임이 틀림없는가?
6. 기록은 객관적인 부분만을 읽고 있는가?……기록은 사건 직후에 쓰여진 것인가?
7. 사건을 연대순으로 배열하여 그 성쇠를 객관적으로 파악할 수 있도록 했는가?
8. 사건에 영향을 끼친 원인이나 유인을 고찰했는가?
9. 선입관은 작용하지 않았는가?……저자가 가지고 있던 사물에 대한 역사적 고찰방법이 현재의 그것과는 상당히 차이가 있을 수 있다.
10. 문헌에 기록되지 않은 것과 사건이 일어나지 않았던 것과는 아주 다르다는 것을 알고 있는가?
11. 두 사료가 모순될 때, 어느 한쪽이 잘못일 수도 있지만, 양쪽 모두 잘못일 수도 있다는 것을 알고 있는가?
12. 공문서가 있더라도 다른 사료로써 이를 추인(追認)할 수 있는가?
13. 한 사료가 전부 옳다고는 할 수 없지만, 일부분이라도 바른 것이 있음을 알아야 한다.
14. 사실과 추측을 혼동하고 있지는 않은가?

3) 논리적 연구

일반적으로 사물에는 본질이라는 것이 있는데, 그 일부가 구상화된 것을 '현상'이라고 할 수 있다. 이 현상을 분석해서 본질에 연관되는 법칙을 도출할 수 있으므로 이 과정을 연구라고도 한다. 그러나 이 분석이 하나의 실험이나 조사에 한정되면 도출된 법칙은 국지적이어서 보편적 법칙이라고 할 수 없을지도 모른다. 이와 같은 경우에 이 법칙은 제한조건하에서만 성립한다는 단서를 붙이는 것이 필요하다. 그런데 이 조건을 다양하게 변화시켜 그 법칙의 성립을 증명하는 것, 다시 말해 한정을 일반화해가면 본질에 연관된 법칙임을 확인할 수 있는데, 이것도 연구라고 할 수 있다.

많은 법칙을 짜 맞추어 새로운 법칙을 세울 수도 있고, 그것을 다른 과제에 적용시켜 문제의 해결책을 찾아내는 연구법도 있다. 이러한 과정이 모두 객관적이면 객관적일수록 보편성이 증가하고 적응성도 높아지지만, 연구자의 개성이나 독창성이 개입될 여지는 적어진다.

한편 완전히 다른 시각에서 또 다른 연구방법도 가능하다. 즉 사물의 본질을 해명하기 위하여 연구자가 반대법칙 같은 것을 세운다든가, 다른 연구자가 제안한 반대법칙을 빌려 오기도 한다. 이것을 가설이라고 하는데, 만약 이 가설이 옳다면 본질에 연관되는 개개의 현상을 설명할 수 있을 것이다. 이 가설이 여러 가지 현상에 대해 성립함을 증명하는 과정을 연구라고 할 수도 있다.

그런데 해결하려는 문제에 대한 해답과 관계가 있을 수 있는 자료는 문헌적 연구방법이나 역사적 연구법 등에 의해서도 많이 수집할 수 있다. 또, 많은 사람의 의견이나 실태조사는 대개 설문지법에 의하여 파악할 수 있으며, 한 사람의 기능 발현이나 스포츠 연기력 및 그 변화는 측정이나 실험에 의해서 상당히 명확해지는 것도 기대할 수 있다.

이와 같이 수집된 정보는 단순한 사실의 수집에만 그쳐서는 안된다. 그것을 조작하여 배경을 고찰하거나, 이를 기초로 장래의 예견도 가능해야 한다. 이를 위한 논리의 운용이 '구체적인 자료에서 추상적인 사물의 본질을 찾는' 방식이다. 또, 이같은 자료를 기초로 해서 어느 한 방안의 실체를 규명해 낼 수도 있을 것이다.

본래 가치 있는 연구란 단순한 지식의 전진이라기 보다는 이같이 지식축적을 북돋음으로써 새로운 진보를 확실한 것으로 방향짓는 역할을 하는 것이다. 이상의 과정을 논리적 또는 기술적 연구법(descriptive method)이라고 하는데, 이것은 교육학 분야에서는 자주 사용되고 있다.

논리적 연구에서 연구자는 자신만이 옳다는 사고방식에 빠져버리는 경우가 많다. 이런 방식으로는 많은 사람에게 논지를 납득시킬 수 없을 뿐만 아니라 스스로도 논리를 전개하기가 싫어진다. 그러므로 수집한 자료의 분석과정에서 그 내용을 도표화하거나, 생각을 자주 정리하는 것이 필요하다.

다음은 논리적 연구의 유의점을 정리한 것이다.

논리적 연구의 유의점

1. 논리의 기초가 되는 사실을 자료로서 파악하고 있는가?……사실인 것, 한쪽으로 치우치지 아니한 내용이나 경향인 것, 과제에 대해서 제언하는 데 충분한 정도의 것 등

2. 자료의 해석은 정당한가?……특별한 사실을 강조하기 위해서 왜곡된 해석 등을 하지 말 것
3. 기초적 사실을 종합해서 공통된 일반성을 찾아내거나, 서로 다른 점들을 유형화하거나, 특정의 법칙성 등을 찾아냈는가?
4. 법칙성 등을 객관적으로 표현했는가?……도표의 활용 등
5. 법칙성 등의 타당성을 증명했는가?……사상을 적용해서 모순되지 않음을 보인다.
6. 이들 법칙성을 이용해서 문제해결을 위한 방향 설정을 했는가?
7. 문제해결을 위한 방법이 그 외에도 있을 수 있음을 분별하고 있는가?……가능하면 여러 가지 방법을 생각해 본다.
8. 논지는 객관적인가?……독단이라는 말을 듣지 않기 위해서
9. 논점이 방법론이나 기술론과 같은 표면적인 사상에 사로잡히지 않았는가?……방법론이나 기술론도 중요하지만, 여기에서는 목표가 다른 것이다.
10. 다른 관점에서 보면 아주 이질적인 논의가 발생될 수 있음을 알고, 이를 수용할 수 있는 유연성을 갖추고 있는가?……한정조건을 명확히 해둔다.

4) 측정적 연구

'측정한다'는 것은 모든 인식의 기초이다. 우리가 사물을 보고 어떻게 느꼈는가를 다른 사람에게 전달할 때에는 '아주 크다', '조금 크다', 또는 '엄청나게 크다' 등과 같은 표현으로 구별하기도 한다. 그러나 좀더 정확하게 표현하려면 그 크기를 측정하여 숫자로 표기하여 후에라도 재현할 수 있도록 하는 것이 좋다. 그러므로 특정 사상을 측정한다는 것은 그 나름대로 연구내용으로 성립하는 경우도 있다. 측정하기 어려운 것을 정확하게 측정한다면 그것은 매우 가치 있는 일이고, 따라서 '새로운 측정법의 개발'이라는 독창성을 갖게 된다. 이렇게 되면 당연히 측정한 결과도 자신에게 남게 되므로 그 결과의 분석은 나름대로 새로운 지식과 결합하게 된다.

한편 측정하려는 과제가 실체와는 직접적인 관계가 없지만, 거기에 한 걸음이라도 접근하기 위하여 관계있는 항목을 측정하여 그 결과를 이용하여 실체를 고찰하는 방법도 있다. 건강 · 체력 등과 같이 추상적인 것일 때에는 당연히 진찰기록이나 체력테스트 결과가 필요하다. 또, 어린 학생의 발육 · 발달상황을 파악하기 위한 수단으로 건강진단이나 운동능력 테스트가 이용된다. 특히 논문에서는 실제로 체력 · 운동능력테스트를 실시하여 그 결과에 대하여 고찰하는 경우가 많으므로 다음에는 이에 관한 유의점을 보기로 한다.

측정을 할 때에는 먼저 대상인 피험자, 측정자(실험자), 측정항목 등과 '언제 · 어디서 · 어떻

게'라는 것을 염두에 두어야 한다. 예를 들어 1학급 30명인 초등학생을 대상으로 운동능력 측정을 시도한다고 하자. 이것은 쉽게 실시 가능한 것으로 생각되지만, 학교에서 1시간의 수업을 빼고 실시하는 학생들의 운동능력 테스트가 그 나름대로의 필요성이 없다고 본다면 그렇게 간단히 실시할 수 있는 것은 아니다. 왜냐하면 학생이 실험대상으로서 학교에 다니는 것은 아니기 때문이다. 그러므로 외부인이 이와 같은 것을 시도하려면, 실제 교육현장에 있는 교사의 승락을 얻지 않으면 안될 뿐만 아니라 교장의 결재도 필요하다.

이런 점을 해결하기 위해서는 학교 행사로서 운동능력 테스트를 실시하는 때를 이용하는 방법이 있다. 이 행사는 봄철에 많이 실시하므로 이 시기를 잘 이용하도록 한다. 학교에서 이러한 행사를 실시할 때 학교 측에 측정을 도와줄테니 그 결과를 활용하게 해 달라고 상담을 하면 좋을 것이다.

어떠한 방법이든 학교의 협력을 얻어 측정하면 고려해야 할 사항이 몇 가지 있다. 우선 측정항목이 조사하려는 사항을 잘 나타내주고 있는가를(타당성) 살펴봐야 한다. 예를 들어 비만도를 측정하려고 할 때 손크기를 측정할 사람은 없을 것이다. 또 체중만을 기록하면 신장이 큰 학생은 체중이 많이 나가는 경향이 있으므로 한쪽에만 치우친 결과가 될 것이다. 다음으로 중요한 것은 측정의 정확성 문제이다. 즉 50m달리기기록을 측정할 때 스톱워치가 하나밖에 없고, 또 시간이 부족하여 1회에 4명씩 스타트시켜 계시원이 시계바늘이 돌아가는 것을 보면서 8.3초, 9.2초라고 불러주는 식은 측정이라고 할 수 없다. 또, 턱걸이횟수측정에서 팔을 구부렸을 때 턱의 위치나 팔을 폈을 때를 제대로 보지 않는다면 한 사람에게 2~3회 정도의 오차가 생길 수 있다.

한편 측정의 정확성은 측정자의 자질이나 태도 이외의 것에도 영향을 받을 수 있다. 예를 들어 지그재그 드리블에서 도중에 볼이 코스에서 벗어나 굴러가면 수치에 큰 변화가 생긴다. 이같은 우연성을 제거하기 위하여 이 테스트와 왕복달리기 테스트에서는 2회의 시기를 하여 좋은 쪽의 기록을 취하게 되어 있다.

연구에 이용되는 측정방법의 정확성 구비 여부에 관한 표준은 일반적으로 신뢰도가 상관계수로 0.90 이상이 되어야 한다. 즉 어떤 테스트를, 어떤 날, 어떤 시각에 실시하고 다른 날 다시 한 번 똑같은 조건하에서 테스트를 실시하더라도 그 결과가 크게 다르지 않아야 한다. 측정연구에는 연구자 이외에 여러 명의 보조자가 필요하다. 따라서 이들에게 연구의 목적을 잘 설명하여 적극적이고 충실한 자세로 측정을 보조하도록 한다.

측정연구는 실시상의 주의사항도 많이 있다. A와 B를 피험자로 할 때 측정조건은 가능한 한 같아야 한다. 예를 들면 달리기 테스트 전에 준비운동을 하는 방법이나 시간, 턱걸이테스트에서의 자세관찰방법, 실험자의 태도나 분위기, 두 가지 이상의 테스트를 실시할 때 테스트

간의 시간간격이나 순서, 같은 테스트에 대해서 2대 이상의 계기를 사용하는 경우에는 그 계기가 서로 오차가 없을 것 등과 같은 수많은 조건이 있다.

모든 피험자를 같은 순서로 측정하면 처음 항목에는 좋은 기록이 나오겠으나, 너무 피로한 나머지 마지막 항목에는 나쁜 기록이 나올 가능성이 많다. 이것을 피하기 위하여 라틴방격법을 사용한다. 예를 들어 무게가 같고 크기가 다른 볼을 던져서 거리를 측정할 때 작은볼부터 던지게 하면 큰볼을 던진 거리가 훨씬 짧아지는 것이 볼 취급상의 어려움이나 공기저항 때문인지 아니면 피로에 의한 것인가를 알 수 없게 된다. 이와 같은 현상을 방지하기 위하여 사용하는 라틴방격법에서는 측정순서를 피험자마다 변형시켜 전체적으로 보면 순서가 어느 한 사람에게 치우치지 않게 한다. 이 방법에 의한 피험자와 측정항목의 순서(A에서 E까지의 5항목)를 <표 2-2>에 예시하였다.

표 2-2. 피험자와 측정항목의 순서

피험자 번호	측정항목의 순서
1	ABCDE
2	BCDEA
3	CDEAB
4	DEABC
5	EABCD
6	ABCDE
7	....

아무리 좋은 계획이라도 실현할 수 없다면 그림의 떡에 불과하다. 측정계획의 세부내용을 다듬을 경우에는 면밀함과 동시에 구체적으로 실시 가능해야 한다. 기왕 체력 테스트를 실시할 바에는 이것저것 모두 측정하는 것이 좋다고 하여 모두 실시하면 피험자가 견딜 수 없다. 예를 들어 1,500m달리기 후에 5,000m달리기를 시키는 것은 무의미하고 달리는 사람도 지겨워질 것이며, 또 좋은 기록도 기대하기 어렵다. 또한 멀리뛰기 · 제자리 멀리뛰기 · 세단뛰기 등을 단시간 내에 하게 하는 것도 무리가 따른다. 테스트 순서도 피험자의 입장이 되어 생각하여야 하는데, 1,500m달리기 후에 100m달리기를 하거나, 턱걸이 테스트 다음에 악력 측정을 하는 등의 잘못을 하지 않도록 한다.

측정기록은 소중히 보존하여야 하며, 또 기록을 고의로 고쳐 가공의 값을 내서도 안된다. 따라서 한 번 측정한 수치는 신성하여 연구자 개인으로서는 어찌할 수 없는 것이라는 자세가 필요하다(연구자가 가질 수 있는 권한은 결과를 분석단계에서 채택하지 않은 정도이지만, 그렇다고 하더라도 개인의 의지로써 채택 여부를 결정하는 것은 가능한 한 피해야 한다). 특히 측정기록은 수년간 보존해야 한다. 왜냐하면 졸업논문이라고 하더라도 졸업 후 다시 학술적인 논쟁이 생긴다면 수년 전의 데이터가 결정적인 역할을 할 수도 있기 때문이다.

기록원표(또는 그 철)에는 다음과 같은 기초적 사항을 반드시 기입한다.

① 측정 연월일 · 시간
② 실험자 성명
③ 피험자 성명(집단의 명칭 포함)
④ 피험자의 성 · 연령 등
⑤ 장소, 날씨(가능하면 온도, 풍속, 풍향 등도 기록할 것)
⑥ 측정내용(특별한 기구를 사용했다면, 그 명칭 · 측정치의 단위 등)

다음은 측정적 연구의 유의점을 요약한 것이다.

측정적 연구의 유의점

1. 측정에 어떤 의미가 있는가?……측정만 한다고 모두 연구는 아니다.
2. 측정항목이 조사하려는 사항과 직결되는가(측정항목에 타당성이 있는가)?……반드시 직결된다고 할 수 없을 경우에는 나름대로의 한정조건을 붙여서 연구를 진행할 수도 있다.
3. 측정자는 충분한 자격을 갖추고 있는가?……그렇지 않으면 측정훈련을 거쳐 그 조건을 충족시킬 수도 있다.
4. 피험자의 양해를 구했는가?……피험자를 잘 설득하여 납득시킴으로써 적극적인 협력을 얻을 수 있을 것이다.
5. 측정장소와 측정일시는 정당한가?……피험자가 피곤하거나 다른 측정의 경우와 현저히 조건이 다르거나 위험성이 있는 장소여서는 안된다.
6. 피험자 수는 충분한가?……간단한 테스트일수록 많은 사람이 필요하고, 복잡한 것이라면 몇 사람이라도 상관없다.
7. 피험자는 모집단을 대표할 수 있는가?……이것은 어려운 조건이기 때문에 대개는 '모 여중 1학년'이나 '30대 농촌 부부' 등과 같이 한정조건을 붙여 설명하고, 측정을 실시한다.
8. 측정이 정확히 실시되었다는 보장이 있는가?……시계류의 정비 · 점검, 측정방법해석의 통일화, 사람 수나 시간에 구애받지 않을 정도의 관찰을 요구한다. 새로운 측정법일 경우에는 신뢰도를 점검한다.
9. 측정순서를 모든 피험자에게 똑같이 했는가, 라틴방격법에 따라 실시했는가?……어느 쪽이라도 좋지만, 그 나름대로의 근거를 확인하여야 한다.
10. 측정에 경제성이 있는가?
11. 측정원표는 준비했는가?……기초적 사항을 기입할 수 있도록 되어 있는가? 또 원표를

보존하거나 철할 수 있게 되어 있는가?
12. 원표에서 일람표로 옮겨 쓸 때 틀린 곳은 없었는가?
13. 측정기구의 뒷처리에 신경 쓰고 있는가?……기구를 점검하고, 원표의 수를 확인한다.
14. 피험자에게 인사한다.……'수고하셨습니다'라는 한마디라도 좋다. 또다시 협력요청을 하게 될는지 모르고, 감사의 뜻을 나타내는 데 인색해서는 연구자로서의 자격이 없다. 가능하면 한 사람 한 사람에게 측정결과를 간단히 설명하고, 진단 또는 처방 같은 말을 해 주는 것이 예의이다.
15. 측정협력자나 장소제공자에게 감사를 표한다.
16. 측정결과의 분석이나 처리를 통해서 새로운 지식을 얻을 전망이 있는가?……그렇지 않고, 다만 '학교 아동의 체력현황에 대하여'만을 정리했다고 해서 졸업논문이라고 할 수는 없다.

5) 실험적 연구

연구라고 하면 곧 실험을 연상하는 사람이 있을 정도로 실험을 기초로 한 연구는 일반화되어 있다. 체육학연구에 이용되는 실험은 초등학생에게 간단한 실험을 행하는 것부터 고지적응능력을 조사하기 위하여 저산소실 안에 피험자를 넣고 산소섭취능력이나 혈액조성을 고찰하는 것까지 다양하다. 같은 실험적 연구라고 하더라도 많은 피험자를 대상으로 하는 실험에서는 특수한 장치를 이용하는 실험은 실시하기가 어렵고, 실험 자체도 단순해진다. 한편 복잡한 도구를 설치하거나 환경조건이 필요한 경우에는 대상인원이 한정되는 경우도 많다.

실험은 특정조건을 주고 그 변화를 조사함으로써 그것을 활용하여 주어진 조건이 어떤 영향을 미치는가를 보는 것이다. 그러려면 측정은 적어도 2회, 즉 실험 전과 실험 후에 행하지 않으면 안된다. 또한 환경조건이 의도한 대로 작용하여 변화가 일어났는가, 아니면 아주 우연히 변화했는가를 확인하려면, 특정조건을 주지 않은 피험자와 비교해 보지 않으면 안된다.

실험집단(experimental group)과 비교집단(control group)이 실험전 테스트(pre-test)단계에서 이미 차이가 나서는 안된다. 왜냐하면 양쪽 집단의 단순한 비교가 불가능하고, 실험후 테스트(post-test)의 차이가 실험에 의한 차이인지 알 수가 없기 때문이다. 이같은 혼란을 막기 위하여 실험 · 비교 두 집단을 아주 비슷한 집단으로 정하든가, 아니면 한 집단을 균등하게 나누어 조작한다.

한편 동질집단은 어떻게 만들면 좋을까? 예를 들어 득점이 상위인 사람순으로 열거하여 <표 2-3>과 같이 만든다. 이것을 점수가 높은 사람부터 순서대로 A집단, B집단 식으로 나누면 A집단

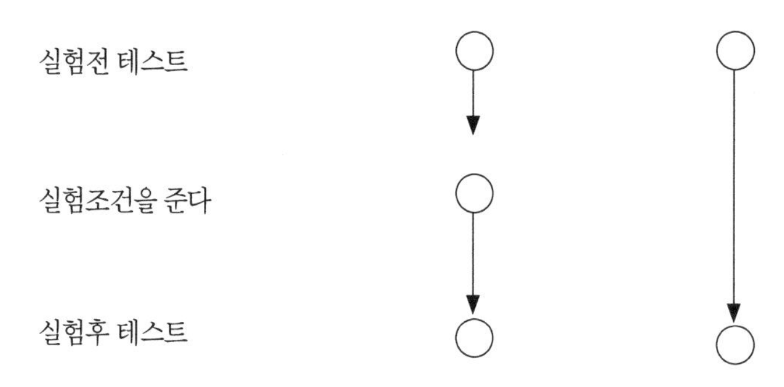

그림 2-1. 실험 전후의 측정계획을 세우는 방법

의 평균치가 높아져 버리기 때문에 A, B, B, A, A, B, …와 같은 식으로 배분하면 그런 대로 균형을 이룰 수 있는데, 그 완성은 <표 2-4>와 같다. 다음에는 이들 피험자를 3집단 이상으로 평균하려고 할 때에는 하나 건너씩 배분순서를 물리면 된다. 예를 들면 4등분의 경우에는 <표 2-5>와 같은 라틴방격법이 좋다. 이와 같은 배분은 단순히 집단을 나누는 것(grouping)만이 아니고, 피험자를 선정하여 몇 종류의 측정을 할 때 측정순서 결정 시에도 사용된다(표 2-6 참조).

표 2-3. 상위득점자순으로 나열한 일람표

750	700	689	689	675
615	608	585	554	552
549	546	546	537	.....
.....	.....	.....	.....	.....

표 2-5. 라틴방격법

A집단	B집단	C집단	D집단
1	2	3	4
4	1	2	3
3	4	1	2
2	3	4	1
…	…	…	…

표 2-4. 2개의 등질집단으로 나눈 경우

A집단	B집단
750	700
689	689
675	615
585	608
554	552
.....	.....

표 2-6. 4개의 등질집단으로 나눈 경우

A집단	B집단	C집단	D집단
750	700	689	689
585	675	615	608
549	545	554	552
.....	.....	.....	.....

그러나 모든 측정실험에서 비교집단을 만들어야 되는 것은 아니다. 예를 들어 각 학교 교육현장에서의 특정 수업시간표의 효과를 조사하기 위하여 A집단에는 새로운 시간표를 사용하게 하고, B집단에는 기존의 시간표를 사용하게 하고, C집단에는 공부를 시키지 않는 식이어서는 곤란하다. 실험자가 아동의 교육상 권리를 짓밟을 수는 없으므로 이 경우에는 실험 전과 후의 차이를 조사하는 데 머문다. 또 실험기간 중의 측정치를 시간적으로 조사하여 변화 모양을 실험내용과 대비시킬 수도 있다. 학습과정에서 진보의 정도 등은 이같이 해서 정하는 것이 일반적이

며, 또 스포츠기술의 발달 정도의 분석도 이와 비슷하다. 또한 인간 각자에 대해 시간경과에 따른 변화를 기록하는 경우에는 모두 마찬가지일 것이다. 즉 성장곡선 하나를 보더라도 여러 가지 요소가 얽혀 있으므로 인격형성 과정 등에서 그 요인을 추측하는 것이 쉬운 일은 아니다.

인간의 일생 그 자체는 실험의 연속이라 할 수 있다. 우리들의 일상생활은 복잡한 요소가 서로 얽혀 성립되고, 그 결과 한 사람 한 사람이 다른 인간이 되고, 또 개성적인 삶을 이어가는 것이다. 이것은 단순한 조건설정으로, 개개의 변화를 일으키는 요소를 추구하는 것이 실험연구이지만, 조건을 단순화시키는 데에는 한계가 있다. 실험집단에 속하는 학생은 매일 웨이트 트레이닝을 시키고, 비교집단의 학생에게는 트레이닝을 시키지 않는다고 하더라도, 비교집단에 속하는 학생이 가정에서 어떤 생활을 하고 있는지는 알 수 없다. 또 가정생활까지 제어한다는 것도 문제이다. 이와 같이 본다면 엄격한 의미에서 실험조건을 갖춘 사람은 형무소에 갇혀 있는 죄수나 군인밖에 없을 것이다.

이와 같은 한계를 알면서도 자주 이용되는 방법이 트레이닝 효과 실험이다. 비교집단은 트레이닝을 시키지 않고, 실험집단은 일정한 계획에 맞추어 트레이닝을 실시한다. 이 방법은 트레이닝내용과도 어느 정도 관계가 있겠지만, 신체적 · 정신적으로 엄격한 트레이닝을 매일 장시간 실시한다는 것은 매우 어렵다. 따라서 피험자를 잘 설득하여 적극적인 협력을 받지 않으면 만족할만한 데이터가 나오지 않을 수도 있다. 물론 트레이닝을 받은 피험자가 명확한 효과가 있음은 당연한 일이다.

체육 분야의 실험연구에서는 대부분 사람을 동원한다(아주 기초적인 연구를 위해서는 동물실험을 하기도 한다). 피험자는 건강하고, 연구에 적극 협력할 의사가 있어야 하겠지만, 그들은 연령 · 성별 등에 따라 몇 개의 집단으로 나누어 실험계획을 세우는 것이 좋다. 또 실험내용과 관계있는 기능(체력이나 운동능력)은 동질집단으로 할 필요가 있다.

한편 트레이닝과 같이 환경조건에 의한 변화를 조사하는 실험과는 달리 기구를 이용해서 측정 · 실험하는 것에 의미를 두는 실험도 있다. 또 스포츠 수행장면을 고속카메라로 찍어 분석하거나, 거기에서의 근육활동을 근전도로 기록하는 실험도 있으며, 운동에 따른 호흡 · 순환기능의 변동이나 혈액성분을 분석하는 실험연구도 있다.

이와 같은 실험에서는 보통 피험자 수가 적고, 그대신 실험을 실시하기 앞서 면밀한 계획과 기계조작 또는 통계처리 능력이 있어야 한다. 최근에는 이런 종류의 논문이 상당히 증가되고 있으며, 그 결과 간접적이기는 하지만 체육학 전반의 발달에 공헌하고 있다. 앞으로도 이와 같은 경향이 지속될 것으로 본다.

다음은 실험적 연구의 유의점을 정리한 것이다.

실험적 연구의 유의점

1. 연구의 목적과 일치되는 연구인가?……피험자에게 협조요청을 했으므로 그들이 실험 자체를 놀이 정도로 생각하지는 않을 것이다.
2. 피험자에게 실험의 개요를 설명하고 동의를 구했는가?……초등학생인 경우에는 교사 또는 보호자의 동의를 얻어야 한다. 불필요한 불안감을 느끼지 않도록 성의껏 설명한다.
3. 실험의 기간 · 시간 · 내용 등이 피험자에게 과중한 부담을 주는 것은 아닌가?……매일 1시간 또는 3개월 이상의 기간이 필요할 수도 있으며, 이 경우 피험자는 매우 곤혹스러울 것이다.
4. 실험집단과 비교집단의 피험자를 선정하여 동질화를 도모했는가?
5. 비교집단이 없는 경우 중간 측정을 소중히 할 예정인가?
6. 실험조건이 각 피험자에게 같은가?……트레이닝량 등은 엄격히 컨트롤해야 한다.
7. 분석실험 등에 사용한 기자재의 취급 · 조작 방법을 충분히 알고 있는가?……사고가 절대로 발생하지 않을 것, 실험 도중 기계고장이 없을 것, 정전 등으로 기계 가동이 중지되지 않을 것, 기록지 등을 충분히 비치할 것
8. 실험결과는 정확한가?……복잡한 기계를 사용한다고 해서 안심하면 안된다.
9. 실험결과를 피험자에게 알릴 것인가?……상대는 선의로 협력해 주었으므로 가능하면 알리는 것이 좋다. 또, 그것을 근거로 지도 등을 하는 것도 중요한 일이다.
10. 실험보조원에게도 세심한 배려를 한다.……단지 실험을 위해 도움을 받고 있다기보다는 실험을 통해서 같이 배운다는 태도가 바람직하다.
11. 실험만 하면 될 것이라는 안일한 마음가짐은 아닌가?……복잡한 실험이라도 데이터를 확실히 처리하고, 그 결과를 학문의 수준에 이르도록 높여 보고하지 않으면 실험하지 않은 것과 같다.
12. 실험실이나 실험기구의 관리에 주의하고 있는가?
13. 복잡한 실험 이외의 연구활동을 경멸하는 태도는 없는가?
14. 성공하지 못한 실험에 대한 원인규명은 철저히 했는가?

6) 설문조사

설문조사는 인문사회계열 논문에서 자주 볼 수 있는 연구방법이다. 원래 설문조사란 면접에 의하여 조사대상자의 실정 · 사상 · 특정질문에 대한 반응 등을 조사해야 할 경우에 많은 사람을 대상으로 단시간 내에 자료를 모아 그들의 일반적인 경향을 파악하는 방법이다. 이는

많은 사람들을 대상으로 할 것이 요구되며, 각 응답자에게 개인적인 피드백을 할 수도 있다.

자료를 수집하기 위하여 사용할 설문지를 적절하게 작성하는 일은 연구결과의 유용성에 결정적인 영향을 미칠 뿐 아니라, 수집된 자료의 분석 시에 적절한 통계기법이 적용되도록 한다. 그러나 표준적인 설문작성법은 없으며, 연구에서 발견되는 오류의 20~30%가 잘못된 설문지로 인해 발생하기 때문에 올바른 설문지 작성이 중요하다.

(1) 설문지 제작과정

설문지 제작과정은 단순한 질문지를 만드는 것과는 다르기 때문에 제작 초기 단계에서부터 치밀한 계획과 면밀한 검토가 요구된다. 설문지를 이용한 대부분의 연구에서는 설문지 자체가 측정도구가 되므로 측정도구를 정확하게 구성 · 제작하는 것은 결국 연구결과의 신뢰성뿐만 아니라 연구의 성패를 좌우하는 요소가 된다. 많은 대학원생들과 연구자들이 자주 범하는 실수 중의 하나는 연구설계(또는 실험디자인)가 완성되지 않은 상태에서 설문지를 작성하는 것이다. 설문지는 하나의 측정도구이므로 연구설계의 내용에 따라 구체적인 구성이 달라질 수 있다. 연구설계 단계에서 연구의 목적, 요구되는 데이터, 최종결과를 분석해 내기 위한 분석방법 등이 결정되기 때문에 그것에 맞게 설문지를 제작하여야 한다. 설문지를 먼저 구성한 후 설문지에 맞도록 연구설계를 하면 연구자가 원하는 분석수행이 어려워질 수 있으며, 최종적인 결과를 도출하지 못하여 연구목적을 달성하지 못할 수도 있다. 연구목적을 달성하기 위해서 다양한 실험기자재를 사용하듯이 설문지 또한 연구목적을 달성할 수 있도록 구성되어야 한다. 따라서 반드시 연구설계를 완성한 후 그에 맞게 설문지를 작성하여야 한다. 설문지는 연구방법 중의 하나가 아니라 측정도구임을 인식하여야 한다.

여기서는 자주 사용되는 설문지 제작순서에 맞춰 주의할 사항들을 기술한다.

① 문항작성을 위한 측정항목의 구체화

연구의 성격에 따라 측정항목이 달라질 수 있으나 일반적으로 자신이 알고자 하는 것이 무엇인지를 확실하게 인지하여야 하는 단계이다. 이 단계에서는 보통 연구자가 알고 싶어 하는 항목들을 나열해 보면 도움이 된다. 한 연구자가 '사람들이 어느 정도 운동을 하는지, 그리고 운동의 효과에는 어느 정도 만족하는지'를 알고 싶다고 가정하자. 이때 연구자는 초기에 다음과 같은 의문점을 나열할 것이다.

① 운동은 어느 정도 하는가? ② 운동의 효과에 만족하는가?

위의 항목들을 가지고 단순히 설문지를 작성한다면 다음과 같은 형태가 될 것이다.

문항 1 : 귀하께서는 평소에 운동을 어느 정도 하십니까?
① 거의 안한다. ② 조금 한다. ③ 보통이다. ④ 많이 한다. ⑤ 매우 많이 한다.
문항 2 : 귀하께서는 운동의 효과에 어느 정도 만족하십니까?
① 매우 불만족한다. ② 불만족한다. ③ 보통이다. ④ 만족한다. ⑤ 매우 만족한다.

위의 설문지는 가장 일반적인 형태이다. 위의 설문지를 이용해서 얻을 수 있는 정보는 매우 한정적이어서 연구자 자신이 알고 싶어 하는 정보를 얻을 수 없다. 왜냐하면 응답자가 성실히 응답을 하였더라도 그것을 객관적으로 해석할 수 있는 정보가 존재하지 않기 때문이다. 예를 들어 응답자들이 문항 1에 대해서 ②번 항목인 '조금 한다'에 응답하였더라도 그것이 어느 정도인지 알 수 없다. 왜냐하면 '조금'이란 의미는 사람마다 각기 다르고, 응답자의 상황에 따라 얼마든지 큰 차이를 보일 수 있기 때문이다. 같은 운동량이라도 꾸준히 운동을 수행한 사람과 그렇지 못한 사람이 느끼는 정도가 다르고, 같은 운동시간이라 하더라도 여가시간이 많은 사람과 그렇지 못한 사람 사이에는 차이가 있기 때문이다.

위의 설문과 같은 오류를 범하게 되는 이유는 연구자의 생각을 단어에 투영하였기 때문이다. '조금'이라는 단어의 의미와 '어느 정도'라는 단어의 의미를 연구자는 알고 있지만 응답자는 그것이 시간을 묻는 것인지, 강도를 묻는 것인지, 운동횟수를 묻는 것인지, 아니면 총체적인 내용을 묻는 것인지 알 수 없다. 이렇게 응답자가 혼돈을 겪게 되는 문항은 설문의 가장 나쁜 경우이다. 따라서 설문은 보다 구체적인 내용으로 변경하여야 한다.

최초의 내용은 다음과 같이 구체화할 수 있다.

① 운동은 어느 정도 하는가?
- 운동은 일주일에 며칠이나 하는가?
- 운동을 한 번할 때 몇 분이나 하는가?
- 운동을 한 번할 때 강도는 어느 정도인가?

내용을 구체화하자 문항 수가 1개에서 3개로 늘어났다. 이들을 이용하여 다음과 같은 문항을 만들 수 있다.

문항 1 : 귀하께서는 평소 운동을 할 때 일주일에 며칠 정도 하십니까?
문항 2 : 귀하께서는 평소 운동을 할 때 하루에 몇 분 정도 하십니까?
문항 3 : 귀하께서는 평소 운동을 할 때 어느 정도의 강도로 하십니까?

위의 문항 3개는 최초의 설문보다 구체적이어서 응답자가 혼돈을 피할 수 있다. 또한 '어느 정도'라는 모호한 의미가 보다 객관적이고 실질적인 내용으로 바뀌었다.

두 번째 내용도 구체화해보자.

> ② 운동의 효과에 만족하는가?
> - 운동의 다이어트효과에 만족하는가?
> - 운동의 체력증진효과에 만족하는가?
> - 운동의 여가활용효과에 만족하는가?
>
> ★ 귀하께서 운동을 하는 이유는?

> 문항 1 : 귀하께서 운동을 하는 이유는 무엇입니까?
> 문항 2 : 귀하께서는 운동을 통한 다이어트효과에 만족하십니까?
> 문항 3 : 귀하께서는 운동을 통한 체력증진효과에 만족하십니까?
> 문항 4 : 귀하께서는 운동을 통한 여가활용효과에 만족하십니까?

두 번째 항목도 단순한 효과를 다이어트, 체력증진, 여가활용의 3가지 효과로 구체화한 것이다. 별표시가 있는 문항은 응답자가 운동을 하게 된 동기에 따라서 각 효과에 응답하는 결과가 달라질 수 있다는 판단하에 추가한 것이다. 이렇게 구체화하지 않았다면 응답자는 각기 다른 의미로 응답하였을 것이고, 비록 응답자가 효과에 만족하였다고 응답하였더라도 연구자는 어떤 효과를 말하는 것인지 알 수 없다.

이렇듯 연구자가 설문을 통해 알고자 하는 내용을 구체화하는 것은 응답자의 혼돈을 피하고, 보다 정확한 정보를 얻을 수 있는 매우 중요한 단계로 설문지작성 시 가장 기초가 되는 과정이다. 설문내용을 어느 정도까지 구체화할 것인가는 연구목적에 따라 달라질 수 있으므로, 가장 최적화된 구체화단계를 선택하기 위해서는 설문작성 경험도 중요하나 무엇보다 해당연구와 관련된 전공분야에 대한 깊은 이해가 선행되어야 한다.

② 문항에 따른 응답항목 구성

앞에서 문항작성을 위해 측정하려는 내용을 구체화하였다. 여기에서는 각 문항에 따른 응답항목들을 구성할 때 고려해야 할 부분을 살펴본다. 연구자가 응답자에게 물어보는 것이 문항이라면, 해당되는 응답항목은 응답자가 연구자에게 대답하는 형태라 할 수 있다. 따라서 응답항목이 잘못 구성되면 아무리 최적의 문항을 만들었다 하더라도 정확한 정보를 얻을 수 없거나 최초에 계획된 분석수행이 불가능해질 수 있다.

응답항목을 어떻게 구성하느냐에 따라 연구자가 얻을 수 있는 정보의 형태가 달라지는데,

통계학에서는 이를 척도라 한다. 척도란 데이터를 측정한 단위가 무엇인지를 나타내는 것이다. 척도에 관한 설명은 제8장에서 자세히 설명할 것이며, 여기에서는 필요할 때마다 조금씩 언급하는 정도로 설명한다.

설문작성 시 일반적으로 자주 사용되는 응답항목의 형태는 다음과 같다.

문항 1(1번 형태) : 귀하께서는 평소 운동을 할 때 일주일에 며칠 정도 하십니까?
① 1-2일 ② 3-4일 ③ 5-6일 ④ 매일 한다.

문항 2(2번 형태) : 귀하께서는 운동을 통한 다이어트효과에 만족하십니까?
① 매우 불만족한다. ② 불만족한다. ③ 보통이다. ④ 만족한다. ⑤ 매우 만족한다.

문항 3(3번 형태) : 귀하께서는 평소 운동을 할 때 하루에 몇 분 정도 하십니까? (분)

문항 4(4번 형태) : 귀하께서 운동을 하는 이유는 무엇입니까?
① 다이어트를 위해서 ② 체력증진을 위해서 ③ 여가활용을 위해서
④ 치료적 목적으로 ⑤ 기타

문항 5(5번 형태) : 귀하께서는 운동을 통한 여가활용효과에 만족하십니까?

1	2	3	4	5	6	7

위의 다섯 가지 형태 이외에도 연구자의 의도에 따라 여러 형태가 있으며, 최적의 설문작성을 위해서 누구든지 창의적으로 만들 수 있다. 5가지 형태의 문항을 하나씩 살펴보자.

1번과 2번 형태의 문항에서 연구자가 얻을 수 있는 정보는 한정되어 있는데, 이런 형태로 얻어진 데이터를 질적척도라 한다. 숫자적인 계산이 불가능하고 범위와 관련된 정보만을 얻을 수 있는 형태이다. 1번 형태의 문항은 응답자가 ①번 항목에 체크하였더라도 한 번 운동하는지 두 번 운동하는지 알 수 없다. 따라서 ①번 항목과 ②번 항목 간의 차이값을 계산할 수 없다. 만약 연구설계상 분류만을 하려고 한다면 아무런 문제가 되지 않으나, 차이를 분석하고자 한다면 잘못된 응답항목이 된다. 이렇게 숫자적인 계산이 불가능한 척도를 질적척도라 부른다. 연구설계에서 분석방법이 결정되어 있다면, 그것에 맞는 척도를 사용하여 항목을 구성해야 한다. 즉 응답항목은 최종적으로 분석에 사용될 데이터의 종류에 맞도록 구성하여야 한다. 이 때문에 설문지는 연구설계가 작성된 후에 작성하는 것이 바람직하다.

3번 형태를 개방형 문항이라고 한다. 응답자가 주어진 항목에서 선택하는 게 아니라 자신의 생각을 기입하는 형태이다. 일반적으로 응답자의 정확한 생각을 알고자 할 때 사용된다. 이러한 개방형 문항의 장점은 사칙연산이 가능한 양적척도를 얻을 수 있다는 것이다. 물론 개방형 문항이라고 해서 모두 양적척도를 얻을 수 있는 것은 아니다. 질문의 내용에 따라 명목이나 범위를 나타내는 값을 얻기도 한다. 그러나 설문지를 통해 보다 정확한 정보, 특히 계

산이 가능한 정보를 얻고자 할 때 많이 사용하는 형태이다. 개방형 문항의 단점은 응답자의 응답형태가 매우 다양하면 분류하기가 힘들어진다는 것이다. 그리고 설문지에 개방형 문항이 많으면 응답자의 피로도가 높아져 성실한 응답을 할 가능성이 낮아진다. 따라서 연구자의 의도에 부합되는 경우에만 사용하는 것이 바람직하다.

4번 형태의 문항으로 얻어지는 데이터는 완전한 분류형이다. 어떠한 계산도 불가능한 형태이다. 이러한 데이터를 명목척도라 한다. 말 그대로 이름을 부여했을 뿐이다. 이런 종류의 데이터는 주로 각 항목에 응답한 응답자의 수만을 계산할 수 있다.

5번 형태의 문항은 자주 사용되는 형태이다. 응답자가 생각한 곳에 체크를 할 수 있는 것으로 2번 문항의 형태와 비슷하게 순서적인 의미를 갖게 된다. 이런 형태로 얻어진 데이터를 순서척도라 한다.

2번과 5번 형태의 차이는 무엇일까? 두 형태 모두 순서척도를 이용하고는 있으나 여기에는 큰 차이가 있다. 2번 형태는 연구자가 설정한 범위에 응답자가 답을 하기 때문에 응답자의 선택범위가 제한되고, 응답자들이 응답한 내용이 모두 동일한 것인가에 의문을 갖게 된다. 또한 문항의 언어적 표현으로 인해 감정적 응답이 관여할 가능성이 있다. 반면에 5번 형태는 응답자가 최소와 최대를 스스로 결정하고 응답위치를 선택하기 때문에 2번 형태보다 응답자의 선택제한이 적고, 부정적인 언어표현을 사용하고 있지 않기 때문에 감정적 응답 가능성이 적다.

5번 형태의 문항을 사용할 때 고려할 부분은 척도범위이다. 여기에 제시된 형태는 북미에서 자주 사용하는 7점척도이다. 홀수척도를 사용하기 때문에 응답자가 중간 지점을 설정하기 편리하다는 장점이 있다. 이렇게 척도를 설계할 때 홀수척도를 이용하면 응답자의 응답을 손쉽게 만들 수 있다. 그러나 7점척도는 국내에서는 익숙하지 않다. 따라서 생활 속에서 자주 사용하는 11점척도를 이용하는 것이 바람직할 수 있다. 아래와 같이 척도를 구성하면 우리에게 익숙한 10점 기준에 11점척도인 홀수척도가 될 수 있다.

0	1	2	3	4	5	6	7	8	9	10

분석 시에는 항목의 범위가 클수록 좋다. 5점척도보다는 7점척도가 좋고, 10점척도가 더욱 좋다. 위의 문항형태에서 얻어진 데이터를 수치적 데이터로 간주하고 분석하는 경우가 있는데, 이는 상관분석이나 회귀분석이용 시 척도가 클수록 분석력이 높아지기 때문이다. 예를 들어 회귀분석 시 5점척도 데이터를 이용하면 회귀식의 설명력이 낮게 나오는 경우가 많아 분석결과를 사용할 수 없게 되는 경우가 많다.

③ 설문지 문항의 정렬

문항과 항목이 연구자의 설계목적에 합당하게 만들어졌다면, 이제는 문항들을 어떻게 배치할 것인가를 살펴봐야 한다. 이 부분은 실제 프린트되어 제작될 설문지의 구조를 만들기 때문에 섬세한 부분까지 신경쓸 필요가 있다. 일반적으로 관련된 문항들을 한데 묶어 배치하는데, 이는 응답자가 질문의 의도를 혼동하지 않기 때문에 바람직하다. 때로는 논리적인 순서에 의해 문항을 배열할 경우도 있다. 예를 들어 운동효과에 대한 설문조사를 수행한다고 가정하자. 이때 운동효과를 물어본 다음에 운동을 얼마나 했는가를 물어보게 되면, 응답자들의 일부는 첫 번째 문항에서 답한 내용에 맞추어 두 번째 문항에 응답하는 경향이 발생하기도 한다. 즉 첫 번째 문항에서 운동효과가 좋다고 응답한 사람은 자신의 응답이 사실임을 나타내기 위해서 운동을 많이 하지 않았음에도 불구하고 많이 했다고 응답하는 경향을 보일 수 있다는 것이다. 이러한 오류를 피하고 정확한 응답을 얻어내기 위해서는 운동 정도를 먼저 물어보고 나중에 효과에 대해서 물어보는 것이 보다 바람직하다.

설문지에 항상 포함되는 문항들 중에는 인구사회학적 문항들이 존재한다. 성별, 나이, 직업 등을 묻는 문항인데, 이러한 문항들의 위치도 중요하게 작용하는 경우가 있다. 인구사회학적 문항들의 개수가 많으면 응답자들이 응답을 기피하는 경우가 있기 때문에 가능하면 설문의 중요 문항에 답을 한 후에 응답하도록 뒤쪽에 위치시키게 된다. 특히 설문의 내용이 성별이나 나이 등과 관련이 깊은 것일 경우 이에 대한 선입관을 제거하기 위해서 설문지의 후반부에 위치시키는 것이 좋다. 예를 들어 정부의 정책과 관련된 문항을 제시할 경우 설문지의 앞부분에서 응답자의 성향(보수적인지 진보적인지)을 먼저 묻게 되면 전제척인 응답패턴이 자신이 앞에서 응답한 결과에 맞추는 경향으로 흐르게 된다. 따라서 이 경우에는 먼저 정책에 대해서 응답하게 하고 후반부에 가서 응답자의 성향을 묻는 것이 바람직하다.

④ 응답자의 성실응답 여부 확인

연구자의 입장에서는 응답자가 설문내용을 정확하게 확인하고 응답을 수행하였는지가 매우 중요하다. 따라서 응답자의 성실응답 여부를 확인해야 할 필요가 있다. 여기서는 자주 사용되는 성실응답 확인방법을 설명한다.

설문조사를 수행하는 방식은 여러 가지가 있을 수 있다. 설문지를 조사자가 직접 전달하고 그 자리에서 응답을 받는 형태, 전화를 이용해서 설문을 받는 형태, 우편을 이용해서 받는 형태 등 다양하다. 이러한 형태를 크게 두 가지 방식으로 나눈다면, 조사자가 직접 설문지를 전달한 후 응답을 그 자리에서 받는 방법과 조사자가 함께하지 않은 장소에서 응답자가 응답을 하는 방식으로 나눌 수 있다. 일반적으로 연구활동에서는 조사자가 함께 배석하여 응답이 끝나면 받아오는 형태를 취하는데, 이같은 경우에는 설문지의 앞표지나 뒷표지에 성실응답 여부 확인란을 만들어 넣을 수 있다. 응답자가 응답하고 있을 때 조사자는 응답자가 성실하게 응답하고 있는지를 살펴본 후 응답이 끝나면 설문지에 미리 표시된 곳에 응답자 모르게 성실응답 여부를 표시하는 것이다. 이런 과정을 거치면 보다 정확하고 깨끗한 데이터를 얻을 수 있기 때문에 설문조사 시 자주 사용한다. 조사자가 함께 배석하지 못하는 우편조사나 전화조사에서는 다른 방법을 사용한다. 자주 사용하는 방법은 설문 중간에 앞에서 물어본 것과 같은 문항을 삽입하는 것이다. 즉 같은 문항을 시차를 두고 물어봐서 동일한 응답을 하는지 아니면 다르게 응답하는지를 확인하여 성실응답 여부를 판단한다. 이런 방식은 특히 문항 수가 많을 경우 응답자가 끝까지 성실하게 응답하였는지 확인할 때 용이하다. 응답자는 설문 문항이 많으면 처음에는 성실응답을 하다가도 후반에서는 대충 응답을 하는 경우가 많기 때문이다. 그러나 이런 방식은 응답자에게 혼동을 줄 수 있기 때문에 유의해서 사용해야 한다. 이외에도 연구목적에 따라 일정 시차를 두고 동일한 설문을 동일 대상에게 두 번 조사하여 비교하는 방법 등도 있으나, 이것은 시간과 비용의 문제로 자주 사용되지 않는다.

⑤ 설문지의 신뢰도와 타당도 검사

앞에서 설문의 문항과 항목 그리고 문항들의 배열까지 살펴보았다. 이제는 이렇게 작성된 설문지가 과연 도구로서 적당한지를 확인하여야 한다. 설문지 또한 특정데이터를 얻기 위한 실험도구이므로 반드시 도구로서의 기능을 수행하여야 한다. 이건 마치 저울이나 초시계가 정상적으로 작동하는지 확인하는 것과 같다. 설문지의 신뢰도와 타당도를 검사하는 방법은 여러 가지가 소개되어 있으나, 여기에서는 가장 많이 사용되는 방법을 설명한다. 구체적인 검사방법은 제8장에서 다루게 될 것이며, 여기서는 이론적인 개념에 대해 살펴보기로 한다.

신뢰도란 연구자가 측정하려는 내용이 동일조건에서는 항상 동일한 결과를 나타내는가 하는 문제이다. 체중을 측정한다고 하자. 동일한 대상을 측정할 때마다 동일한 값이 나온다면 그 체중계는 신뢰할 수 있다. 그러나 측정할 때마다 값이 달라진다면 그 체중계는 믿을 수 없게 된다. 이렇듯 설문지도 연구자가 측정하는 것을 정확하게 측정하여 유사한 값이 나오는지를 확인해야 한다.

앞에서 연구자가 알고 싶어 하는 하나의 변인을 구체화하면서 여러 개의 문항으로 구성될 수 있음을 보았다. 과연 이렇게 구성된 여러 개의 문항들을 가지고 반복적으로 측정하였을 경우 유사한 값이 나올까? 이같은 문제를 해결하기 위한 방법으로는 재검사법, 반분법, 복수양식법 등이 있다. 재검사법은 동일한 설문지로 시차를 두고 동일 대상에게 반복측정하여 그 차이값을 가지고 신뢰도를 측정하는 방식이고, 반분법은 하나의 설문지를 두 개로 분리하여 각각 측정한 후 그 차이값을 이용하여 신뢰도를 결정하는 방식이다. 복수양식법은 동일한 변인을 측정하는 두 개의 설문지를 만들어 확인하는 방법이다. 그러나 이들 방법은 비용이나 시간, 그리고 현실적인 어려움으로 인해 잘 사용되고 있지 않다. 일반적으로 사용되는 방식은 관련있는 항목들의 분산값을 이용하여 측정오차가 큰 항목을 제거함으로써 신뢰도를 높이는 문항 간의 내적일관성을 측정하는 방법이다. 이를 Cronbach's α라 부른다. 이에 대한 자세한 수행방법은 제8장에서 다루게 될 것이다.

어떤 방법을 사용하였든 신뢰도가 확보되었다면 다음은 타당도를 검사해야 한다. 타당도란 측정하고자 하는 것을 정말 측정하는가의 문제이다. 다시 말해서 연구자가 의도한 것을 측정하였는지의 문제이다. 설문지 작성에서 고려해야 할 중요한 타당도에는 내용타당도와 구성타당도가 있다. 내용타당도는 질문하는 문항이 알고자 하는 변인에 대해서 정확하게 물어보고 있는가를 검정하거나, 하나의 변인에 대해서 여러 개의 문항들이 과연 변인을 설명할 수 있는 대표성이 있는가를 살펴보는 것이다. 변인의 여러 속성들 중에 일부만을 측정하는 문항들로 구성되어 있다면 내용타당도가 낮다고 할 수 있으며, 당연히 그 문항들로는 연구자가 알고자 하는 변인을 측정하였다고 할 수 없을 것이다. 이렇듯 내용타당도는 관련 문항들이 해당 변인을 측정하는 대표성이 있는가를 나타내는 것이다. 불행히도 내용타당도를 검정할 수 있는 통계적 기법은 개발되어 있지 않다. 이는 내용타당도라는 것이 문어적 및 인지적 요소와 많은 관련이 있기 때문이다. 다시 말해서 문항의 어법이나 그 내용이 적당한가의 문제이다.

내용타당도를 검정할 때는 주로 설문지작성경험이 많은 전문가 또는 연구목적과 관련된 전문가, 국문학자와 같이 언어와 관련된 학자 등으로 전문가집단을 구성하여 자신의 설문지 성격을 설명하고 검증받는 방법을 사용한다. 구성타당도는 설문문항들의 구성이 적절한지를 살펴보는 것이다. 즉 문항들 간에 집중타당도와 판별타당도가 적절하게 되어 있는지를 확인하는 것이다. 하나의 변인을 측정함에 있어 관련된 문항들은 유사한 응답형태를 나타낼 것이고, 다른 변인을 측정하는 문항들과는 상이한 차이를 나타낼 것이라는 개념이다. 구성타당도의 검정은 주로 요인분석을 이용하여 검정한다. 이와 관련된 구체적 검정방법은 제8장에서 다루게 될 것이다.

(2) 설문지제작 시 유의사항

앞에서 설명한 설문지제작과정을 충실히 따랐다 하더라도 응답대상, 시기, 절차 등을 고려해 볼 때 주의할 사항들이 있다. 여기에서 다루는 내용은 정확한 데이터를 얻기 위해서 반드시 필요하다.

① 응답자가 응답가능한 문항들로 구성되어야 한다

설문지를 처음 만들어보는 연구자들은 응답자가 응답가능한 문항을 잘 만들지 못하는 경우가 많다. 예를 들어 다음과 같은 문항이 있다고 하자.

> 문항 예) 귀하의 한 달 수입은 어느 정도입니까?
> ① 100만 원 이하 ② 100-200만 원 ③ 200-300만 원 ④ 300만 원 이상

일반적으로 위의 문항은 응답자의 한달 수입 정도를 확인하기 위해 사용한다. 그러나 조사대상자가 대학생이거나 직업이 없을 경우 수입 자체가 존재하지 않는다. 위의 문항은 여러 형태의 오류를 포함하고 있다. 먼저 응답자가 대학생이라고 가정해보자. 위의 문항을 접하면 대학생은 부모에게서 받는 용돈의 규모를 쓰고자 할 것이다. 그러나 항목에서 제시된 금액을 보고 용돈이 아닌 가정의 한 달 수입을 묻는 것으로 생각할 수도 있다. 대학생의 경우 가정의 한 달 수입을 정확히 알고 있는 경우는 드물기 때문에 응답자는 자신이 생각하는 가정의 수입을 예측해서 응답하게 된다. 결국 응답자가 알 수 없는 것을 응답하게 된다. 또 다른 오류는 항목의 분류가 잘못되었다는 것이다. 만약 가정의 한 달 수입이 100만 원이라고 하면, 이에 해당하는 항목은 ①과 ②가 된다. 마찬가지로 200만 원이나 300만 원도 모두 두 개의 항목에 해당된다. 따라서 문항을 만들 때에는 반드시 조사대상자의 특성과 속성을 판단하여 응답이 가능한 것만을 물어봐야 한다.

② 기억하기 어려운 질문은 피해야 한다

문항을 작성할 때 응답자가 기억하기 어려운 것을 물어서는 안된다. 왜냐하면 다행이 기억하고 있다 하더라도 그 기억이 정확하다고 확신할 수 없으며, 더욱이 기억을 못하는 경우에도 응답자는 응답하는 경우가 많기 때문이다. 다음과 같은 문항을 살펴보자.

> 문항 예) 귀하가 지난해에 납부한 근로소득세는 얼마입니까?
> 문항 예) 귀하가 올해 사용한 의료비는 어느 정도입니까?

위의 두 문항 모두 응답자가 상당한 기억력을 가지고 있어야만 응답이 가능하다. 더욱이 첫 번째 문항은 회사원은 회사에서 연말정산을 하여 합계금액을 알려주지만 그것을 일일이 기억하는 사람은 그리 많지 않다.

③ 한 문항에 복수의 질문은 피한다

다음과 같은 문항들은 한 문항에 복수의 질문을 하는 대표적인 예이다. 첫 번째 문항을 보면 응답자가 '예'라고 응답하더라도 연구자는 응답자가 운동을 한다는 것인지, 음식조절을 한다는 것인지 알 수가 없다. 두 번째 문항은 더욱 심각하여 응답자가 서로 다른 성격의 질문을 동시에 받고 있는 형태이다. 이러한 문항들로 구성된 설문지는 신뢰도와 타당도 모두에

심각한 문제를 발생시킨다.

> 문항 예) 귀하는 다이어트를 위해 운동이나 음식조절을 하십니까?
> 문항 예) 귀하는 정부의 교육정책이나 복지정책에 찬성하십니까?

④ 포괄적인 질문은 피한다

다음의 문항은 포괄적인 문항의 전형적인 예이다. 정부의 보건정책 중 어느 것을 말하는지 나타나 있지 않으며, 또한 응답자가 찬성이나 반대하는 경우도 정책자체, 정책수행과정, 정책 집행내용 등 어느 것 때문에 찬성과 반대를 하는 것인지 알 수가 없다. 이런 문항들로 얻어진 데이터는 연구자가 주관적으로 해석하거나 판단할 가능성이 높다.

> 문항 예) 귀하는 정부의 보건정책에 찬성하십니까?

⑤ 모호한 개념으로 질문을 해서는 안된다

다음의 문항은 기준이 확실하지 않은 개념을 이용한 문항이다. 문항내용 중 '진보적인'이란 개념이 어느 정도인지를 확인할 수 없으며, 각자 다르게 인지하고 있기 때문에 설문응답의 신뢰성을 낮추게 된다. 이렇듯 모호한 개념이나 의미를 이용한 설문문항은 정확한 응답데이터를 얻는데 부정적인 역할을 한다.

> 문항 예) 귀하는 정부의 진보적인 정책운영에 찬성하십니까?

다음은 설문조사의 유의점을 요약한 것이다.

설문조사의 유의점

1. 질문할 내용은 충분히 검토했는가?……연구목적과 합치하고, 필요없는 중복이나 빠뜨린 것이 없어야 하며, 문장에 교양미가 흐르도록 한다.
2. 질문배열이 논리적으로 행하여졌는가?……관계없는 사항이 없어야 하며, 유도질문이 되지 않도록 한다.
3. 응답자에게 맞지 않는 어려운 전문용어가 쓰여지지 않았는가?……예컨대 일반인에게는 체육, 스포츠, 레크리에이션, 레저 등의 구별은 상당히 어렵다.
4. 기술식 응답 문항의 경우 간단하게 답할 수 있도록 되어 있는가?……예를 들어 '~에 관한 의견을 써라'는 부적당하다.

5. 선택항목은 응답하기 쉽게 준비되어 있는가?……예를 들어 '① 체력에 상당히 자신 있다. ② 좀 자신이 있다. ③ 보통이다. ④ 자신 없는 부류에 속한다. ⑤ 자신이 전혀 없다'와 같이 한쪽 극단에서 점차 반대쪽 극단으로 이행되게끔 되어 있고, 홀수항목으로 되면 통계처리가 쉽다.
6. 준비된 선택항목만으로 해답이 가능한가?……만약 자기에게 적합한 사항이 없으면 불신감이 생긴다.
7. 간단히 기입할 수 있는 질문인가?……질문항목이 너무 많거나 선택지의 항목 수가 많으면 불성실한 응답이 되기 쉽다.
8. 설문지법의 정밀도에는 한계가 있음을 알고 있는가?
9. 설문지의 결과에만 매이지 말고, 다른 문헌에서 얻은 지식을 활용하여 논리적인 고찰을 했는가?……설문지 외에 면접법으로 해답내용을 좀더 깊이 음미해 보는 것도 한 방법이다.
10. 설문용지에는 연월일, 응답자의 성별 · 연령 · 그룹(학교) 등을 기입하도록 되어 있는가?
11. 응답자에게 집계결과의 개략을 알려줄 계획은 있는가?……비용이 문제가 될 수 있겠으나, 그렇게 하면 좋은 인간관계를 맺을 수 있을 것이다.

7) 델파이기법

델파이기법(delphi technique)은 양적인 방법에 의한 측정으로는 쉽게 결정할 수 없는 정책이나 쟁점이 되는 사회문제 또는 적절한 양적연구방법이 적용될 수 없는 문제에 대하여 전문가집단의 의견과 판단을 추출하고 종합하여 집단의 합의를 도출해내는 기법이다(박도순, 2002). 델파이조사방법(delphi survey method)은 기존의 설문조사와는 다른 식으로 설문지를 구성하는데, 이 델파이기법은 응답자가 주어진 문제에 관하여 최종적인 결론에 도달하도록 연속적으로 설문지를 구성한다. 이는 실질적인 문제 · 요구 · 목적에 대해 의사결정을 할 수 있도록 전문가의 의견을 반영하는 방법이라 할 수 있다(Thomas, Nelson, 1990). 즉 델파이기법은 다수 전문가의 의견을 피드백시켜 그들의 의견을 수렴하는 소위 '집단적 사고를 체계적으로 접근시키는 방법'이라 할 수 있다.

델파이기법은 1848년 미국의 RAND 연구소에서 연구 · 개발한 기법에 그리스신화에서 미래를 예측하던 델파이에 있던 아폴로신전의 이름을 붙인 것이다. 이 기법은 문제와 관련된 전문가 집단을 구성하여 3~4회에 걸쳐 계속적으로 설문조사를 한다. 이 설문조사에서 새로운 설문을 구성할 때는 이전의 응답내용에 대한 분석결과를 포함시켜 반복함으로써 전문가들이 이견을 모아 일정한 합의에 도달하도록 하는 방법이다.

델파이기법은 참여한 전문가들끼리 직접적인 논쟁을 피하면서도 다른 전문가의 의견에 이의를 제기할 수 있는 기회가 허용됨과 동시에 모든 의견이 동등하게 취급됨으로써 토론참여자의 익명의 반응, 반복과 통제된 피드백, 통계적 집단반응이라는 특징을 가지고 있다. 이처럼 델파이기법은 연구문제에 대한 아이디어를 그 분야의 전문가집단으로부터 신속히 수집하기 위한 효율적인 방법이 될 수 있으며, 응답에 대한 분석과 피드백은 연구문제를 연구자의 개인 차원에서 기관 차원으로 끌어올림으로써 사회적 관심사로 부각시킬 수 있다. 뿐만 아니라 익명성이 보장되므로 응답자의 자유로운 반응을 극대화할 수 있고, 직접적 대면토론에서 나타날 수 있는 바람직하지 못한 심리적 부작용을 피할 수 있게 된다.

(1) 델파이기법의 절차

델파이기법에 의한 연구절차는 다음과 같다.

첫째, 델파이기법의 첫 번째 절차('라운드'라고도 한다)는 대개 탐색적(exploratory)이다. 여기에서 주의할 점은 전문가의 선정기준, 표본수의 결정은 신중을 기해야 한다는 것이다. 왜냐하면 전문가의 지식과 신뢰성, 타당성, 표본수는 연구에 영향을 미칠 수 있기 때문이다. 처음 실시하는 설문은 완전히 구성되지 않은 자유로운 형태, 즉 백지상태(blank type)로 전문가들에게 연구자가 설정한 문제 · 쟁점 · 목적 등에 관한 그들의 의견 · 평가 · 예측을 기입하도록 한다. 설문의 작성은 익명을 원칙으로 하며, 1차설문지가 지나치게 조직화되어 있거나 세분화되어 있으면 응답자의 반응범위가 줄어들기 때문에 응답자가 그들의 견해나 의견을 표현할 수 있게 개방형 질문을 사용하는 것이 좋다.

둘째, 전문가들이 예측한 설문지가 되돌아오면 연구자('중재자'라고도 한다)는 1차 델파이를 분석한 다음 그 사항들을 비슷한 내용끼리 묶어 몇 개의 소항목으로 분류 · 정리하여 2차 설문지를 작성한다. 이러한 2차 설문지를 구성할 때에는 사분위법(quartile method)과 같은 기초통계량을 이용하여 그 결과를 함께 제시한다. 전문가들은 중재자로부터 잘 정리된 목록을 받아 각 문항의 중요성을 표기하고, 자신의 입장에서 중요하지 않다고 여기는 문항은 반드시 그 이유를 설명하도록 한다. 동시에 1차 설문지의 응답을 변경하고자 할 때에는 이유를 밝혀줄 것을 요청해야 한다.

셋째, 2차 설문지 조사절차와 같다. 제2차 설문지에 대하여 응답내용을 사분위법 등을 이용하여 분석하여 주고, 3차 설문지를 작성하여 분석된 전체 문항에 대하여 동의하는 정도 등을 표기하고, 응답자들로 하여금 전체 의견에 대한 비평을 하도록 하고, 응답자 자신의 의견을 다시 한 번 적게 한다. Cyphert와 Gant(1970)의 연구에 따르면 델파이조사에서 전체 의견 변경의 99%가 3차 조사에서 나타난다(박도순, 2002 재인용). 그러므로 일반적으로 3차 설문에서 끝내게 된다.

(2) 델파이기법의 적용 예

한철언(1999)의 "21세기 한국 스포츠관광 활성화방안과 진흥정책 연구"에서 델파이기법을 사용하였는데, 다음은 1차 설문지 중 일부이다.

21세기 스포츠관광의 진흥을 위하여 다음과 같은 정책적 내용이 제시되어 있습니다. 각 문항에 대하여 그 중요성의 정도에 답(V표)하여 주시고, 보충설명이나 다른 의견이 있으시면 상세히 기록하여 주십시오.

문항	중요도				비고란(보충설명이나 다른 의견 제시)
	4	3	2	1	
1. 스포츠관광진흥정책위원회의 설립이 필요하다					
2. 스포츠관광 행정의 일원화가 필요하다					
3. 스포츠관광을 국가산업으로의 전환이 필요하다					
4. 스포츠관광을 통한 균형적 지역개발을 위한 정책이 필요하다					
5. 스포츠관광 시설의 확충이 필요하다					
6. 스포츠관광에 대한 투자 확대가 필요하다					
7. 다양한 스포츠관광 상품의 개발이 필요하다					
8. 스포츠관광에 대한 국내외 홍보가 필요하다					
9.스포츠관광의 효율적 마케팅전략이 필요하다					
10. 북한과의 스포츠관광 교류 추진이 필요하다					

1. 스포츠관광 진흥정책 측면

위의 설문서에 제시된 내용 외에 귀하께서 평소 중요하다고 생각되어 추가해야 할 내용이 있으시면 가능한 한 상세히 기록하여 주십시오.

번호	추가 내용
1	
2	
3	
4	
5	

2. 스포츠관광 활성화를 위한 구체적인 프로그램 측면

다음과 같이 국내의 전문서적, 학술지, 유사연구내용을 참고로 하여 국내의 제한된 전문가의 의견을 반영한 스포츠관광의 활성화를 위한 구체적 프로그램이 제시되어 있습니다.

그 내용은 1) 태권도메카 관광, 2) 국내 각 지역 고유 특성화를 통한 스포츠관광, 3) 민속스포츠 관광, 4) 스포츠박물관 관광, 5) 겨울 스키 및 눈썰매 관광, 6) 여름 해양스포츠 관광, 7) 대규모이벤트(월드컵, 아시안게임)의 효율적 활용 등으로 나타났습니다.

본 설문서에 제시된 내용 외에 귀하께서 평소 중요하다고 생각되어 추가해야 할 내용이 있으시면 그 내용을 가능한 한 상세하게 기록하여 주십시오.

번호	추가 내용
1	
2	
3	
4	
5	

1차 설문을 작성한 후 중요도와 추가내용을 종합한 피드백을 2차 설문과 함께 작성하게 된다. 3차 설문은 2차와 같은 요령으로 하여 전문가들의 의견을 종합한다.

다음은 델파이기법의 유의점을 요약한 것이다.

델파이기법의 유의점

1. 전문가들의 설문내용은 신뢰할만한 것인가 ?……전문가집단이 높은 참여동기를 가지고 성실하게 설문에 응하도록 하여야 한다. 왜냐하면 전문가집단의 성실도에 따라서 연구의 질이 결정되기 때문이다.
2. 1차, 2차, 3차 설문조사의 시간간격은 적절한가?……시간간격을 달리하면 반응이 달라질 수 있다. 연구의 효율적인 통제를 위해서 불필요하게 시간을 지체하는 것은 좋지 않다. Delbecq(1975)은 효율적인 조사를 위해서 44.5일이 가장 적당하다고 하였다.
3. 설문지 회수율을 높여야 한다……중도에 누락된 참여자의 응답을 연구에 포함시킬 것인가를 고려해야 한다.
4. 설문응답자의 주관성을 높여야 한다.……설문이 계속되면 응답자는 타인의 의견에 무의식적으로 쫓아갈 수도 있다. 하지만 너무 자신의 영역에서만 바라보면 전체적인 상황을 보지 못하는 경우도 있다.

8) 메타분석

메타분석(meta-analysis)이란 연구주제와 관련된 기존의 연구들을 수집하여 재분석을 시도하는 이른바 분석의 분석으로, 누적된 연구결과들을 통합하기 위한 목적으로 독립적으로 이루어진 개별 연구결과들을 한데 모아 통계적으로 분석하는 방법을 말한다(Glass, 1981). 이것은 기존 문헌연구의 단점을 보완한 일종의 문헌연구인데, 다양한 연구결과를 수량화하여 통계적 기법을 사용하여 분석하게 된다.

이 연구방법은 1970년대 이전에도 몇몇 학자들에 의하여 간헐적으로 시도된 적은 있지만 본격적으로 활발하게 연구가 시행되기 시작한 것은 1973년 Glass의 "통합적 고찰을 위한 메타연구방법"이라는 논문이 발표되고 난 이후이다. 이 논문을 통해서 그는 메타분석의 기본적 이론과 방법의 기초를 제시하였다. 이후 현재까지 사회 및 자연과학 분야에서 활발한 메타분석 연구가 진행되고 있으며, 체육학 분야에서도 생리학 · 심리학 · 교육학 등의 분야에서 조금씩 접근이 시도되고 있다(이기천, 1995).

이러한 메타분석의 특징을 요약하면 다음과 같다.

① 메타분석은 수량적 접근방법을 이용한다. 즉 통계적 방법을 이용하여 각 연구자료의 많은 정보를 수량화하여 분석하는 것이다.
② 통합하려는 모든 연구결과를 메타분석의 대상으로 삼는다. 즉 연구자의 주관적 판단이 개입되지 않고 모든 연구결과, 심지어는 발표되지 않은 연구결과조차 메타분석에 포함시킨다.
③ 메타분석은 포함시키고자 하는 연구의 수량뿐만 아니라 연구방법도 일반화시켜 여러 연구결과를 전체적으로 통합하여 해당 연구문제에 대한 일반적 결론을 도출한다.
④ 이 연구방법은 체계적이고, 객관적이며, 반복이 가능하다.

한편 메타분석의 장점은 다음의 4가지로 설명된다.

① 통계적 검증력을 높일 수 있다.
② 정확한 효과크기(effect size)를 산출할 수 있다.
③ 주제와 관련된 변인 간에 존재하는 관계양상에 대해 효과적인 파악이 가능하다.
④ 대립되는 연구결과에 대하여 원인파악이 가능하다.

(1) 메타분석의 절차

메타분석의 수행절차는 다음과 같다(Thomas, Nelson, 1990).

① 연구문제를 규정한다. 연구자는 관심 있는 연구문제를 선정하고 그 문제를 해결하기 위한 조작적 정의를 거친다.

② 자료를 검색한다. 여기서 연구의 모집단은 모든 연구물이며, 주의할 점은 잘 알려진 발표된 논문뿐만 아니라 발표되지 않은 연구물도 수집대상으로 삼는다.
③ 수집된 자료를 연구에 포함시킬 것인가 아닌가를 결정한다.
④ 중요한 연구특성들을 코딩한다. 필요한 자료를 모두 수집한 다음에는 개별연구의 특성을 기술 · 분류하여 수량화한다. 즉 코딩양식을 만들어 연구의 출처와 일자, 피험자의 특성, 실험처치내용, 연구설계, 변인의 측정방법 등을 같이 코딩한다.
⑤ 효과크기(effect size)를 계산한다. 효과크기는 비교실험의 연구결과를 통합하기 위해서 사용되는 타당한 방법인데, 효과크기는 다음과 같은 식으로 나타낼 수 있다. 이 효과크기는 실험집단과 통제집단 간의 차이를 표준화시킨 값이다.

$$ES = \frac{M_E - M_c}{S_C}$$

여기에서 M_E는 실험집단의 평균, M_C는 통제집단의 평균, S_C는 통제집단의 표준편차

⑥ 결과를 보고한다.

(2) 메타분석의 적용 예

이기천(1995)은 "직전교사의 체육수업 교수행동 수정에 대한 메타분석 연구"에서 체계적인 관찰도구를 이용한 지도교수의 개입이 어떻게 직전교사와 학생들의 수업행동에 영향을 미치며, 이러나 수업행동들이 학습자와 학습성과와는 어떠한 관련이 있는지 기존의 연구들을 통합하여 재분석하였다. 독립변인은 지도교수의 측정도구를 이용한 개입이며(강의, 칭찬, 질문, 운동수행, 피드백/비피드백, 운영시간), 종속변인은 교사와 학생들의 행동변인(실제운동 참여시간, 운동/비운동시간, 체육교과/비체육교과)이다. 연구에 사용된 문헌은 최종 9개로 선정되었다(표 2-7). 이것을 변수별로 효과크기의 평균을 구한 것이 <표 2-8>이다.

교사 운동관련 피드백을 보면 평균효과크기가 0.77이다. 이는 지도교수가 측정도구를 이용하여 직전교사들에게 피드백을 제공한 실험집단이 그렇지 않은 비교집단보다 0.77 오른쪽으로 떨어져 분포한다는 뜻인데, 비교집단 평균에서의 거리가 0.77이라 뜻이다. 이는 표준정규분포의 오른쪽 약 30%에 해당되는 값이므로, "피드백을 받은 실험집단이 그렇지 않은 비교집단보다 80%의 효과가 있다."라고 해석하면 된다.

표 2-7. 문헌별 특성요약 및 효과크기

항목	교사특성	학생특성	측정도구	통계양식	행동변인	교사수	학생수	ES
1	직전교사	고등부		M, SD	· 실제운동 · 참여시간	8		1.66
2	경력교사		PETAI	t	· 강의시간 · 운동FB · 비운동FB	29	36	0.29 0.80 0.91
3	직전교사	초등부	ALT-PE	F	· 실제운동	6		0.10
4	직전교사	초등부		F	· 운동FB · 비운동FB	15		0.10 0.02
5	경력교사	초등부	ALT-PE	M, SD	· 운동참여 · 비참여 · 실제운동	6	21	2.32 −2.07 14.63
6	직전교사	고등부	ALT-PE	F	· 체육교과 · 비체육교과	30	30	1.52 0.81
7	직전교사	초등부 중등부	ALT-PE	M, SD	· 교사관리 · 실제운동 · 비체육 · 운동참여	13		−0.56 −0.43 −0.20 0.81
8	직전교사	초등부	PETAI	t	· 학생관리 · 실제운동 · 운동FB · 비운동FB · 운동참여	14		−0.51 0.11 1.78 1.19 1.19
9	직전교사	초등부 중등부	PETAI	M, SD t	· 교사강의 · 질문 · 교사관리 · 실제운동 · 학생관리 · 운동FB · 비운동FB · 운동수행	12	144	1.96 −0.03 −1.97 2.25 −1.03 0.31 −0.33 0.51

표 2-8. 효과크기의 평균

강의	질문	운영	운동관련 FB	비운동 관련FB	순수운동 참여시간	운동수행 시간	비운동 수행	체육관련 시간	비체육 관련시간	운동수행 능력
1.22	-0.04	-1.41	0.77	0.43	1.43	1.29	-1.66	0.3	1.52	0.61

3. 체육학의 연구영역

체육은 그 연구영역이 자연과학 분야와 인문사회과학 분야, 그리고 예술 분야까지를 망라하기 때문에 연구영역을 한마디로 설명하기란 쉽지 않다. 자연과학도 사회과학도 사람에 따라서, 그 목적하는 의도에 따라서 구별하고 분류할 수 있으며 내용도 마찬가지이다. 때문에 연구를 처음 시작하는 사람은 어느 영역을 연구대상으로 설정할 것인가를 고심하게 된다.

체육이라는 사상이나 현실의 연구에는 많은 분야가 관련되어 있다. 보통 대학에서는 체육원리, 체육사, 체육사회학, 체육심리학, 체육경영관리학, 운동역학, 야외교육론, 인체해부학, 운동생리학, 영양학, 스포츠의학, 바이오메카닉스, 레크리에이션 등으로 학부과목을 구성하고 있으며, 부속시설로는 스포츠연구시설이 있다. 이것은 스포츠생리학, 운동심리학, 운동역학 부문으로 나누기도 한다.

다음은 체육학의 연구영역을 정리한 것이다.

1) 체육원리

학명	구분	세부사항
체육원리	체계론	
	인식론	· 지식의 원천 · 지식의 본질 · 지식의 타당성 · 철학과 과학의 연구법 · 기타
	존재론	· 신체론 · 정신론 · 기타
	비교철학론	· 유물주의 · 이상주의 · 자연주의 · 현실주의 · 실용주의 · 실존주의 · 논리적 경험주의 · 변증법 · 기타

학명	구분	세부사항
체육원리	가치론	· 체육의 가치(본질) · 윤리학(규범론)과 스포츠 생활 · 미학과 스포츠 · 동서철학과 스포츠 (가치시스템의 검토) · 종교(종교의 본질 · 신앙)
	스포츠철학과 주변	· 스포츠철학과 과학 · 스포츠철학과 사회 · 스포츠철학과 논리 · 스포츠철학과 언어 · 기타
	현대체육철학(원리)의 상황	· 주체제와 소외 · 사실과 가치 · 이론과 실천 · 개인주의와 국가통제 · 자유 · 권리 · 정의 · 책임에 따른 문제 · 역사의 철학 · 철학과 교육적 여러 문제 · 기타

2) 체육사

학명	구분	세부사항
체육사	통사	· 세계
	상고사	· 유럽
	고대사	· 아메리카
	중세사	· 아시아 · 아프리카

학명	구분	세부사항
체육사	근대사	· 한국
	현대사	· 한국의 각 지방
	기타	· 기타

3) 체육사회학

학명	구분	세부사항
체육사회학	체육사회학의 기초이론	· 총설, 일반, 원리 · 연구법
	체육 · 스포츠 경기와 사회문화	· 총설, 일반, 원리 · 문화(종교, 사상, 예술 등), 문화권, 민족, 국가, · 문화, 변용, 사회변동 · 사회구성층, 사회적 이동, 인구 · 정치, 제도, 행정, 기획, 관리, 운영, 조직, 시설 · 교육, 학교, 지도, 교사 · 지역사회, 도시, 농촌, 가족, · 경제, 노동, 직장 · 매스커뮤니케이션, 매스미디어 · 레저, 레크리에이션

학명	구분	세부사항
체육사회학	체육 · 스포츠 경기의 구조	· 총설, 일반, 원리 · 매너, 규범, 가치 · 집단 · 대회, 선수
	체육 · 스포츠 경기의 사회심리학적 연구	· 총설, 일반, 원리 · 모럴, 집단의식, 응집성 · 사회적 성격, 퍼스낼리티, 동기, 의식, 태도 · 이미지, 행동, 사회적 발달, 사회화
	여가 레크리에이션	· 순수여가, 응용레크리에이션, 여가행정, 치료
	사회체육	· 체육실천, 운동 · 건강 · 체력의 사회학적 연구
	관련조사자료	
	기타	

4) 체육심리학

학명	구분	세부사항
체육심리학	원리	· 역사 · 연구 · 연구방법론
	인지와 반응	· 지각 · 운동반응 · 표현
	사회심리	· 태도 · 흥미 · 집단 · 대인관계 · 사회행동
	생리심리	· 생리심리 · 심리상관
	학습과지도	· 운동학습 · 지도법 · 수업분석

학명	구분	세부사항
체육심리학	퍼스낼리티	· 퍼스낼리티의 특성 · 퍼스낼리티의 형상
	발달심리	· 신체 · 운동 · 정신
	측정평가	· 측정 · 적성 · 평가
	임상 · 장애	· 문제행동 · 카운셀링
	경기심리	
	기타	

5) 생체역학

학명	구분	세부사항
생체역학	측정 · 분석법	· 역학량 · 생체정보 · 텔레미터 · 컴퓨터처리 · 기타
	운동기능	· 근출력 · 신경지배 · 에너지원 · 운동효율 · 제어 · 조절 · 기타
	평형운동	· 자세 · 중심 · 기타
	이동운동	· 걷기 · 달리기 · 뛰기 · 헤엄치기 · 미끄러지기 · 기타
생체역학	투타운동	· 던지기 · 차기 · 때리기 · 누르기 · 끌기 · 젓기(배 등) · 기타
	기타 운동	· 떨어지기 · 가라앉기 · 돌기 · 춤추기 · 받기 · 기타
	환경 · 설비용구	· 역학적 특성 · 해부학적 특성 · 생리학적 특성 · 기타
	운동기술	· 기술학습 · 기술지도 · 기타

6) 운동생리학

학명	구분	세부사항
운동생리학	신경 · 근 기능	· 운동의 제어기구, 근방추 · 감각 · 반사 · 반응시간 · 조정력 · 기술분석 · 근력, 파워, 근지구력 · 근수축의 생리학 · 근조직과 에너지원 · 학습과 트레이닝 효과
	호흡 · 순환 기능	· 심장(심박출량, 심전도, 심박수 등)혈관, 림프샘 혈압, 맥박 · 말초순환 · 허파환기 · 조직호흡 · 에너지대사 · 트레이닝 효과
운동생리학	체액조절기능	· 혈액 · 조직액 · 소변생성 · 트레이닝효과
	내분비기능	· 호르몬 · 성주기 · 기 타
	체력	· 형태, 자세, 조성 · 운동능력 · 운동선수(경기력) · 남녀차이 · 연령차이 · 수명 · 운동처방, 트레이닝 · 유전, 트레이닝 효과

학명	구분	세부사항
운동생리학	환경	· 기압(고저) · 온도, 습도 · 풍압 · 수중 · 기타
	컨디셔닝	· 안정, 휴양 · 수면 · 워밍업 · 쿨링다운 · 기타
	습도조절	· 발한 · 피부온도 · 심부온도
	스포츠의학	· 건강관리 · 내과적 질환 · 외과적 질환 · 기타 질환

학명	구분	세부사항
운동생리학	피로	· 급피로현상 · 피로측정
	스포츠 생리학	· 육상경기 · 체조경기 · 수영경기 · 구기 · 격투기 · 기타
	영양 · 약물	· 소화, 흡수 · 3대 영양소 · 비타민. 미네랄 · 음주, 흡연, 약물 · 기타
	측정법 · 기기의 개발	· 에르고미터 · 기타
	기타	

7) 발육 · 발달

학명	구분	세부사항
발육 · 발달	신생아, 영아기	
	유아기, 아동기	
	사춘기, 청년기	
	청년기, 성인기 (장년층, 노년층 포함)	
	기관, 조직	

학명	구분	세부사항
발육 · 발달	구분항과 맞추어 세부사항을 구성	· 형태 · 구조 · 기능(생리적 · 물리적) · 운동능력 · 정신 · 심리 · 생리 · 성숙 · 생활(운동, 놀이, 식사 등) · 복합 · 기타

8) 체육경영 및 관리학

학명	구분	세부사항
체육경영및관리	체육경영 · 관리학의 원리와 연구방법	· 개념(체계론 포함) · 역사 · 사상 · 연구방법
	체육경영체	· 체육경영체 · 경영자 · 관리자 · 지도자
	체육사업	· 운동집단 · 운동프로그램 · 운동시설 · 체육사업 전반 · 체육홍보

학명	구분	세부사항
체육경영및관리	운동자	· 운동자 · 운동자행동 · 운동생활
	체육경영 · 관리의 기능과정	· 계획 · 조직 · 통제 · 평가 · 리더십, 의사결정 · 재무 · 사무

학명	구분	세부사항
	체육경영 · 관리의 영역	· 학교체육 · 스포츠의 경영 · 관리 · 지역체육 · 스포츠의 경영 · 관리 · 직장체육 · 스포츠의 경영 · 관리 · 운동시설의 경영 · 관리 (개인시설 포함)

학명	구분	세부사항
	운동안전 · 관리	· 운동사고(안전대책 포함) · 운동사고의 법적 책임 · 운동사고의 보상
	기타	

9) 체육방법학

학 명	구분	세 부 사 항
체육방법학	원리와 연구법	· 원리 · 역사 · 연구법
	운동방법학 개론	· 운동방법론 · 운동적성론 · 운동형태론 · 재활론 · 트레이닝 · 체력론 · 운동시설 · 용구론 · 기타
	코치론	· 기술분석, 팀분석, 운동기술, 전술론, 지도자론 · 기타

학 명	구분	세 부 사 항
체육방법학	학습론	
	규칙심판론	
	운동상해/사고방지	
	대상별 운동방법	
	구분항과 맞추어 세부내용을 구성	· 체조 · 기본운동 · 체조경기 · 육상경기 · 수영경기 · 격투기 · 구기 · 무용 · 야외활동 · 레크리에이션 활동 · 기타

10) 체육측정평가

학명	구분	세부사항
체육측정 · 평가	측정법의 검토 · 개발	· 형태(체격, 체형, 자세 등) · 기능(체력, 기능, 생리기능) · 기타
	테스트의 검토 · 개발	· 체력테스트 · 운동능력테스트 · 기능테스트 · 기타
	측정기기의 검토 · 개발	· 벨트 테스트용 기기 · 라보 테스트용 기기 · 기타
	측정조사 결과 · 자료	· 일반인 · 스포츠맨 · 외국인 · 기타

학명	구분	세부사항
체육측정 · 평가	통계처리 결과	· 검정 · 상관관계 · 회귀분석 · 인자분석 · 기타
	표준치의 작성 · 검토	· 성 · 연령별 · 직업별 · 지역별 · 기타
	평가법의 검토 · 개발	· 체력평가 · 운동능력평가 · 기능평가 · 체육평가 · 기타

학명	구분	세부사항
체육측정·평가	건강진단법	· 의학적 진단 · 간접진료법 · 기타
	지수의 작성 · 검토	· 형태 · 기능 · 기타

학명	구분	세부사항
체육측정·평가	기타	· 문헌연구 · 측정평가 원론 · 역사 · 기타

11) 체육과교육학

학명	구분	세부사항
체육과교육론	총론	
	유 · 소년기	
	청년기	
	여성체육	
	특수체육	
	기타	

학명	구분	세부사항
체육과교육론	구분항과 맞추어 세부내용을 구성	· 체육과교육원론 · 교육과정론 · 학습자론 · 교재론 · 방법론 · 평가론 · 제도론 · 교사론 · 기타

12) 체육과보건학

학명	구분	세부사항
체육과보건학	건강교육	· 역사 · 방법 · 원리 · 교재연구 · 성교육 · 정신건강 · 건강지도
	건강관리	· 건강진단 · 건강상담 · 질병대책 · 영양 · 식품 · 생활설계 · 회복기 관리 · 재활론
	지역보건	· 환경보건 · 도시보건, 농촌보건 · 공해 · 사회보장 · 사회복지
	산업보건	· 직장보건 · 근로복지 · 가사노동

학명	구분	세부사항
체육과보건학	학교보건	· 보건계획 · 운영 · 학교행사 · 양호 · 급식
	보건운동	· 운동생리 · 유아운동 · 성인운동 · 허약자운동 · 교정운동 · 레크리에이션
	안전교육 · 관리	· 역사 · 안전지도 · 학교안전 · 직장안전 · 스포츠상해 · 교통안전 · 색채관리 · 구급 · 간호
	기타	

요 약

연구는 목적 및 성격에 따라 기초연구와 응용연구로 나눌 수 있다. 기초연구는 현존하는 지식영역을 확장하거나 개선하여 지식획득을 목적으로 하며, 응용연구는 실제적인 문제를 해결하는 데 있다. 또, 연구방법에 의해 구분하면 문헌적 연구, 역사적 연구, 논리적 연구, 설문조사, 측정적 연구, 실험적 연구 등으로 분류할 수 있다.

문헌적 연구란 연구자가 관련된 기존의 이론이나 연구결과를 탐색하여 전반적으로 검토하는 연구이며, 역사적 연구란 과거에 관한 자료를 바탕으로 과거에 관한 문제를 연구하고 조명하는 것이며, 논리적 연구란 현상을 분석해서 본질에 연관되는 법칙을 도출하여 다른 과제에 적용시켜 문제의 해결책을 찾아내며 이를 토대로 하여 미래를 예측하는 것이다. 설문조사란 면접에 의하여 조사대상자의 실정·사상·특정 질문에 대한 반응 등을 조사해야 할 경우에 많은 사람을 대상으로 단시간 내에 자료를 모아 그들의 일반적인 경향을 파악하는 방법이며, 측정적 연구란 어떤 특정사건이나 현상을 정확하게 측정하여 새로운 지식과 결합되기 위한 연구이며, 실험적 연구란 연구자가 의도적으로 조작하여 특정조건을 주고 그 변화를 조사함으로써 그것을 활용하여 주어진 조건이 어떤 영향을 미치는가를 보는 연구이다.

델파이기법이란 다수 전문가의 의견을 피드백시켜 그들의 의견을 수렴하고, 소위 집단적 사고를 체계적으로 접근시키는 방법이며, 메타분석이란 연구주제와 관련된 기존의 연구들을 수집하여 재분석을 시도하는 이른바 분석의 분석으로서 누적된 연구결과들을 통합하기 위한 목적으로 독립적으로 이루어진 개별연구 결과를 한데 모아 통계적으로 분석하는 방법을 말한다.

연구문제

1. 연구의 유형에는 어떤 것들이 있는가? 그리고 체육학에서 어떠한 것들이 이루어지고 있는가를 예를 들어 설명하라.

2. 연구의 유형별로 연구된 체육학논문을 찾아보자.

3. 체육학의 새로운 연구분야는 어떠한 것들이 있는가를 조사해보자.

연구란 연구자와 연구환경에 따라 조금씩 차이가 있다. 다시 말해서 획일적인 틀은 없다는 얘기이다. 그러나 연구는 대개 일반적인 규칙에 의해서 이루어지게 된다. 이 장에서는 연구의 일반적 과정과 절차를 다루고, 여러 연구자들이 제시한 연구절차의 모형을 소개한다.

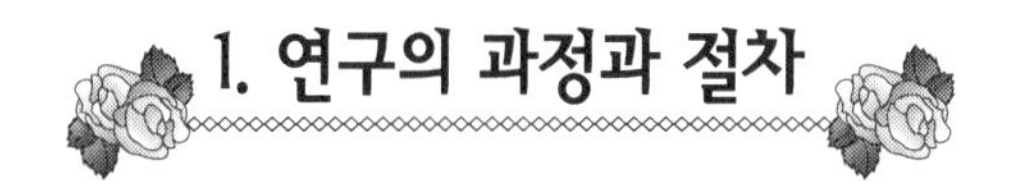

1. 연구의 과정과 절차

1) 연구의 일반적 과정

연구는 부지런함과 동시에 체계적으로 시도해야 하는 작업이다. 이것은 사실과 이론, 적용대상, 적용방법 등을 발견해내거나 고안해내야 하는 조사활동이다. 본질적으로 이것은 과학적 연구 · 조사방법을 적용함으로써 문제해결에 접근하는 방식이다.

연구에 처음 임하는 사람은 우선 연구에서 큰 수확과 공헌을 확신하고 시작할 것이 아니라, 질서 정연하고 순서에 따르며 규칙적이고 형식을 중시하는 작업과정을 거치는 것이 좋다. 다시 말해서 내용보다는 형식에 중점을 두는 편이 좋다는 뜻이다. 그러기 위해서는 알맞은 형식을 찾아야 한다.

한편 연구의 요소를 무엇으로 할 것이며, 어떻게 해야 한다는 것은 연구유형이나 학회에 따라 다를 수 있다. 따라서 모든 연구에서 통용될 수 있는 연구의 일반적 과정의 모형을 제시하는 것은 불가능하다. 연구의 절차에는 획일적인 틀은 없다는 뜻이다. 다만 여기에서는 편의상

체육학연구에서 비교적 많이 사용되는 실험 · 비실험연구 중 공통적으로 사용될 수 있는 모형을 설명한다.

2) 연구의 일반적 절차

일반적으로 연구자들은 (1) 문제발견, (2) 문헌고찰, (3) 가설설정, (4) 연구설계, (5) 도구제작, (6) 실험 및 자료수집, (7) 자료분석, (8) 결과평가, (9) 결과보고의 절차를 따르게 된다. 연구의 일반적 절차는 <그림 3-1>과 같다(이종승, 1984).

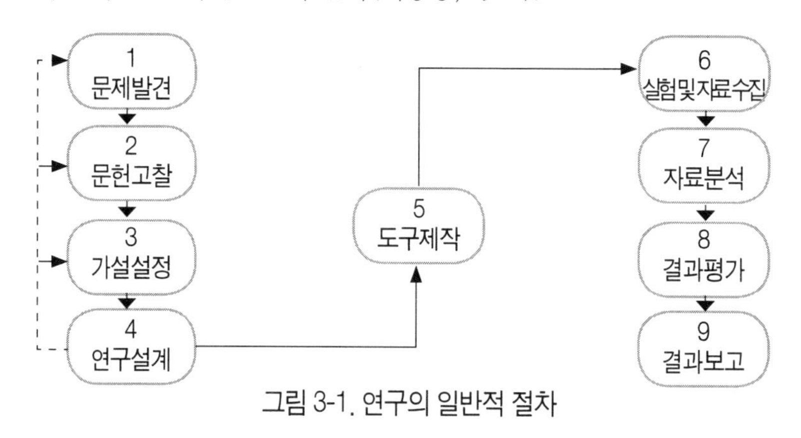

그림 3-1. 연구의 일반적 절차

실제과정에서 모든 연구자들은 각 단계를 그대로 엄격하게 따르거나, 모든 것을 언제나 미리 자세하게 생각하는 것은 아니다. 사실상 이론적이며 충분히 구성한 연구절차란 과학적 연구를 둘러싼 신화에 불과하다. 그러나 이러한 경고와 함께 바람직한 연구절차를 간단히 살피는 것도 중요하다.

(1) 문제발견

우리는 일상생활에서 호기심을 일으키게 하는 수많은 사건과 현상에 직면하는데, 이때에 연구자는 지적 호기심과 의문을 갖고 그러한 사상을 주의깊게 관찰하여야 한다. 연구문제를 발견하기란 그리 쉬운 일이 아니다. 참신하면서도 수행 가능한 연구문제이면서 이론적 또는 실제적으로 의미있는 문제를 찾으려면 예리한 통찰력이 있어야 한다.

(2) 문헌고찰

연구하려는 문제가 어느 정도 구체화되었으면, 그 문제와 관련된 이론이나 선행연구를 고찰한다. 관계문헌을 고찰하는 이유는 가설을 형성하기 위한 근거를 찾고, 연구방법이나 결과

해석에 도움이 될만한 내용과 자료를 얻기 위해서이다. 따라서 연구문제와 직접적으로 관련된 문헌만을 골라서 체계적으로 분석 · 고찰해야 한다.

(3) 가설설정

가설이란 변인과 변인 간의 관계를 알아보기 위하여 실증단계 이전에 연구자가 내린 잠정적 결론을 말한다. 가설은 연구자가 아무렇게나 즉흥적으로 세우는 것이 아니다. 일반적으로 문헌고찰을 통하여 이미 밝혀진 사실이나 이론을 검토하고, 관련된 선행연구를 자세히 분석하여 얻은 지식을 근거로 가설을 설정해야 한다.

(4) 연구설계

연구문제의 해결방안과 가설을 검증할 수 있는 계획 및 절차를 짜놓은 것이 연구설계이다. 이 단계에서 적당한 연구방법이 없거나 실행성이 희박하다고 판단되면 이전단계로 거슬러 올라가야 한다. 연구설계에서 연구자가 충분히 고려해야 할 사항은 연구대상의 표집, 자료의 수집과 분석방법, 연구설계의 실행방안 등이다.

(5) 도구제작

도구란 어떤 현상이나 행동특성을 관찰하고 조사하는 데 사용되는 측정도구, 또는 연구조건이나 상황을 제시하고 규정하는 처치도구를 말한다. 연구자가 직접 측정도구를 제작하거나 기존의 도구들 중에서 선택할 때에는 그 도구의 타당도 · 신뢰도 · 객관성 등을 고려하여 최적의 도구를 제작 또는 선정해야 한다. 도구가 잘못되면 그 연구의 결과가 어떻게 될 것인가는 자명하다.

(6) 실험 및 자료수집

연구설계의 계획에 따라 실험 및 자료수집을 하게 된다. 여기서 유의할 점은 조건을 잘 통제하여 연구의 타당성을 높이는 일이다. 연구자는 연구과정에 작용하는 모든 변인들을 잘 관리해야 하며 도구를 가지고 필요한 자료를 수집하게 되는데, 이때 연구자는 타당하고 신뢰로우며 객관적인 자료를 얻도록 노력해야 한다.

(7) 자료분석

얻어진 원자료(raw data)에는 자료들이 무질서하게 섞여 있으므로, 연구자는 수집된 자료를 체계적으로 정리하고 의미있게 재조직하고 분석하는 작업을 하게 된다. 자료분석이란 아직 정리되지 않은 원자료에 어떤 질서를 주는 일이다. 미리 구상된 연구설계에 맞게 자료를 적절한 기준으로 분류 · 조직하고, 적절한 통계기법을 사용하여 체계적으로 자료를 분석하면 된다.

(8) 결과평가

결과평가는 연구에서 발견한 사실을 바탕으로 가설의 긍정 여부를 판단하고, 연구를 진행하는 과정에서 있었던 문제들을 전반적으로 검토 · 논의하여 연구의 결론을 도출하는 것이다. 연구자는 연구결과를 있는 그대로 받아들이고 선행연구나 이론과 관련시켜 평가해야 한다. 연구자는 지적으로 정직하고 개방적인 자세로 연구에 임해야 하나, 결론을 내릴 때 지나친 일반화를 삼가는 것이 좋다.

(9) 결과보고

다른 사람에게 자기가 수행한 연구결과를 알려주기 위하여 연구자는 연구를 끝마친 다음에 보고서를 작성한다. 연구내용을 효율적으로 전달하기 위해서 연구보고서를 잘 쓰는 일이 중요하다. 연구보고서에는 연구의 목적과 문제, 방법과 절차, 결과 및 해석 등을 포함시킨다. 연구보고서는 감정적이거나 과장된 수식어로 표현해서는 안되며, 솔직하고 간결하게 오직 사실대로만 기술해야 한다.

2. 연구절차의 모형

다음에는 여러 연구자들이 제안한 연구절차의 모형이다.

(1) Rothstein 형

① 문제의 발견 ② 정보의 수집
③ 가설의 설정 ④ 연구의 설계
⑤ 자료의 수집 ⑥ 자료의 분석
⑦ 결론

(2) Mcquigan, F. J. 형

① 주제의 결정 ② 문헌연구
③ 과제의 진술 ④ 가설의 설정

① 변인들의 정의 ⑥ 실험도구의 선정 및 제작
⑦ 변인들의 통제 ⑧ 실험방안의 선정
⑨ 피험자 선정 ⑩ 실험처치
⑪ 자료의 통계적 처리 ⑫ 실험정보의 진술
⑬ 가설의 검증 ⑭ 결과의 일반화

(3) Scott, W. A.의 형

① 연구영역의 선정 ② 발상
③ 문헌조사 ④ 연구범위의 결정
⑤ 연구전략의 선택 ⑥ 도구와 기술의 개발
⑦ 조사대상자의 결정 ⑧ 자료수집
⑨ 분석과 해석 ⑩ 보고서 작성

(4) Kelley 형

① 필요의 감지 ② 문제의 소재, 정의, 평가
③ 연구의 목적과 목표를 진술 ④ 목적에 부합된 잠정적 주제 결정
⑤ 목표달성을 위한 연구절차 결정 ⑥ 절차에 따라 방법과 내용을 기술하고 상상력 구사
⑦ 보고서 작성

(5) Good, C. V. 형

① 문제의 정의 및 전개 ② 관계문헌의 조사와 작업가설 설정
③ 적절한 자료수집방법 선정 ④ 자료의 분류 및 분석
⑤ 결론 및 일반화 ⑥ 적용 및 보고서 작성

(6) Doby 형

① 문제영역 선정 ② 현행이론과 지식에 대한 탐구
③ 문제의 정의 ④ 가설의 설정
⑤ 형식적 토론의 전개 ⑥ 자료원천에 대한 설명
⑦ 적절한 도구의 제작 및 구입 ⑧ 가상토론의 작성
⑨ 도구의 사전점검과 개정 ⑩ 자료수집
⑪ 자료의 분석과 해석 ⑫ 결론의 분석 및 일반화

요 약

연구의 일반적 절차는 ① 문제발견, ② 문헌고찰, ③ 가설설정, ④ 연구설계, ⑤ 도구제작, ⑥ 실험 및 자료수집, ⑦ 자료분석, ⑧ 결과평가, ⑨ 결과보고의 9단계로 구분된다. 각 요소와 단계는 서로 분리되어 있는 것이 아니고 서로 조금씩 겹치면서 연결되는 일련의 연구활동이다. 특히 문제발견에서 연구설계에 이르는 과정에서는 경우에 따라 위로 거슬러 올라가 그 단계의 연구활동을 재고해야 할 때도 있다.

연구문제

1. 연구의 일반적 절차를 알아보자.

2. 연구의 각 절차에서 유의해야 할 점은 무엇인가?

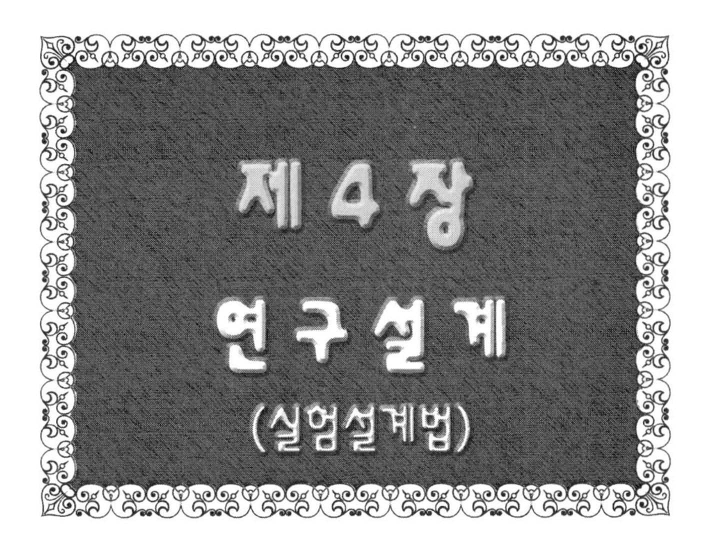

실험이란 여러 변수 간의 인과관계를 인위적으로 실험상황에 맞게 규정하고, 외생변수를 통제하며, 그 상황에서 주요 독립변수를 조작하여 종속변수를 관찰하여 파악하는 것이다. 이 장에서는 어떻게 변수 간의 인과관계를 규정하는지, 연구에서 사용되는 변인의 종류는 무엇인지, 연구의 타당도를 높이기 위한 변인의 통제방법은 어떻게 이루어지는지, 그리고 올바른 표본의 추출방법과 연구설계의 방법을 알아보기로 한다.

1. 실험설계의 원리

실험(experiment)은 자료수집 및 분석방법과 함께 가설검증이 가능하도록 설계되어야 한다. 실험은 대부분 상호관계나 인과관계(cause and effect relationship)를 직접적 또는 간접적으로 설명하기 때문에 연구자는 이러한 관련성들의 존재를 증명해주는 자료를 수집해야 한다. 이와 같이 실험은 관심영역에 대한 여러 변수 간의 관련성을 인위적 실험상황으로 규정하여 외생변수를 통제하고, 그 상황에서 주요 독립변수를 조작함으로써 종속변수의 변화를 관찰하는 것이다. 실험설계(experimental design)란 조작되고 통제된 조건하에서 어떠한 방법으로 결과를 관찰할 것인가에 대한 계획서이며, 따라서 실험의 목적은 피험자(실험단위)에게 독립변수가 종속변수에 유의하게 영향을 미치는지 알아보는 것이다.

1) 연구문제에 대한 해답 제공

연구설계의 주요한 기준의 하나는 실험설계가 "연구문제에 대한 해답을 구할 수 있도록 작성되어 있는가?", "가설을 적절히 검증하도록 되어 있는가?"이다. 학생들이 제출한 실험설계의 가장 심각한 약점은 연구문제에 대한 적절한 해답을 구할 수 없다는 것이다.

연구문제 및 가설과 실험설계가 일치하지 않은 예를 보면 연구에 관계가 없는 연구대상을 매칭(matching)하거나 실험집단 대 통제집단형의 설계를 사용하는 것이다. 학생들은 체격과 성별을 고려하여 연구대상을 매칭하였기 때문에 실험집단이 동등화되었다고 가정하기도 한다. 그들은 통제를 위해서는 연구대상의 매칭이 꼭 필요한 것으로 알고 있으며, 또 통제집단과 실험집단이 반드시 있어야 하는 것으로 알고 있다.

그러나 때로는 변수를 매칭하는 것이 연구목적상 부적절한 경우도 있다. 예를 들어 성(sex)과 종속변수 간에 아무런 관계가 없는데도 성을 매칭하는 것이 부적절한 경우이다. 또 세 개 또는 네 개의 실험집단이 필요함에도 불구하고 실험집단 세 개에 통제집단 하나라든가, 실험적 처리가 각각 다른 실험집단이 네 개 필요함에도 불구하고 실험집단과 통제집단의 두 집단이 필요하다고 생각하는 경우도 있다. 예를 들어 어떤 대학이 입학기준을 운동능력과 성별로 한다고 할 때 과연 그런지 알아본다고 하자. 정말 그렇다면 운동능력수준이 낮은 여자와 남자를 비교한다면 여자의 입학이 거절된다. 이것을 알아보기 위해 두 실험대상을 운동능력이 있는 지원자와 없는 지원자로 구성한다면 이러한 실험설계는 연구문제에 대한 정확한 해답을 제시해주지 못할 것이다. 따라서 연구는 그 연구문제에 대한 해답을 구할 수 있도록 설계되어야 한다.

2) 연구문제와 가설

(1) 가 설

연구문제를 해결하기 위해서는 실제 현상에서의 실증적 검증과정이 필요한데, 이러한 실증적 검증에 앞서 가설설정이 전제되어야 한다. 가설(hypothesis)이란 두 개 이상의 변수 또는 현상 간의 관계를 검증가능한 형태로 서술한 하나의 문장이다.

(2) 가설의 특성

가설은 일반적으로 독립변인과 종속변인의 관계를 서술해 놓은 하나의 문장으로, 다음과 같은 특성을 가지고 있다.

① 가설은 문제를 해결해 줄 수 있어야 한다. 가설의 가장 큰 목적은 문제를 해결하는 데 있다. 따라서 '가설이 참'이라고 밝혀지면 문제가 해결된다.
② 가설은 변수들 간의 관계 또는 현상 간의 관계를 나타내야 한다. 문제는 주로 어떤 사건을 중심으로 이루어져 있으나, 가설은 이러한 사건을 숫자로 표시할 수 있는 변수의 형태로 바꾸어야 한다.
③ 변수들 간의 관계는 검증할 수 있어야 한다. 검증 가능한 가설에 포함되어 있는 변수들은 조작적으로 정의할 수 있어야 하며, 이들은 직접 관찰되거나 측정될 수 있어야 한다.

(3) 가설의 종류

가설은 연구목적에 따른 분류와 통계적 검증단계에 따른 분류가 있다. 연구목적에 따른 분류에는 '기술적 가설'과 '설명적 가설'이 있으며, 통계적 검증단계에 따른 분류에는 '연구가설'과 '귀무가설'이 있다.

기술적 가설은 현상의 정확한 기술 즉, 사실규명에 관련된 가설로서, 어떤 변수의 크기 · 성질 · 위치 등에 대한 가설을 말한다. 설명적 가설은 인과관계를 규명하기 위한 가설로, 두 변수 간에 실제로 일어날 수 있는 관계를 나타내는 문장으로 구성된다.

연구가설(research hypothesis) 또는 작업가설(working hypothesis)이란 연구문제에 대한 잠정적인 해답으로서, 연구자가 제시한 가설을 말한다. 이는 경험적으로 검증가능하도록 진술한 가설로서 '차이나 관계가 있다'는 형식을 취한다. 귀무가설(null hypothesis)은 연구가설과 논리적으로 반대의 입장을 취하는 가설로서, '차이나 관계가 없다'는 형식으로 나타낸다. 연구가설은 귀무가설이 직접 채택될 수 없을 때 자동적으로 받아들여지는 가설이므로 직접 검증할 필요는 없다.

(4) 가설의 조건

일단 가설에 도출되면 좋은 가설인지 아닌지에 대한 평가를 내려야 한다. 궁극적으로 좋은 가설은 검증되어 지지됨으로써 문제에 대한 해답을 찾게 되고, 그 결과 기존지식체계에 추가적인 지식축적을 가져올 수 있어야 한다. 연구에 사용할 가설이 좋은 가설인지를 판단하려면 다음과 같은 기준에 비추어 평가한다.

① 경험적으로 검증 가능해야 한다. 즉 가설은 실증적 검정에 의해 옳고그름을 판단할 수 있어야 한다.
② 동일연구분야의 다른 가설이나 이론과 연관이 있어야 한다.
③ 가설은 연구문제의 해답에 대한 잠정적인 추정이므로 개연성이 큰 것이 좋다.

④ 논리적으로 간결해야 한다. 두 개 정도의 변수관계는 간단한 논리로 설명해야 한다.
⑤ 수량화가 가능해야 한다. 수량화란 수식이나 숫자로 모두 바꿀 수 있다는 의미보다는 통계적인 분석을 할 수 있어야 한다는 것을 의미한다.
⑥ 얻을 수 있는 지식이나 정보의 양이 많아야 한다.

가설이 실증적인 검증과정을 통하여 진실이라고 받아들여진다면, 그 가설은 연구문제의 해답을 제공해 줄 수 있으나, 가설이 진실이 아닌 것으로 판명되면 그 문제에 대한 해답을 제공할 수 없다. 가설은 두 변수 간의 관계에 대한 잠정적인 해답을 제시해 주는 것으로, 이를 경험적으로 검증함으로써 특정현상에 대한 설명을 가능케 해주어 연구자가 제시한 문제의 해답을 제공해 준다.

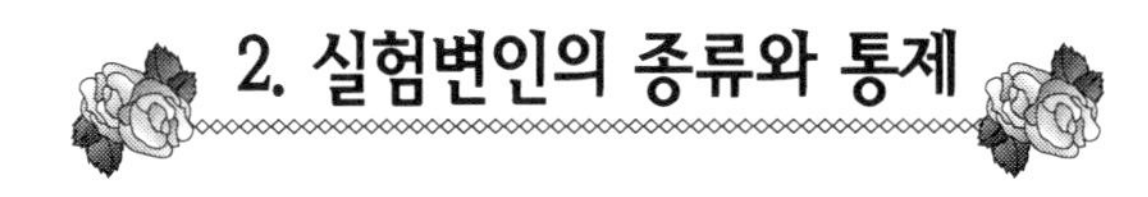

2. 실험변인의 종류와 통제

가설이 설정되면 다음 단계는 가설을 검증하기 위해 연구방법을 구체적으로 고안하는 단계이다. 이 과정에서 최초의 작업은 가설에 내재되어 있는 변수를 추출하고 그 변수의 특징을 고찰하는 것이다. 변인은 변수라고도 하며, 영문으로는 variable로 표기한다. 변인이라는 용어는 주로 통계학적 측면에서 많이 사용되며, 인문계와 자연계 공통으로 자주 사용하는 용어는 변수이다. 그 의미와 뜻은 동일하므로 어느 것을 사용해도 된다. 본 서에서는 두 용어가 혼용되고 있다.

1) 변인의 종류

(1) 독립변인

독립변인(independent variable)은 설명변인 또는 실험변인이라고도 한다. 이는 다른 변인에 영향을 주는 변인으로, 실험과정에서 조작되고 통제되는 변인이다. 이 변인은 실험과정에서 하나의 조건 또는 투입변인으로 작용함으로써 다른 변인에 영향을 준다. 이 변인는 영향을 주기만 할 뿐 다른 변인에 의해 어떤 영향을 받지 않기 때문에 독립변인이라 한다.

(2) 종속변인

종속변인(dependent variable)은 반응변인 또는 결과변인이라고도 하며, 독립변인에 의해 영향을 받는 변인이다. 이 변인은 독립변인에 의해서 변화되는 요인을 측정하는 것이다. 그렇기 때문에 대부분의 종속변인은 피험자에게서 나타나는 반응이나 변화되는 행동양식이 된다. 이 변인은 독립변인이 어떻게 변하는가에 따라서 변화될 것으로 예상되기 때문에 독립변인에 대해 종속적이다.

(3) 외생변인

외생변인(extraneous variable)은 종속변인에 영향을 미치는 변인으로서, 연구자가 관심을 갖는 독립변인 이외의 변인이다. 외생변인은 독립변인과 같이 작용하고 있기 때문에(두 효과가 섞여 있어 구분할 수 없기 때문에 교락(confounding)되었다고 한다) 이 효과를 통제하지 않으면 연구자는 독립변인과 종속변인의 관련성을 알 수 없게 된다. 그렇기 때문에 외생변인을 통제변인(control variable) 또는 교락변인(confounding variable)이라고도 한다.

외생변인은 종속변인에 영향을 끼치지만 실험에 포함되지 않은 변인이다. 따라서 외생변인을 얼마나 잘 통제하느냐에 따라 실험의 정확도가 결정된다.

종속변인과 독립변인, 외생변인을 그림으로 나타내면 다음과 같다.

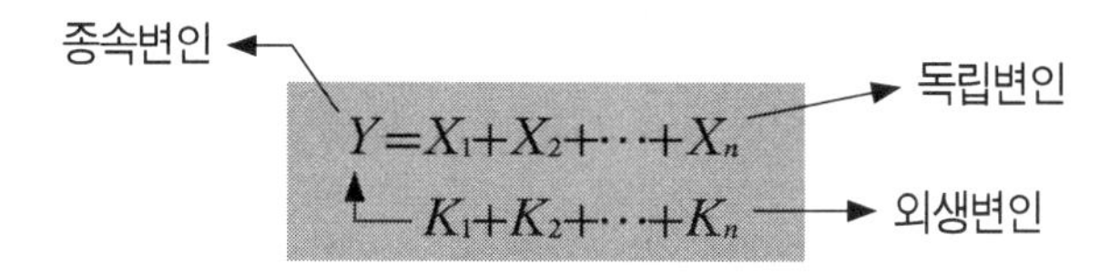

(4) 매개변인

독립변인과 종속변인 사이에서 어느 한 변인의 관계를 설명할 수 있을 때 이를 매개변인(mediatorial variable)이라 한다. 매개변인의 역할을 구조적으로 표현하면 다음과 같다.

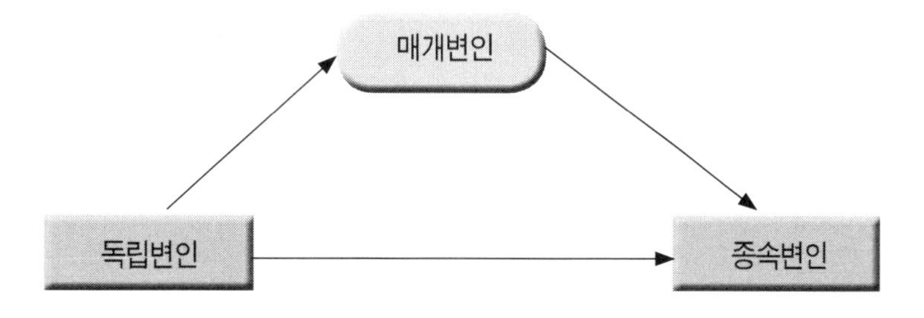

그림처럼 독립변인에 의해 영향을 받아서 종속변인에 영향을 미치는 변인이 존재할 때 이를 매개변인이라 한다. 어느 한 변인이 이런 역할을 수행하면 '매개효과가 있다'고 하고, 이런 모형을 매개모형이라 한다. 매개모형에는 완전매개모형(complete mediation model)과 부분매개모형(partial mediation model)이 있다. 다음의 그림은 매개모형을 구조적으로 표현한 것이다. 부분매개모형은 독립변인의 영향이 종속변인에 직접 미치는 효과와 매개변인을 통해

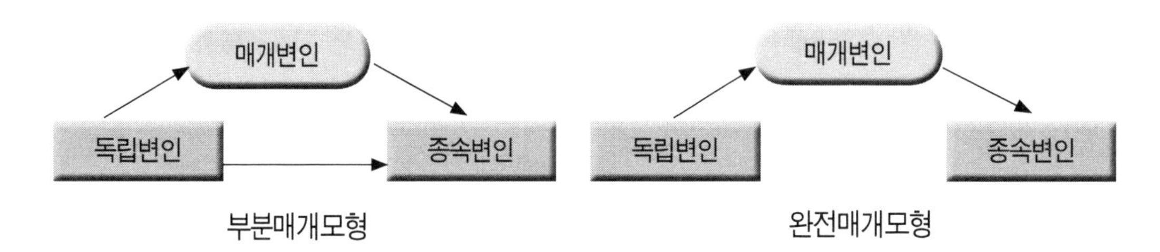

미치는 효과로 나누어지는 모형이며, 완전매개모형은 독립변인이 종속변인에는 직접적으로 영향을 미치지 않고 순전히 매개변인을 통해서만 영향을 미치는 것을 말한다.

어느 한 변인이 매개변인이 되기 위해서는 다음과 같은 요구조건이 만족하여야 한다.

① 독립변인이 매개변인에 영향을 주어야 한다. 즉 독립변인과 매개변인만의 관계에서 매개변인이 종속변인으로써 영향을 받아야 한다.

② 매개변인이 종속변인에 영향을 주어야 한다.

이 두 조건이 하나라도 만족되지 않으면 매개변인으로써 역할을 수행할 수 없다. 따라서 매개변인을 사용하려면 해당변인이 매개변인역할을 수행할 수 있는지부터 검정하여야 한다.

2) 변인의 통제

실험연구의 가장 핵심적인 요소는 변인의 조작과 통제이다. 연구문제를 설정하고 가설을 설정하여 변인을 구체화시키고 이를 조작적으로 정의하는 단계를 준비단계라고 하면, 변인의 조작과 통제는 연구실천계획이다. 이때 어떤 변인을 어떻게 통제하느냐에 따라 연구의 타당성이 결정된다. 이에 연구자는 연구의 타당성을 높이기 위하여 독립변인 이외의 다른 변인들이 작용하여 종속변인에 기대하지 않는 변화를 일으키지 않도록 여러 변인을 통제하게 된다.

그러나 실제 연구에서 연구목적 이외의 모든 변인을 통제하기란 그리 쉬운 일이 아니다. 통제집단을 통하여서도 적절하게 통제되지 못했던 변인을 찾아내고, 실험과정에서도 통제하는 방안을 찾아야 한다. Campell과 Stanley(1963)는 이들 통제되지 않은 변인을 내적타당도에 영향을 주는 변인과 외적타당도에 영향을 주는 변인으로 다시 세분화한 다음 실험설계과정에서 이들을 통제하도록 하였다.

통제해야 할 변인에는 독립변인, 종속변인, 매개변인, 외생변인이 모두 포함된다. 그런데 독립변인과 종속변인은 실험설계에 의해 연구자가 원하는 통제가 가능하지만, 외생변인은 현실적으로 독립변인이나 종속변인에 비해 그 수가 많고 다양한 속성을 지니고 있기 때문에 연구자의 의도대로 통제하기가 쉽지 않다. 이런 이유로 외생변인을 어떻게 얼마만큼 통제했느냐에 따라 연구의 수준이 결정되고, 나아가 성패를 좌우하기도 한다.

여기에서는 자주 나타나는 대표적인 외생변인들을 설명하고, 이들 외생변인들을 어떻게 통제할 것인지에 대해서 알아보기로 한다.

(1) 우발적인 사건

연구자의 의도와는 관계없이 종속변인에 영향을 미치는 사건(history)이 우발적으로 발생하는 경우를 말한다. 이런 종류의 외생변인은 내적타당도에 악영향을 끼치는 것으로 알려져 있다. 예를 들면 연구자가 대학의 교양체육 수강 여부에 따른 스포츠선호도를 조사한다고 가정하자. 연구자는 교양체육 수강 학생들의 스포츠선호도가 높을 것으로 가설을 세웠다고 하자. 연구조사시기에 월드컵과 같은 대규모 이벤트가 열리게 되면 교양체육 수강 여부와는 상관없이 스포츠선호도가 모든 학생에서 높게 나타나는 결과를 얻게 된다. 이렇게 특정사건이 우연히 발생하여 연구결과에 영향을 끼치는 것을 우발적 사건에 의한 외생변인의 발생이라고 한다. 이와 같은 외생변인의 영향을 막기 위해서는 조사시점을 면밀히 검토하여 정해야 한다. 그러나 우발적 사건의 종류는 매우 많고, 다양한 형태로 존재하기 때문에 완전히 제거하기란 쉬운 일이 아니다.

(2) 성숙효과

성숙효과는 주로 실험중간에 실험집단의 특성변화(심리적, 경제적, 신체적, 생리적 등)가 종속변인에 영향을 끼치게 되는 외생변인으로, 내적타당도에 영향을 끼치는 것으로 알려져 있다. 일반적으로 성숙효과는 실험이 장기간에 이루어질 때 자주 발생한다. 예를 들면 초등학생을 대상으로 5학년 교과과정 이수 전후의 체력을 비교한다고 가정하자. 이 경우 피험자들에게는 1년이라는 시간차이가 발생하게 되어 체력차이가 발생하더라도 그 원인이 교과과정 때문인지, 피험자의 성장(성숙)에 의한 것이지 구별할 수 없게 된다.

(3) 시험효과

시험효과에는 크게 주시험효과(main testing effect)와 상호작용시험효과(interaction testing effect)가 있다. 주시험효과는 동일집단에게 동일한 측정을 반복할 때 발생한다. 예를 들어 운동 중의 기억력에 대한 실험을 하기 위해 운동 전과 운동 중에 동일한 암기단어장을 제시하여 측정을 할 경우, 운동 전의 기억이 남아 운동 중의 측정에 영향을 끼치게 되는 현상이다. 주시험효과는 내적타당도에 영향을 주는 것으로 알려져 있다.

상호작용시험효과는 동일집단을 대상으로 실험을 할 때에 발생한다. 예를 들어 새로 나온 스포츠용품에 대한 광고의 효과를 알고 싶어 한다고 하자. 연구자가 동일집단에게 광고를 하기 전에 해당 스포츠용품에 대한 소비자인식 정도를 알아보기 위한 검사를 했다면, 검사에 참여한 집단은 광고를 접할 때 강하게 인식하게 된다. 이는 검사와 광고가 상호작용을 일으켜 종속변인에 강한 영향을 미치기 때문이다. 이런 효과가 상호작용시험효과인데, 이는 외적 타당도에 영향을 주는 것으로 알려져 있다.

(4) 측정수단의 변화

측정수단이나 도구의 변화(instrumentation), 측정자의 심리적 또는 태도 변화 등이 모두 여기에 속한다. 이런 외생변인은 실험기자재의 직접적인 변경이나 교체 시에도 나타나지만, 실험에 참여하는 피험자의 관리과정에서나 설문지조사에서 자주 발생한다. 실험에 참여하는 피험자들을 관리하는 연구자의 친절도, 설문조사 시 응답자에 대한 조사원의 태도 등에 의해 발생한다. 따라서 이러한 외생변인을 제거하기 위해서는 실험 시 참여하는 피험자에 대한 동일한 관리 또는 실험집단과 통제집단의 분리관리 등이 필요하며, 설문조사를 위해서는 반드시 조사자를 사전교육해야 한다.

(5) 통계적 회귀

통계적 회귀(statistical regression)는 평균값으로의 회귀를 의미한다. 보통 사전-사후검사 시 사전검사에서 비정상적으로 높거나 낮은 값이 나타날 경우 사후검사에서는 본래의 평균값으로 돌아가려는 경향으로 인해 반대로 낮거나 높은 값이 나올 확률이 높아짐을 뜻한다. 특정훈련이 자유투성공률을 향상시키는지 알고자 훈련 전-후에 자유투를 측정한다고 가정하자. 훈련 전 측정에서 평소 자신의 실력보다 높은 성공률을 보인 피험자는 훈련 후 측정에서 본래의 평균값으로 돌아가기 위해서 낮은 성공률을 보일 가능성이 커진다. 이런 외생변인을 제거하기 위해 반복측정방법, 최대값이나 최소값을 제외하는 방법 등이 많이 사용된다.

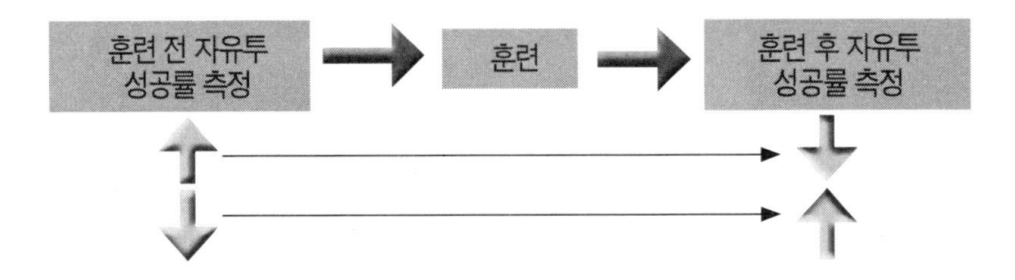

(6) 표본의 편중

각 집단의 최초상태가 서로 상이하여 실험효과의 왜곡현상이 발생하는 것을 표본의 편중이라 한다. 체력검사수행 시 표본으로 선정된 피험자들이 모집단을 대표하지 못하는 현상이 자주 발생한다. 예를 들어 대학생들을 대상으로 하는 체력검사가 체육과학생들로 편중될 경우 일반학생들에 비해 높은 체력점수가 나오게 된다. 이러한 외생변인은 경영분야에서도 자주 언급되는데, 제품가격인하에 따라 매출증대가 있는가를 실험할 때 선정된 표본이 고소득층 또는 저소득층으로 편중되면 그 결과가 서로 상이하게 나타나는 현상을 보이는 경우가 많다. 이같은 외생변인은 내적타당도에 영향을 주는 것으로 알려져 있다. 표본의 편중현상을 막기 위해서는 무작위추출방법을 사용하여 표본을 선정하는 것이 바람직하다.

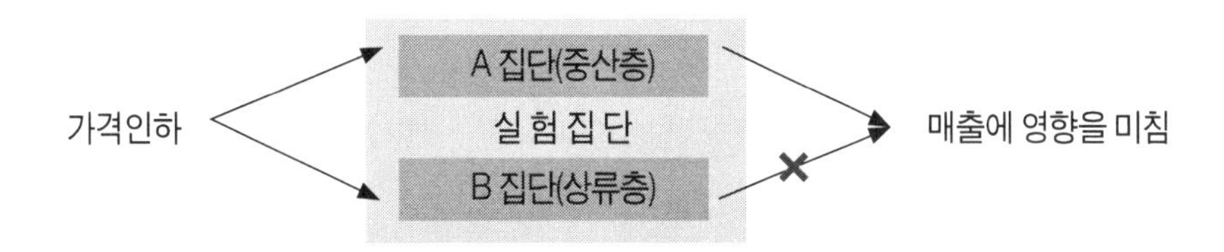

(7) 실험대상의 소멸 및 성질의 변화

실험 도중에 실험대상인 피험자의 소멸이나 그 고유의 성질이 변화하여 실험결과인 종속변수에 왜곡현상이 나타나는 것을 말한다. 일반적으로 동일집단을 장기간 실험할 때 발생한다. 예를 들어 스포츠활성화정책에 따른 여성들의 스포츠선호도 변화를 조사한다고 하자. 이를 위해 스포츠활성화정책이 시행되기 전에 여성집단을 상대로 측정한 후, 스포츠활성화정책이 시행된 다음 일정기간이 지난 뒤 동일집단을 대상으로 재측정하였다고 하자. 이때 일정기간을 너무 길게 잡으면 최초의 실험집단이 미혼여성만으로 구성되었다가 재측정 시에는 기혼여성이 포함된 집단으로 변하는 경우가 발생한다. 이렇게 집단의 성격이 변하면 실험효과에 왜곡현상이 나타나고, 사전-사후(pre-post) 간에 차이가 발생해도 여성의 스포츠선호도가 정책에 의한 변화인지, 아니면 집단성격의 변화로 인한 현상인지 알 수 없게 된다.

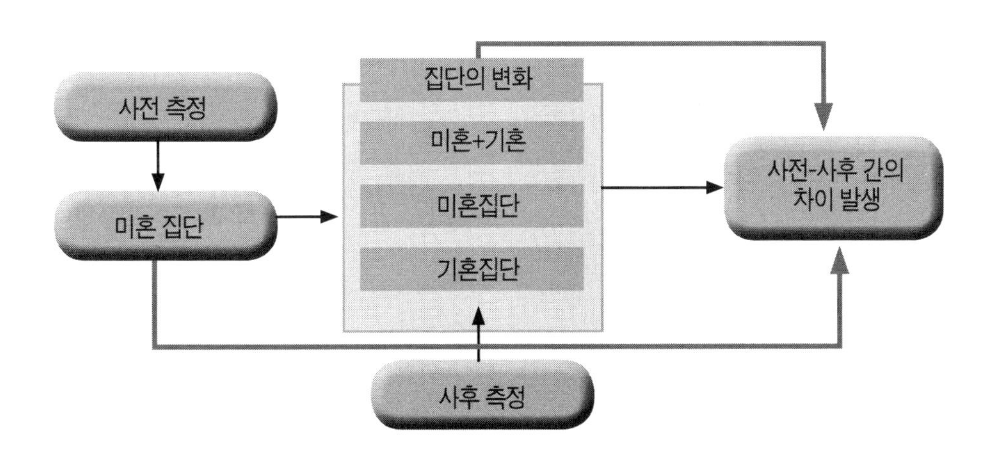

(8) 편중성숙효과

실험집단들 간의 성숙속도가 서로 달라 실험측정효과에 문제가 발생하는 현상을 편중성효과(selection-maturity)라 한다. 예를 들어 도시 어린이들과 농촌 어린이들 간의 학습능력을 조사한다고 하자. 도시 어린이들은 좋은 환경과 많은 교육시간을 통해 농촌 어린이들보다 학습속도가 빠르게 나타난다. 이런 상태에서 두 지역 어린이들의 학습능력을 평가하면 차이가 발생하게 된다. 그러나 그 결과가 정말 학습능력의 차이인가에는 확신할 수 없다. 왜냐하면 집단 간의 학습속도에 차이가 있으며, 또 실제 학습능력은 동일함에도 불구하고 조사시점을 잘못 선택하여(학습속도가 다르게 나타나는 시점) 마치 학습능력에 차이가 있는 것처럼 보일 수도 있기 때문이다. 따라서 이같은 실험을 위해서는 조사시점을 면밀히 검토할 필요가 있다.

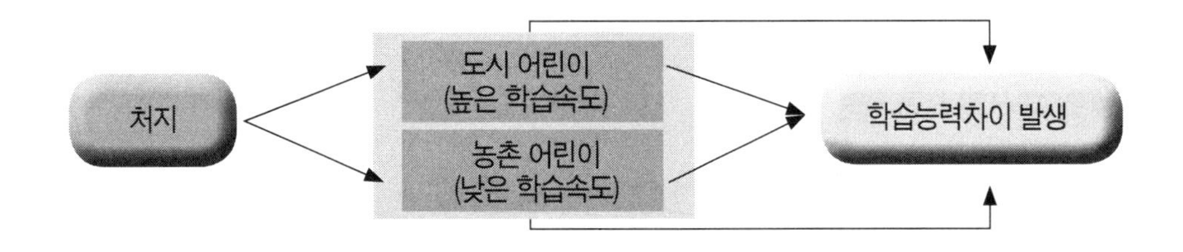

3) 외생변인의 통제

실험설계를 하기 전에 우선적으로 고려하여야 할 사항 중의 하나는 어떠한 외생변인이 결과변인에 영향을 미칠 가능성이 있는지를 파악하여 외생변인의 영향을 통제 또는 제거할 수 있는 방안을 강구하는 것이다. 이러한 외생변인을 통제하기 위한 방안에는 다음과 같은 것들이 있다(채서일, 1992).

(1) 제 거

외생변인이 될 수 있는 변인의 개입을 제거하거나, 외생변인이 될 가능성이 있는 변인을 똑같이 작용하게 함으로써 외생변인의 영향이 실험에 개입하지 않도록 하는 방법이다. 예컨대 과거의 특정한 경험 유무에 따라 실험변인에 대한 반응 정도가 달라질 경우, 사전조사를 통하여 특정한 경험이 있는 사람은 실험대상에서 제외하고 경험이 전혀 없는 사람만을 골라 피험자로 선정하는 방법이다.

(2) 균형화

종속변인에 영향을 미칠 외생변인을 단계별로 적용하여 단계적으로 피험자들을 분류하고,

이들을 실험집단과 통제집단에 무작위로 배정하는 방법이다. 다시 말해서 외생변인으로 작용할 수 있는 요인을 알고 있을 때 실험집단과 통제집단의 선정에서 해당되는 외생변인의 영향을 동일하게 받을 수 있는 집단을 선정하는 방법이다.

균형화하는 방법의 하나로 짝짓기를 사용할 수 있다. 짝짓기는 연구하고자 하는 변인의 특성이 유사하다고 생각되는 피험자끼리 짝을 지어 두 사람 중 한 사람을 실험집단이나 통제집단에 무작위로 배정하는 방법이다. 이때 짝지어진 쌍을 무작위로 배정하지 않으면 짝짓기의 기준이 되는 변인이나 특성이 이질적일 가능성이 있을 뿐만 아니라 이러한 이질성이 궁극적으로 실험결과에 중대한 영향을 미칠 수 있다.

(3) 상 쇄

한 실험집단에 두 개 이상의 실험처치를 가할 때 사용하는 방법이다. 즉 실험실시의 순서를 바꾼다든지 실험대상을 서로 바꾸어 실시함으로써 외생변인능력의 영향을 제거하는 방법이다. 예컨대 두 종류의 트레이닝 프로그램에 따른 피험자의 운동수행능력의 변화를 알아보는 실험에서 두 프로그램의 순서를 달리하거나, 피험자의 연령을 바꾸어서 재실험하는 경우가 여기에 해당한다.

(4) 무선화

어떤 종류의 외생변인들이 작용할지 모르는 경우에 모집단으로부터 실험대상을 무작위로 추출하여 실험집단과 통제집단에 무작위로 배정함으로써 실험자가 조작하는 실험변인 이외의 변인들에 대한 영향을 동일하게 만드는 것이다. 실험대상의 무선화는 외생변인의 통제뿐만 아니라 실험설계의 외적타당도를 유지하기 위해서도 필요하다.

3. 표본의 추출

표본이란 모집단으로부터 추출한 일부분을 뜻한다. 표본을 추출할 때 가장 중요하게 고려해야 할 사항은 표본이 연구하려는 모집단을 제대로 대표할 수 있도록 추출하는 것이다. 왜냐하면 그래야만 연구결과를 일반화시킬 수 있기 때문이다. 표본은 모집단의 특성과 연구 여건을 고려하여 연구목적에 가장 적합한 표집방법으로 추출하여야 한다.

다음은 전수조사보다 표본조사를 이용하는 중요한 이유들이다.

1) 표본조사의 이유

① 경제성

모집단 전체를 조사하는 것보다 일부분인 표본을 조사하는 것이 시간상 혹은 경비상 절약이 된다. 예를 들어 연구소에서 전 국민의 체력실태를 알아보기 위해 체력검사를 실시할 경우 전 국민을 대상으로 모두 측정할 수는 없다. 왜냐하면 그렇게 한다면 엄청난 시간과 경비가 필요하기 때문이다.

② 시간제약

짧은 시간 내에 필요한 정보를 얻어야 할 때에도 표본을 사용한다. 예를 들어 올림픽개최에 대한 국민들의 지지도를 조사할 경우에 올림픽개최 직전까지 지지성향은 바뀔 수도 있고 또, 전체 국민들의 의견을 다 물으려고 한다면 조사 도중에 먼저 조사한 국민들의 의견이 바뀔 수도 있기 때문이다.

③ 무한모집단

모집단이 무한히 큰 경우에는 모집단 전체의 조사가 불가능하다. 예를 들어 어떤 야구구단에서 팬들이 자기 구단의 야구수준을 어떻게 평가하는지 알고 싶어한다고 하자. 그러나 팬의 수는 현재에도 엄청나게 많고, 앞으로도 계속해서 생겨날 것이기 때문에 무한하다고 할 수 있다.

④ 조사가 불가능한 모집단

모집단 전체를 조사하는 것이 불가능할 경우도 있다. 예를 들어 졸업생들이 얼마나 모교 운동부에 관심을 갖고 있는가를 알려고 할 때, 이들 졸업생 중에는 사망한 사람도 있고 주소가 분명치 않은 사람도 있으므로 전체를 조사하는 것은 불가능하다.

⑤ 정 확 성

조사과정이나 방법 등의 오류로 인해 표본조사가 모집단 전체를 조사하는 것보다 더 정확할 수도 있다. 많은 수를 조사할 때에는 정확성이 결여되기 쉽지만, 적은 수의 표본을 조사할 때에는 좀더 조심스럽고 세밀하게 조사할 수 있다.

⑥ 기타 이유

때때로 대상을 조사하는 행위 자체가 대상의 성격과 형질을 변형시킬 수도 있는 경우에 표본조사를 한다. 어느 학교에서는 매년 200개의 축구공을 A 회사로부터 구입하는데, 이 축구공의 품질을 조사하려면 완전히 분해하여야 하므로 다시 사용할 수 없게 된다고 한다. 이러한 경우에는 임의로 표본(sample)을 추출하여 모집단의 품질수준을 측정하는 방법을 사용하여야 한다.

2) 표본추출방법

표 4-1. 표본추출방법

확률표본추출	비확률표본추출
단위무작위추출	
층화(층별, 유층)추출	임의추출
군집추출	판단추출
단계적 추출	할당표본추출
체계적 추출	

표본추출은 크게 확률표본추출과 비확률표본추출로 나눌 수 있다. 확률표본추출은 모집단의 모든 요소(추출단위)의 추출확률을 파악할 수 있다는 점이 특징이다. 이 경우 모든 요소가 동일한 추출기회(equal chance)를 갖는 것을 의미하지는 않는다. 이와 같이 확률표본추출은 일정한 확률에 의해서 표본을 추출하는 방법이므로 모집단에 대한 통계적 추론을 가능하게 한다.

반면 비확률적 표본추출은 모집단의 모든 요소들의 추출확률을 모르는 경우에 하는 표본추출방법이다. 따라서 이 방법은 확률적인 통계처리가 불가능하며, 추출된 표본으로부터 도출된 결론을 일반화할 수 있는 가능성은 현저하게 제약된다.

(1) 확률표본추출

확률표본추출(probability sampling)이란 모집단 구성분자가 각각 표본으로 선택될 가능성이 일정하게 되도록 하는 표본추출방법이다. 100명의 학생 중에서 아무런 편견 없이 한 사람을 무작위로 추출한다면 100명 모두에게 기회는 동일하게 주어지는 셈이다. 따라서 확률표본추출을 무작위추출(random sampling)이라고도 한다. 무작위추출 시에 표본의 크기가 크면 난수표(random number table)를 사용하는 것이 보다 효과적이다. 이 경우 숫자 하나하나는 무작위(randomly)로 선택되었으므로, 예를 들어 신청자 100명의 접수번호가 00에서 99까지일 때 임의로 5명을 뽑으려면 난수표를 보고 어느 곳에서 시작하든지 5명을 고르면 된다.

예를 들어 난수표가 다음과 같았을 때

$$126\underline{51} \quad 616\underline{46} \quad 117\underline{69} \quad 751\underline{09} \quad 869\underline{96}$$

밑줄 친 부분, 즉 51, 46, 69, 09, 96번에 해당하는 신청자를 선택하면 무작위의 효과를 얻을 수 있다. 확률표본추출방법에 의하면 특정표본이 선호대상이 되는 일은 없어지므로 표본추출의 편의는 제거되지만, 우연성에 의한 오류는 없어지지 않는다.

통계학에서는 대부분 표본을 뽑을 때 확률표본추출, 즉 무작위추출을 가정하고 있다. 확률분포에서 생길 수 있는 우연성에 의한 오차는 어떤 일정한 형태를 이루므로 확률표본추출을 함으로써 오차의 정도를 미리 예측할 수 있을 것이다. 표본의 통계치가 오차를 포함하고 있음에도 불구하고 통계치가 가치 있는 이유는 오차의 정도를 추정하여 표본의 신빙성을 예측할 수 있기 때문이다. 확률표본추출방법은 다양하지만, 가장 많이 쓰이는 방법은 다음 다섯 가지이다.

① 단위무작위추출(simple random sampling)

난수표를 사용하거나 기타의 방법을 동원하여 모집단에 포함되어 있는 모든 구성원이 뽑힐 확률을 각각 같도록 하는 추출방법을 말한다. 이는 모집단의 모든 구성분자의 성격이 서로 비슷하고, 분석도 단일성격에 대한 것일 때 더욱 효과적이다.

② 층화(층별, 유층)추출(stratified sampling)

표본을 뽑기 전에 모집단의 성격에 따라 여러 집단 또는 층으로 분류한 다음 각층에서 표본을 추출하는 방법이다. 예를 들어 사회체육 참여실태를 파악하려는 경우에 전체 모집단을 연령별 혹은 성별 · 지역별로 구분한 다음 각 연령층에서 무작위추출을 하게 된다. 각 층에서의 표본의 수, 즉 표본크기를 정할 때 모집단의 구성비율을 고려할 수도 있는데, 이것을 특히 비례적 층별추출이라고 한다.

③ 군집추출(cluster sampling)

표본을 뽑을 때 직접 개별적인 구성원을 선택하는 것이 아니라 자연적 또는 인위적인 집단을 먼저 뽑고, 그 집단 중에서 필요한 만큼의 표본을 추출하는 것을 말한다. 서울시내 초등학교 5학년 학생들의 평균신장 및 체중을 알기 위해 모든 초등학교를 모집단으로 하고 그중에서 무작위로 뽑은 몇 개 학교나 몇 개 학급의 학생들을 표본으로 선택하는 방법이 군집추출이다.

④ 단계적 추출(stage sampling)

몇 단계의 표본추출을 거쳐서 최종표본의 선택이 이루어지도록 하는 방법이 단계적 추출방법이다. 앞의 초등학교 학생들의 평균신장 및 체중의 예에서 제1단계로 몇 개의 학교가 선정된 다음, 각 학교들로부터 다시 몇 개의 학급이 선택된다면, 그것이 2단계가 되고, 또 한 학급당 10명씩 무작위추출을 한다면 3단계가 된다. 각 단계의 추출방법으로는 단순무작위, 군집추출, 층별추출 등 어떤 방법이 쓰이든 상관없다.

⑤ 체계적 추출(systematic sampling)

이것은 하나의 모집단 배열이 무작위로 되어 있을 때 체계적 수단을 동원하여 추출하는 방법이다. 학교 운동부에 대한 의견을 묻고 싶을 때 학생카드에 번호를 붙인 다음, 매 10번째 또는 매 100번째 학생을 표본으로 하여 질문하는 방법을 체계적 추출방법이라 한다.

(2) 비확률표본추출

비확률표본추출은 확률추출(무작위추출)이 불가능하거나 비경제적일 경우에 사용하는데, 연구자가 모집단과 비슷하다고 생각되는 성격의 표본을 임의로 추출해내는 방법을 말한다.

연구자의 주관에 의해 표본이 선택되므로 오차를 포함하게 될 뿐 아니라 오차에 대한 분석이 불가능하게 된다. 비확률적 추출은 임의추출, 판단추출, 할당표본추출로 구분할 수 있다.

① 임의추출(convenience sampling)

모집단에서 연구자가 가장 손쉽게 얻을 수 있는 구성원을 선택하여 표본으로 삼는 표본추출방법이다. 이 방법에 의한 표본추출 결과는 표본추출 오차가 크고 과학적인 통계방법으로서는 설득력이 약하나, 연구목적이 모집단의 성격을 개략적으로 알아보기 위한 것일 때에는 사용될 수 있다. 이 방법은 시간이나 비용면에서 가장 경제적인 방법이다.

② 판단추출(judgement sampling)

이것은 모집단의 성격에 대하여 어느 정도 전문지식이 있는 사람이 그가 판단하기에 가장 효과적이라고 생각되는 표본을 찾는 방법이다. 특히 모집단의 성격이 매우 이질적이거나, 여러 가지 사정으로 인하여 표본의 수가 적을 때 효과적으로 사용된다. 전문가들의 의견을 종합하여 모집단을 이루는 수 많은 대상 중에서 몇 개의 대상만을 표본으로 삼아 조사하는 것이다. 판단추출방법에 의하면 오차가 일어날 가능성이 크지만, 모집단의 성격에 대한 전문적인 지식이 있는 경우에는 어느 정도 그 효용성이 있다.

③ 할당표본추출(quota sampling)

이것은 비확률표본추출 중에서 가장 정교한 기법으로 사회과학조사에서 널리 쓰이고 있으며, 특히 인터뷰에 의해 자료를 수집할 때 주로 사용되는 방법이다. 할당표본추출은 2단계로 행하는데, 첫 단계는 자료를 수집할 연구대상의 범주(category)나 할당량(quota)을 찾아내는 것이고, 두 번째는 모집단의 특성을 갖게끔 최종적인 표본을 추출하는 과정이다.

4. 연구설계의 방안

Kerlinger(1973)는 연구설계의 기본목적을 연구문제에 대한 답을 제공하고 변인을 통제하기 위한 것이라고 하였다. 즉 연구설계란 연구에 대한 계획방법을 의미한다. 해결하고자 하는 문제에 관련된 변인들의 성격이나 변인 간의 관계를 정확하게 검증하기 위하여 특성치(specific value) 및 요인(factor)과 요인수준의 선정, 실험배치와 순서의 결정, 그리고 실험 후의 데이터에 대한 최적분석방법 등을 모색하는 과정을 말한다. 이는 체계적이고 과학적인 연구를 위해서 연구설계가 필요하다는 뜻이며, 연구의 결과로서 도출된 결론이 타당성을 가지려면 연구과정이 체계적이어야 한다. 여기에서는 대표적인 몇 가지 연구설계 방안을 알아보기로 한다.

1) 준실험설계

피험자를 무작위로 선정하거나 어느 집단에 무작위로 배정하지 못했을 때, 즉 이미 형성되어 있는 집단을 대상으로 하는 실험을 준실험설계(quasi-experimental design)라고 한다. 이때 연구자가 실험처치의 시기 및 실험대상은 임의로 하기 어렵기 때문에 실험집단과 통제집단이 동일한 특성을 가지기 어렵다. 그렇기 때문에 연구자는 구체적으로 어떤 변인들을 통제하지 못했는지 정확히 파악하고 연구결과를 해석하고 일반화할 때 주의해야 한다. 이 연구에서는 무선배정을 하지 않았기 때문에 잠재적으로 그 실험의 내적 · 외적타당도 문제가 발생한다.

준실험설계를 사용하고자 하는 연구자는 외적타당도를 높이기 위해 피험자의 대표성을 확보해야 하는 한편, 내적타당도를 높이기 위해서는 집단의 동질성을 유지해야 한다. 그러기 위해서는 연구 중인 변인들과 관련된 특성들이나 변인들을 고려할 필요가 있다(박도순, 2002).

(1) 단일집단 사후검사방안

단일집단 사후검사방안(one-group posttest-only design)이란 단일집단을 대상으로 독립변인에 처치를 가한 후 그 처치가 종속변인에 미친 영향을 알아보고자 하는 연구방안이다.

이 실험연구에서는 한 집단에 어떤 실험처치가 가해진 뒤에 그 실험처치변인의 효과를 알아보기 위해 어떤 관찰이나 측정이 실험집단에서 이루어졌다. 이 실험설계에서 연구자는 실험처치(X)가 어떤 실험결과(O)를 야기시켰다고 할 수 없다. 그 이유는 비교집단(실험처치를 받지 않았거나, 실험처치에 대응되는 어떤 처치를 받은 집단)이 없고, 또 실험처치를 받은 집단의 구성원들이 어떤 집단의 사람들인가에 대한 언급이 없기 때문이다.

기본모형	X	O

X : 처치, 즉 독립변인에 대한 인위적 조작
O : 종속변인에 대한 측정이나 검사 또는 관찰

이는 내적타당도의 근본문제를 범하고 있다고 보아야 할 것이다. 예를 들어 학생들이 근력을 향상시키기 위하여 어떤 웨이트 트레이닝 프로그램을 구성한 다음 실험연구에서 이 프로그램의 효과검증 방안을 사용했다고 하자. 연구자가 어느 집단의 학생들을 뽑아 실험집단을 구성하여 이 프로그램을 1개월간 실시한 뒤에 학생들의 근력측정을 하여 높은 점수를 얻었다면, 연구자는 이 프로그램이 학생들의 근력을 향상시키는 데 효과적이라고 결론지을 것이다. 그러나 실제 연구자는 이 결과가 프로그램의 결과인지, 또는 연구자가 기대하지 않은 다른 변인의 결과인지 분명하게 결론지을 수 없다. 그러므로 가급적이면 이 실험연구방안은 사용해서는 안된다.

그러나 불가피하게 이 방안을 사용하였다면 ① 이 집단의 실험처지를 받기 전의 상태, ② 이 집단의 성숙과정, ③ 실험기간 동안의 환경 외적인 요소의 변화, ④ 실험참여자의 중도탈락 등을 고찰하여 최소한도의 내적타당성을 인정할 수 있도록 한다.

(2) 단일집단 사전 · 사후검사방안

단일집단 사전 · 사후검사방안(one-group pretest-posttest design)은 단일피험자집단을 연구대상으로 삼아 처치 전에 사전검사를 하고, 그 다음에 처치를 가한 후에 사후검사를 실시하여 이들 사전 및 사후검사치의 차이를 가지고 처치의 효과 여부를 검토하는 방법이다.

기본모형 X O O_2 O_1 : 사전검사, O_2 : 사후검사, X : 처치

예를 들면 피험자의 심폐기능을 측정(O_1)한 후에 에어로빅 운동을 일정 시간 동안 시킨 다음에 다시 피험자의 심폐기능을 측정(O_2)하여 그 검사치가 $O_2>O_1$로 나타났을 경우에는 에어로빅 운동이 심폐기능 향상에 영향을 가져온다고 말할 수 있다.

그러나 사전 · 사후검사치 간에 통계적으로 유의한 차이가 있다고 하더라도 그것이 처치의 결과로서 나타난 것인지, 아니면 외생변수의 영향에 의하여 나타난 것인지를 단정지을 수는 없다. 왜냐하면 사전 · 사후검사 간의 역사, 성숙 등의 내적타당도를 저해시키는 외생변수와 피험자 선정과 처치 간의 상호작용효과 등과 같이 외적타당도를 저해시키는 외생변수의 영향을 통제할 수 없기 때문이다. 이 경우 연구의 타당도가 전반적으로 약하기 때문에 연구설계의 기본적 조건을 충족시킬 수 없으며, 단지 예비연구의 성격만을 지니고 있다고 할 수 있다.

이 연구방안은 실험집단이 어떤 집단인가에 대한 정보를 제공해주고 있으나, 연구의 내적타당도를 저하시키는 역사성, 성숙, 검사 및 통계적 회귀는 통제하지 못하고 있다. 그러므로 이 방안도 가급적이면 실험연구에서는 피하는 것이 좋다.

(3) 무처치집단비교방안

무처치집단비교방안(static-group comparison)은 처치의 효과를 검토하기 위하여 처치를 가한 집단과 아무런 처치도 가하지 않은 집단 간을 단순히 비교하는 방안이다.

기본모형 X O_1
O_2

O_1 : 처치집단 사후검사
O_2 : 무처치집단 사후검사, X : 처치

이 연구에서는 비교집단을 사용하였기 때문에 어떤 환경외적인 요소가 실험집단에 작용하

였다면 실험과정에서 비교집단에도 이 영향이 미치도록 조작하였을 것이라고 상정할 수 있다. 이런 측면에서 본다면 이 연구방안은 역사성이나 성숙과 같은 변인은 어느 정도 실험과정에서 통제되었다고 예상할 수 있다.

그러나 이 연구에서 실험집단과 비교집단의 구성원은 무선적인 방법에 의하여 선정된 피험자들이 아니기 때문에 이들이 실험에 임하기 전에 어떠한 상태에 있었는지 전연 알지 못한다. 더욱이 이들 두 집단에 사전검사가 주어지지 않았기 때문에 어느 누구도 이들 두 집단이 같은 성격의 집단이라고 단정지을 수 없다. 이는 "이들 두 집단 중 어느 한 집단이 처음부터 관찰하고자 하는 측정에서 높은 점수를 얻게 되어 있다고도 할 수 있다."라는 것을 의미한다.

한편 엄밀한 측면에서 두 집단 간의 성숙을 분명하게 통제하지 못하기 때문에 이 연구방법은 엄밀한 의미에서 연구설계라고 하기 어렵다.

2) 진실험설계

연구의 내적타당도를 저하시키는 모든 변인들을 통제할 수 있는 실험연구방안을 진실험설계(true experimental design)라 한다. 이 연구설계도 3가지로 나누어 설명할 수 있다.

기본모형

R	X	O_1	(실험집단)
R		O_2	(통제집단)

R : 피험자들을 실험집단과 통제집단에 무선적으로 배치했음을 뜻한다.

(1) 사후검사 통제집단방안

이 연구방안은 무선적으로 배정된 두 집단 중 한 집단에 처치를 가한 후 사후검사를 실시하고, 또 다른 한 집단에는 아무런 실험처치를 가하지 않고 사후검사만 실시하여 그 결과를 비교한 연구이다. 그러므로 이 연구방안은 실험기간에 일어나는 역사적 사건 · 성숙 등을 통제하여 더욱 무선배정에 의한 방법으로 피험자의 선택과 중도 탈락에 관련된 변인도 통제된다. 더욱이 사전검사가 주어지지 않기 때문에 사전검사 실시효과가 사후검사에 미치지도 않으며, 또 이 영향이 실험변인과 상호작용을 일으킬 가능성도 없는 것이다. 이런 측면에서 본다면 이 연구방안이 가장 효율적인 방안이라고 할 수 있다.

(2) 사전 · 사후검사 통제집단방안

이 연구설계방안은 앞의 (1)의 방안과 그 근본은 같으나, 실험 · 비교집단에 사전검사를 실시한다는 면에서 구별된다. 이 방안을 도식화하면 다음과 같다.

기본모형

R	O_1	X	O_2
R	O_3		O_3

R : 피험자들을 실험집단과 통제집단에 무선적으로 배치했음을 뜻한다.

O_1 : 실험집단의 사전검사　O_2 : 통제집단의 사전검사
O_3 : 실험집단의 사후검사　O_4 : 통제집단의 사후검사

이 연구에서도 피험자를 실험·비교집단에 무선배정함으로써 연구의 타당성을 저하시키는 여러 변인을 통제하였다. 더욱이 무선배정에 의하여 구성된 집단이라도 실험 전에 두 집단의 특성이 서로 다를 수 있기 때문에 사전검사를 실시하고, 이 변인을 보다 엄격하게 통제하였다.

그러나 이 사전검사가 피험자의 선정과 탈락변인을 엄격하게 통제하였으나, 다른 문제(예컨대 검사실시의 문제)를 야기시킨다. 즉 이때 두 집단에 실시한 사전검사결과가 사후검사에 준 영향은 같은 것으로 예상되기 때문에 통제된다고 해도 실험집단에 실시한 사전검사가 실험처치변인과 상호작용을 일으켰으리라는 가정은 부정할 수 없다. 즉 사후검사에서 두 집단간에 어떤 차이가 보인다고 할 때 이 차이가 실험처치변인 때문에 야기된 것인지, 아니면 실험처치변인과 사전검사와의 상호작용으로 야기된 것인지를 분명하게 결론지을 수 없다. 실험연구방안에서는 엄격하게 연구의 타당도를 저하시키는 검사변인을 통제할 수 없다.

그러므로 실험집단과 통제집단이 무선적으로 배정되었다 해도 연구자가 그 상태를 사전검사를 통하여 분명하게 인식하고 있으며, 또한 이때 실시하는 사전검사가 실험처치변인과 아무런 상호작용도 하지 않을 것이라는 자신감이 생길 때 이 연구방안을 사용할 수 있다.

(3) 솔로몬 4개집단방안

솔로몬 4개집단방안은 1949년 Solomon, R. L.이 고안한 것으로, 앞에서 설명한 사전·사후검사 통제집단방안의 결함을 보완하기 위하여 사전검사를 받지 않은 1개의 실험집단과 1개의 통제집단을 더 첨가하여 4개 집단을 사용함으로써 사전검사의 영향과 처치의 영향이 상호작용하여 연구의 외적 타당도를 저해시키는 것을 방지할 수 있는 설계방안이다.

이 연구방안은 (2)의 방안에서 야기된 문제(검사실시와 실험처치와의 상호작용 문제)를 해결하는 데 가장 적절하게 사용되는 연구방안으로 다음과 같이 도식화된다. 도식에서 알 수 있는 것처럼 이 연구는 (1)의 연구방안과 (2)의 연구방안을 동시에 실시하는 것이다.

기본모형

R···	O_1	X	O_2	사전·사후검사 실험집단
	O_3		O_4	사전·사후검사 통제집단
		X	O_5	사후검사 실험집단
			O_6	사후검사 통제집단

(2)의 연구방안에서는 O_2와 O_4를 비교하게 되므로 O_1과 X의 상호작용 관계를 규명하지 못하였으나, 이 방안에서는 O_2와 O_4, O_2와 O_5, O_4와 O_6을 비교함으로써 O_1, O_3가 O_2, O_4에 미친 영향과 O_1과 X가 상호작용을 하여 O_2에 미친 영향을 규명할 수 있다. 더욱이 이 연구방안에서는 O_6를 O_1과 O_3와 비교해 봄으로써 실험기간 내에 일어날 수 있는 피험자의 성숙, 환경외적 요인의 변화, 또 이들 간의 상호작용도 규명할 수 있다.

요 약

연구는 기본적으로 '연구문제에 대한 가설을 적절히 검증하도록 되어 있는가'하는 것이다. 가설이란 두 개 이상의 변수 또는 현상 간의 관계를 검증가능한 형태로 서술한 하나의 문장으로, 연구문제에 대한 잠재적 설명으로서 과학적 조사에 의하여 경험적 검증을 거칠 수 있다.

변인이란 어떤 개념을 대표하는 상징을 말하는 것으로, 그것이 대표하고 있는 특성이 갖는 값이나 강도 또는 크기의 차이를 나타낼 수 있어야 한다. 주요변인으로는 독립변인, 종속변인, 중개변인이 있다. 독립변인은 다른 변인에 영향을 주는 변인이며 실험과정에서 조작되고 통제되는 변인이며, 종속변인은 독립변인에 의해 영향을 받는 변인이다. 중개변인이란 독립변인과 종속변인 관계속에서 영향을 끼치고 있는 존재가 실재할 것으로 추정되는 변인이다.

내적타당도란 실험결과가 정말 순수한 독립변인(실험처치)에 의한 효과인지에 대한 문제이며, 외적타당도란 연구에서 얻은 결과가 일반 상황에 적용될 수 있는 가능성을 의미하는 것이다. 올바른 연구가 되기 위해서는 내적타당도와 외적타당도를 모두 높여야 하며, 또한 외생변수의 통제에도 신경을 써야 한다.

연구문제

1. 변인의 종류를 예를 들어 설명해 보자.

2. 내적타당도와 외적타당도는 개념을 설명하고, 이 두 타당도에 영향을 미치는 요인은 어떠한 것들이 있는지 알아보자.

3. 표본의 추출방법은 어떠한 것들이 있는가?

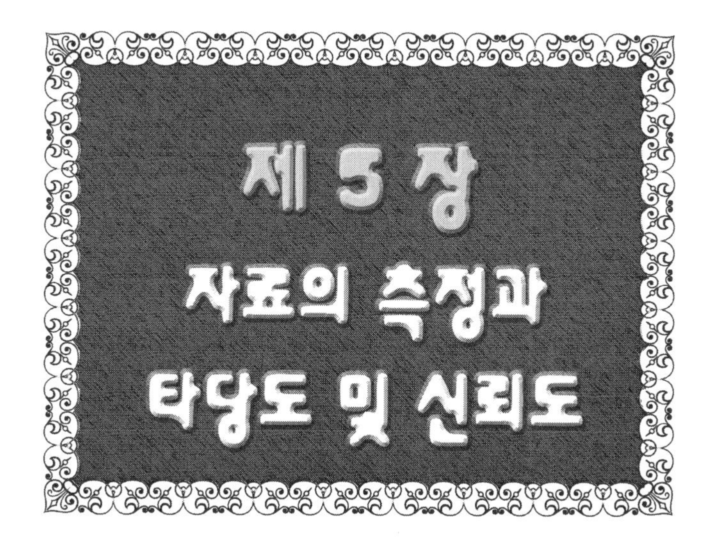

이 장에서는 개념에 대해서 설명을 하며, 개념적 정의와 조작적 정의를 거쳐 연구자가 관심있는 개념을 측정하게 되는 것을 다룬다. 연구자가 측정하고자 하는 개념을 정확히 측정했는가, 그리고 같은 측정을 해도 동일한 측정값이 나타나는가는 연구에서 핵심적인 내용 중의 하나로 전자는 타당도의 문제이며, 후자는 신뢰도의 문제이다. 이 타당도와 신뢰도는 어떻게 평가하는가를 중심으로 다루고 연구자가 타당하고 신뢰로운 연구결과를 얻기 위해서 어떻게 해야 하는가를 살펴본다. 훌륭한 연구자는 연구의 타당도와 신뢰도를 높이기 위해서 많은 시간을 투자할 것이다.

1) 개 념

연구는 현상에 대한 관찰을 통해 가설에 설정된 내용을 실증적으로 검증하는 과정을 거치게 된다. 즉 개념들 간의 관계를 이론적인 근거에 의해서 추론하고, 이를 실제현상에서 검증하는 과정을 반복하는 것이 과학적 접근법이다. 이를 위해서는 연구하고자 하는 개념에 대해 정확한 정의를 내려야 하고, 해당 개념을 관찰가능한 현상으로 전환하는 것이 필요하다.

개념(concept)이란 '용어가 나타내는 어떤 현상이나 사건이 관념적으로 구성되어 머리 속에 그려지는 것'을 뜻한다. 예를 들어 '지구력(endurance)'이라는 말을 들었을 때 머리 속에 떠오르는 '이미지'를 개념이라고 하는 동시에 그 이미지를 표현하는 용어인 '지구력'이라는 말 자체를 개념이라고 한다.

그러나 지구력이라는 말을 들었을 때 떠오르는 이미지는 사람마다 다르다. 이와 같이 사람마다 같은 용어를 다른 의미로 사용한다면 개념이 본래의 목적을 달성할 수 없다. 따라서 어떤 말이 무엇을 뜻하는지를 어떤 식으로 규정하여 모든 사람들이 같은 말을 같은 뜻으로 사용하도록 하는 절차가 반드시 필요하다.

(1) 개념적 정의

개념적 정의(conceptual definition)란 '어떤 말을 모두가 같은 뜻으로 사용하게 하기 위하여 그 말의 뜻을 규정하는 절차'라고 할 수 있다. 지구력이라는 용어의 이미지를 사람마다 같게 하기 위해서는 연구자가 이론적 틀 안에 지구력을 연결시키고, 여러 가지 방법으로 다른 개념들과 연결을 도모함으로써 이루어지는 것이다. 즉 지구력을 오래 운동을 지속시킬 수 있는 능력 등으로 보다 구체화하여 연구에 적용시키는 것이다.

(2) 조작적 정의

조작적 정의(operational definition)란 '어떤 개념을 경험적으로 관찰이 가능한 수준까지 세밀하게 규정하는 것'을 말한다. 예를 들어 지구력의 개념을 '오래 운동을 지속시킬 수 있는 능력'이라고 한다면, 연구자에 따라 '어떤 선수는 지구력이 있고, 어떤 선수는 지구력이 없다'라고 볼 가능성이 있다. 이러한 가능성을 최소화하고 정확하게 같은 의미로 지구력이라는 개념을 사용하기 위해서는 '3000m 달리기를 ○분 안에 들어오고 운동 직후 젖산수치가 ○○ 이하인 경우'이라고 규정하다면 이러한 혼란은 줄어들 것이다. 이처럼 연구에서 선택된 개념을 실제현상에서 측정 가능하도록 관찰 가능한 형태로 정의해 놓은 것을 조작적 정의라고 한다.

(3) 변 인

변인 또는 변수(variable)란 '어떤 개념을 대표하는 상징을 말하는 것'으로서 그것이 대표하고 있는 특성이 갖는 값이나 강도 또는 크기의 차이를 나타낼 수 있어야 한다. 여기에서 개념을 조작적으로 정의하여 수치를 부여할 수 있는 상태로 만든 것을 변수라고 한다. 즉 개념은 조작적 정의를 통해 변인으로 전환된다.

2) 측정 및 척도

도구를 사용하여 어떤 개념을 측정하려면 수집할 자료의 변인에 대한 성격과 척도를 미리 정확히 파악해야 한다. 그런 다음 연구문제와 관련된 자료를 체계적으로 정리하고, 필요에 따라 통계적 분석을 하게 된다. 이를 통하여 어떠한 결론을 내리게 되는데, 여기서 근거가 될 수 있는 모든 사실을 자료(data)라고 한다. 자료는 수치 · 색깔 · 소리 · 감정 등에 따라 다양한 형태가 있으며, 과학적인 분석을 위해서는 숫자를 부여할 필요성이 있다.

측정(measurement)이란 '어떤 사물이나 사건의 속성을 표준화된 척도(도구, 방법)에 의해서 관찰한 결과를 객관성 있게 수량화하는 것'을 말한다. 측정대상 속성에 수치를 부여하는 작업은 반드시 일정한 규칙에 따라 행해져야 하며, 여기에서 측정대상의 속성에 수치를 부여하는 규칙이 바로 그 측정수준과 측정에서 사용되는 척도의 성격을 규정해 준다고 할 수 있다.

척도(scale)는 측정하고자 하는 대상에 부여하는 숫자들의 체계를 의미한다. 이는 대상의 속성을 보다 구체화하기 위한 측정단위를 말한다. 일반적으로 척도는 명목척도(nominal scale), 서열척도(ordinal scale), 등간척도(interval scale), 비율척도(ratio scale)의 네 가지로 구분할 수 있다. 명목척도와 서열척도는 정성적 자료(nonmetric data) 또는 범주형 자료(categorical data)라고도 하며, 등간척도와 비율척도는 정량적 자료(metric data) 또는 연속형 자료(continuous data)라고 한다(원태연, 정성원, 2001).

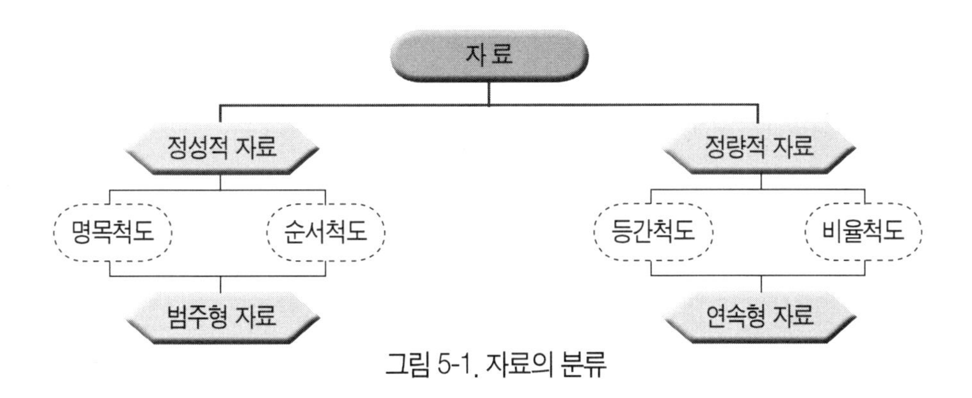

그림 5-1. 자료의 분류

2. 타당도와 신뢰도

연구의 목적 및 설계가 완성되면 이에 따라 필요한 자료를 수집해야 한다. 연구가 타당하고 신뢰로운가는 수집된 자료에 따라 달라진다.

1) 타당도

타당도(validity)란 '측정하고자 하는 개념이나 속성을 얼마나 실제에 가깝게 정확히 측정하고 있는가를 나타내는 정도'라고 할 수 있다. 이는 속성을 알아보기 위해서 개발된 측정도구가 해당속성을 얼마나 정확하게 반영하느냐의 정도를 나타내는 것으로, 연구목적에 부합되는 정도를 타당도라 할 수 있다. 예를 들면 순발력을 측정하기 위해서는 50m 달리기를, 지구력을 측정하기 위해서는 3,000m 달리기를 측정해야 타당성이 있다고 할 수 있다. 타당도는 그 평가방법에 따라 ① 내용타당도, ② 준거타당도, ③ 구성타당도로 나눌 수 있다.

(1) 내용타당도

내용타당도(content validity)란 '측정도구 자체가 측정하고자 하는 속성이나 개념을 측정할 수 있도록 되어 있는가를 평가하는 것'인데, 이것을 검증하는 방법은 전문가의 판단에 의존한다. 검사자가 측정하고자 하는 속성을 제대로 측정하였는지를 전문가가 판단하는 것이다.

① 추정방법

내용타당도는 주관적 판단에 의하므로 객관적 자료를 사용하지 않으며, 타당도에 대하여 수치로 나타내는 객관적 정보를 제공하지 않는다. 전문가에 의하여 '내용타당도가 있다 혹은 없다'로 표현할 수 있을 뿐이며, 전문가의 전문지식에 의존하기 때문에 임의적 판단에 의하지 않음을 전제로 한다.

② 장 점

통계적인 절차를 사용하지 않고 직접 전문가의 판단에 의해 검사의 타당성을 입증받을 수 있다. 즉 적용이 용이하고 시간이 많이 소요되지 않는다. 일반적으로 전문가들이란 그들 영역에서 공통된 인식을 공유하므로 검사의 타당성 입증에 다른 견해를 표출하는 경우는 많지 않다.

③ 단 점

주관적 해석과 판단에 의존하므로 판단에 오차나 착오가 발생할 수 있다. 또한 측정하고자 하는 개념이 통일된 인식이 없는 특성, 특히 추상적인 개념을 측정할 때 전문가마다 각기 다른 검증 결과를 가져올 수 있다. 한편 내용타당도는 수량화할 수 없기 때문에 타당성의 정도를 표시할 수 없으며 통계적 검증이 어렵다.

(2) 준거타당도

준거타당도(criterion-related validity)란 '통계적인 유의성을 평가하는 것으로, 어떤 준거

(기준)와 측정도구점수 간의 상관계수를 이용하여 타당도를 파악하는 방법'을 말한다. 이는 이미 타당성이 검증된 기준과 관련시켜서 타당성을 검증하기 때문에 경험적 타당성이라고도 한다. 예를 들어 유산소성 체력을 측정하기 위해서는 최대산소섭취량을 이용하는데, 더 편리하고 간단한 방법으로 맥박수를 이용하려 할 때 맥박수가 유산소성 체력의 추정에 타당한지의 여부는 최대산소섭취량과의 상관계수를 이용하여 검증하면 된다.

① 추정방법

새로 제작된 검사점수와 기존에 타당성을 인정받고 있는 검사점수 간의 상관계수를 이용하여 추정한다. 만일 상관계수값이 높다면 기준타당성이 높다고 할 수 있다.

② 장 점

수량화되어 타당도의 정도를 나타낼 수 있어 객관적인 정보를 제공해줄 수 있다.

③ 단 점

기존에 공인된 타당성을 입증받고 있는 검사가 없다면 타당성을 추정할 수 없으며, 기존의 타당성을 입증받은 검사가 있더라도 그 검사에 의존하게 되므로 좋은 기준을 얻기 어렵다. 또한 기준으로 사용하는 속성을 정의하기가 어렵고, 측정에 사용되는 비용이 과다하다.

(3) 구성타당도

구성타당도(construct validity, 개념타당도)란 '연구자가 측정하고자 하는 추상적 개념이 실제로 측정도구에 의하여 제대로 측정되었는지의 정도'를 의미한다. 이는 검사를 한 것이 조작적으로 정의되지 않은 어떤 특성이나 성질을 측정했을 때 그것을 과학적 개념으로 분석하고 의미를 부여하는 과정이다. 다시 말하면 연구에 사용된 이론적 구성개념과 이를 측정하는 측정도구 · 측정수단들 간의 일치 정도를 말한다.

① 추정방법

가. 상관계수법……구성을 측정하는 하위문항들을 2개 이상 만들어 문항점수들 간의 상관계수를 보았을 때 문항이 다른 문항들과 상관계수가 높으면 그 문항은 구성타당도가 높다고 할 수 있다.

나. 실험설계법……구성개념을 실험집단에는 처치를 하고 통제집단에는 처치를 하지 않았을 경우, 실험집단과 통제집단에서 구성개념의 특성에 차이가 있다면 그 구성은 특성을 설명하는 구성으로 간주할 수 있다.

다. 인자분석……인자분석이란 여러 개의 상호관련된 문항들을 보다 적은 수의 차원이나 공통인자로 분류하는 통계분석기법이며, 기본원리는 항목들 간의 상관관계가 높을 것끼리 하나의 인자로 묶어내며, 인자들 간에는 상호독립성을 유지하도록 하는 것이다. 하나의 인자로 묶여진 측정항목들은 하나의 구성개념을 측정하는 것으로 간주할 수 있고, 인자 간에는 서로 상관관계가 없으므로 각 인자들은 서로 상이한 개념이 된다.

② 장 점

구성타당도는 응답자료에 의하여 수량적 방법의 의하여 검증되므로 과학적이고 객관적이라 할 수 있다. 또한 불확실한 구성개념에 타당성을 밝혀주므로 연구의 기초가 될 수 있다.

③ 단 점

인자분석을 실시할 때에는 변수 혹은 문항들 간의 보다 안정적인 상관계수를 얻기 위하여 일반적으로 300명 이상의 응답자가 필요하다(성태제, 1995).

2) 신 뢰 도

신뢰도(reliability)란 측정도구가 측정하고자 하는 개념이나 속성을 일관성 있게 측정하는 능력 또는 동일한 개념에 대해 측정을 반복했을 때 동일한 측정값을 얻을 가능성을 나타내는 것이다. 이는 측정오차가 얼마나 적은가의 문제이며 안정성, 일관성과 같은 뜻이다. 예를 들어 신뢰성 있는 양궁선수란 연습경기에서도 10점을 많이 획득하고, 그 외의 경기와 동일한 상황이 주어져도 일관성 있게 10점을 획득할 수 있는 선수를 말한다.

(1) 신뢰도평가이론

어떤 측정대상을 측정한 결과를 X라고 할 때, 여기에는 참성분(true component)과 오차성분(error component)이 포함되어 있다. 참성분을 T라 하고, 오차성분을 e라고 표시하면 측정 결과는 다음과 같은 식으로 표현된다.

$$X = T + e \quad \cdots\cdots ①$$

즉 측정을 통하여 얻은 측정값 X들은 참성분과 오차성분으로 이루어진다. 참성분은 측정치의 기대값으로 추정되며, 위 측정값의 분산은

$$V(X) = V(T + e) \quad \cdots\cdots ②$$

$$\sigma_X^2 = \sigma_T^2 + \sigma_e^2 + \sigma_{Te}^2 \quad \cdots\cdots ③$$

가 된다.

그러나 식 ③에서 σ^2_{Te}(참성분과 오차성분의 공분산)은 항상 0이 된다. 이는 참성분과 오차성분의 상관계수는 항상 0이라는 기본가정을 염두에 두고 있기 때문이다. 즉 오차성분은 참성분에 의해 영향을 받는 것이 아니라, 다른 변인에 의해 영향을 받는 것이다. 그렇기 때문에 상관계수가 0이면 공분산도 0이 된다. 그렇기 때문에 식 ③은 다음과 같이 나타낼 수 있다.

$$\sigma^2_X = \sigma^2_T + \sigma^2_e \quad \cdots\cdots \quad ④$$

결국 측정값 X의 분산 역시 참성분과 오차성분으로 구성됨을 알 수 있다. 여기에서 측정값의 분산 중 오차분산이 차지하는 부분이 많아지게 되면 신뢰도는 낮아지고, 반대로 오차분산의 비율이 적으면 신뢰도는 높아지게 된다. 그러므로 신뢰도는 측정값의 분산 중 참성분 분산이 차지하는 비율임을 알 수 있다.

이를 식으로 나타내면

$$\rho_{XX'} = \frac{\sigma^2_T}{\sigma^2_X} \quad \cdots\cdots \quad ⑤$$

이며, 이를 신뢰도계수(reliability coefficient)라고 한다.

식 ④를 참성분에 대해서 정리하면 $\sigma^2_T = \sigma^2_X - \sigma^2_e$이 되는데, 이를 식 ⑤에 대입하면 다음과 같은 식을 얻을 수 있다.

$$\rho_{XX'} = 1 - \frac{\sigma^2_e}{\sigma^2_X} \quad \cdots\cdots \quad ⑥$$

여기에서 식 ⑤는 이론적으로 가능하나 실제로 계산에는 사용할 수 없으며, 식 ⑥과 같은 오차분산의 값으로 신뢰도계수의 계산은 이론적으로 가능할 뿐만 아니라 실제계산에서도 실용적이다. 신뢰도검증방법에는 ① 재검사신뢰도, ② 동형검사신뢰도, ③ 반분신뢰도, ④ 문항내적일관성신뢰도가 있다.

① 재검사신뢰도

재검사신뢰도(test-retest reliability)는 동일한 검사를 동일한 피험자집단에 일정시간 간격을 두고 두 번 실시하여 얻은 두 검사점수의 상관계수에 의하여 신뢰도를 검증하는 방법이다. 여기에서 상관계수가 높으면 신뢰도가 높다고 할 수 있다.

· 장 점

측정도구 자체를 직접 비교할 수 있고 적용이 간편하다.

· 단 점

– 검사요인효과……처음 측정이 재검사점수에 영향을 미치는 효과

– 성숙요인효과……측정간격이 길 때에 조사대상집단의 특성변화에 따른 효과

– 역사요인효과……측정기간 중에 발생한 사건의 영향

② 동형검사신뢰도

동형검사신뢰도(parallel-form reliability)는 두 개의 동형검사를 제작한 뒤 동일 피험자집단에게 검사를 실시하여 두 검사점수의 상관계수로 신뢰도를 추정하는 방법이다. 이 방법은 측정항목이 동일한 모집단에서 얻어진 표본이라는 이론에 근거한 것으로 두 검사 측정값의 참 성분이 같아야 한다. 상관계수가 높으면 신뢰도가 높다고 할 수 있다.

· 장 점

이 방법은 두 개의 동형검사를 동일 집단에 동시에 시행하므로 시험간격이 문제가 되지 않고 신뢰도계수의 추정이 쉽다.

· 단 점

동형검사의 제작이 어렵다. 즉 검사제작 전문가라도 두 개의 동형검사를 제작하기란 쉽지 않다. 그리고 신뢰성이 낮은 경우 실제신뢰도가 낮은 것인지 동등성이 확보되지 않았기 때문인지 알 수 없다. 또한 동형검사신뢰도 역시 재검사신뢰도처럼 검사를 두 번 시행하는 데 따른 문제점이 있다.

③ 반분신뢰도

반분신뢰도(split-half reliability)는 한 번 실시한 검사점수를 임의로 두 부분으로 나누어 두 부분 검사점수의 상관계수를 계산한 후 Spearman-Brown 공식에 의하여 신뢰도를 추정하는 방법이다. 이 방법은 동형검사신뢰도를 보다 발전시킨 것으로 하나의 큰 개념을 측정하기 위하여 반분이 가능한 여러 항목들이 있을 때 가능하다. 고등학교 3학년 학생들에게 체육과목의 수행능력을 측정하기 위해서 40문항을 출제했을 때 20항목씩 나누어 측정하여도 차이가 없어야 하는 것과 같은 개념이다. 그러기 위해서는 다음 두 가지 전제조건이 필요하다.

– 그 측정도구가 같은 개념을 측정한다는 것이 명백하여야 한다.

– 양분된 각 측정도구의 항목수는 충분히 많아야 한다.

이 경우 반분된 항목수는 적어도 8개 내지 10개가 있어야 한다. 그리고 보통 짝수항목과 홀수항목으로 반분하거나, 아니면 무작위적으로 항목의 반을 추출한다. 여기에서 얻은 상관계수는 검사 전체의 신뢰도가 아니라 반분된 신뢰도이므로 전체 검사의 신뢰도를 과소 추정하는 경향을 보인다. 따라서 이 두 부분을 합쳤을 때의 신뢰도를 계산하기 위해서는 Spearman-Brown 공식을 사용하여 보정한다.

$$\rho_{XX'} = \frac{2\rho_{YY'}}{1+\rho_{YY'}} \quad \cdots\cdots\cdots \quad ⑦$$

$\rho_{XX'}$: 반분검사신뢰도수
$\rho_{YY'}$: 반분된 검사점수의 상관계수

· 장 점

반분신뢰도는 재검사신뢰도나 동형검사신뢰도처럼 두 번 검사를 시행하지 않고 신뢰도를 추정할 수 있다.

· 단 점

항목을 나누는 방법에 따라 반분신뢰도계수가 달라진다. 일반적으로 반분신뢰도를 높게 추정하기 위해서는 문항특성에 의해서 검사를 반분하는 방법을 사용하는 것이 바람직하다.

④ 문항내적일관성신뢰도

문항내적일관성신뢰도(inter-item consistency reliability)는 피험자가 각 문항에 반응하는 일관성 · 합치성에 그 기초를 두고 있다. 반분신뢰도에서 분할된 두 부분을 독립된 각각의 검사로 생각하듯이, 여기에서는 검사 속의 한 문항 한 문항을 모두 독립된 한 개의 검사로 생각하고 그 합치성 · 동질성 · 일치성을 종합한다. 즉 동일한 개념을 측정하기 위해 여러 개의 항목을 이용하는 경우 신뢰도를 저해하는 항목을 찾아내어 측정도구에서 제외시킴으로써 측정도구의 신뢰도를 높이기 위한 방법이다.

문항내적일관성신뢰도를 추정하는 방법은 KR-20, Hoyt 신뢰도, Cronbach α가 있는데, Cronbach α가 가장 많이 사용된다. 이 값은 적어도 0.60을 넘어야 신뢰도가 높다고 할 수 있다.

Cronbach(1951)는 문항내적일관성을 측정하기 위해 검사를 두 부분으로 나누지 않고 문항점수의 분산을 고려한 Cronbach α를 제안하였다. Cronbach α 역시 측정값의 분산과 참성분 분산비율에 근거하고 있으며, 이분점수나 연속형변수에도 적용시킬 수 있다.

공식은 다음과 같다.

$$a = \frac{n}{n-1}\left(1 - \frac{\sum_{i=1}^{n} S_{Y_i}^2}{S_X^2}\right) \quad \cdots\cdots\cdots \quad ⑧$$

n : 문항수
S^2_{Yi} : i번째 문항의 분산
S^2_X : 전체검사점수의 분산

· 장 점

검사를 양분하지 않아도 되며, 문항 간의 일관성에 의하여 단일한 신뢰도추정 결과를 얻을 수 있다. 재검사신뢰도, 동형검사신뢰도, 반분신뢰도의 단점을 극복할 수 있다.

· 단 점

검사도구의 신뢰도를 과소추정하는 점을 들 수 있으나, 이를 단점이라 할 수 없다. 이는 검사도구의 질을 분석하기 위해서 보수성(conservative)이 요구되기 때문에 과소추정되어도 바람직하다.

3) 타당도와 신뢰도의 관계

(1) 오 차

연구자가 자료를 수집하여 측정을 하면 항상 오차가 발생하게 된다. 이때 표본의 계산치와 모집단의 특성과의 차이로 인한 표본오차와, 자료수집이나 처리 등이 정확하게 되지 못해서 발생하는 비표본오차로 나눌 수 있다. 비표본오차는 실제측정에서 나타나므로 측정상 오차라고도 하며, 체계적 오차(systematic error)와 비체계적 오차(random error)로 나눌 수 있다.

체계적 오차란 측정대상에 어떠한 영향이 체계적으로 미침으로써 그 오차가 항상 일정한 방향으로 나타나는 경향을 나타내고 있으며, 지식 · 교육정도 · 신분 등의 주관적 요인이 개입되어 나타나는 경우가 많다. 비체계적 오차(random error)는 측정과정에서 우연히 일시적 사정에 의해 나타나는 오차이며 통제가 어렵다. 이를 식으로 나타내면 다음과 같다.

$$X(\text{측정값})=T(\text{참값})+e_s(\text{체계적 오차})+e_r(\text{비체계적 오차})$$

신뢰도와 타당도를 측정오차와 관련지어 보면 타당도는 체계적 오차와 관련된 개념이며, 신뢰도는 비체계적 오차와 관련된 개념이다. 타당도와 신뢰도를 다룰 때 주의해야 할 점은 이 두 개념이 존재개념이 아니라 정도의 개념(matter of degree)이라는 것이다. 그러므로 타당도와 신뢰도가 '있다 없다'의 표현보다는 타당도와 신뢰도가 '높다 낮다'의 표현을 쓰는 것이 올바르다.

(2) 타당도와 신뢰도의 관계

타당도와 신뢰도의 관계는 다음과 같다.

① 신뢰도가 높다고 타당도가 높은 것은 아니다. 예를 들어 정확한 자로 신장을 재서 비만을 측정하는 경우, 신장을 10번 측정하면 신뢰도는 높은 것이다. 그러나 신장으로 비만을 측정한다는 것은 타당하지 못한 방법이다.

② 신뢰도가 없는 측정은 타당도가 없다. 훌륭한 선수는 어떤 상황이 주어져도 훌륭하게

경기를 치러내야 한다. 그러나 날씨에 따라 지역에 따라 그 선수의 성적이 일정하지 않다면 즉, 신뢰도가 없다면 이 선수는 국가대표로서 뽑힐 수 있는 타당성이 있을까?

신뢰도는 타당도를 위한 기본적인 전제조건이다. 즉 신뢰도는 타당도를 위한 필요조건이지 충분조건은 아니다. 그러나 측정도구의 신뢰도가 타당도에 비해 확보하기 용이한 이점이 있기는 하나, 일반적으로 타당도의 수립이 보다 더 가치가 있다.

표 5-1. 타당도와 신뢰도의 종류

타당도(validity)	신뢰도(reliablilty)
내용타당도	재검사신뢰도
준거타당도	동형검사신뢰도
구성타당도	반분신뢰도
	문항내적일관성신뢰도

(3) 신뢰도를 높이는 방법

신뢰도를 높이려면 비체계적 오차가 발생할 가능성을 줄여야 한다. 이 오차는 측정도구, 측정대상, 측정상황의 3가지 측면에서 모두 발생할 수 있으며 다음에 유의한다.

① 측정도구의 모호성을 제거 해야 한다. 즉 측정도구를 구성하는 문항을 분명하게 작성한다.

② 측정항목을 늘린다. 문항 간의 상관관계가 유사한 때에는 항목수를 늘리면 측정도구의 신뢰도는 높아진다. 이는 표본수를 늘리면 측정값이 평균을 중심으로 정규분포를 이루는 것과 같은 원리로서, 측정항목이 많아지면 측정값들의 평균치는 측정하고자 하는 속성의 실제값에 가까워지게 된다.

③ 측정자의 태도와 측정방식의 일관성이 유지되어야 한다.

④ 어떤 요인이 측정의 신뢰도를 떨어뜨리는가를 알기 위해 측정상황을 분석한다.

⑤ 조사대상자가 무관심하거나 잘 모르는 내용은 측정하지 않는 것이 좋다.

⑥ 사전에 신뢰도가 검증된 표준화된 측정도구를 이용하는 것이 바람직하다.

요 약

연구를 하기 위해서는 연구하고자 하는 개념에 대해 정확한 정의를 내려야 하고, 이 개념을 관찰 가능한 현상으로 전환하는 것이 중요하다. 개념이란 용어가 나타내는 어떤 현상이나 사건이 관념적으로 구성되어 머리 속에 그려지는 것을 뜻하며, 개념적 정의란 어떤 말을 모두가 같은 뜻으로 사용하게 하기 위하여 그 말의 뜻을 규정하는 절차라고 할 수 있다. 조작적 정의란 선택된 개념을 실제현상에서 측정 가능하도록 관찰 가능한 형태로 정의해 놓은 것이다.

타당도란 측정하고자 하는 개념이나 속성을 얼마나 실제에 가깝게 정확히 측정하고 있는가를 나타내는 정도라고 할 수 있으며, 신뢰도란 측정도구가 측정하고자 하는 개념이나 속성을 일관성 있게 측정하는 능력 또는 동일한 개념에 대해 측정을 반복했을 때 동일한 측정값을 얻을 가능성을 나타내는 것이다. 타당도를 추정하는 방법은 내용타당도, 준거타당도, 구성타당도가 있으며 신뢰도를 추정하는 방법은 재검사신뢰도, 동형검사신뢰도, 반분신뢰도, 문항내적일관성신뢰도가 있다.

연구문제

1. 개념과 개념적 정의, 그리고 조작적 정의란 무엇인가?

2. 타당도와 신뢰도란 무엇이며 어떤 종류가 있는지 알아보자.

3. 오차에는 어떠한 종류가 있으며 타당도와 신뢰도와의 관계를 알아보자.

이 장에서는 연구논문과 학위논문으로 구분하여 논문의 작성방법과 유의점들을 알아보기로 한다. 연구자는 자신의 연구물을 연구논문과 학위논문 형식을 통해서 발표하게 되는데, 이때 정해진 규칙에 따라 글을 쓰게 된다. 그러나 학위논문과 연구논문의 형식은 획일적인 틀이 없으며 연구자나 소속기관에 따라 조금씩 차이가 있다.

한편 이 장의 마지막 부분에는 다른 사람이 쓴 논문을 접할 때 유념해야 할 점들을 다루어 논문작성 시 지침이 되도록 하였다.

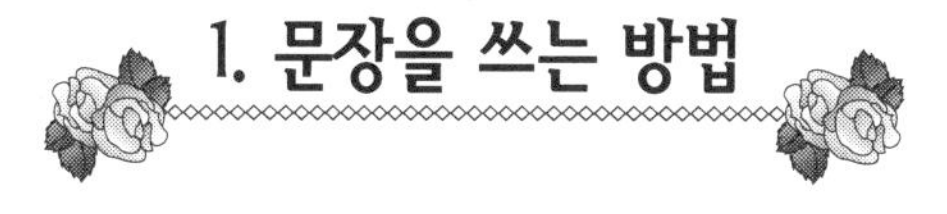

1. 문장을 쓰는 방법

일반적으로 초보자가 연구성과를 논문으로 작성할 경우에는 연구내용에도 물론 어려움이 있겠지만, 기술방법에 어려움을 느끼는 경우가 더 많다. 연구가 자신의 만족을 위해 진행되면 객관성이 결여되며, 본래 연구의 기초목적인 '지식의 발전'과는 동떨어진 폐쇄적인 작업으로 전락될 우려가 있다.

여기에서는 논문에 적합한 문장을 쓰는 방법을 설명한다.

1) 용 어

논문에 사용할 어휘는 무엇보다도 주의 깊게 선택해야 한다. 막연한 어휘나 적당하지 않은 용어는 논문을 쓴 사람의 교양이나 논문평가에 상당한 영향을 미치므로 각별히 신경을 써야 하며, 또 전달하려는 의도를 분명하게 해야 오해를 일으키지 않는다.

2) 문 장

논문은 명확한 논리로 표현할 때만이 비로소 다른 사람들에게 설득력을 발휘할 수 있다. 한 문장 안에 부수적인 문장이 많으면 도대체 무엇을 말하려고 하는지 그 핵심이 희미해진다. 그래서 될 수 있으면 '장문은 피한다'라는 원칙이 필요하다.

문장의 구성은 주어와 거기에 맞는 술어가 주가 된다. 우리말의 특성상 주어와 술어를 생략할 수도 있는데, 일부 사람들은 이 생략법에 의해 문장의 깊이가 더해지거나 군더더기가 없어진다고 한다. 이러한 생각을 전적으로 부정하지는 않지만 만약, 생략된 주어가 잘못 이해된다면 '논리의 전달'을 목표로 하는 논문에서는 커다란 오류가 생긴다. 따라서 주어를 혼동할 수 있을 때에는 번거롭기는 하지만 주어를 삽입하는 것이 좋다.

3) 수 식 어

우리들의 일상생활에서 대화할 때에는 감정을 나타내는 표현을 많이 사용한다. 예를 들면 '오늘 아침 전철은 매우 복잡했다'라고 할 경우 과연 어느 정도 붐볐을까? '갑'이라는 사람은 자신이 이용하는 전철의 붐비는 정도를 떠올릴 것이고, '을'이라는 사람은 정원의 2~3배가 넘었을 것이라고 추상적으로 생각하고 있을지도 모른다. 만약 한산한 시골 기차밖에 타보지 못한 사람이라면 손잡이를 붙들고 서 있는 사람이 조금 있다는 정도로 생각할 것이다.

일반적으로 연구라 함은 한 사건을 어떤 사람이 스스로 관찰 · 인식하여 이를 다른 시간이나 장소에 재현하려고 하는 시도를 의미한다. 이때 정확하게 표현하지 않으면 기록이나 순위라는 객관적인 자료를 전혀 알 수 없으므로 역시 독자 나름대로 해석하고 만다.

논문과 문학작품은 그 양식면에서 전혀 다르다. 논문에서 수식어를 사용하는 미사여구의 표현이 반드시 나쁘다고는 할 수 없지만, 이로 인해 객관성이 상실된다면 논문으로서의 가치가 없다. 따라서 논문의 문장은 다소 서투른 표현일지라도 확실한 내용파악이 가능해야 하고, 객관적인 의미를 분명히 전달할 수 있다면 수식어를 사용하지 않아도 무난하다.

4) 단 정

논문 중 "요즘 어린이는 체격이 향상된 반면에 체력이 이에 미치지 못한다."라는 문장을 썼다고 하자. 이 문장이 확실한 근거를 바탕으로 쓰여졌는지 우선 살펴보아야 한다. 여러 잡지나 서적에 이러한 내용이 쓰여졌더라도 과연 그 내용의 근거는 어디에 있는 것일까? '요즘 어린이'는 '모든 어린이가 해당되는 것일까', 아니면 '예외적인 어린이가 있는 것일까' 등의 의문점이 제기될 것이다. 이런 경우에는 '○○○의 연구에 의하면'이라든가, 이러한 내용이 실린 서적을 주석으로 첨부하여 단정적으로 표현하는 문장에 대한 근거를 제시해야 한다.

5) 단 락

논문의 문장이 지나치게 길면 다른 사람이 이해하기가 어렵게 되거나, 내용의 중복뿐만 아니라 전혀 다른 성격을 지닌 기술이 되기 쉽다. 따라서 논문의 문장은 적당하게 분할하여 알기 쉽게 기술하는 것이 필요하다. 이와 같은 것은 단락과 연결해서 적용시킬 수 있다. 즉 내용을 기술할 때 적당한 구분을 짓기 위해 단락을 나누며, 문장의 전환을 시도할 수도 있다는 것이다.

6) 인 칭

연구논문은 독창성이 요구되므로 객관성을 갖추는 것이 필수요건이다. 예를 들어 한 연구테마에 대해서 특정한 방법을 적용하여 검토한 경우 연구자의 주관이나 선입관이 삽입된다면 독자가 이해할 수 없게 된다. 모든 독자가 공감할 수 있는 연구논문을 구성하기 위해서는 연구자가 보는 관점과 독자가 보는 관점이 일치해야 한다.

연구논문작성 시에는 원칙적으로 3인칭 외에는 쓰지 않는 것으로 하며, 어쩔 수없는 상황일 경우에는 '본 연구자', '필자' 등을 사용한다.

7) 오자 · 탈자

다른 사람이 문장을 읽을 때 탈자 · 오자 등이 있다면 독자는 필자에 대한 불신감이 생길 것이다. 이러한 실수를 범하지 않도록 상용한자 · 문장부호 · 단락 등에 각별히 신경을 써야 한다. 영문표기에서 철자가 틀리는 경우가 종종 있는데, 주의해서 표기하는 습관을 기른다.

8) 단 위

숫자의 단위를 틀리게 표기하는 경우는 거의 없지만, 단위를 빠뜨리는 일은 자주 있다. 예를 들면 '연령은 15, 18 및 25이다'라든가, '체중 67, 신장 175'라는 경우인데, 그중에서도 가장 단위를 많이 빠뜨리는 것은 도표에서이다. 체육연구지의 투고논문에서도 이와 같은 현상은 자주 볼 수 있는데, 숫자에 단위가 없다면 그 숫자는 아무런 효용가치가 없다. 따라서 숫자를 메모할 때부터 단위(CGS가 원칙)를 빠뜨리지 않도록 주의한다.

9) 주 기

논문을 작성할 때 본문 중에 언급한 사항의 근거나 여기에 대한 보충 설명을 주로써 따로 쓸 때가 있다. 논문에서는 원칙적으로 같은 면 하부에 선 하나를 그어 이 주를 기재하는데, 이를 '각주'라고 한다. 각주는 각 항마다 주 1부터 번호를 매기기 시작하며, 본문의 해당 용어(또는 문단) 오른쪽 상부에 * 또는 [주(1)]과 같이 작게 써넣어 그 설명(또는 인용문헌)을 본문보다 작은 글씨체로 기입한다.

권말에 일괄해서 수록하여도 무관하다. 이때에는 본문(또는 장) 전체에 통일된 번호를 붙이든가, 인용문헌의 저자명을 가나다(ABC)순으로 번호를 붙인다. 본문 중의 저자명 오른쪽 윗부분에 작게 ([1])이나 ([3, 5, 9,])로 기입하며, 논문을 쓰는 사람에 따라서는 인용문헌의 발표연도를 넣는 경우도 있다. 연호는 서기로 하는 것이 상식이지만, 역사적 연구 등에서 다른 연호를 사용할 때에는 반드시 ( )안에 서기 몇 년이라고 기재한다.

10) 도 표

문장을 정독해야만 도표의 이해가 가능하다면 굳이 도표를 작성하기보다는 문장으로 끝내는 것이 바람직하다. 논문을 볼 때 가장 눈에 띄는 것이 도표이다. 도표에 이끌려 논문을 읽는 경우도 많으므로 도표는 바로 논문의 생명이기도 하다. 그렇기 때문에 제목만으로도 도표의 의미를 알 수 있도록 제목을 정확하게 붙여야 한다.

도표의 원칙은 제각기 번호순서대로 배치되어야 하며, 문장 중의 도표번호보다 도표가 먼저 나와서는 안되며, 본문 중에 언급되어 있지 않은 도표가 삽입되어서도 안된다. 그림의 제목은 그림밑에 기재되어야 하고, 표의 제목은 표 위에 있어야 하며, 제목은 가로로 쓰는 것이 일반적인 규칙이다.

학회지 등에서는 제목을 영문으로 써도 무방하다. 우리나라 연구논문 중에는 매우 일부분이겠으나 뜻을 알 수 없는 영문제목이 붙여 진 경우를 볼 수 있다. 이 경우에는 '전달'이라는 연구의 본래 목적에 어긋나지 않게 정확하고 뜻이 분명한 영문제목이 되도록 주의하여야 한다.

2. 연구논문의 구성

연구논문을 작성하여 발표하고자 하는 연구자들은 각 학회에서 제정한 논문작성규칙을 참고하여 이에 맞는 양식으로 제출하여야 한다. 연구논문은 학위논문보다 더 짧고 간결하게 요약하여 제시하기 때문에 연구에서 가장 중요한 것을 결정한 다음 그것에 초점을 맞추어 기술하는 것이 중요하다.

연구논문에서 연구문제는 하나 또는 두 개의 문단으로 축약하여 제시한다. 특히 인용문은 연구와 직접적으로 관련이 있는 것만 제시한다. 연구문제와 가설도 간단하게 요약하여 제시한다. 대개의 연구논문은 연구결과가 많은 부분을 차지한다. 표와 그림은 많은 통계적 정보를 담고 있으므로 연구논문에서 많이 사용된다. 논의 부분은 가장 중요한 연구결과에 초점을 맞추어 기술하고, 연구의 한계와 제언을 덧붙인다. 관련문헌도 논문에서 실제로 인용된 자료만 제시한다.

다음 자료는 '한국사회체육학회지 논문투고규정'이다.

< 한국사회체육학회지 논문투고규정 >

일반규정

1. 본 학회지에는 사회체육학에 관련된 내용의 논문을 게재한다.
2. 본 학회지에 게재하는 논문은 다른 학술지에 발표되지 않은 것을 원칙적으로 한다.
3. 투고자는 원칙적으로 정회원 또는 평생회원으로 등록되어 있는 자에 한한다.
4. 편집위원회에서 채택 여부가 결정될 때까지는 다른 간행물에 투고하지 않아야 한다.
5. 학위논문을 학회지에 발표하는 경우 이를 논문접수 시 첫 페이지 하단에 표시하도록 하며, 편집위원회는 이에 따라 저자표기 등의 적합성을 판단하여 게재여부를 결정한다.
6. 총설은 학회의 요청에 의해서만 게재하며 편집위원회에서 체제에 대한 검토와 수정을 요구할 수 있다.
7. 게재불가 판정에 대해 투고자가 서면으로 이의제기를 할 경우 우선 이에 대한 심사자의 의견을 보내며, 그 후의 서면 이의제기에 대해서는 편집위원회에서 심의 결정한다.
8. 심사결과 투고된 원고가 '게재가'로 판정될지라도 그 후 표절 및 중복게재 등의 사유가 발견될 경우에는 심사결과와 관계없이 편집위원회에서 재심하고 학회윤리규정에 의거하여 처리한다.

원고작성규정

1. 원고는 A4 용지에 횡서로 작성하며, 분량은 10페이지 내외를 원칙으로 한다.
2. 원고가 외국문 원고(영어)로 작성된 경우 국문초록을 첨부하며, 국문초록 분량은 A4 용지 2매를 기준으로 한다.
3. 논문작성은 한글 또는 한글 한자 혼용을 원칙으로 하며, 외국어로 작성할 경우는 영어를 사용한다. 또한 한자를 혼용할 경우에는

용어 및 개념어에 한정해서 사용하여야 한다.

4. 원고 첫 페이지에는 논문제목, 연구자 성명(소속), 차례(Ⅰ.서론 Ⅱ.연구방법 Ⅲ.연구결과 Ⅳ.논의 Ⅴ.결론)를 기재한다. 연구자 소속은 저자가 사회체육관련학과에 소속된 경우가 아닐 때만 학과명까지 기재한다.
5. 맨 처음 위치하는 연구자 성명이 제1저자(주저자)이며, 교신저자는 이름 왼쪽 상단에 "*" 표시를 반드시 하고, 첫 페이지 왼쪽 하단에 E-mail 주소를 기재해야 한다.
6. 논문에서 가급적 외래어 표기는 하지 않도록 하나 원어를 사용할 경우에는 우리말 의미를 덧붙이도록 한다.

그림, 표 작성

1. 그림은 인쇄용 원고로 직접 사용할 수 있도록 선명하게 작성해서 첨부한다. 사진을 첨부할 경우에는 가급적 흑백용 필름을 사용해서 제출한다.
2. 표, 그림의 제목 내용은 반드시 국문 또는 한자 혼용으로 작성한다. 그림과 표 제목 및 내용에 전문용어를 원어로 직접 표기할 경우 우리말 의미를 덧붙인다.
3. 표, 그림 제목의 번호는 본문에서 설명할 경우에는 <표 1> 또는 <表 1>, <그림 1>로 괄호를 사용해서 표기하고, 표와 그림에서는 표 1 또는 表 1, 그리고 그림 1과 같이 괄호 없이 표기한다.
4. 모든 표는 아래 보기와 같이 반드시 가로선으로만 작성한다. 다만 특별한 의미를 나타낼 필요가 있는 경우는 세로선도 사용할 수 있다.

<예 시>

표 1. 피험자들의 신체적 특성 (N=12)

	연령(세)	체중(㎏)	신장(㎝)
평 균	22.1	75.4	178.4
표준편차	0.9	3.2	3.7

5. 표 제목은 표의 상단에, 그림 제목은 그림 하단에 표기한다.
6. 표와 그림이 인용된 자료일 경우, 표 그림의 하단에 참고문헌 형식으로 제시한다.
7. 표, 그림에 필요한 단위는 반드시 원어로 표기한다.

수학 및 통계기호

1. 일반적으로 사용되는 통계치에 대한 공식 등은 논문내용에 설명하지 않는다.
2. 통계 또는 수학식이 새로운 것이거나 꼭 필요한 경우에는 논문에 제시한다.
3. 본문에서 추리 통계치를 제시할 때는 통계치 기호와 함께 자유도, 통계치 그리고 유의수준을 같이 제시한다(이때 유의수준의 소수점 앞에는 0을 쓰지 않는다).
4. 피험자 수를 기호로 나타낼 때는 전집일 경우 N으로, 표본대상일 경우 소문자 n을 쓴다.

서체 및 숫자

1. 통계부호 또는 수학의 변수로 사용된 문자는 이탤릭체로 작성한다.

   <예 시> *F* 검증 *Z* 점수 *t* test $F_{(153)}=10.03$
2. 화학용어, 삼각함수용어, 그리스문자, 약어로 쓰인 문자 등은 이탤릭체를 사용하지 않는다.
3. 일반적으로 본문 중의 10 이상의 숫자는 아라비아 숫자를 사용하고, 10 이하의 수는 글자로 표시한다. 1,000 이상의 숫자는 세 자리씩 쉼표로 구분한다.

참고문헌

1. 참고문헌은 국문일 경우 가나다 순으로, 영문일 경우 알파벳 순으로 작성한다. 주요 작성 원칙은 아래와 같다.

※ 정기 간행물 참고문헌의 표시

저자(출판연도). 논문제목. 학술지 이름, 권(호).

페이지 번호.

저자(출판연도)－저자 이름은 모두 명기, 영문일 경우 성은 전부 쓰고 나머지 부분은 머리글자만으로 표시. 성 다음은 "," 로 표시하고 저자가 2명이나 그 이상인 경우에는 마지막 저자 앞에 &를 사용. 출판연도는 저자 다음에 붙여서 괄호 안에 표시.

<예 시>

Bruce, H. B. & Song, H. N.(1995).

김길동, 김길서, 김길남(1995).

논문제목－영문인 경우 첫 머리 글자와 부제목 ("," 다음에 이어지는 제목) 첫 머리 글자만 대문자로 표시, 나머지는 모두 소문자.

학술지 이름과 출판정보(권 번호, 페이지 번호)- 국문인 경우 학술지 이름은 고딕으로 표기, 영문인 경우 학술지 이름은 이탤릭으로 표기하고, 영문 학술지 이름에서 명사, 대명사는 첫 머리 글자를 대문자로 표시. 권 번호(Volume number)는 국 · 영문 모두 이탤릭으로 숫자만 표시, 페이지 번호도 숫자만 기재.

<예 시>

김일동(1995). 청소년의 여가교육에 관한 연구. 한국사회체육학회지, 5(2). 96-107.

Kim, G. Y.(1995). An inquiry into theory of play. *The Physical Education and Sports, 62*. 73-80.

※ 단행본 참고문헌의 표시

저자 또는 편집자(출판연도). 책 제목. 출판사 소재지: 출판사.

저자, 편집자－편집된 책일 경우 국문은 저자 이름 뒤에(편)으로 표시하고, 영문일 경우 (ed.) 혹은 (eds.)라는 약어로 표시

출판연도－책이 발간된 연도를 표시.

책 제목－국문일 경우 고딕체로, 영문일 경우 이탤릭으로 쓰되, 책 제목 가운데 명사, 대명사만 대문자로 표기. 책이 재판 이상으로 간행된 경우 책 제목 다음에 판수를 기재.

출판사 소재지 · 출판사－출판사 소재지와 출판사 사이는 콜론(:)으로 표시한다.

<예 시>

김길동(1995). 운동생리학, 서울 : 대경북스.

Eldon, E. S.(1995). *Concept of Leisure*, California: Prentice Hall Inc.

※ 연구보고서 또는 용역과제 보고서 참고문헌의 표시

보고서 저자(출판연도). 보고서 제목(출판물 고유번호). 출판사 소재지 : 출판부서 기관명.

<예 시>

김길동(1995). 사회복지 프로그램. 서울 : 한국사회체육학회.

※ 석 · 박사 논문 참고문헌의 표시

저자(논문작성연도). 논문제목. ○○대학교 ○○대학원 석사(박사)학위논문.

<예 시>

김길동(1995.) 스포츠 경영체의 주체적 조건에 따른 소비자 행동분석, ○○대학교 ○○대학원 박사학위논문.

인용, 본문에서 참고문헌 인용

1. 다른 저자의 책, 출간된 연구물에서 인용된 자료, 검사항목에서 따온 자료, 그리고 피험자에 대한 언어적 지시사항 등은 문자 그대로 적는다.
2. 짧은 인용(40단어 이하)은 본문 속에 포함시키 고 직접 인용부호(" ")로 인용문을 표시한다. 40단어 이상의 인용문은 본문과 별도로 적고 인용부호는 생략한다. 별도로 인용문을 적을 때는 문단을 바꿔 왼쪽, 오른쪽 끝을 각각 5자씩 들여서 쓴다.
3. 인용을 할 때 본문에는 저자, 연도 그리고 페이지만 밝혀주고, 참고문헌에 완전한 출처를 제시한다.
4. 본문에서 참고문헌을 이용할 때 단독 또는 두 명의 연구자일 경우 저자명(영문일 경우

성만 표기)과 출판연도를 논문의 적당한 부분에 삽입한다.

5. 저자가 2명 이상 6명 이하인 연구에서는 처음 참고문헌을 인용할 때 모든 저자를 밝히고, 두 번째부터는 첫 번째 저자의 이름(영문일 경우 성)만 쓰고 "등" (영문일 경우 et al.)과 연도만 적는다.
6. 저자가 단체일 경우 처음 인용할 때에는 단체명을 모두 쓰고, 그 이후부터는 약어로 쓰면 된다.

논문의 형식

1. 논문작성은 다음 형식에 따른다.

Ⅰ. 서 론
Ⅱ. 연구방법
Ⅲ. 연구결과
Ⅳ. 논 의
Ⅴ. 결 론
참고문헌
ABSTRACT(마지막 부분에 영문 key words 4개 이상 기입)

2. 이론적 배경(혹은 관련 연구)은 간결하게 분석하여 서론 부분에 포함시킨다.
3. 연구결과는 '결과 및 논의'로 결론은 '결론 및 제언' 등으로 쓸 수 있다.
4. 장 및 절에 해당하는 번호는 아래 원칙에 따른다.

I.
1.
1)
(1)
①

투고방법

1. 본 학회 홈페이지(http://www.kssls.org)에 접속한 후 정회원 또는 평생회원으로 등록한다.
2. 등록 후 연회비와 심사료를 입금한다(미납시 정회원으로 등록되지 않으며 투고할 자격이 부여 되지 않는다).
3. 원고접수는 본 학회 홈페이지(http://www.kssls.org)에 접속하여 논문투고란의 온라인논문투고에서 기입해야 할 항목을 기입한 후, 투고할 논문의 파일을 첨부하여 접수하면 된다. 온라인 논문투고 외 접수는 받지 않는다.
4. 논문투고 시 논문투고 전 점검표를 논문 하단에 '붙여넣기'를 하여 투고한다(제출하지 않는 논문은 접수가 완료되지 않는 것으로 한다).

발행규정

1. 학회지 발간은 1분기(2월28일), 2분기(5월31일), 3분기(8월20일), 4분기(11월30일)로 연간 4회 발간하며 원고접수마감은 2월28일, 5월31일, 8월31일, 11월 30일로 한다.
2. 논문투고 후 논문게재까지 발행일은 투고마감일로부터 차기호 또는 차차기호에 게재하는 것으로 한다.

기타 규정

1. 논문 투고자는 논문 1편당 심사료 40,000원을 온라인 투고 시 납부해야 한다. 심사 후 게재가 확정되면 논문 1편당 게재료 200,000원을 납부해야 한다(인쇄본 10페이지 기준이며 초과 시에는 1페이지당 10,000원의 추가 비용을 납부해야 한다).
2. 게재논문에 대한 별쇄본이 필요한 경우에는 별도의 제작비를 납부하여야 한다.

3. 학위논문의 구성

일반적으로 논문의 구성이 어떠해야 한다는 규칙은 없다. 즉 논문구성은 논문의 내용과 관계있기 때문에 다양하다는 것과도 그 의미가 통한다. 예를 들면 인문과학영역의 연구는 자연과학영역의 연구논문보다 그 구성이 더욱 다양하다. 따라서 폭넓은 분야의 기초과학을 기반으로 한 응용과학인 체육학에서 논문을 일반적인 구성방법으로 문장화하는 것은 매우 까다로운 작업이다. 가장 일반적인 학위논문형식은 다음과 같다(박도순, 2002).

[앞부분]
1. 제목
2. 감사의 글
3. 초록
4. 목차(표 목차, 그림 목차)

[논문부분]

1장 서론
- 일반적인 연구문제
- 연구의 의의 및 필요성
- 연구목적, 문제, 가설
- 용어의 정의

2장 이론적 배경
- 선행연구 개관
- 연구영역에 대한 현재의 연구상태의 해석적 요약

3장 연구방법
- 연구설계
- 표집절차
- 실험처치 및 절차
- 측정치

4장 연구결과
- 통계적 절차의 개요
- 각 연구가설이나 연구문제에 대한 결과 기술

5장 논의 및 결론
- 연구문제와 방법 요약
- 각 연구결과의 해석
- 결론
- 제언

[뒷부분]
참고문헌
부록

(1) 제 목

논문의 제목은 간결하고 논문의 내용을 잘 나타내어야 한다. 즉 제목 하나만으로도 논문의 연구목적이나 내용을 알 수 있게 기술해야 한다.

(2) 초 록

초록은 논문의 간결하고 포괄적인 요약으로 제목과 같이 독자들이 논문내용을 미리 알아볼 수 있고, 정보서비스 인덱스에 포함되어 논문을 찾아볼 수 있게 한다. 독자들은 초록을 읽고 논문 전체를 읽을 것인지를 결정하게 된다. 초록의 논조는 평가적인 아니고 보고하는 형식으로 이루어져야 하며, 모든 약어 · 특별용어를 설명하고, 모든 검사의 이름, 사용된 실험방법을 모두 제시한다. 초록은 상황에 따라 뒷부분에 실을 수도 있다.

(3) 표목차와 그림목차

표목차와 그림목차는 본문에서 제시한 제목과 일관되게 기술해야 한다.

(4) 서 론

서론에서는 연구문제의 진술과 연구의 목적, 용어의 정의 등을 기술한다. 서론은 연구의 이론적 · 실제적 의미를 이해하는 안내역할을 한다. 서론을 기술하기 전에 연구자는 다음과 같은 질문을 고려해 보아야 한다.

① 연구의 요점은 무엇인가?
② 가설과 실험설계는 연구문제와 관계가 있는가?
③ 연구의 이론적 의미는 무엇인가, 그리고 선행연구들과 어떤 관련이 있는가?
④ 검증되는 이론적 명제는 무엇이고 어떻게 추출되는가?

훌륭한 서론은 이러한 질문들에 대한 대답을 적절한 주장과 자료를 제시해 독자들에게 무엇이 이루어지고 왜 그것을 했는지를 명확하게 제시하는 것이다.

(5) 이론적 배경

여기에서는 연구분야의 이론과 연구들을 논의하되, 모든 연구나 연구의 역사를 망라하지 않는다. 왜냐하면 독자들이 그 분야의 지식을 갖고 있는 것으로 가정하기 때문이다. 해당 분야의 연구 역사를 제공하고, 이전의 다른 사람들의 연구를 알 수 있게 한다. 이전의 연구는 현재연구에 알맞은 결과, 적절한 방법론적 문제, 주요 결론만을 강조하여 선행연구와 현재연구 사이의 논리적인 연결을 증명하는 것이 중요하다. 최대한 관련있는 연구만을 언급하는 것이 중요하다.

(6) 연구방법

연구방법에서는 연구의 실시방법을 다른 연구자들이 재반복할 수 있게 자세히 기술하여 방법의 적절성과 결과의 신뢰도와 타당도를 평가할 수 있게 해야 한다.

① 피험자

연구절차의 제시는 실험결과의 평가, 연구결과의 일반화, 연구의 반복, 다른 연구와 비교, 제2의 자료분석 등을 위해 매우 중요하다. 표본은 모집단을 대표하여야 한다. 인간이 피험자인 경우 표본추출방법과 할당방법, 피험자의 동의 등을 보고해야 한다. 또한 성과 나이 등 인구통계학적 특징도 보고해야 한다. 특정한 인구통계학적 변인이 실험변인이거나 결과의 해석에서 중요할 때에는 구체적으로 보고해야 한다. 그리고 피험자의 총수와 각 실험조건에 할당된 피험자수를 보고한다. 실험을 끝내지 못한 피험자도 계속할 수 없는 사유와 함께 몇 명인지 기술한다.

② 자 료

실험에서 사용된 자료와 그것들의 기능을 간단히 기술한다. 실험용 장비의 모델넘버, 제공자의 상호, 위치 등을 제시한다.

③ 절 차

연구가 진행되는 각 단계를 요약한다. 피험자에게 제시된 지시사항, 집단의 형성, 특정한 실험도구의 조작 등을 포함한다. 실험에서 사용된 무선화, 짝짓기, 통제방법 등을 기술한다.

(7) 연구결과

연구결과에서는 수집된 자료와 통계적 처리방법을 요약하여 제시한다. 먼저 간단하게 주요 결과를 진술하고 결론을 증명할 수 있는 자료를 상세히 보고한다. 결과의 의미에 대한 논의는 이 장에 포함되지 않는다. 가설과 반대되는 결과를 포함하여 모든 적절한 결과를 설명한다. 특별한 경우를 제외하고는 원자료는 포함시키지 않는다.

① 표와 그림

자료의 명확성과 경제성을 고려한 것이 표와 그림이다. 표와 그림에 제시된 자료는 모두 확실히 설명되어야 한다. 표와 그림은 대체자료가 아니고 단지 보조 또는 보완자료일 뿐이다.

② 통계치의 제시

추정통계치를 제시할 때는 통계치의 값, 자유도, 유의확률, 효과에 대한 정보 등을 주어야 한다. 이때 유의수준도 보고한다. 또한 기술통계량(평균, 표준편차, 빈도 등)도 보고해야 한다.

(8) 논의 및 결론

논의 및 결론에서는 연구문제와 연구방법의 간결한 요약, 각 연구결과에 대한 논의, 연구의 한계 및 제언 등을 기술한다. 논의의 첫 부분은 연구가설을 지지하는지 그렇지 않은지에 대한 문장으로 시작하여 다른 관련연구들의 결과와 비교하며 그 유사성과 차이점을 명확히 하고 결론을 확실하게 기술해야 한다.

논의에서 논쟁, 사소한 것, 빈약한 이론적인 비교는 피해야 한다. 연구의 이론적 · 실제적 의미를 기술하고, 연구의 개선점을 제안하고, 새로운 연구를 위한 제안을 간결하게 한다. 논의를 쓸 때에는 다음과 같은 질문을 고려한다.

- 이 연구가 기여하는 것은 무엇인가?
- 이 연구는 본래의 문제를 해결하는 데 얼마나 도움이 되었는가?
- 이 연구의 결론과 이론적 의미는 무엇인가?

논의부분에서 가장 중요한 것은 중요한 통계적 결과를 제시하고 해석하는 일이다. 다음 가설과 연관된 결론을 내리며, 이론적 · 실제적인 의미와 결론의 타당성을 서술하고 제언을 써넣는다.

(9) 참고문헌

본문에 제시된 모든 인용은 참고문헌목록에 제시되어야 하고, 모든 참고문헌은 본문에 인용되어 있어야 한다. 최근에는 APA 형식을 많이 사용하는 추세이다(자료 1 참조). APA 형식은 저자명, 출판연도, 저서명, 출판된 도시, 출판사 순으로 기술한다. 예를 들면 다음과 같다.

[예 1] Kroll, W. P.(2009). *Perspectives in Physical Education*. New York : Academic Press.

[예 2] Lakie, W. L.(2008). Expressed attitudes of various groups of athletes toward athletic competition. *Research Quarterly, 35*. 497-503.

[예 3] Gerber, E. W.(2010). Identity, relation and sport. In E.W. Gerber & W. J. Morgan(Eds.). *Sport and the Body : A Philosophical Symposium(2nd ed.)*. Philadelphia: Lea & Febiger. pp. 108-112.

(10) 부 록

부록은 저자가 독자들에게 더 자세한 정보(본문에 포함하면 글의 흐름을 방해하거나 글이 복잡해질 때)를 제공하고, 편집이나 형식에 얽매이지 않고 정보를 제공하려 할 때 사용한다. 부록에 게재할 자료는 연구를 위해 구체적으로 설계된 것으로, 다른 곳에서 구하기 힘든 새로운 컴퓨터 프로그램, 출판되지 않은 검사와 타당화자료, 복잡한 수학공식 증명 등이다.

4. 논문의 평가

훌륭한 논문을 쓰기 위해서는 자신의 전공과 관련된 기초지식을 쌓는 것도 중요하지만, 관련분야의 선행 논문을 자주 읽음으로써 연구동향도 파악할 수 있으며 비판적인 시각으로 접근하여 추후에 우수한 논문을 쓸 수 있는 기초를 쌓을 수 있다. 그러므로 다른 사람의 논문을 읽을 때에는 내용뿐만 아니라, 다음과 같은 형식 등도 제대로 이루어졌는지도 살펴보아야 한다.

다음은 학위논문을 읽을 때 주의 깊게 살펴보아야 할 점들을 나열한 것이다.

1) 서 론

① 논문의 주제에 대한 문제 제기는 거시적인 차원에서 접근을 시작하여 미시적인 차원까지 접근을 시도하고, 논문의 주제와 관련된 내 · 외적인 문제점 및 상황들을 명확하게 설명하고 있는가?

② 문제 제기와 관련하여 연구 또는 조사되어야 할 부분이 문제 제기와 일관성을 유지하면서 연구목적이 설명되고 있고 상호관련성이 있는가?

③ 연구목적을 이행하게 될 가설은 설정되어 있고 그 가설은 문제의 제기 및 연구목적에 상응하여 독립변수와 종속변수가 포함되어져야 하며, 또한 변수에 대한 설명이 필요하며, 논리상 문제의 제기, 연구목적, 가설의 변수와는 일관성이 있는가?

④ 연구의 필요성에 따라서 연구자가 사용할 이론 또는 모델의 이론적 근거 및 합리성을 제시하고 있고, 논문의 연구성격과 어느 정도 관련성이 있으며, 기존의 이론 또는 모델상에 나온 변수들을 어떻게 연구목적과 관련해서 추가 · 삭제할 수 있는가?
⑤ 연구의 결과에 나올 사항들은 어떠한 중요성과 영향력을 미치며 결론적으로 그러한 결과는 이론상 또는 현실적으로 공헌을 할 것인가에 대한 언급이 되어 있는가?
⑥ 연구범위, 연구방법, 통계분석기술, 자료수집, 예비조사를 위한 연구대상과 한계성은 설명되어져 있는가?
⑦ 연구하고자 하는 주제에 따른 용어에 대한 정의는 정확하게 설명을 하고 있는가?
⑧ 독자를 위하여 마지막 부분에 논문의 전체적인 구성에 대한 설명을 하고 있는가?

2) 이론적 배경

① 연구자가 독자들이 논문주제를 확실히 알 수 있도록 연구한 사항들을 간략히 요약하고 있는가?
② 논문주제에 관련된 문헌을 고찰할 때 서론에서 설명한 연구목적과 가설에 대한 변수를 중심으로 이론을 전개하고 있는가?
③ 이론을 전개할 때 연구변수에 대한 긍적적인 측면과 부정적인 측면을 동시에 정리하고 있는가?
④ 사용하고 있는 책, 정기간행물, 인터뷰 등은 주제와 상호 관련성이 있으며 객관적인 입장에서 보았을 때 수용할 수 있으며, 또한 발행연도와 주제와의 관계는 정확한가?
⑤ 논문주제에 대하여 이미 연구된 부분과 연구할 부분을 명확하게 표시하고 있는가?
⑥ 문헌정리를 학자의 의견에 따라서 종합하고 있는가?

3) 연구방법

① 지금까지 연구된 부분의 간략한 설명과 연구되어야 할 부분에 대해서 요약하고 있는가?
② 연구방법론 및 연구접근방법에 대해서 기술하고 있으며, 문제 제기 · 가설 · 연구목적과 관련하여 보았을 때 상호 일관성이 있으며 연구방법론에 대해서는 기본적인 범주 안에서 설명하려고 하는가?
③ 연구방법에 따라서 독립변수와 종속변수를 명확히 구별하고 설명하고 있는가?
④ 연구기획, 연구방법, 설문지작성, 자료수집 및 방법, 그리고 표본에 대한 예비조사계획에

는 문제가 없으며 또한 일관성이 있는가?
⑤ 설문지는 통계기술을 전제로 하여 일관성 있는 변수를 중심으로 작성되어 있는가?
⑥ 자료의 수집 및 방법은 객관적인 입장에서 보았을 때 타당성이 있는가?
⑦ 통계기술은 연구주제와 변수에 따라서 올바른 통계기술을 사용하고 있는가?
⑧ 표본추출은 신뢰도 안에서 유지할 수 있도록 하고 있는가?

4) 연구결과

① 서론, 이론적 배경 그리고 연구방법을 서두에서 언급하고 있는가?
② 서론에서 언급한 가설을 검증하려고 하는가?
③ 연구방법에서 언급한 통계기술을 이용하여 나온 결과를 가설과 연계시켜 검증했는가?
④ 가설과 검증의 방법상에는 문제가 없는가?
⑤ 마지막 부분에 결과를 요약하고 있는가?

5) 논의 및 결론

① 논문의 주제와 관련하여 서론, 이론적 배경, 연구방법 그리고 연구결과를 간략히 설명하고 있는가?
② 가설설정과 검증을 통한 연구의 결과는 결론적으로 무엇을 의미하는가?
③ 연구결과에 나온 사항들이 현실적으로 이행되기 위한 제안서를 작성하여 해당 논문 대상자 또는 기관에 제시하거나 발표할 준비는 되어 있는가?
④ 연구의 제한성과 한계성 때문에 연구되지 않은 부분과 미흡한 부분에 대한 연구방법을 다른 연구자들에게 제안하고 있는가?

요 약

학위논문 및 연구논문의 구성은 획일적일 수 없다. 그러나 기본적으로 비슷한 틀 안에서 작성하게 된다. 학위논문과 연구논문은 구성상 약간의 차이가 있다. 일반적으로 학위논문은 연구논문보다 짧으며, 내용 중 가장 중요한 것에 초점을 맞추어 쓰는 것이 중요하다. 논문을 발표한다는 것은 타인에게 자신의 논문을 보임으로써 객관성을 평가받는 것이다. 그러므로 독자의 입장에서 논문을 서술하려는 자세가 중요하다.

연구문제

1. 연구논문의 구성은 어떻게 이루어지는가? 그리고 각 구성단계에서 유의해야 할 점은 무엇인가?

2. 학위논문의 구성은 어떻게 이루어지는가? 그리고 각 구성 단계에서 유의해야 할 점은 무엇인가?

3. 관심있는 분야의 학위논문 10편을 읽고 평가를 해보자.

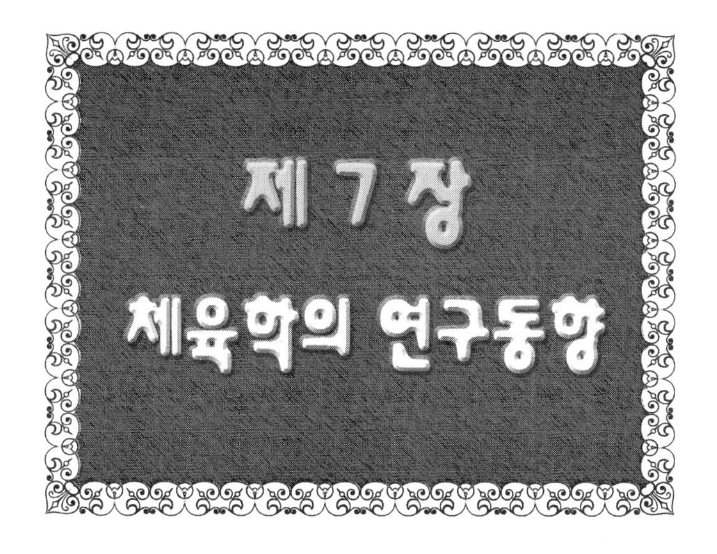

이 장에서는 체육학에서 연구되고 있는 각 분야를 개괄적으로 다루며, 연구영역, 연구방법, 연구동향과 향후 연구과제를 알아본다. 이를 통해 체육학을 처음 접하는 독자들도 관심 있는 분야를 쉽고 빠르게 이해할 수 있도록 도와줄 것이다.

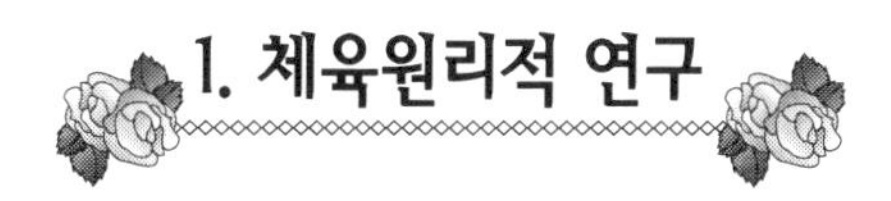

1. 체육원리적 연구

체육원리는 체육의 이념적인 문제를 학문적으로 연구하는 '체육철학'으로 해석하는 면도 있고, 또 체육사상을 포함한 일반적인 문제를 개념적으로 해명하는 '체육개론'으로 생각하는 면도 있다. Williams는 체육을 바르게 지도하기 위해서는 방향과 방법, 그리고 실천이 있어야 한다고 주장하고, 그것을 설정하는 이론적 근거를 제공하는 것이 원리라고 하였다. 또한 체육원리를 철학과 과학으로 분류하고, 철학은 다시 통찰, 경험, 이해 등으로 분류하였다.

이와 같이 체육원리는 간단하게 규정할 수는 없지만, 체육원리는 principles(원칙, 본질)에 있고, 나아가 여러 가지 원리가 특별히 있을 수도 있다. 체육원리의 개념은 여러 영역의 연구결과를 집약시켜 비교하면 이해하기 쉬울 것이다.

1) 체육의 철학적 접근

철학이란 우주와 이에 따른 모든 지식, 그리고 사물에 대한 원리 및 이를 지배하는 생각과 행동을 연구하는 학문이다. 따라서 철학적 접근은 그 자체가 과학이 아니라 하더라도 어떤 문제를 다룰 때에는 과학적이어야 한다.

체육철학은 우선 체육과학이 존재할 논리를 밝혀 체육과학의 인식론적 근거를 논하는 학문이다. 이와 같은 인식론적 근거란 체육과학 성립의 근거가 되는 지식이 보편타당성을 지니고 있는가, 그리고 체육과학의 인식방법이 보편타당성을 지니고 있는가를 규명하는 것이 그 첫째 임무이다. 다시 말해서 체육과학 성립의 근거를 밝히기 위하여 인식론의 관점에서 체육현상을 연구하는 것이다.

체육철학은 분류적 입장을 가진다. 즉 보편타당성 있는 인식방법으로부터 체육과학을 분류하려는 것이다. 예를 들면 체육사회학과 체육심리학의 상이점이 무엇인가를 밝혀 체육과학 자체의 분과과학으로 성립근거를 부여함으로써 이들을 분류하는 것이다.

한편 체육철학은 체육과학을 비판한다. 즉 체육과학의 진리 또는 연구결과가 우리의 문화 및 인간에 대하여 어떠한 의의를 지니고 있는가, 특히 체육과학의 전망 등 체육과학 자체의 반성적 · 자기비판적 입장이다.

체육철학의 연구는 체육현상에 대한 이와 같은 세 가지 접근방법에 의해서 그 당위적 법칙을 찾아내는 데 있다.

2) 체육철학의 연구영역

체육철학은 체육학의 지주로서 다음의 세 가지 범주로 나눌 수 있다.

(1) 대 상 론

체육철학은 특히 체육의 본질을 연구하는 분야로 이해되는데, 이때 '체육은 무엇인가'와 '체육은 어떠하여야 하는가'가 화두가 된다. 다시 말하면 존재(sein)와 당위(sollen)의 문제를 통일적으로 종합하는 것이다. 여기에는 현대의 역사적 · 사회적 현실파악, 신체의 과학적 · 철학적 인식방법, 인간관 · 세계관 등이 연구의 기초로 필요해진다. 이와 같은 본질론을 토대로 하여 현실적으로 가치를 부여하는 것이 오늘날 체육의 목적 · 목표론으로 구체화된다.

체육철학은 특히 체육에 관한 넓고 종합적인 문제 전반을 고찰대상으로 하여 체육의 현실과 이념의 통일상을 추구한다. 과학이 대상의 일부분 또는 일 측면을 문제로 삼는 데 비하여 철학은 항상 전체를 문제로 한다. 그렇기 때문에 지도론, 교육과정론, 평가론, 교사론, 교재론, 시설론, 제도론 등도 각각의 본질적 연구라는 의미에서 체육철학의 대상이 된다. 물론 이러한 각론이 체육현장에서 구체화되기 위해서는 체육과학이나 운동학의 연구 결과를 활용하지 않으면 안 된다.

(2) 내용론

체육철학의 대상이 그대로 내용이 될 수도 있겠지만, 체육철학이 당면한 내용론으로서 중요한 연구과제는 '심신상관의 문제', '인간형식의 문제', '체육운동의 의미 · 가치 · 방향부여의 문제'이다.

먼저 심신상관의 문제인데, 이 경우 심신의 일원론적 접근 또는 이원론적 접근에 따라 체육의 본질은 크게 달라지게 된다. 다시 말해서 심신일원론적 접근에 의하여 체육에서 인지적 영역(cognitive domain)과 심동적 영역(psycho-motor domain)의 동시형성이 고려될 수 있다. 그러나 심신이원론적 접근에 의하면 체육에서 심동적 영역, 다시 말해서 신체형성이 그 중심과제가 될 것이다.

다음은 인간형식의 문제인데, 이는 심신상관의 문제나 체육의 본질론과 밀접한 관련을 맺고 있고, 그것이 체육의 일환으로 행하여지는 중요과제의 하나로 부상되는 영역이다. 체육에서 인간형성의 가능성과 한계는 인식론적 입장에서 접근이 필요하다. 다시 말해서 체육활동장면에서 얻어지는 특성인 스포츠맨십 · 협동심 · 책임감 등이 사회적 성격으로 전이문제, 그리고 체육기능(skill)향상이 성격함양에 바르게 작용하기 위한 지도방법문제이다.

끝으로 체육운동의 의미 · 가치 · 방향부여의 영역인데, 이는 심신상관 · 인간형성 문제의 구명을 기반으로 해서 체육의 본질을 추구한 기초 위에 현시점에서 체육 본연의 위치를 정립하는 영역이다. 최근 체육에서 강조되고 있는 체력문제 등은 그 의의나 체육에서 차지하는 위치에 관하여 충분한 검토가 이루어져야 하는데, 이것이 바로 이 영역에 속하는 과제이다.

(3) 방법론

체육철학을 성립시키기 위한 방법을 탐구하는 분야가 방법론이다. 이를 위해서는 먼저 체육의 성립을 입증하고 있는 철학을 검토해야 한다. 현재까지 체육의 성립을 입증하는 주된 철학은 관념론, 자연주의, 실존주의, 실용주의 등이다. 체육은 기본적으로 심신일원론에서 출발하여 학습자 중심의 전인교육을 지향하는 실존주의의 논거 위에 더욱 절대적인 것을 추구해 나아가는 관념론, 각 개인의 생득적 능력을 자연 그대로 개발해나아가는 자연주의, 기계문명의 영향 아래서 강건한 육체와 신체적성을 과학적으로 증진시키려는 실용주의 등과 같이 각각의 장점을 취하여 나아가는 태도가 필요하다.

체육철학의 연구방법으로는 귀납법 · 연역법 등도 중요한 의미를 가지고 있으나, 체육을 사회적 존재인 인간의 운동이라는 종합적 가치부여 측면에서 보면 변증법적 인식방법도 체육철학의 연구방법으로 볼 수 있다. 이는 현실과 이념의 통일을 지향하는 체육의 종합논리라고도 한다.

3) 체육철학의 연구방법

해결해야 할 문제에 직면하면 보통 그것을 해결하기 위해 개인의 경험을 상기시키려 한다. 예를 들면 축구코치는 지난해 특정팀에게 효과적이었던 플레이를 상기해서 같은 팀에는 올해도 이를 적용하려 할 것이다. 이러한 개인의 경험에 바탕을 둔 준거는 문제해결을 위한 의사결정에 도달하기 위해서 유용하고 보편적인 방법일 수 있으나, 이의 무비판적인 사용은 잘못된 결론으로 유도될 수도 있다.

이와 같이 한 개인의 경험은 신뢰하기에는 너무나 제한성이 있다. 다시 말해서 자신의 견해와 일치하지 않으면 빼어버리거나, 관련되는 의미있는 요소를 간과하거나, 자신의 편견이나 선입관을 지지하는 증거만을 선택하거나, 상황이 판이하게 다르기 때문에 과거의 경험을 적용할 수 없게 되어버리는 것 등이 그것이다. 이러한 일반적인 과오를 피하려면 철학적 연구방법에서도 과학자들이 결과를 검토할 때에 적용하는 것과 같은 정도로 증거의 고찰에 주위를 기울여야 할 것이다. 철학연구자는 긍정과 부정의 양면을 가능한 한 객관적으로 숙고하며, 최적의 해답이 떠오를 때가지 제시된 해결방안에 대해서는 비판적 사고가 필요하다.

많은 학자들이 비판적 사고에 대한 절차를 제안하였는데, 그중에서 Dewey, J.의 제안은 다음과 같다.

① 장애의 발생
 – 목적달성을 위한 수단선택의 결여
 – 목표의 특성 파악
 – 예기치 못한 사태의 설명
② 문제의 진술에서 장애의 정의
③ 제시된 설명이나 잠재적 해결의 존재 : 추측, 가정, 추론 또는 이론
④ 자료(data)수집과 의미의 발전을 통한 관념의 합리화
⑤ 가설의 경험적 검증을 통한 관념의 확증과 서론적 신념의 형성

이와 같은 절차는 실험작업을 위하여 제안되었으므로 순수한 철학적 방법에서 벗어날 수도 있다. 이는 철학과 과학의 밀접한 결합을 시사해주고 있다. 실제로 과학적인 작업은 비판적 사고없이는 이루어지지 않는다.

Dewey, J.의 처음 세 단계(즉 ①~③)는 모든 연구에 공통된 국면이다. 확실히 연구자는 그의 연구문제로부터 오는 장애감을 지니고 있다. 장애는 해결을 허용하는 적절한 한계 내에서 각각 다른 과학과 철학적 방법이 제기될 수 있다. 철학자는 기본적으로 가설증명에 사용할 실증을 수집하는 데 반하여, 과학자는 그 증거를 제시하기 위한 실험적 절차에 의존하게 되

는 점이 다르다.

철학적 연구는 평가에서 가설의 설정과 비판적 논증적용에 크게 의존한다. 가설은 현상에 관한 지식을 잠정적으로 긍정하는 진술이며, 새로운 진리를 추구하는 행위에 대한 기초로 채택된 것이다. 가설은 관찰된 사실과 동일하고 동시에 기정사실과 갈등을 일으키지 않으면서 새로운 증거 또는 논증에 도전적인 것일 수도 있다. 가설은 이론성을 평가할 목적으로 진술된다. 그리하여 기각된 가설은 부정적 측면에서 지적 기여를 하고 있으며, 탐구자는 문제해결에는 이르지 못한다 하더라도 어떤 가능성을 탐지하게 된다. 철학적 연구에서 연구자는 다음과 같은 절차를 밟아 연구하게 된다(Clark, D. H. & H. H. Clark, 1970).

① 문제의 영역을 밝힌다. 문제는 처리가 용이한 부분으로 정의되고 구분된다.
② 문제와 관련된 유용한 사실들을 수집한다.
③ 사실에 통합과 분석을 통하여 그들 사이의 관계를 밝힐 수 있는 유형으로 분류한다.
④ 이러한 유형으로부터 법칙에 내재하는 관계성을 서술하는 일반법칙을 도출한다.
⑤ 이러한 법칙을 가설적 혹은 시험적 가정의 형태로 진술한다.
⑥ 수락, 기각 또는 수정을 위하여 가설을 검토한다.

4) 체육원리적 연구동향

체육원리적 연구동향을 발표주제를 중심으로 살펴보면 다음과 같다.

① 체육과학과 체육원리의 관계
② 현대체육의 방향성(목적)
③ 심신관계
④ 현대체육과 인간관
⑤ 운동문화
⑥ 현대체육의 입장
- 현대체육의 분석
- 현대사회에서 체육의 기능 -개인과 집단-
⑦ 아마추어리즘(amateurism)의 문제점
⑧ 교육에서 체육의 위치
⑨ 올림픽운동과 학교체육
⑩ 올림픽운동이 체육에 미치는 영향
⑪ 현대의 체육교사상
- 철학적 입장으로부터
- 운동문화론적 입장으로부터
- 사회학적 입장으로부터
⑫ 교과체육과 교과외체육활동(클럽활동)의 관계
- 학생의 입장으로부터
- 지도자의 입장으로부터
- 비교체육의 입장으로부터
- 인간형성의 입장으로부터
⑬ 체육과 인간형성-그 가능성과 한계-
- 종교적 · 예술적 입장으로부터
- 체육학적 입장으로부터
- 현상론적 입장으로부터

⑭ 체육학의 체계
- 철학적 입장의 고찰
- 과학적 입장의 고찰
- 실천적 입장의 고찰

⑮ 체육과 스포츠의 개념
- 미국의 입장에서 고찰
- 유럽의 입장에서 고찰
- 동양의 입장에서 고찰

⑯ 체육학연구의 분화와 종합
- 철학적 입장의 고찰
- 자연과학적 입장의 고찰
- 실천적 입장의 고찰

⑰ 21세기의 체육
- 철학적 입장의 고찰
- 역사적 입장의 고찰
- 운동학적 입장의 고찰

⑱ 현대체육의 민족적 과제-복지와 체육-

5) 체육의 전망과 체육원리의 연구과제

체육은 '인간을 위한, 인간에 의한' 활동이다. 따라서 당연히 '가치창조작업'이다. 이를 위해 있는 그대로의 체육적 현상의 정확한 인식이나 진실된 모습 · 법칙을 가장 명확하게 파악해야 한다. 여기에는 학문적인 관점이나 고찰의 차이, 또는 전체적 관찰과 부분적 관찰의 차이가 있으나, 학문에 부과된 가장 중요한 연구과제가 된다. 여기에 덧붙여 발견된 여러 법칙들의 진실성 · 법칙성 등을 어떻게 실제활동에 적용시킬 것인가의 연구도 진행되어야 한다. 또한 학문적인 지식도 총괄적인 입장에서 유기적이며, 통일적인 체계를 세울 필요가 있다.

최근의 '체육원리관'은 교육론적 입장이나 문화론적 입장의 어느 쪽에 중점을 둘 것인가, 본질론적 입장이나 가치론적 입장의 어느 쪽에 중점을 둘 것인가, 체계론적 입장이나 실천론적 입장의 어느 쪽을 강조할 것인가 등의 범주에서 보다 현실적인 체육활동의 가치를 지니기 위해서는 앞서 제시한 연구작업이 필요하다. 예를 들면 체육적 활동을 '인생'이라는 입장에서 파악하게 되면 공간적으로 '생활체육', 시간적으로 '생애체육'이라는 점이 문제시된다. 그리고 인간생활은 환경(사회 환경, 자연 환경)과 밀접한 관계를 유지하면서 전개되고 있으며 항상 현상적인 변화를 하고 있다. 따라서 체육활동을 인생이라는 입장에 중점을 두고 연구하려면 우주 · 자연 · 인간의 생활환경 등 넓은 시야에서 다양한 방안을 제시해야 할 것이다.

이와 같이 '학문적 입장'의 고찰이나 '생활적 입장'의 고찰에서는 반드시 총괄적인 통일작업과 전체적인 연계작업이 이루어져야 하는데, 이는 곧 '체육원리'의 가장 큰 연구과제라 할 수 있다. 이에 대한 연구태도는 철학적 관찰법 및 전체를 바라볼 수 있는 사고방법이 요구된다.

2. 체육사에 관한 연구

역사에 대한 연구는 과거의 역사적 사실과 업적, 그리고 그것에 의한 영향력 등을 연구 · 조사하는 것이다. 이러한 역사적 변천의 발자취는 전세대와 어떠한 관련이 있고, 후세대에 어떻게 영향을 미쳤는가를 알아보며, 현재를 올바르게 조망하여 보다 나은 미래의 이정표를 세우는 데 필요한 자료가 된다.

체육의 역사는 과거에 관한 믿을만한 사실을 남겨주는 구실을 하는 연구로서, 과거에 어떠한 것이 행해졌는가를 알게 한다. 다시 말해서 체육사연구는 체육이 당시의 사람들이 요구한 인간상이나 시대상과 어떠한 관계를 가지고 행해졌는가, 또는 그것이 앞서 행한 시대와 그 후에 계속된 세대와는 어떤 관련을 가지고 있는가 등을 연구 · 검토하여 장래를 현명하게 통찰하도록 하는 중요한 연구분야이다.

1) 체육의 사학적 접근

자연과학은 반복적인 현상에 관하여 법칙정립 입장을 취하는 데 반하여 역사는 한 번 출현하였다가 다시 나타나지 않는 각각의 현상에 관한 개성을 명확히 기술하는 방법, 즉 개성적 · 기술적이라는 것이 과거의 역사연구관이었다. 그러나 역사는 과거의 경험 또는 사실을 단순히 서술만하는 것은 아니다. 여기에는 일관된 선택원리가 있어야 하는데, 그것이 가치의 개념이다.

체육사연구에서 가치의 개념은 다음과 같이 이해할 수 있다. 체육사에서 한 사건이 그 후의 사건 또는 각 개인 · 사회에 특별한 영향을 미치는 경우, 그 사건은 체육사적 가치가 있다고 한다. 이 체육사적 가치가 체육사학에서 대상의 선택원리가 된다. 그러나 이 가치개념은 사관에 의하여 달리할 수 있고, 또 역사의 무엇에 중점을 두느냐에 의해서도 달라진다. 다시 말해서 유물사관을 취할 경우에는 체육현실을 경제적인 생산관계로 보아 체육사를 계급투쟁적 역사의 한 측면으로 취급하게 된다.

한편 체육사연구는 중점을 둔 대상에 의해서도 접근이 달라진다. 여기에는 기술사적 접근, 제도사적 접근, 사상사적 접근, 문화사적 접근, 전기사적 접근 등 수없이 많은 접근방법에 있다. 이러한 여러 접근방법에 의한 가치개념에 따라 체육현실을 역사적 사실로 인식하여 사실과 사실 간의 상호관련을 명확히 밝히려는 입장이 바로 체육의 사학적 접근방법이다.

2) 체육사의 연구영역

체육사의 연구영역을 고유영역인의 신체운동과 인접영역인 놀이(play)나 레크리에이션(recreation)의 관계를 종합하여 다음과 같이 구분할 수 있다.

(1) 통사적 · 세계사적 연구영역

일반적으로 통사는 시대사에 대한 개념으로, 또 세계사는 지역사에 대한 개념으로 사용되고 있다. 통사적인 연구는 단순히 시대사나 개별사 관련 자료를 사전적으로 수집하는 것이 아닌 신체문화적 현상을 거시적 입장에서 보는 종합연구이다.

한편 세계사적 연구는 사관이나 발전단계 등을 중심으로 하여 세계적(global)인 시야에서 세계각국 체육의 상호관련성을 거시적인 관점에서 비교 · 종합하는 영역이다.

(2) 시대적 · 지역적 연구영역

전체적인 체육사연구는 일반적으로 시대별로 연구된다. 특히 시대사와 통사는 구체와 추상, 특수와 일반의 상호관계에서 체육사연구를 발전시킨다. 이 시대적 연구는 고대 · 중세 · 근대의 3분법 또는 더욱 세분화된 구분법, 즉 세기구분법에 의하여 연구영역을 나누기도 한다.

(3) 개별적 · 특수적 연구영역

체육의 특수한 역사를 대상으로 한 연구영역에는 여러 가지가 있다. 그러나 일반적인 것과 특수적인 것은 상대적인 개념이다. 예를 들면 무도사는 특수한 연구영역이다. 그러나 태권도사의 입장에서 본다면 무도사는 일반사가 되며, 더욱이 태권도체육관의 발달사에서 본다면 태권도사는 일반사가 된다. 이는 체육사에서 다른 영역, 예를 들면 유희사 · 오락사 · 기술사 · 보건사 · 학설사 등에 대하여도 동일하게 적용된다.

이와 같이 개별적 · 특수적 연구영역을 체계적으로 계열화하면 다음과 같다.

① 신체발달사의 연구영역
② 운동형태사의 연구영역
③ 신체양호사의 연구영역
④ 운동기술사의 연구영역
⑤ 운동훈련사의 연구영역
⑥ 운동시설 · 용구사의 연구영역
⑦ 신체 · 운동교육사의 연구영역
⑧ 체육법제사의 연구영역
⑨ 체육사상사의 연구영역
⑩ 체육학설사의 연구영역

3) 체육사의 연구방법

체육의 역사적 연구는 다음과 같은 몇 가지 절차에 의해서 진행된다(Dalen, V., 1973).

① 문제의 제기
② 사료의 수집과 정리
③ 사료의 검토
④ 가설의 설정
⑤ 사실의 해석과 종합적 판단

연구단계는 상황에 따라 그 진행순서를 적절히 변형할 수 있다. 그리고 체육의 역사적 연구에서 이러한 절차는 체육의 인문 · 사회과학적 연구의 보편적 절차이기도 하므로 자세한 설명은 생략하고, 여기에서는 역사적 연구의 특수부문인 사료의 탐색과 수집에 대하여 알아본다.

체육의 역사적 연구는 과거의 사실을 입증할 수 있는 인간활동의 기록이나 유적을 발견해 내고 조사함으로써 가능해진다. 최초의 단계에서는 2차적 사료(간접적 출처자료)가 이용되나, 궁극적으로는 1차적 사료(원천적 출처자료)에 주로 의존한다(Dalen, V., 1973).

(1) 1차적 사료

1차적 사료(primary source materials)는 원천적 · 직접적인 원사료인데, 여기에는 문헌과 유물이 있으며 문헌사료에는 전승(tradition)이 포함된다.

① 문헌(전승)사료(documents and tradition)

- 공식문서……국가, 지방자치단체, 문화단체 등의 체육 · 보건 및 레크리에이션 관계문서
- 사적문서……일기, 자서전, 서신, 유언장, 증서, 계약서, 강의록, 연설문, 기고문, 저서 등
- 구전……신화, 전설, 가전, 무용, 게임, 미신, 의식 등
- 회화……사진, 영화, 도화, 회화, 마이크로필름, 조각, 주화 등
- 출판서적……신문, 정기간행물, 체육 · 보건 · 레크리에이션 관련 철학적 및 과학적 저술 등

② 유물(유적)사료(remains and relics)

- 물체적 유물……건축물, 시설물, 경기장, 가구, 용기구, 복식, 도구, 상품, 유골 등
- 인쇄물……교과서, 학위증, 기록용지, 계약서, 자격증, 보고카드, 출석표, 신문광고 등
- 필사물……학생원고, 도화, 연습장 등

(2) 2차적 사료

2차적 사료(secondary source materials)는 사료를 바탕으로 쓰여진 사료이다. 이것은 특정사

상에 대하여 직접적으로 관여하였던 인물들이 기록한 사료가 아닌 역사연대기, 역사사전, 해제서, 개설사, 문헌목록 등과 같이 타인이 기록한 1차적 사료를 이용하여 쓰여진 간접사료이다.

4) 체육사의 연구동향

우리는 한국적 전통 위에서 선진국의 이질문화를 받아들여 이를 취사선택하고 전통문화의 작용 위에 새로운 문화를 재창조해 온 문화민족이다. 따라서 체육사에서도 한국체육사가 연구되어야 하며, 여기에 서양체육적인 요소를 적용하면 새로운 발전방안을 찾을 수 있을 것이다.

① 고대로부터 근대까지 각국의 전통적 신체(운동)문화를 해명하고 있는 자료들을 연구하고, 앞으로 어떻게 종합하여 발전방향을 잡느냐 하는 문제가 주목받고 있다.

② 지방체육사 연구를 통해서 지방의 실태를 정확하게 파악하여 중앙 중심의 체육제도사나 정책사를 다시 쓴다는 가정하에 조직적으로 사료조사를 계속함으로써 사료발전에 기여한다.

③ 여성체육에 관한 역사적인 연구는 그 수는 적으나 계속 수행되는 것은 다음과 같은 점에서 중요한 일이다.

- 여자대학에 체육의 이입 · 발전과정 연구
- 여성교육의 발달과 체육
- 여자학교 체육의 연구
- 여성체육에 대한 개인의 사상

④ 학교체육과 사회체육의 인식에 관한 재검토가 필요하다는 관점에서의 연구과제

- 학교체육과 사회체육의 대립 · 극복에 대한 연구
- 학교체육과 사회체육 관련 법률 연구
- Youth Hostel 운동
- 미국의 레크리에이션사상 연구
- 체육클럽 발전방안 연구
- 라디오 체조
- 야외교육에 관한 연구
- 스포츠사
- 레크리에이션사

⑤ 근대체육의 형성과 전개과정에 관한 연구

- 스포츠관에 관한 연구(스포츠종목별 기술발달사 등)

- 체육정책과 학교체육의 교과구조 연구

⑥ 우리나라의 체육발전에 영향을 미친 서구의 근대체육의 원류와 그 발전 고찰

- 19세기 독일의 체육, 독일의 유희장려운동
- New England의 체육사상
- New Physical Education 사상
- 미국 체육사상에 대한 외국사상의 영향
- YMCA의 체육(미국, 일본, 한국 등)

5) 체육사의 연구과제

체육사연구의 과제로서 중요한 것은 다음과 같다.

① 시대연구의 밀도 균등화 작업

② 외국의 체육사 연구자와 유기적 연락

③ 본격적인 동북아체육사 연구

④ 우리나라의 각 지방별 체육사 발굴 및 연구의 적극화

3. 체육사회학에 관한 연구

사회학은 여러 사회현상 간의 상호관계를 규명하는 학문이다. 그리고 체육사회학은 체육의 입장에서 인간의 성장이나 발달을 촉진하거나 방해하는 여러 가지 조건을 개인, 사회, 문화 등의 상호관계에서 연구하여 체육의 합리화를 도모하려는 학문이다.

스포츠는 사회현상을 그대로 나타내주는 사회의 축소판이며, 사회적 가치를 개인에게 전달해주는 매개체역할을 하기도 한다. 이 때문에 체육이나 스포츠의 사회학적 연구의 중요성이 더욱 강조되고 있는 실정이다.

체육사회학은 체육의 사실이나 문제를 사회학적인 각도에서 연구하여 체육의 합리적 발달을 도모하려는 학문이므로, 체육의 사실이나 체육에 관계되는 여러 문제를 객관적 · 실증적인 이론과 방법으로 연구하여야 한다. 따라서 체육사회학에 관한 연구에 의해 체육의 진보나 문제해결에 이바지할 수 있어야 한다.

한편 선진국은 1960년대 이후 여가 및 레크리에이션의 중요성이 강조되는 사회적 분위기와 여가만을 학문의 주제로 다루는 선구자적인 학자들의 노력으로 여가학이 이미 하나의 학

문으로 정체성을 확보하였다(Jackson & Burton, 1989). 이를 기반으로 우리나라에서도 여가학을 학문으로서의 정체성을 확보시키려는 연구가 이루어지고 있으나 질적으로는 아직 미약한 상태이다(노용구, 2001).

1) 체육의 사회학적 접근

체육사회학은 다음 세 가지 접근방법으로부터 체육현상을 추출하여 연구를 전개한다.

첫째, 체육현실을 집단적 · 사회적 현상으로 파악하려는 접근방법을 취한다. 이 경우 인간은 개인으로서의 인간이기보다는 오히려 집단으로서의 인간이다. 이러한 인간은 가치관에 의하여 행동하는 존재이며 의식과 자유의지를 소유하는 인간이다. 이러한 인간집단으로서의 체육현상을 인식하는 것이 체육의 사회학적 접근방법이다.

둘째, 체육현상의 집단은 집단 내 개인의 상호작용에 의해서 규정된다. 즉 관계되는 체육현상의 집단적 측면을 역사적 또는 사회적으로 규정하여 전체적인 개념으로 이해하려는 접근방법을 취하는 것이다.

셋째, 체육현상 속에 설정된 집단에게는 개연적 법칙성을 추구하려는 정식화한 접근법을 취한다. 여기에서 말하는 개연적 법칙은 과거가 그대로 반복되는 것이 아니라, 형태를 바꾸어 반복되는 것을 의미한다.

2) 체육사회학의 연구영역

체육사회학의 연구영역은 체육활동 중 집단 속에서 개인의 행위나 집단의 형성과 기능이 어떠한 양식으로 유형화되고 제도화되는가를 규명하는 것이다. 다시 말해서 체육 관련 집단생활에 관련된 행동양식을 제도화하기 위한 매개과정(사회적 사실로서의 체육)에 관한 구체적인 연구가 체육사회학의 중심내용이다. 이때 집단과 문화의 관련 및 사회변동의 영향을 명확하게 구분할 수는 없다.

(1) 사회적 행위에 관한 연구내용

사회적 생존양식이 같은 사람들은 성격유형도 비슷하게 형성되는 경향이 있으므로 운동집단(신체운동을 제일의 기능으로 하는 집단)은 공통된 성격이 있다. 체육사회학의 연구영역 중 사회적 행위에 관한 연구는 운동집단과 다른 집단이 형성해가는 성격(personality), 사회적 행동, 사회적 사실 등의 상이점을 증명하는 것이다. 다시 말해서 특정집단이나 사회적 범주 가운데서 사람 사이의 행위나 상호작용사실을 밝혀 사회적 법칙을 발견해 나아가는 연구라고 할 수 있다.

⑵ 집단에 관한 연구내용

이는 학교운동부, 체육학습집단, 학교스포츠집단, 학교체육연맹 및 이와 유사한 조직단체, 협회 등 집단의 유형에 따른 특성 · 기능이나 구조를 밝히는 연구이다. 여기에서는 체육활동을 주된 목적으로 하는 집단의 구조적 · 기능적 특성을 밝히는 것을 목표로 하면서, 그 가운데서 이루어지는 사회과정(변화의 과정)을 연구하게 된다. 이 때문에 소집단연구기법, 산업사회학, 사회심리학 등의 연구(집단 내의 행동양식이 유형화되어 제도화되기 위한 절차로 간주되는 과정을 구체적인 것으로 함과 동시에 이의 해결을 위한 연구)방향이 참고될 것이다. 즉 개인과 집단, 집단과 집단, 또는 그 배경이 되는 사회와의 관계에 대한 연구가 필요해진다.

⑶ 문화나 제도에 관한 연구내용

이는 정신체계(비물질문화)에 속하는 행동문화(외면적 문화)인 제도 · 규범 · 관습 · 규율 · 규칙 등을 이용하여 정신문화(내면적 문화)인 신념, 이데올로기(여론 등의 사회의식이나 목적의식적인 소산), 스포츠맨십, 아마추어리즘 등을 연구하는 것이다.

물질문화에 속하는 기술체계로는 지도법, 놀이 · 스포츠 · 레크리에이션의 행동양식, 기술요소 등의 연구가 있으며, 시설 · 설비 · 용구 등의 발달과 변천에 관한 연구도 있다. 여기에서는 체육문화나 교수 · 학습과정의 분석연구가 중심이 된다. 그 외에 체육사회학의 학문적 체계연구나 사상적 · 문헌적 연구 등도 있다.

⑷ 사회변동의 영향에 관한 연구내용

이것은 사회변화에 따라 일어나는 체육집단이나 체육문화에 대한 영향 또는 변용과정에 관한 연구이다. 여기에는 스포츠에 대한 사회적 요구나 대중화, 학교시설개방, 교과외 체육클럽의 속성 등에 관련한 체육교사의 역할기능에 관한 연구가 있다. 그리고 사회문제와 관련된 현상으로는 진학과 체육, 체력과 운동, 야외활동과 사고발생 등 사회문화적 영향에 의하여 일어나는 사회문제도 포함된다.

3) 체육사회학의 연구방법

체육의 사회적 현상을 연구하는 체육의 사회과학적 연구 중에서도 사회학적 접근인 체육사회학에서 사회현상을 관찰하여 기술할 때 사회조사를 이용하는 경우가 많다. 사회조사는 사회적 · 인간적 사상에 관한 실증적 · 객관적 연구방법으로 사회학적 조사라고도 하며, 일정한 사회 또는 사회집단의 사회사상을 주로 현지조사에 의해 직접적으로 관찰하고 기술 및 분석하는 과정을 말한다. 이와 같은 사회조사를 조사대상의 범위, 조사항목의 내용, 이에 동원되는 기술이나 용구의 특성 등에 따라 다음과 같이 나눌 수 있다(菅原禮, 1972).

① 조사대상의 범위는 전체조사, 표본조사, 사례연구의 세 가지가 있다.
② 조사항목의 내용, 다시 말해서 조사대상은 무엇을 알아볼 것인가 또는 어떠한 구체적 사항을 질문할 것인가에 따라서 사실조사, 정보조사, 태도조사로 나누어진다.
③ 기존의 자료에 의하는가 또는 실제의 소재로부터 자료(data)를 수집하는가에 의하여 문헌조사와 실태조사로 나누어진다. 그리고 실태조사(현지조사)에는 질문지법, 면접법, 사회측정성지위(sociometry), Schutz의 기본적 대인관계지향(fundamental interpersonal relations orientation : FIRO), 참가관찰 등과 같은 자료수집기법이 사용된다.
④ 조사상황에 가하여지는 통제의 정도나 조사되는 사상의 개념적 순화 정도에 따라서 탐색조사와 실험적 조사로 나눌 수 있다. 그리고 실험적 조사는 실험실실험과 야외실험으로 구분된다.
⑤ 조사는 수량화적 혹은 정량적 조사와 정성적 조사로 나누어진다.

실제로 조사를 실시할 때에는 위에서 분류한 여러 형태 가운데에서 몇 가지를 조합한 형태를 취한다. 어떤 경우에는 학생 전부에 대한 정보조사로서 탐색적 · 정성적인 기술을 사용한다. 또 어떤 조사는 특정기업체 전 종업원이 대상이 되어 무작위로 추출된 몇 조의 표본으로 그들의 사기를 비교하기 위하여 실험적 · 정량적인 기법을 사용하기도 한다. 그러나 최근에는 정성적 기법보다 정량적 기법과 탐색적 조사가 많이 사용되고 있다.

사회조사의 종류는 다음과 같다.

① 전체조사……부분조사 · 표본조사와는 대조적인 개념으로, 통계조사에서 대상이 되는 모든 개체를 조사한다.
② 표본조사……모집단의 특성을 추정 또는 검증하기 위해 모집단의 일부를 표본으로 추출하여 이를 대상으로 조사함으로써 표본의 특성치를 구하는 조사방법이다.
③ 사례연구……하나의 사회적 단위(개인, 가족, 집단, 제도, 지역사회 등)의 전체 생활과정(혹은 그 일부 측면)을 조사할 때 그것이 처해 있는 사회적 맥락 안에서 상세하게 자료를 수집하여 기술함으로써 그에 작용하는 여러 요인의 상호관계를 밝히려는 연구방법이다.

④ 사실조사(정보조사)……피험자의 사회 · 경제적 속성(연령, 학력, 직업, 수입 등), 생활양식, 경험, 행동, 지식 등과 같은 사실적인 내용을 조사하는 방법이다.

⑤ 태도조사……피험자의 의견, 평가, 욕구, 정서적 반응 등과 같은 심리적인 사항을 조사하는 것으로, 의식조사라고도 한다. 이 조사에는 여론조사와 같은 폴(pole)질문(찬반 이분법 질문)에 의한 것과 태도측정에 의한 것이 있다.

⑥ 문헌조사……공문서기록이나 사문서에 의하여 사실을 조사하거나 동일주제에 관한 과거연구나 조사결과를 분석하는 것으로, 도서실연구(library research)라고도 한다.

⑦ 실태조사……사례연구를 위한 중심적 조사나 현지조사를 가리킨다. 또 심방(reportage)조사를 의미하는 경우도 있다. 여기에는 질문지법, 면접법, 사회측정성지위(sociometry), FIRO, 참가관찰 등과 같은 자료수집기법이 쓰인다.

⑧ 탐색조사……입증되어야 할 특정가설이나 그 구성요소인 여러 변인의 명확한 규정 없이, 또 조사상황에 대하여 통제를 가하지도 않고 행하여지는 조사이다. 그 목적은 조사하려고 하는 사상에 관한 자료를 가능한 한 광범위하게 수집하여 이를 구성하는 결정적인 여러 요인과 이러한 요인 간에 내재된 필연적인 제약관계를 탐색하는 데 있다. 일반적으로 답사(survey)란 문제를 거의 한정하지 않고, 또한 대상의 범위를 비교적 넓게 취해서 행하는 탐색적 조사라 할 수 있다.

⑨ 실험적 조사……여러 요인을 통제한 두 개의 상황을 비교해서 그 가설을 검증하는 조사로서 실험실실험과 야외실험이 있다.

⑩ 정량적 조사……상호비교가 가능하고 정보의 일련적 요소를 수집할 수 있는 조사이다. 정량적 방법을 적용하기 위한 필요조건으로서는 어느 일련의 요소를 비교할 수 있는 일정한 방법으로 관찰할 필요가 있다. 이런 경우는 대개 개인인데 집단 · 제도 · 사회 혹은 기타 사회적 단위도 있다.

⑪ 정성적 조사……주어진 사상의 특성을 가능한 한 있는 그대로의 상태로 기술 · 분류하거나 비교하는 조사방법이다.

4) 체육사회학의 연구동향

체육사회학의 연구동향을 테마와 연구의 경향성으로 나누어 살펴보기로 한다.

(1) 체육사회학의 테마

① 학교체육 · 스포츠의 장래 ② 사회체육학과 스포츠사회학의 관계

③ 대학체육의 여러 가지 문제 ④ 학교체육과 사회체육
⑤ 스포츠문화란 무엇인가? ⑥ 사회체육의 방법과 과제
⑦ 현대사회에서 스포츠는 무엇인가? ⑧ 사회변화와 스포츠-미래사회에서 스포츠의 기능
⑨ 국가에 따른 스포츠의 특질 ⑩ 올림픽을 중심으로 한 문제

(2) 체육사회학의 연구경향과 문제점

체육이나 스포츠의 사회학적 연구는 주로 전후에 이루어진 학문이다. 그동안 연구내용도 다양화되었고, 또 연구방법도 정밀화되어 최근에는 국제화 경향도 강해지고 있다.

그러나 "체육과 스포츠의 현실은 바뀌었을까?" 이 질문에 대한 대답은 그렇게 간단하지 않지만 많은 문제를 안고 있는 것은 사실이다. 학교체육에서 여전히 일제지도 중심으로 생각한다든지, 지도요령에 따라서 의미가 달라진다든지, 체력육성운동이 강하게 대두되고 있는 것 등이 그 예이다. 또 사회적으로 보면 많은 국민이 스포츠 실천의 필요성을 느껴 강한 불만을 느끼게 되었다.

이같은 관점에서 체육사회학 연구를 관망해 볼 때 '체육사회학 연구는 도대체 무엇을 해 왔는가'에 대하여 충분히 반성해 볼 필요성이 있다. 단지 체육사회학에 국한된 문제는 아니지만, 인문사회과학적 연구의 일반적 불모성이 현재와 같은 체육 · 스포츠의 문제상황을 만들어 왔다고 해도 과언은 아니다. 이것을 체육사회학연구의 문제점으로 우선 지적할 수 있다.

체육사회학 연구의 구체적인 문제점은 다음과 같다.

① 연구내용을 관련시켜서

체육사회학 연구가 태동될 때에는 체육의 합리성을 높인다는 입장에서 어린이들의 여가생활이나 활동생활 분석이 중심을 차지하였다. 그러나 사회변화나 스포츠의 중요성에 대한 인식의 향상과 더불어 스포츠 그 자체의 활동을 보다 개선하기 위하여 레크리에이션이나 스포츠 활동의 사회적 측면에 대한 연구가 이루어지게 되었다. 현재는 오히려 스포츠사회학이 체육사회학연구의 주류를 차지하게 되었다. 이것은 스포츠사회학국제위원회(International Committee for Sociology of Sport : ICSS)의 국제적인 움직임이 다분히 영향을 미치고 있다고도 할 수 있다.

초기 스포츠의 사회학적 연구에서는 지역사회 · 직장 · 학교 등에서 현상분석, 즉 실태조사가 중심이었다. 여기에서는 스포츠활동에 작용하는 사회적 요인이 지적되었는데, 이어 '스포츠란 무엇인가' 하는 문제로 초점이 옮겨졌다. 이것은 당연한 움직임이라고 생각되는데, 최근에는 경쟁 · 플레이 · 기술 · 윤리 등 각론적 입장에서 분석하면서 동시에 전체적인 스포츠문화를 규명하고 있다. 이와 같이 학교체육에서 스포츠 활동으로, 또 스포츠 활동은 현상분석

에서 사회와 관련된 스포츠문화연구로 연구의 초점이 옮겨진 것이다.

이것은 어디까지나 일반적 경향이며, 실제로는 연구내용의 분화 · 다양화를 부정할 수 없다. 앞으로도 각 분야에서 한층 더 깊은 연구가 필요하다. 체육사회학이라는 입장에서 생각해 보면 스포츠 연구만으로 충분치 않다. 예를 들어 체육실천을 대상으로 하는 연구, 건강 · 체력에 관한 사회학적 연구, 운동의 사회적 관련성에 대한 연구 등은 좀더 중시하여 다루어야 할 것이다. 스포츠 연구도 단순히 플레이뿐만 아니라, 운동 측면에서의 접근도 필요하다.

② 연구방법을 관련시켜서

지금까지 시도된 체육사회학의 연구방법은 여러 가지 이다. 또 접근수단도 서베이(survey)에서 리서치(research)로 중점이 옮겨지고 있다. 서베이는 소위 실태조사이며, 리서치는 가설적 이론검증을 목적으로 한다.

한편 체육사회학의 연구기법도 질문지법이나 면접만이 아니라 관찰법이나 사회측정법의 활용, 실험적 기법의 채용 등이 시도되어 왔다. 결과의 처리에서도 통계적 처리기술의 진전을 볼 수 있으며, 최근에는 다변량해석에 의한 연구도 나타나고 있다. 이런 점에서 보면 체육사회학의 일반적인 연구방법으로 자연과학적 방법이 응용되어 왔다고 볼 수 있다. 그러나 사회과학에서 자연과학적 기법이 어디까지 가능할까? 그 가능성과 한계에 대해서는 좀더 근본적인 검토가 필요하다.

체육사회학의 연구방법을 둘러싼 문제점은 다음과 같다.

첫째, Bales, K.(미국의 사회심리학자)의 소집단이론, Persons, T.(미국의 사회학자)의 사회이론, Merton, R.(미국의 매스커뮤니케이션 이론가)의 순기능과 역기능에 관한 이론, Riesman, D.(미국의 정치학자)의 이론, Caillios, R.의 문화 · 사회이론 등이다. 이러한 이론들이 어느 정도 음미되어 활용되었는가는 별도이다. 또 소위 '기능주의적 이론'이 일반적으로 중심을 이루어온 것도 부정할 수 없다. 최근 체육이나 스포츠현상을 '급진적(radical) 사회학'의 입장에서 분석하려는 움직임도 있다. 따라서 이들 이론을 어떻게 주체적으로 활용하여 체육사회학이론을 풍부하게 해갈 것인가가 중요하다.

둘째, 연구와 실천의 문제, 체육사회학 연구에서 기초와 응용의 문제, 체육연구와 사회연구와의 한계 문제, 자연과학과 사회과학의 차이에 관한 문제 등이다.

셋째, 소위 '실태조사 중심주의'에 대한 비판이다. 여기에는 체육사회학 연구에 대한 여러 가지 비판이 집약적으로 나타나 있다. 예를 들면 연구가 정책과학적이며, 체제영합적이라는 것, 체육이나 스포츠를 지지하고 있는 사회 그 자체를 문제로 하는 것이 적다는 것, 연구결과에 대한 책임감이 없는 것, 자연과학주의에 중독되어 있다는 것 등이다. 체육사회학 연구의 불모성도 대부분 이같은 방법론적 문제성에 기인된다고 해도 좋을 것이다.

이러한 문제점의 해결방법은 명확하게 밝혀진 것은 아니지만, 적어도 사회과학적 이론연구를 보다 깊게 해갈 필요는 있다. 이론 없는 조사는 연구로서의 가치가 없다. 동시에 사회현상으로서의 체육이나 스포츠는 정치 · 경제 · 역사 등을 포함한 넓은 입장에서의 접근도 중요해지며, 또 그것에 의해 실천과의 결합이라는 전망도 할 수 있다. 따라서 최소한 역사 · 원리 · 심리 등 다른 체육과학분야와의 교류가 시도되어야 할 것이다. 그러나 사회적 독자성을 추구해가려는 노력을 잊어서는 안된다.

5) 체육사회학의 연구전망과 과제

체육사회학의 연구는 다음과 같은 것을 중시해야 한다.

① 체육사회학의 다양화를 위한 기초이론확립 연구
② 사회과학에 필요한 자연과학적 기법의 한계성에 대한 연구
③ 체육연구와 사회연구의 구분
④ 스포츠란 무엇인가에 대한 각 분야에서의 접근 시도
⑤ 체육실천을 대상으로 하는 연구
⑥ 건강 · 체력에 관한 사회학적 연구
⑦ 운동의 사회적 관련성에 대한 연구

6) 사회체육학의 학문적 접근

사회체육이란 학교교육법에 근거하여 학교의 교육과정으로 이루어지는 학교체육을 제외한 주로 성인 · 근로청소년 등을 중심으로 조직적으로 이루어지는 체육활동을 의미한다. 따라서 사회체육은 학교체육과는 달리 사회성원의 다양한 개인적 욕구를 충족시킴으로써 풍요로운 삶을 영위하기 위한 수단이며, 그 형태는 조직 또는 시설을 중심으로 이루어진다.

이에 따라 사회체육영역은 수직적인 영역과 수평적 영역으로 분류할 수 있다. 수직적 영역은 인간의 성장과 발달에 따라서 유아체육, 청소년체육, 성인체육, 노인체육 등으로 구분된다. 수평적 영역은 주로 체육을 실천하는 공간이나 대상을 혼합하여 분류기준을 설정하는 것으로 가정체육(주부체육, 모자체육 등), 사회체육(지역사회체육, 직장체육 등)으로 구분된다.

(1) 사회체육학의 연구영역

사회체육의 연구영역을 대상과 역할로 보면 다음과 같다.

① 인체에 대한 지식의 과학적인 접근방법에 의한 규명과 실천
② 대상에 따른 사회심리학적인 적응방법의 개발
③ 사회체육에 대한 개념과 생활철학에 대한 이해의 필요성
④ 국가의 실정에 맞는 사회체육경영이론과 사회체육마케팅기법 개발

(2) 사회체육학의 전망과 과제

사회체육학이 학문적으로 발전하기 위해서는 다음과 같은 사항에 중점을 두어야 한다.

① 체육학이 학문으로서의 굳건한 바탕을 이루듯이 사회체육학도 대상분류에 따른 기초과학과 실천이론을 바탕으로 앞으로 사회체육학에 대한 이론과 실제가 지속적으로 개발되고 실천된다면 그 영역은 확고한 위치를 확보할 것이다.
② 사회체육학과의 성격은 각 대학마다 학교실정에 맞는 특색 있는 지도자 양성과정의 교과과정을 개발 · 구성하여 전문인 양성에 노력하며, 특히 코치 양성과정이 아닌 행정 및 경영관리 지도자 양성에 초점을 맞추어야 할 것이다.
③ 전문교수요원의 확보는 각 대학이 개발한 교과과정에 맞고 교육내용이 구별되는 우수한 교수요원의 확보만이 사회체육 전문교육이 제자리를 찾을 수 있을 것이다.
④ 사회체육학과 설치의 시설기준령은 특수학과 설치목적에 맞는 시설기준으로 개정하여 우수한 지도자 양성의 뒷받침이 되도록 한다.

7) 여가학의 학문적 접근

여가학은 다음과 같이 응용사회과학적 성격을 가진 종합과학, 정신후생과학, 실천과학이라고 규정할 수 있다(노용구, 2001).

① 여가학은 여가에 대한 전반적인 현상을 다루는 종합과학이다. 학문적 성격은 여가시간에 자신의 자유의지로 행하는 모든 활동과 관련된 여러 현상을 연구하는 학문으로서 학문적 소속은 응용사회과학에 가깝다고 할 수 있다.
② 여가학은 인간의 물질적 풍요를 추구하는 외면적 물질지향적 과학이 아니라, 인간의 삶의 질과 정신적 풍요를 추구하는 내면적 정신후생과학에 속한다고 할 수 있다. 여가는 노동에서 오는 피로해소와 정신적인 안정을 제공하며 더 차원 높은 지적 가치를 추구할 수 있게 하고, 자유롭고 인간다운 삶을 가능케 하는 자유의지영역을 다루는 학문이다.
③ 여가학은 학문 자체만을 위한 학문이라기 보다는 학문을 통해 인간과 사회의 현실적인 문제를 해결하고자 하는 실천지향적 학문이다.

(1) 여가학의 연구영역

현재 우리나라에서 여가학은 주로 체육학 내 여가 · 레크리에이션 분야와 스포츠사회학 분야에서 다루고 있다. 또한 관광학 · 산림자원학에서 각 학문의 기초분야로 부분적인 여가학을 다루고 있기도 하다. 여가학의 영역은 학자들의 학문적인 배경과 관심에 따라서 다르게 나누어질 수 있으나, 미국의 여가연구자와 우리나라의 여가연구자의 관심영역을 종합하면 크게 네 가지로 구분할 수 있다.

① 순수여가연구

철학적 · 사회학적 · 심리학적 시각에서의 여가연구 영역이다. 여가에 대한 철학적 개념연구, 시간에 관한 연구, 여가태도, 여가만족, 여가제약과 같은 여가 자체의 속성과 의미에 대한 연구 등이 여기에 속한다. 초창기 미국의 연구자들은 여가학의 특징을 학제(學際) 간 연구 또는 다학문적 연구로 규정짓고 여가와 관련된 모든 문제에 대해서 다양한 학문적 접근을 시도했다. 그러나 현재는 순수여가연구는 하나의 개별학문 연구로 빠르게 변화하고 있다.

우리나라에서는 순수여가연구가 몇 가지 다른 학문영역에서 이루어지고 있다. 예를 들면 체육학에서 여가개념과 의식에 대한 연구가 많이 이루어지고 있으며, 관광학에서는 관광과 관련된 여가 행동의 기본이론에 관한 연구가 활발한 편이다. 임학 · 심리학 · 사회학 · 가정학 · 민속학에서도 순수여가연구가 이루어지고 있으나, 그다지 활발한 편은 아니다.

② 응용레크리에이션연구

응용레크리에이션연구는 여가활동과 시설 그리고 프로그램의 실제적 적용을 주로 다루는 영역이다. 여가연구를 통해 이루어진 이론들의 실제사회에서의 문제해결능력과 교육적인 활용이 응용레크리에이션연구에 가장 큰 관심사이다.

미국에서는 야외레크리에이션연구를 통해 이룩한 레크리에이션의 수요분석 연구, 수용력 연구, 프로그램 개발과 운용연구가 중요한 연구분야이며, 우리나라에서는 레크리에이션지도와 운용에 관한 연구가 많이 이루어지고 있다.

③ 여가행정 및 경영연구

미국의 여가학과에서는 여가 관련 경영학과 관리학이 커리큘럼과 연구의 중요한 부분이다. 미국의 여가학과는 국립공원이나 관광산업, 여가산업 혹은 상업적 레크리에이션 현장에서 활동할 관리자를 양성 · 배출하고 있다. 이 분야의 연구는 주로 여가 관련 프로그램의 계획과 운영, 여가정책에 관한 연구, 공원을 중심으로 한 시설관리, 심지어 자원봉사에 관한 연구까지도 포함한다.

우리나라에서는 사회체육학과와 관광관련학과에서 스포츠경영학과 관광경영학을 중심으로 하는 여가 경영서비스 연구와 이벤트 계획과 운용에 관한 연구가 진행되고 있다. 이 분야의 연구는 여가를 산업과 경영에 결부시켜서 여가산업, 관광산업의 촉진과 문제해결능력에 초점을 맞추고 있다.

④ 치료레크리에이션연구

여가와 직접적으로 관련이 없는 것처럼 보일지 모르지만, 치료레크리에이션이 현재 미국의 여가연구의 새롭고 중요한 영역으로 자리를 잡아가고 있다. 치료레크리에이션은 레크리에이션활동을 통해서 신체적 · 정신적 장애인의 재활을 목표로 삼고 있다. 특별한 요구가 있는 특수집단에게 여가활동과 레크리에이션을 통한 재활연구에서 출발해서 이들을 사회 속에서 정상화시키고 궁극적으로는 삶의 질을 향상시키기 위한 여가교육과 여가상담의 부분까지도 치료레크리에이션의 영 역에 포함시키고 있다. 장애인과 고령자의 증가와 그들의 복지에 대한 중요성이 증가함에 따라서 치료레크리에이션 연구에 대한 요구가 더욱더 커지고 있다.

(2) 여가학의 전망과 과제

여가학이 미래사회에서 학문적 위치를 확보하기 위해서는 다음과 같은 네 가지 과제에 효과적으로 대처해야 한다.

① 여가학의 지식체에 관한 문제

여가학의 발전 정도는 큰 설명력을 가진 정확한 지식체를 얼마나 많이 축적했느냐에 달려있다. 이렇게 축적된 지식체를 이용해서 실제로 문제해결능력을 갖추었을 때 비로소 학문으로서의 위치를 확보하게 된다. 여가학의 지식체는 연구대상과 영역, 개념과 이론 및 연구방법론이 모두 해당된다. 견고한 지식체의 확보는 여가학의 학문적 지위를 보장하는 기본조건이 된다. 문제해결능력이란 이러한 지식체가 여가와 관련된 문제에 적용되었을 때의 유용성을 말한다.

현재의 여가학연구에서 연구의 양은 충분히 축적이 되었으나 연구의 질적 부분은 많은 문제점이 있다. 지속적이고 설득력이 큰 이론의 개발이 명백히 부족하고 대부분의 이론과 개념이 인접관련학문에서 아무런 검증 없이 차용되었기 때문에 수준 높은 지식체의 확보에 더 많은 노력을 해야 한다. 또 하나의 문제점은 여가학 내의 연구방법이 지나치게 한쪽으로 치우쳐 있는 것이다. 많은 연구가 단순히 설문지조사를 통한 실태조사에 그치고 있는데, 여가의 심도 깊은 이해를 위해서는 다양한 통계기법을 사용할 필요가 있다. 아울러 지나치게 양적 연구에 치우치기 보다는 질적 연구를 포함한 새로운 연구방법론을 도입할 필요가 있다.

② 학제 간 연구

Zeigler, E. F.(1979)와 Lord, L., Hutchison, P.과 VanDerbeck, F.(1991)이 경고한 것과 같이 지나친 학문의 조각화(fragmentation)와 좁은 시각이 여가학 발전에 큰 문제로 등장하게 되었다. 여가학이 발전함에 따라 하위학문과정 혹은 영역 간의 분화와 전문화 때문에 학문 자체가 가지는 공통지식의 본체와 공통용어가 상실되고 있으며, 상호간의 기본적인 의사소통마저 힘든 것이 사실이다. 학문의 조각화와 편협화를 막기 위해서 학제 간 연구와 관련 하위영역 간의 공동연구가 활발히 전개되어 여가에 대한 공통지식체를 바탕으로 각기 독특하고 고유한 연구가 되도록 해야 한다.

③ 여가학의 국제화와 한국화

여가연구는 세계적으로 중요성을 더해 가는 분야이고, 범세계적으로 적용할 수 있는 이론도 가지고 있다. 그러므로 여가연구를 통하여 국제화와 선진학문 도입을 위한 노력을 기울여야 한다. 반면 여가활동과 의식은 문화적 영향을 많이 받는 부분이기에 지역적인 다양한 고유성을 가지고 있기도 하다. 지금까지는 우리나라의 여가행동과 의식을 설명하는 데 지나치게 외국의 여가이론으로 설명하려는 경향이 많았다. 이제는 국제적인 공통지식을 바탕으로 고유한 한국적 여가에 대한 연구가 시급하다고 할 수 있다.

④ 여가전문가의 수요와 활동

여가는 생활이며 삶의 질과 관련되어 있고 여가학은 여가에 대한 폭넓은 지식과 활동을 포함하고 있다. 이러한 영역의 포괄성과 유용성에도 불구하고 여가학과 레크리에이션 분야에서 길러 낸 전문가의 진출방향은 제한되어 있다. 여가학자의 진출전망은 미래의 유망한 여가학자의 유치와 학문으로서의 정체성과도 관련된다. 우수한 인재의 유치는 여가학과 관련된 지식체의 개발 · 적용 · 축적뿐만 아니라 여가학의 새로운 발전 가능성을 높일 것이다.

4. 체육심리학에 관한 연구

심리학은 인간의 행동, 특히 정보적 활동을 환경과의 관계에서 연구하는 과학이다. 교육현상을 심리학적인 입장에서 연구하는 교육심리학처럼 체육상황에서 벌어지는 체육의 목적 · 목표의 결정 및 교육과정의 구성, 체육의 학습 · 지도, 체육의 평가 등 체육 전반에 걸친 연구가 체육심리학이다. 한편 스포츠 및 운동 시의 행동변화현상에 대한 실험이나 다양한 자극이 제시될 때 나타나는 반응시간의 변화를 알아보기 위한 실험실상황의 연구를 인간행동의 과학적인 실험을 통해 이해하려고 하는 것이 스포츠 및 운동심리학이다.

1) 체육의 심리학적 접근

체육심리학은 체육현상을 인간의 생명현상으로 이해하고, 그 생명현상 가운데 의식적 또는 반의식적, 때로는 무의식적으로 나타나는 현상을 생활환경에 대한 행동으로 취급하려는 학문이다. 이 경우 관계되는 심리현상의 파악방법에 따라 다양한 방법론적 접근이 가능해진다. 또한 교육적 현실로 본다면 교육심리학적 접근이 필요해지며, 실험적으로 행하여지는 경우에는 실험심리학적 접근이 필요하게 된다. 이와 같이 체육현상을 인간의 정신현상 또는 인식이라는 측면에서 보고, 여기에서 나타나는 보편적인 법칙을 찾아내려는 것이 체육심리학이다.

2) 체육심리학의 연구영역

체육 · 운동 · 스포츠 또는 운동 장면에서 일어나는 정신현상 내지 의식으로 범위를 한정시켜 고찰하면 체육심리학의 연구영역은 인지와 반응, 운동제어 및 학습, 운동발달, 스포츠심리, 운동심리, 적응, 지도와 치료 등에 관한 문제로 나눌 수 있다.

(1) 인지와 반응

신체활동을 심리학적인 견지에서 보면 외부정보를 수용해서 판단하는 측면과 운동명령을 발하는 반응적 측면이 있다. 여기에는 어떠한 기능작용이 있는가에 대한 기초적 지식을 밝혀 이것이 체육과제로서의 신체운동적 기능(skill)학습과 어떠한 상태로 관련을 맺고 있는가를 규명하는 것이 인지와 반응이다.

(2) 운동제어 및 운동학습

운동제어는 운동기술의 생성과 제어기전을 규명하고 운동행동 제어체계를 설명할 수 있는 모델을 찾고자 노력하는 연구영역이다. 여기에서는 주로 환경에서 제공되는 정보를 처리하는 인간의 감각체계, 정보처리과정, 운동행동의 법칙 등을 다룬다. 한편 운동학습은 운동기술의 학습과정, 운동기술의 효과적인 학습을 위한 연습계획과 운동기술의 질적인 변화양상 등을 다룬다.

(3) 운동발달

체육의 관점에서 신체발달 및 운동기능발달이 개체의 성장 · 발달과정에서 차지하는 중요성이 연구의 중심과제이다. 다시 말해서 신체 및 운동의 발달연구에 관련된 여러 가지 문제점을 연구하는 분야이다. 따라서 체육심리학적인 문제는 신체적인 발달과 정신적인 발달의 관련성이 가장 중요하다.

(4) 스포츠심리

스포츠장면에서 나타나는 스포츠행동에 초점을 맞추는 스포츠심리는 경기력향상을 위한 정신훈련 프로그램의 개발, 경쟁상황에 처한 선수들의 심리적 특성과 대처전략, 스포츠집단의 역학적 관계, 경기력과 관련있는 최적심리상태, 선수들의 심리상태를 측정하는 측정도구의 개발 등을 연구하는 분야이다.

(5) 운동심리

운동심리는 운동프로그램이나 활발한 신체활동의 지속적 참여자의 동기이해, 운동참여를 설명하기 위한 모델 제시, 운동참가와 관련된 환경상태 및 자기효능감, 운동참여에 따른 심리적 혜택 등을 연구하는 분야이다.

(6) 적 응

적응은 체육학습장면에서 나타나는 개인의 신체활동에 대한 적응문제를 취급하는 분야이다. 여기에서는 자아의 문제, 성격(personality)의 문제, 능력의 문제 등이 중심과제가 되는데, 체육활동은 집단으로 이루어지는 경우가 대부분이기 때문에 집단에 대한 적응문제도 취급하게 된다. 또 신체운동에의 적응장애로서 지체부자유자의 활동문제도 연구하게 된다.

(7) 지도와 치료

신체운동의 지도라기보다는 신체활동에 의한 성격 · 태도 · 인간형성을 위한 학습지도의 심리가 중심과제로 되는 것은 물론, 그와 같은 지도의 배후에 있는 적응장애에 대한 상담 및 치료방법까지도 다루는 분야이다.

3) 체육심리학의 연구방법

체육심리학의 연구방법에는 두 가지 큰 주류가 있는데, 하나는 실험법이며 다른 하나는 표본조사법이다.

(1) 실험법

실험법에서는 현상의 인과관계를 탐구한다. 실험법은 현상의 원인이 된다고 생각되는 변인의 조작과 그 결과의 관찰 혹은 측정으로 이루어진다. 이 경우 연구자는 연구대상이 되는 현상을 적극적으로 간섭 · 통제하고, 이로부터 발생하는 효과의 법칙성을 찾게 된다.

실험법에서는 연구대상이 되는 변인 이외의 원인에 의하여 결과가 영향을 받지 않도록 실험조건을 구비해야 한다. 또 변인의 효과를 명확히 알아보기 위하여는 간섭을 받는 실험집단(통제집단)과 간섭을 받지 않는 비교집단을 만들어 결과를 비교해 보아야 한다.

(2) 표본조사법

표본조사법은 운동심리학연구의 또 다른 방법의 하나인데, 단순한 여론조사나 태도조사가 아니다. 다음과 같은 두 가지 요소를 포함하고 있는 연구방법을 표본조사라 한다.

① 표 본

연구자는 먼저 어떠한 집단에 대하여 연구할 것인가를 명확히 해야 한다. 예를 들면 한국인 남자, 전국체육대회 대학부 육상선수, 헬스클럽 회원 등이 그것이다. 이 연구대상의 집단 전체를 모집단이라 부른다. 그러나 모집단 전체를 연구하는 것은 불가능한 경우가 대부분이어서, 연구자는 모집단에 관련된 결과를 추출해낼 수 있는 표본을 조사하게 된다.

② 조 사

연구자는 연구대상인 모집단에 대한 조사내용을 결정하여 그 측정을 시도한다. 표본조사법의 한 가지 목적은 연구대상의 객관적인 기술에 있다. 이 방법은 단순한 측정으로부터 진보하여 여러 가지 측정의 상관을 밝혀냄으로써 변인 간의 관계를 알아낼 수 있다. 이때의 관계는 상관관계이며, 두 변인 간의 인과관계의 방향은 명확치 않다. 예를 들면 신장과 체중의 측정결과는 높은 상관관계가 있으나, 어느 쪽이 원인이고 어느 쪽이 결과인지는 명확치 않다. 그렇다고 해서 상관관계를 구하는 것이 무의미하다는 뜻은 아니다. 아동기의 어린이들에게 운동능력과 리더십이 상호관계가 있다는 것은 그들을 지도할 때 귀중한 자료가 된다. 그러나 어떤 아동의 운동능력을 연구자가 높이거나 또는 낮게 조작할 수 없기 때문에 실험적인 방법으로는 알아볼 수 있는 사실이 아니다. 표본조사에서 얻어지는 상호관계를 해석할 때에는, 인과관계의 방향과 두 가지 사실을 공통으로 지배하고 있는 요인은 고려해야 한다.

4) 체육심리학의 연구동향

체육심리학은 행동주의연구와 인지심리학의 영향을 받은 정보처리연구를 통한 운동행동이 많이 이루어지고 있다. 또한 운동제어, 운동학습과 운동발달 연구가 독자적인 정체성을 찾기 위해 노력하고 있다. 한편 최근에는 스포츠행동에 대한 선수들의 심리적 요인과 성격에 대한 연구, 사회분석적 접근에 따른 각성과 스포츠수행에 대한 연구, 인지적 접근을 통한 스포츠 현장연구 등에 관한 연구동향도 나타나고 있다.

(1) 운동제어와 운동학습

운동제어와 운동학습영역의 연구는 자극과 반응의 연속선상에서 인간행동을 관찰하는 행동주의 연구를 출발점으로 하여, 행동 자체에 대한 관찰과 분석을 통한 동작제어과정과 운동학습과정을 설명하기 위한 실험연구에 중점을 두고 있다.

(2) 운동발달

운동발달에 관한 연구는 연령의 변화에 따른 성장과 성숙의 측면에서 운동기술의 양적 변화양상에 대한 관찰과 분석에 중점을 두고 진행되어 왔다. 그러나 운동발달의 양적 연구경향은 성장과 성숙이 진행되면서 나타나는 운동기술의 발현양상을 기술하였을 뿐 운동기술의 생성 및 제어과정에 대한 설명은 부족한 실정이었다. 이러한 양적 연구에 비판을 가하면서 인지심리학 연구의 틀 속에서 운동기술의 내적인 변화양상과 획득과정을 설명하는 운동발달의 연구경향이 나타났다.

최근에는 성숙이론과 정보처리이론의 접근보다는 다이나믹 접근과 생태학적 접근연구가 대두되고 있다. 이에 따라 운동기술의 생성과 제어과정을 중추신경계의 성숙이나 인지발달의 측면에서 설명하기보다는 인간과 끊임없이 변화하는 환경과의 상호작용에 따라 지각체계(perception system)와 동작체계(action system)가 독립적으로 발달하는 것이 아니라 상호보완적인 관계에 있다는 관점에서 운동발달연구가 진행되고 있다.

(3) 스포츠심리와 운동심리

오늘날 스포츠심리학 연구는 다양한 방면으로 진행되고 있다. 또한 수십 년 전과 비교하면 연구주제가 계속 확대되고 있고, 이에 대한 깊이 있는 연구가 진행되고 있다. 연구방법도 매우 복잡하고 다양해지고 있다.

최근 규칙적인 운동프로그램의 참여동기와 심리적 이득에 관한 연구가 운동심리학자들의 많은 관심을 일으키고 있다. 이 중에서 운동프로그램이나 활발한 신체활동의 지속적 참여동기를 이해하기 위한 연구들이 많이 이루어지고 있다. 또한 운동참여를 설명하기 위한 여러 가지 접근법들을 비교하는 연구도 진행되고 있다. 예를 들면 사람이 규칙적인 운동 또는 스포츠 프로그램을 시작하지 않는 이유와 시작 후에 빈번히 포기하는 이유는 무엇인가, 그리고 이러한 환경과 관련하여 유인력강화, 사회환경정비, 환경상태 및 다른 관련요인들은 어떠한 관계에 있는지에 관한 연구 등이다.

5) 체육심리학의 연구전망과 과제

체육심리학을 과학으로 발전시키기 위해서는 독자적인 과학적 · 이론적 기반에 입각한 연구성과를 쌓아올려야 한다. 여기에는 그 대상의 인식하고 문제설정 시 체육현실과 실천을 고려하여 통일적 · 보편적 견해(법칙성)를 증대시키기 위한 노력이 반드시 필요하다.

운동심리학은 인간의 운동행동과 스포츠행동을 이해하기 위한 응용과학으로, 신경생리학, 생체역학, 인간공학, 유전발생학, 사회심리학, 인지심리학 등 다학문적 연구방법을 통해 통합된 학문의 장을 열어가고 있는 새로운 학문분야이다.

운동심리학이 학문적으로 발전하기 위해서는 운동제어, 운동학습, 운동발달, 스포츠심리, 운동심리 등의 하위영역들 간의 상호교류를 확대하고, 일반심리학의 개념과 원리의 적용에 따른 모학문의 이론적 검증연구에서 벗어나 운동행동과 스포츠행동을 연구대상으로 하는 독자적인 연구영역의 학문적 체계를 육성해야 할 것이다(정청희, 김선진, 1995).

운동행동을 연구대상으로 하는 운동제어, 운동학습 그리고 운동발달의 연구는 운동행동에 대한 행동주의적 연구방법과 인지심리학적 모형이 갖는 한계점과 모순을 해결하기 위해 다학문적 분석과 독자적인 정체성을 갖는 통합적 연구를 진행하는 연구경향이 새롭게 등장하고 있다. 즉 기계론적 관점에서 인간의 운동행동을 이해하는 경향에서 벗어나 환경과 끊임없이 상호작용하는 유기체로 보고 중추신경계에 의존하는 운동제어체계보다는 수많은 자유도를 해결하기 위한 협응구조를 통한 운동행동제어체계의 개념을 제시하며, 단순한 동작보다는 실제적인 운동행동의 장면을 이해할 수 있는 연구방법의 적용과 분석을 통한 새로운 연구방법이 나타나고 있다.

스포츠행동에 대한 스포츠심리와 운동심리의 연구영역은 학제 간의 통합적 접근의 수행, 양적연구방법과 질적연구방법을 병행하여 다양한 이론의 통합, 단일전략에 대한 연구보다는 복합적인 수행력향상전략의 효과, 개념적 접근과 현장연구의 통합가능성 등이다.

한편 스포츠심리학자는 엘리트선수들의 경기수행력을 향상시킬 수 있는 심리적 훈련모형의 개발과 스포츠현장에서 전문적 상담자 역할을 할 수 있는 전문인력의 향상에 관심을 기울여야 한다. 그리고 운동참가를 통한 '삶의 질'향상을 추구하는 사회적 요구에 부응하는 건강운동 프로그램의 개발과 건강운동에 대한 과학적 근거를 제시하는 연구도 필요하다.

5. 운동생리학에 관한 연구

생리학이란 생물체의 생명현상을 연구하는 학문이어서 생체의 기능도 연구하는 학문이다. 생체의 각 기관(organ), 조직(tissue) 및 세포(cell)의 기능은 그 기관 · 조직 · 세포의 형태 내지 구조와 유기적인 관계를 맺고 있으므로 생리학연구에는 해부학지식도 필요하다. 그동안 생리학의 궁극적인 목적인 생명현상을 규명하기 위하여 많은 학자들이 연구한 결과 생체 각 기관의 기능과 그 기능을 좌우하는 요인 및 기전이 규명되었다.

운동생리학은 운동 시 이용하는 학문이므로 신체운동 시에 나타나는 생체기능의 변화에 대한 명확한 지식을 필요로 한다. 체육의 올바른 지도를 위해서는 운동생리학에 대한 지식이 절대로 필요하다. 따라서 운동생리학에 대한 부단한 연구가 계속되어야 할 것이다.

1) 체육의 운동생리학적 접근

운동생리학이란 생리학의 한 분야로서 인체가 운동할 때의 상태를 계통적으로 연구분석하여 운동이 인체에 미치는 기능적 변화를 연구함으로써 그 법칙성을 규명하는 학문이다. 운동생리학은 올바른 이론을 기초로 연구하여야 운동이나 스포츠의 건전한 발전이 가능하며, 또 체력과 건강의 향상을 통하여 인류문화에 크게 공헌할 수 있다. 그 기초이론의 확립을 위해서 여러 분야의 학문이 협력하지 않으면 안된다. 그중에서 임상의학, 생리학, 해부학, 심리학, 생체역학, 교육학 등이 가장 많이 관련된다. 이것들은 종합하여 스포츠과학이라고 부른다.

한편 스포츠의학이나 운동의학은 임상의학, 생리학, 해부학 등과 같은 넓은 의미의 분류와, 운동에 의한 상해 및 질병의 치료나 예방이라는 좁은 의미의 분류도 있다.

2) 운동생리학의 연구영역

운동생리학의 연구영역은 다음과 같이 크게 나눌 수 있다.

① 신경기능과 운동
- 시냅스의 구조
- 신경기능
- 운동과 자율신경계
- 신경-근육의 협응관계

② 근육기능과 운동
- 근육수축의 기전과 종류
- 체력적 요소에서의 근기능
- 근육의 화학적 구성과 적응
- 기본적인 신체운동에서 근육기능 연구

- 피로도 측정
- 근전도 검사

③ 호흡기능과 운동
- 산소섭취량과 산소부채량
- 최대산소섭취량
- 최대산소부채량
- 무산소성역치

④ 순환기능과 운동
- 심박수를 지표로 한 연구
- 심전도(electrocardio graph : ECG)
- 초음파심전도(echocardiogram)
- 말초혈류량
- 혈압
- 혈액성상

⑤ 대사량측정
- 대사량
- 기초대사량
- 운동대사량

⑥ 감각기능 검사
- 피부감각
- 시각
- 심부감각
- 평형감각

⑦ 인체수행력의 지표와 검사

3) 운동생리학의 연구동향

오늘날 운동생리학이 목적으로 하는 것과 운동생리학의 현대적 의의가 조화되어 그 발전 속도가 빨라졌다. 또 인체 전반의 기능과 관련된 '협동관련의 생리학'으로, 특히 환경과 관련된 '적응의 생리학'으로 지향되고 있는 경향이 있다.

(1) 운동처방

기계문명의 발달에 따라 일상생활에서 운동부족은 여러 가지 건강장애를 유발시키고 있다. 이와 같은 사태를 가장 심각하게 받아들인 미국에서는 1961년 Kennedy, J. F. 대통령이 젊은 이들의 체력향상을 위해 보다 적극적인 체력단련을 부르짖었다. 일본에서도 로마올림픽대회 참여를 계기로 체력단련운동이 싹터 이의 기반이 되는 운동처방이 사회적인 과제가 되었다.

이러한 시대적인 요청에 의해 운동생리학에서는 '지구력 트레이닝은 어떻게 하면 좋은가', '0세부터 100세까지의 트레이닝-특히 발육촉진현상을 중심으로-', '트레이닝 부하의 결정에 관한 문제' 등이 주요 테마로 대두되고 있다. 운동처방 시 고려해야 할 점은 운동강도, 지속시간 및 빈도인데, 이들 중에 활발한 연구를 보이는 것은 강도이다. 특히 심장과 허파를 중심으로 한 전신지구력 향상을 위한 처방으로 최대산소섭취량의 몇 % 정도의 운동을 하면 좋은가를 과학적인 근거로 하여 부하강도가 활발히 논의되고 있다.

한편 운동효과의 유무는 올아웃(all out)상태에 이르기까지 운동시간의 연장과 최대산소섭취량의 증가에 의해 주로 결정짓게 된다. 예를 들면 일반적인 경향으로 최대산소섭취량의 60% 이상의 강도와 주 3일 정도에 1일 10여분으로 전신운동을 하면 4주째부터 효과가 나타나기 시작한다. 그러나 최대산소섭취량의 100% 가까운 강도로 운동을 해도 전혀 변화가 일어나지 않는 경우도 있다. 이것은 운동을 시작하기 전의 체력수준 때문이라고 볼 수 있다.

운동종목에 대해서는 트레드밀(treadmill) 달리기, 자전거 에르고미터(ergometer)운동, 왕복 달리기, 줄넘기, 달리기 등이 검토되고 있다. 그러나 이들 운동종목이 체력을 구성하는 각 요소를 향상시키는 데 어떠한 효과가 있는지에 관해 아직 체계적 · 과학적 검토가 이루어지지 않고 있다. 따라서 교과서로 사용하는 체육실기교재에서도 어떠한 운동종목을 어느 정도의 강도로 하면 운동효과를 올릴 수 있는지가 확실치 않다.

운동처방은 강도 · 시간 · 빈도를 짜 맞추는 것만으로는 충분하지 않다. 우선 의학적인 건강진단이 있은 후 체력테스트의 의한 체력진단을 한 다음 운동처방을 해야 한다. 또한 운동지도를 실시하고자 할 때에도 필수적으로 운동처방이 내려져야 한다. 앞으로 이와 같은 종합적인 면에서 본 운동처방도 충분히 연구 · 논의되어야 할 것이다.

(2) 트레이닝의 효과

대학생 장거리선수를 대상으로 연구한 결과 계속적으로 트레이닝을 실시한 선수는 최대산소섭취량에 변화가 없었다. 또 트레이닝 전의 체력수준이 높은 사람도 같았다. 그러나 꾸준히 트레이닝을 실시한 선수는 올아웃(all out)에 이르는 달리기 시간이 확실히 증가되며, 대부분 경기력도 향상되는 경향을 보인다. 이와 같이 능력의 지표로서 최대산소섭취량의 변화가 없음에도 불구하고 능률이 향상되는 메카니즘의 규명은 운동생리학적으로 아주 흥미 있는 문제이며, 또 운동효과를 건강이라는 차원에서 본다면 상당히 중요한 연구과제이다.

한편 항상성유지 및 에너지변환이라는 관점에서 보면 운동수행능력은 세포기능에 크게 의존하고 있다는 것을 알 수 있다. 이와 때를 같이 하여 최근 생화학분야에서도 측정기술의 향상은 단순히 기관의 반응이나 출력을 논의하는 것으로부터 탈피하고, 세포 레벨에서의 트레이닝 효과의 연구에 관심을 기울이고 있는 추세이다. 특히 1962년에 건강한 일반인을 대상으로 한 근육생검(muscle biopsy)기술이 개발된 이후 스웨덴이나 미국에서 연구가 매우 활발히 전개되고 있다. 예를 보면 일류선수를 포함하여 연령 · 체력 혹은 근육군이 각각 다른 운동선수 및 일반인 74명을 대상으로 근육생검을 실시하였다. 이때 해당계 및 크렙스회로(Kreb's cycle)의 산소활성, 글리코겐함량, 근육섬유의 구성, 최대산소섭취량 등을 종합적으로 연구하였는데, 최대산소섭취량을 제한하는 인자가 근육의 산화용량인지 혹은 순환계의 용량인지를 세포 레벨에서 논의되었다.

(3) 체 력

최근 고등학교 체육교과서에 '체력'이 주요 항목이 하나로 등장하였다. 일반적으로 체력을 행동체력(행동력)과 방위체력(저항력)으로 대별할 수 있는데, 후자에 관한 연구는 거의 없는 실정이다. 따라서 저항력을 높이기 위해서는 어떻게 하면 좋은가, 또 행동력을 높이는 것과 저항력은 어떠한 관련이 있는가에 관한 논의는 상상의 범주를 벗어나지 못하고 있다.

한편 행동체력에서는 행동을 일으키는 능력인 근력, 행동을 지속하는 능력인 지구력에 대해 많은 연구가 꾸준히 진행되어 왔으나, 행동을 컨트롤하는 능력인 조정력 및 유연성에 관한 연구는 비교적 적은 편이다. 특히 조정력은 그 개념규정이 명확하게 되어 있지 않기 때문에 현재까지도 그 의미가 분명하지 않다.

최근 2~3년간 특정운동을 계속적으로 하고 있는 사람들(역도선수, 유도선수, 아마추어 복서, 스피드 스케이터(speed skater), 아이스하키 선수)을 대상으로 한 체력에 관한 연구결과가 꾸준히 보고되고 있다. 과거에는 형태나 기능에 관계되는 경기종목의 특이성이 문제가 되었으나, 최근에는 올라운드(all round) 트레이닝이 형태나 기능의 기반을 이루고 있다. 그러나 각각의 경기종목의 특이성으로 인해 유리한 형태와 기능을 갖고 있는 인간이 반대로 선택된다는 것 등의 해석적인 연구가 선행되어 있지 않으면 트레이닝이란 단순히 체력의 부분적 요소만이 측정되는 것으로 끝나버릴 우려도 있을 수 있다.

4) 운동생리학의 주요 연구변인

여기에서는 운동생리학 연구에서 사용되고 있는 주요 변인들을 살펴본다.

(1) 심박수

심박수의 변화는 산소섭취량의 변화와 높은 상관관계를 가지고 있으므로 운동강도 혹은 생체에 미치는 부하의 부담도 등을 나타내는 지표로 사용된다. 인간을 피험자로 하는 운동생리학 실험의 하나인 가슴부위에서 도출한 심전도 기록은 단위시간 내의 R파수로부터 심박수를 측정한다.

한편 사우나 · 저온 · 고온 등 환경변화에 따른 심박수의 반응과 트레이닝 효과로서의 심박수 조정 · 적응 등이 연구대상이 되기도 한다. 그리고 심박수를 기반으로 운동을 처방하는 시도나 텔레미터를 이용하여 스포츠활동 중의 심박수를 측정하여 운동을 정량적으로 다루려는 시도도 적극적으로 이루어지고 있다. 그러나 심박반응은 연령에 따라 차이가 크며 개인차나 외계의 기상조건의 영향, 심박조정 메카니즘에 체온상승의 관여 등으로, 종래의 단순한 결론인 산소섭취량 - 심박 관계가 반드시 획일적으로 적용되지 않는다는 것이 밝혀졌다.

(2) 호흡수

대부분 실험에서의 호흡수는 서미스터(thermistor)를 이용한 호기의 온도곡선으로부터 측정한다. 이 기구는 단순히 외부환경의 변화나 운동에 대한 호흡수변화만을 기록하고 있다. 특히 최대운동 시 호흡수의 증가는 운동효과나 수행에 중요한 역할을 하지만, 아직까지 이에 관한 연구나 실험은 미흡한 실정이다.

(3) 산소섭취량

운동생리학에 관련된 논제의 1/3은 산소섭취량이다. 스키 · 카누 · 검도 · 스피드 스케이팅 등의 선수들을 대상으로 한 에너지대사율 측정도 많이 행하여지고 있으나, 산소섭취량에 관한 많은 관심은 최대작업능력의 지표인 최대산소섭취량에 있다. 표현방법은 모든 운동이 신체이동을 동반하므로 체중 1kg당 혹은 근육세포가 대부분의 산소를 이용한다는 점에서 제지방체중 1kg으로 나타낸다.

지구력을 필요로 하는 경기종목선수들의 최대산소섭취량은 체중 1kg당 70~80ml/min이다. 그러나 일반인은 남자가 40~50ml/min, 여자가 30~40ml/min정도이며, 트레이닝을 하더라도 겨우 20% 밖에는 증가되지 않는다. 따라서 선수와 일반인의 최대산소섭취량 차이는 선천적인 요인이 큰 비중을 차지하고 있다.

(4) 심박출량

Fick의 원리를 기초로 한 심박출량의 간접측정법은 외국에서 다각적으로 연구되어 왔다. 최근 CO_2 재호흡에 의한 심박출량 측정의 가치가 인식되었고, 또 정밀도가 높고 응답속도가 빠른 CO_2 분석기가 도입되어 이 방면의 연구가 활발해졌다. 따라서 심박출량을 비교적 용이하게 측정할 수 있게 된 것은 종전 산소섭취량과 심박수에 의지했던 호흡계의 연구에 커다란 진보와 성과를 기대하게 한다.

(5) 근전도

근전도는 주로 동작분석에서 많이 이용되고 있다. 스포츠활동의 동작분석에는 그 성질상 표면전극이 이용되고 있다. 그러나 표면전극에 의해 얻어진 근전도의 해석에는 여러 가지 곤

란한 문제가 많기 때문에 최근의 경향은 근전도와 동시에 속도, 가속도, 관절각도, 응력 등의 물리현상을 기록함과 동시에 고속카메라촬영을 병행하여 운동을 입체적으로 파악하고 있다..

근전도는 근육활동의 출력(output)목표 중 하나로서 유용할 뿐 아니라 입력(input), 즉 신경계의 역할표시가 가능하다. 운동 시 신체 각 부위의 근력발현의 상호관계, 동작의 좌우차, 동작의 연습과정 등을 소재로 한 근전도학적 연구는 조정력규명의 접근방법으로서도 기대가 크다.

⑹ 젖 산

혈중젖산농도를 이용하는 연구에는 산소부채와 병용하여 무기적 에너지용량 및 그 발생과정을 검토하는 것과 트레이닝효과의 지표로 하는 것이 있다. 트레이닝에 의해 젖산발생량의 변화, 골격근에서 발생하는 젖산, 간에서 젖산농도의 측정 등이 복잡한 바커 서머슨(Barker Summerson)법에서 간편한 효소법으로 바뀐 이래로 젖산은 수행력을 나타내는 훌륭한 추정치가 되었다. 즉 최대운동 후의 최대젖산용량, 점진운동부하 시의 무산소성역치(젖산역치) 등이 수행력의 지표로 이용되고 있다.

⑺ 호르몬

특정기관의 활동에 대하여 특이적인 조절작용을 가진 조직 또는 세포에 의하여 체내에서 생산되는 화학적 물질을 호르몬(hormone)이라 한다. 본래는 여러 가지 내분부샘에서 분비되어 혈중으로 흘러들어가 표적기관에 운반되어 기능을 발휘하는 물질을 가르키는 말이었으나, 특정 샘에 의하여 생산되지 않더라도 같은 작용을 나타내는 것에 대해서도 쓰이게 되었다. 호르몬은 운동 시 에너지원의 동원 및 이용과 밀접한 관련을 갖고 있으며, 인체수분대사와 관련하여 부신겉질의 알도스테론(Aldosteron), ADH(항이뇨호르몬) 등 연구대상이 되고 있다. 호르몬은 신경계와 더불어 생체조직의 조절에 관여하여 항상성유지에 중요한 역할을 담당하고 있어 운동과 밀접한 관계를 갖고 있다. 그러나 호르몬은 그 작용 등 생화학적으로 불분명한 점이 아주 많다. 따라서 이 분야의 운동생리는 생명현상의 생화학적 연구의 진전에 의존해야 하는 어려움이 따르기도 한다.

⑻ 효 소

세포 레벨의 물질대사조절은 효소에 의존하고 있다. 신체활동에 에너지를 제공하는 가장 중요한 기능은 효소이다. 최근 이 분야의 활발한 연구는 생화학의 진보에 힘입은 바가 크다. 현재 측정대상이 되고 있는 효소는 해당계에서 LDH(젖산탈수소효소), ALD(알도라제),

PFK(포스포프락토키나제), CPK(클레아틴포스포키나제), 크렙스(Kreb's)회로계에서 SDH(코하크산탈수소효소), MDH(사과산탈수소효소) 및 아미노기전이효소인 GOT, GPT 등이다.

(9) 곧창자온도 및 피부온도

최근 실시되고 있는 에르고미터류의 대부분은 트레드밀(treadmill) 및 자전거에르고미터(ergometer)이다. 특히 환경온도과 생체반응의 관련에서 곧창자온도와 피부온도를 주요 변수로 추가시켜 활발히 연구하고 있다. 일반적으로 운동을 수행할 때 열이 발생되면 그것이 체온조절기에 부하되어 운동능력에 큰 영향을 준다. 따라서 운동생리학 연구에서 호흡 · 순환 · 근신경으로 이루어져 있는 현상에 체온조정을 추가하는 것은 매우 의의있는 고찰이라 본다.

5) 운동생리학의 연구과제

운동생리학의 연구과제는 다음과 같다.

① 최대수행능력과 그 의미
② 적응으로서의 트레이닝효과
③ 인공두뇌공학으로부터 본 연습효과

한편 힘의 원천과 관련된 인체 전반의 기능과 관련지어 다음과 같은 적응생리학 방향으로의 연구가 이루어져야 할 것이다.

① 신경계와 운동
② 호흡 · 순환계와 운동
③ 세컨드윈드(second wind)

6. 바이오메카닉스에 관한 연구

인간은 합리적인 동물이므로 능률을 우선적으로 생각한다. 최소의 노력으로 최대의 효과를 가져오는 가장 능률적인 동작을 구현하려면 신체구조, 기능, 동작 등에 관련된 이론을 알아야 한다. 이와 같은 기능적인 이론을 바탕으로 신체활동을 하면 능률을 높일 수 있고, 스포츠의 기록도 향상시킬 수 있다. 이 때문에 바이오메카닉스라는 연구분야가 대두하게 되었다.

바이오메카닉스 연구는 가장 효율적이고 효과적인 운동수행을 할 수 있도록 기술을 가르치고 분석하기 위한 명확하고 과학적인 방법을 제공하며 운동의 역학적 근거를 연구하는 분야이다. 이를 한마디로 정의하면 '움직이는 인간과 그가 속해 있는 우주의 법칙과의 관계를 연구하는 학문'이라고 할 수 있다.

1) 체육의 바이오메카닉스적 접근

바이오메카닉스라는 학문은 인간의 운동수행(human performance)에 대한 과학이다. 인간의 운동을 조사 · 분석하여 그 기계적 원리를 스포츠용구에 적응시켜 보다 자연적이고, 보다 효율적인 운동을 하도록 하는 데 그 목적이 있다.

인체는 하나의 살아 있는 기계(living machine)이므로 인간의 운동을 수행 분석하려면 살아가는 법칙을 알아야 하고, 또 기계적인 법칙을 알아야 한다. 살아가는 법칙을 알기 위해서 해부 · 생리 · 심리학 등의 학문이 동원되고, 기계적인 법칙은 물리학을 동원함으로써 알게 되는 종합과학이 바이오메카닉스(biomechanics)이다.

2) 바이오메카닉스의 연구영역

바이오메카닉스 연구는 '인간이라는 생체의 움직임(motion)을 물리학 · 수학 · 생리학 · 공학 등의 자연과학적 기법에 기초하여 분석해가는 것'을 의미한다. 본래 '인간의 움직임'은 그것을 형성하는 여러 요인이 복잡하게 상호영향을 미쳐 통합적으로 성립되는 것이다. 따라서 그 통합된 움직임 속에 담겨 있는 요인 하나하나를 분석하여 그들 요인의 상호 관련성을 밝혀가는 것이 바이오메카닉스 연구의 가장 중요한 테마이다. 이 요인분석을 위해서는 앞에서 언급한 학문분야의 지식과 기법을 적극적으로 받아들이면서 연구를 진행해야 한다.

그러나 이러한 요인 하나하나는 미시적으로 파고 들면 마침내 관련된 각 기초과학분야의 어느 한정된 영역까지 파고 들어가지 않으면 해결되지 않은 문제점을 포함하고 있는 것도 적지 않다. 게다가 그 분화된 학문영역에서는 바이오메카닉스와는 전혀 다른 세계가 열려져 있고, 그 영역 나름의 문제점이나 발전성을 간직하고 있다고 하는 현실에 직면하게 된다.

그리고 최근에는 분화된 기초과학 연구자들에 의하여 인간의 움직임(human movement)으로 접근이 이루어지고 있다. 즉 바이오메카닉스 연구는 인간의 움직임에 관련된 요인을 세분화해서 규명해가는 방법과 반대로 분화된 기초과학의 최첨단영역에서 통합된 인간의 움직임을 접근하는 두 가지의 방향성을 상호 관련시키면서 기본적으로는 '생물체로서의 기능을 갖춘 인간이라는 생체의 통합된 움직임' 파악을 목표로 한다.

이와 같이 '통합된 것에서 분화된 것으로, 반대로 분화된 것에서 통합된 것으로'를 인식하면서 바이오메카닉스 연구가 행해지게 된 것은 최근의 바이오메카닉스 연구영역 형성의 특색 중 하나이다.

한편 '인간의 움직임'을 연구대상으로 하는 학문분야는 바이오메카닉스에 국한되지 않는다. 예를 들면 인간공학이나 생체공학 등에서도 인간의 움직임이나 반응 등의 연구는 중요한 테마이다. 게다가 급속히 발달한 일렉트로닉스(electronics)기술을 응용한 인간공학 · 생체공학의 진보는 눈부신 바 있다.

이같이 인간의 움직임에 관해서 서로 오버랩(over-lap)하는 연구분야의 내용까지도 파악하면서 직면한 바이오메카닉스 연구의 기반을 다시 살펴보는 것도 바이오메카닉스 연구영역의 인식에 필요하다. 인간공학분야에서는 인간과 인간을 둘러싼 기계 · 환경과 조화를 목표로 하고 있다. 여기에서는 인간의 움직임 · 행동 · 생리 · 심리 등을 관찰하면서 기본적으로 기계 · 기기의 개량을 의도하고 있다.

생체시스템공학분야에서는 인간의 생명환경이나 운동을 수행하는 생체의 기능, 즉 순환계 · 감각계 · 운동계의 기능은 '제어론'을 그 중심적 과제로 삼으면서 물리학적 기법을 이용하여 모델화하여 파악하려 한다. 이 연장선상에서 인공장기(인공심장 등)의 제작이나 팔다리 운동의 시뮬레이션(simulation)기법에 의하여 인간 개체가 발휘할 수 있는 능력을 훨씬 능가하는 기계 · 기기를 만들어내기도 한다.

따라서 인간공학이나 생체공학 등과 같은 기초과학을 기반으로 하면서 그러한 기법을 거의 동등하게 적용하는 바이오메카닉스 연구에서는 '인간의 움직임 분석은 도대체 무엇을 목표로 이루어지는 것일까' 하는 영역까지 범위를 넓혀야 할 것이다.

3) 바이오메카닉스의 연구내용 및 방법

인간공학이나 생체공학은 인간을 생체 그대로 관찰하고 분석하여 얻은 데이터를 사용하여 기계나 기기의 개량 · 개발을 목표로 한다. 그렇지만 바이오메카닉스는 최종적으로 '움직임'을 갖는 인간이 생체로서 하는 작용의 연구가 중심이다.

연구에 의해 얻어진 데이터를 정보라는 말로 바꾸면 인간공학이나 생체공학에서는 '정보의 무생물화'를 목표로 하고, 바이오메카닉스에서는 '정보의 생물화'를 목표로 한다. 이 점에 입각하여 바이오메카닉스 연구에서는 '인간의 인간 자신에게 작용'하는 내용은 다음 네 가지로 분류한다.

① 생체로서 인간의 운동기능 회복 · 보상을 목표로 한 것 : 생체로서의 인간기능을 얼마나

유지하는가?

② 장애받은 인간의 운동기능 회복 · 보상을 목표로 한 것 : 잃어버린 생체로서의 인간기능을 얼마나 회복하는가?

③ 보다 높은 운동수행을 목표로 한 것 : 생체로서의 인간기능을 얼마나 향상시키는가?

④ 운동수행의 퇴행을 막는 것을 목표로 한 것 : 생체로서 획득된 인간기능을 얼마나 유지하는가?

따라서 바이오메카닉스를 연구할 때 그 속에 ① '인간의 움직임에 관련된 여러 사상을 과학적 기법을 이용하여 객관화한다'와 ② '인간이 인간 자신으로의 작용을 목표로 한다'라는 두 가지 면을 포함시키면 그 학문의 독창성을 더욱 높일 수 있다. 후자는 다분히 실천과 관련되지만, 체육학 본래의 가치는 실천을 포함하고 있으므로 오늘날 더 필요한 학문분야라고 볼 수 있다.

4) 바이오메카닉스의 연구동향

(1) 움직임 분석

① 역학적 위치에서의 분석

'인간의 움직임에 관련된 여러 사상을 과학적 기법을 이용하여 객관화한다'라고 할 때 가장 효과적인 수단은 인간의 움직임을 역학적인 측면에서 관찰하는 것이다. 역학에는 힘이라는 개념을 떠나서 범위 · 속도 · 방향 등 움직임의 패턴을 추구하는 운동학(kinematics)과 움직임을 일으키는 힘, 즉 근육의 활동양식 · 근력 및 다른 물체에 미치는 힘과 관련된 것으로부터 추구하는 운동역학(kinetics)의 두 가지가 있다.

한편 운동학적 입장과 운동역학적 입장은 일체가 된 형태로 진행되는 경우가 많다. 주로 운동학적 관점에서 이루어진 동작분석에는 여러 가지 운동동작, 예를 들어 체조의 동작분석, 달리기동작 시의 다리움직임과 속도, 크로스컨트리(cross country)주법과 댄스(dance)의 회전동작 등에 관한 연구가 있다. 운동역학적 관점에서 이루어진 동작분석에는 구기경기에서 동작범위와 근력의 관계, 관절각도 측정을 통한 근력측정, 철봉 · 투구동작 · 활쏘기 동작에 대해 근전도를 이용한 연구, 스키의 점프와 공기저항에 관한 연구 등이 있다.

운동학적 연구에서는 영상(cinematography)기법이 매우 효과적이다. 이 기법으로 얻을 수 있는 데이터는 디지털카메라를 통한 좌표값 등이다. 국내에서는 물론 외국에서도 이 시스템에 의한 연구는 계속되고 있다. 오늘날에는 디지털카메라와 함께 압력판(forceplate), 근전도, 가속계 등을 이용한 동시측정으로 측정의 타당성 검정도 이루어지고 있는데, 이것은 의료분야, 영화산업, 자동차공학의 안전실험 등에서 실용화되고 있다. 이 영상분석기법은 앞으로도 계속될 것이다.

② 효율의 추구

인간의 운동은 생체의 화학적 에너지가 기계적 에너지로 변환됨에 따라서 생기는 것이기 때문에 운동을 발생시키는 자원으로서의 생체에너지와 기계적 에너지의 관련성을 연구해온 것도 바이오메카닉스의 또 다른 연구동향이다. 이 방향에서의 연구는 최대산소섭취량과 달리기스피드의 관계를 구한 것, 축구에서 킥의 에너지효율을 연구한 것, 페달링의 근파워와 스피드의 관계를 연구한 것 등으로 대표된다. 또 에너지효율(efficiency)의 개념을 다양한 스포츠 동작에 연관시켜 운동수행의 '기교' 문제를 설명했다. 효율적인 움직임을 위해서는 다방면에서 접근하여야 효과적인 바이오메카닉스 연구가 될 것이다.

③ 중추신경기구의 연구

바이오메카닉스 연구에서 생체의 전체적인 출력조건이 충분히 만족되면서도 효율적으로 동작할 수 없는 사항에 관심이 집중되어 왔다. 이에 관한 관심은 동작에서 '조정력' 혹은 '기교'란 무엇인가 하는 의문에서부터 출발한다. '조정력'에 대해서는 생리학적인 입장에서나 인간공학적인 입장에서 적극적인 고찰을 이루어지고 있고, 또 많은 사람들이 이 문제를 취급하고 있다. 특히 '조정력의 중추기구'라는 논문에서는 의사에 따른 운동에 선행하는 뇌의 전위변화를 언급하고 있다.

그러나 중추신경기구에 관련된 이 종목의 과제를 추구하기 위해서는 아직 연구해야 할 분야가 많다. 이것은 생리학 · 공학 관계자들도 포함된 '영역의 통합과 분화'가 지향하고 있는 가장 주요한 테마이다. 바이오메카닉스 연구에서는 신경구조에 연관된 문제를 보다 실험적으로 추구해 갈 여지가 많이 있다.

(2) 인간에 미치는 영향

바이오메카닉스가 인간에게 미치는 영향을 규명하는 연구방향은 다음과 같다.

① 인간의 생활사로서 움직임을 연구한다.
- 주로 계통발생적인 관점에서
- 퇴행해가는 관점에서

② 신체활동이 신체활동 자체에 미치는 영향을 연구한다(개체발생적 관점).
- 트레이닝된 것과 그렇지 않은 것의 비교
- 트레이닝과정이나 지도하는 가운데 형성되는 동작 연구

③ 과학적 기법에 의해 얻어진 사상을 기초로 한 합목적적인 동작을 개발한다.

5) 바이오메카닉스의 연구과제

바이오메카닉스는 독립과학으로서의 가능성은 가지고 있지만, 그것을 확립하기 위해서는 앞으로도 양적 · 질적 노력이 필요하다. 그중 종목별 스포츠기술의 과학적 연구, 더 정확한 인체모형의 개발, 스포츠용구와 관련된 연구 등이 앞으로 중요한 연구과제가 될 것이다.

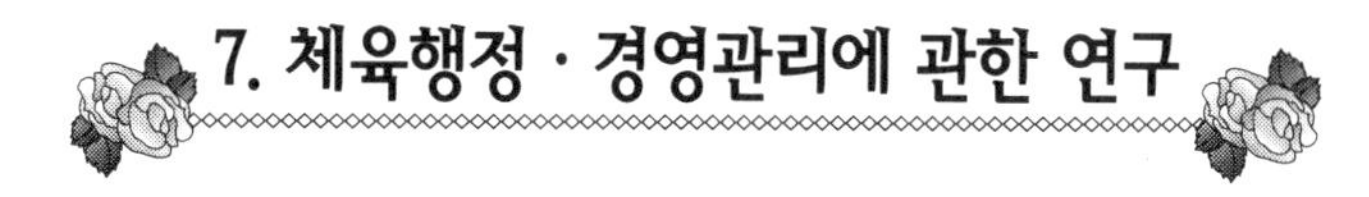

7. 체육행정 · 경영관리에 관한 연구

오늘날 체육활동의 목표는 삶의 질 향상에 있다. 이는 개인적인 차원이 아니라 국가적인 차원으로까지 확대되었다. 보다 많은 사람들이 체육 · 스포츠 · 여가 및 레크리에이션에 관심을 가지게 되었으며, 이에 부응하여 정부에서도 생활체육을 적극 장려하기에 이르렀다.

이러한 사회적 변화로 사람들은 여가활동을 할 수 있는 체육시설과 체육프로그램을 요구하게 되었고, 대중들의 여가욕구를 충족시키기 위해 상업적 체육조직들이 생겨나게 되었다. 정부에서는 학교체육 및 엘리트체육의 활성화뿐만 아니라 생활체육의 진흥, 국민체력향상, 체육시설 확충, 민간체육시설 육성 등에 관심을 기울이고 있다. 이에 정부조직과 민간단체는 체육을 효율적으로 관리하기 위한 지식과 능력을 갖춘 행정가와 관리자를 요구하게 되었다. 따라서 효율적인 관리 · 경영을 위한 학문적 뒷받침이 필요해진 것이다.

체육 및 스포츠경영의 연구는 스포츠에 스포츠 관련 경영원리가 합쳐진 것이다. 오늘날 체육 및 스포츠 프로그램이 일반화되어 남녀노소 각계각층에 영향을 미치고 있으므로, 이 분야의 지도자들에 대한 훈련도 절실히 요구되고 있다.

스포츠가 세계로 확산되고 새로운 국가들이 국제경기에 참여하는 오늘날 스포츠의 올바른 경영관리는 우리에게 문제로 다가오고 있다. 우리나라에서도 이것이 대학과 대학원의 커리큘럼에 포함되고, 또 이를 전공하는 사람들도 많아지고 있다.

1) 체육의 행정 · 경영관리적 접근

체육행정 · 경영관리란 체육조직이 계획적이고 효과적으로 목표를 달성하기 위한 행정 및 관리적 역할을 중심과제로 한다. 이는 체육에 관련된 행정 및 관리역할을 과학적으로 설명 ·

예측할 수 있는 이론화작업으로 볼 수 있다.

이러한 이론화작업은 해당 분야의 이론을 뒷받침하는 준거틀(frame of reference)을 우선적으로 요구하는데, Spaeth(1967)는 체육행정학의 이론과 현상들은 다양하게 해석될 수 있고 행정학 자체가 다학문적 접근방법과 과학적인 분석을 토대로 연구를 하고 있다고 지적하면서 체육행정학의 다학문적 접근방법과 과학적인 분석을 강조하였다. 그러므로 체육행정의 이론적 바탕이 될 수 있는 사회과학분야와 교육학이론을 체육행정에 도입하여 활용하여야 올바른 이론정립이 가능해질 것이다.

2) 체육행정 · 경영관리의 연구영역

체육행정경영관리 연구분야에는 체육정책, 체육조직, 학교체육, 생활체육, 체육시설, 체육프로그램, 체육인사, 체육재무, 체육홍보 등이 있다.

체육정책분야는 스포츠를 활용한 도시정책이 경제발전에 미치는 영향에 관한 연구를 들 수 있다. 체육조직분야에는 비영리조직의 전략적 기획에 관한 연구, 자발적 스포츠조직의 전략적 기획에 관한 연구, 자발적 스포츠 조직의 조직규모가 조직구조에 미치는 영향에 관한 연구, 스포츠조직의 지도유형과 조직유효성에 관한 연구, 스포츠조직에서의 분배정의와 절차정의에 관한 연구 등이 있다.

학교체육분야에는 운동경기부를 위한 예산 · 시설 · 지원서비스의 공정한 배분에 관한 연구, 남녀교육균등법안과 성차별에 관한 연구 등이 있다.

생활체육분야에는 생활체육 투자우선순위 결정에 관한 연구 등이 있다. 체육시설분야에는 스포츠 관중의 만족도를 증가시키기 위한 스포츠 시설관리에 관한 연구, 팀충실도와 관중참여 제고를 위한 경기장시설에 관한 연구 등이 있다. 체육프로그램분야에는 스포츠관리의 교육과정 모델 개발에 관한 연구 등이 있다.

체육인사분야에는 운동경기 지도자의 경력유형에 관한 연구, 여성행정가와 남성행정가의 지도력차이에 관한 연구, 스포츠 관리자의 직무만족에 관한 연구, 코치의 임용과정에 관련된 연구, 스포츠 경영학 교수진의 학문적 소양과 전공지식에 관한 연구, 대학 간 운동경기에 관한 교수의 역할과 영향력에 관한 연구, 대학운동경기 지도자와 프로스포츠 관리자의 근무경력에 관한 연구 등이 있다.

체육재무분야에는 대학운동경기의 예산확보에 관한 연구, 교환이론에 입각한 스포츠 스폰서십에 관한 연구 등이 있다. 체육홍보분야에는 스포츠 경영 저널의 활용정도에 관한 연구 등이 있다.

3) 체육행정 · 경영관리의 연구방법

체육행정 · 경영관리연구는 양적인 면에서는 발전을 해왔으나, 질적인 면에서는 발전이 더딘 것이 사실이다. 그동안 체육행정연구는 주로 사변적 연구나 기술적 연구에 치중한 감이 있고, 체육행정의 현상이나 형태의 변인 간 인과관계 또는 법칙을 추구하는 과학적이고 이론적인 연구는 드물었다. 왜냐하면 연구자들이나 실무가들이 체육행정을 이론탐색보다는 일상적인 상황에 즉각적으로 대처하는 실무적 능력의 배양에 있다고 굳게 믿고, 또한 그들은 체육행정이 비과학적 특성을 가지고 있기 때문에 학문의 과학적인 연구방법을 이용한 연구를 할 필요가 없다고 느꼈기 때문이다.

이제 미래의 연구방향은 새로운 연구방법의 활용과 개척적인 연구방향에 초점을 맞추어야 한다. 새로운 연구방법으로는 역사적 방법, 철학적 방법, 실험적 방법 등을 들 수 있으며, 최근에는 유사실험방법, 실험적 연구, 면접법, 경험표집법 등이 거론되고 있다.

4) 체육행정 · 경영관리의 연구동향

체육행정의 태동기에서 성립기를 거쳐 현재에 이르기까지 체육행정분야의 연구를 수행해 온 가장 핵심적인 학자는 Chelladurai, Horine, Parkhouse, Paton, Zeigler 등이다.

Zeigler, E. F. 는 체육행정의 개척자로서 체육행정의 학문연구에 많은 기여를 하였다. 주요 연구로는 대학운동경기 실무를 위한 행정이론(1966), Spaeth, Paton 등과 공동으로 연구한 체육행정의 이론과 연구(1967), 스포츠와 경영이론의 사례연구(1979), 체육행정가의 철학적 사고의 필요성에 관한 연구(1980), 체육과 경기에서의 의사결정에 관한 연구(1982), 스포츠 경영의 과거 · 현재 · 미래 연구(1987) 등이 있다. 또한 주요 저서로는 Spaeth와 공저한 『체육행정의 이론과 실제』(1975), Bowie와 공저한 『체육과 스포츠에서의 관리능력개발』(1983) 등이 있다.

Horine의 주요 연구로는 고등학교 운동선수들의 운동참여와 학업에 관한 연구(1968), 체육과 절충주의(1975), Turner와 공동으로 연구한 라커룸 분위기 개선을 통한 개방적 분위기 조성에 관한 연구(1979), 체육교수 능력평가에 관한 연구(1981), 위기상황관리에 관한 연구(1986), 체육경영조직과 옴부즈만 제도에 관한 연구(1987), 스포츠 시설계획에 관한 연구(1987), 체육홍보와 촉진연구(1987), 스포츠경영에서의 의사소통에 관한 연구(1990) 등이 있다. 주요 저서로는 『체육과 스포츠 프로그램행정』(1985, 1992, 1995) 등이 있다.

Paton은 체육행정의 형성단계부터 현대까지 체육행정이론 발전에 기여하고 있다. 주요 연구로는 Zeigler, Spaeth 등과 공동으로 연구한 체육행정의 이론과 연구(1967), 대학원 체육행정교육과정에서의 관리이론 연구(1970), Haggerty와 공동으로 연구한 스포츠 관련조직의 재무관리에 관한 연구(1984), 스포츠 경영연구 향상정도 평가(1987) 등이 있다.

Parkhouse는 70년대 중반 이후부터 체육행정의 학문적 발전에 기여하였다. 주요 연구로는 대학원과정의 체육 · 스포츠 행정과 경영교육과정에 관한 연구(1987), 스포츠 경영학의 일반원리에 관한 연구(1979), Ulrich와 공동으로 연구한 체육조직에서의 동기이론 적용에 관한 연구(1979), 고등학교와 대학교 여성코치 감소에 관한 연구(1981), Holman과 공동으로 연구한 여성운동경기에서의 코치선발에 관한 연구(1981), Ulrich와 공동으로 연구한 스포츠경영프로그램 이수자의 직무만족도에 관한 연구(1982), 스포츠경영 교육과정에 관한 연구(1987) 등이 있다. 주요 저서로는 Lapin과 공저한 『시합관리와 여성』(1980), 『스포츠 경영 : 이론과 응용』(1991) 등이 있다.

Chelladurai는 1980년대 중반 이후부터 체육행정과 경영에 관한 주요 연구를 수행하고 있으며 체육과 운동경기 프로그램의 관리와 경영발전에 많은 기여를 하고 있다. 주요 연구로는 조직유효성의 다차원적 전망(1981), Campbell, Haggerty 등과 공동으로 연구한 대학 간 경기의 효과성 분석요인 연구(1981), 대학 간 경기의 운영목표에 관한 연구(1984), Haggerty와 공동으로 연구한 캐나다 스포츠조직의 조직유효성에 관한 연구(1990), 스포츠와 신체활동 서비스의 분류에 관한 연구(1992), 스포츠 조직관리에 필요한 직무능력에 관한 연구(1993), 대학운동경기 부서를 위한 예산, 시설, 지원서비스의 공정한 배분에 관한 연구(1994), 스포츠 경영 : 영역에 관한 연구(1994), 스포츠 경영 : 직업교육에 관한 연구(1995) 등이 있다. 주요 저서로는 『스포츠 경영 : 거시적 관점』(1985) 등이 있다.

5) 체육행정 · 경영관리의 연구과제

체육행정 · 경영관리의 연구과제는 다음과 같다.

① 체육행정의 개념과 이론에 관한 연구로 행동과학적 이론과 체제이론의 도입
② 체육정책과정과 체육정책평가에 관한 연구로 체육정책과정에 대한 이론적 모형개발과 정책평가기법을 도입한 체육정책의 과학적 평가
③ 체육홍보에 관한 연구
④ 체육재정에 PPBS(planning programming budgeting system, 한정된 예산을 가지고 가장 효율적인 목적을 달성하기 위한 시스템)와 비용편익분석의 적용
⑤ 체육조직의 관료주의적 조직구조에서 벗어난 다양한 특별조직에 관한 연구

8. 체육측정평가에 관한 연구

자연과학연구는 사상의 수량화에서 시작하는데, 측정은 수량화를 위한 필수조건이다. 그러나 대부분의 실험과학은 측정을 크게 취급하지 않고 실험수단으로 취급하고 있다.

체육의 합리화와 능률화를 위해서는 물론 체육의 과학화를 위해서는 정확하고 객관화된 체육적 사상을 많이 집적하는 것이 시급한 일이며, 이렇게 집적된 사상을 일정한 가치기준에 비추어 어떻게 평가하느냐 하는 문제 또한 중요하다.

1) 체육의 측정평가적 접근

측정(measurement)은 어떤 사상을 표준화된 척도(도구, 방법)에 의해서 관찰한 결과를 객관성 있게 수량화하는 것인데, 체육측정이란 체육에 관계되는 사상을 관찰하는 일이라고 할 수 있다. 한편 평가(evaluation)는 측정을 통하여 행동(behavior)의 증거를 수집해서 그것으로서 교육에 의한 인간의 행동이나 인격의 변화도를 일정한 가치기준에 입각하여 판정하는 과정이다. 다시 말하면 평가는 이미 설정된 교육목표에 얼마나 접근하였는가를 평정하는 과정이며, 또 피교육자로 하여금 바람직한 변화를 가져올 수 있게 하기 위해서는 어떠한 조건이 갖추어져야 할 것인가를 밝히기 위한 수단이라고 할 수 있다. 결국 측정은 평가의 필요조건이며, 일반적으로 측정과 평가를 같은 것으로 생각하고 쓰는 경우가 많다.

그러나 측정은 어디까지나 평가를 위한 자료수집 및 제공을 위한 방법으로서 평가에 앞선 준비과정에 지나지 않는다. 또 평가는 측정이라는 과정이 있음으로써 실시할 수 있으며, 측정은 일체의 주관을 배제한 과학적인 행위이며, 측정하여 얻은 수치는 객관적인 것이다. 이 "객관적 수치를 목표치와 대비하는 것이 평가이다."라고 할 수 있으나, 목표치 설정은 주관에 의해 결정된다. 따라서 측정평가는 과학과 예술의 접점이라 할 수 있다.

측정대상은 인간이며, 그 인간의 자발적인 활동을 촉진시키는 것을 목적으로 하므로 과학적인 측정치를 주관적인 판단으로 단계적으로 구분하는 조작을 평가라 할 수 있다. 따라서 측정은 비교적 신뢰도에 관점을 둔 개념이고, 평가는 타당도에 관련된 개념이다.

2) 체육측정평가의 연구영역

체육측정의 연구영역은 세 가지로 나누어 분류하고 있는데, 그것은 인지적 영역, 정의적 영역, 심동적 영역이다. 앞의 두 부분은 교육학이나 심리학에서 주로 다루는 부분이며, 심동적 영역이 체육과 연관된 측정영역이다(Morrow, Jackson, Disch, & Mood, 1995).

인지적 영역은 Bloom(1956)에 의해 제안된 지식기반의 정보를 다루는 것이다. 정의적 영역은 Krathwohl, Bloom과 Masia(1964)에 의해 제시되었으며, 인간이 자신들의 수행에 대해서 어떻게 느끼고 있는가와 같이 결과적인 관점을 중요하게 여긴다. 그리고 심동적 영역은 Harrow(1972)에 의해 분류되었으며, 세부항목은 <표 7-1>과 같다. 물론 이는 한 예에 불과하며 달리 분류하는 경우도 있다.

표 7-1. 체육측정의 영역

인지적 영역	지식(knowledge), 이해(comprehension), 적용(application), 분석(analysis), 조합(synthesis), 평가(evaluation)
정의적 영역	수용(receiving), 반응(responding), 가치화(valuing), 조직(organization), 가치에 따른 특성(characterization by a value complex)
심동적 영역	반사운동(reflex movements), 기초운동(basic-fundamental movements), 지각능력(perceptual abilities), 신체능력(physical abilities), 기술운동(skilled movements), 비확산운동(nondiscursive movements)

3) 평가기준과 평가방법

평가를 하기 위해서는 평가의 기준을 어디에 둘 것인가를 먼저 결정해야 한다. 표 <7-2>는 교육평가의 장면에서 평가방법을 제시한 것인데, 이들은 각각 서로 다른 이점이 있다. 체력의 측정과 평가를 이러한 분류에 맞추어 보면 상대평가에 따른 단점은 체력평가에서는 나타나지 않으며, 같은 것이 절대평가나 인정평가에서도 비슷하게 나타나는 것을 알 수 있다. 그러나 진보평가에서는 단점이 내포될 가능성이 있다.

표 7-2. 평가기준의 성립과 인간형성에 대한 영향

	평가의 기준	평가의 관점	적극적인 가능성	폐해
상대평가	집단 내의 다른 사람의 성적	우수한가 열등한가	다른 사람들과의 관계에서 자기 객관시할 수 있다.	협조성을 잃기 쉽고 '약간 앞서려는' 형의 인간형이 형성된다.
절대평가	외적 객관적인 목표군	목표달성 여부	자기교육체제가 몸에 밴다.	목표체제를 절대시하고 여유만만함을 잃는 인간이 형성된다.
인정평가	교사의 의중에 있는 기준	교사가 본 만족도 여부	교사의 교육관이 담긴 인간 형성의 실현	교사의 권위에 맹종 또는 불신을 낳게 한다.
진보평가	해당되는 사람의 이전의상태	진보도를 볼 수 있는지의 여부	자기 페이스로 스스로 진보 향상을 시도하게 된다.	독자적 자기만족습관이 형성된다.

평가방법 중 진단적 평가, 형성적 평가, 총괄적 평가는 목표설정이 평가에 큰 영향을 주기 때문에 목표설정단계에서 평가기준이 정해져야 된다. 일반적으로는 측정 결과의 통계적인 정규분포를 기본으로 하여 단계적 평가가 실시되고 있으며, 우리나라 학교교육에서는 수, 우, 미, 양, 가의 표시방법이 사용된다.

평가에 관계되는 환경요인은 표 <7-3>과 같다.

표 7-3. 평가에 관계되는 환경요인

사회적 요인	가정, 학교, 교육, 기술, 경제, 법률, 지역사회, 성, 직업, 정치, 인구, 종교, 문화, 군사, 연령
물리적 요인	지리, 천연자원, 기상, 시설, 토양, 용구, 지세

4) 체육측정평가의 연구동향

체육측정평가의 연구동향은 시대별로 다음과 같이 분류할 수 있다.

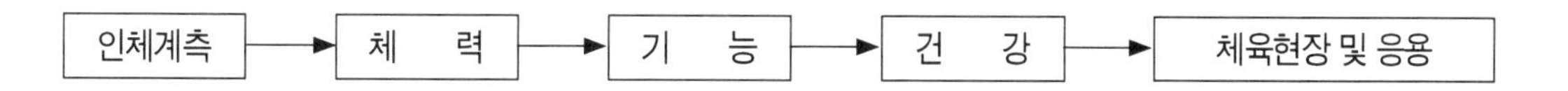

(1) 인체계측

이 시기는 인체의 형태측정이 연구자들의 주요 관심이었으며 1950년대까지 계속되었다. 인체측정은 측정할 부분을 선정하여 알맞은 측정도구로 이를 측정하는 것이다.

(2) 체 력

이 시기는 체력측정이 주를 이루었으며 1970년대까지 계속되었다. 더불어 체력의 정의, 체력요인으로 본 테스트항목 등과 같은 체력에 관한 기본적인 항목들이 논의의 대상이 되었다. 체력을 연구하기 위해서는 측정평가 입장에서 공통으로 이해할 수 있게 정의를 내려 둘 필요가 있는데, 다음과 같이 정의할 수 있다. 즉 "체력이란 사람이 일상생활이나 예측불허의 사태에 여유를 갖고 대처하기 위해 끊임없이 유지해야 할 작업능력 및 저항력이다."

(3) 기 능

체력이라는 말은 일상적으로 사용되지만, 각자가 가진 지식이나 경험에 의해 체력의 뜻은 다르다. 즉 체력 속에는 운동능력이 포함되어 있다는 주장과, 운동능력은 체력에 운동기능(skill)이 첨가된 것이라는 주장이 그것이다.

(4) 건 강

그동안 측정평가의 연구동향은 기초에서 응용으로, 최대발휘의 측정에서 최대하발휘의 측정으로 관점이 변하기도 하였다. 이것은 사회체육의 활성화로 인하여 건강에 관심을 두어 건강과 관련된 요인들의 측정에 주력하던 1970년대 중반 이후이다.

(5) 체육현장 및 응용

이 시기는 교육현장에서 체육측정인데, 예를 들면 운동학습능력테스트, 지식테스트, 심리테스트 등이다. 이 연구는 1980년대에 체육현장에서 볼 수 있는 인간의 속성과 같은 심리적인 요인들을 측정하기 위해서 많이 이루어졌다. 이후에는 체육사회학, 운동생리학, 체육교육학 등의 분야에서 교육, 지도법 등의 효과를 측정하기 위해서 많은 응용연구가 이루어졌다.

5) 체육측정평가의 연구과제

체육측정평가의 연구과제는 다음과 같다.

① 측정평가원리의 확립
② 측정평가방법론의 확립
③ 측정평가이론의 보급
④ 현장지도자와 공동활동
⑤ 각 대학 · 대학원에서 측정평가에 대한 위치의 명확화

이들 중에 ①이나 ②가 가장 먼저 규명되어야 할 것이다. 이같은 연구활동을 위해서 수많은 기존 데이터를 재검토해서 정리해 둘 필요가 있다.

측정항목을 계획할 때에는 측정목적에 적합한 연령별 · 성별 · 체력별 · 건강도별로 고려하는 방법, 일정한 측정항목에서 앞의 것을 전부 측정하여 평가단계의 목적에 맞는 법칙을 작성해두는 방법 등이 있다. 요컨대 측정평가연구는 시행착오적인 연구까지 포함해서 가능한 한 데이터집적에 의해 원론이나 방법론을 확립해 가는 것이다. 이 경우에는 항상 행위의 목적을 되새겨 볼 필요가 있다. 즉 '측정이란 무엇인가', '평가란 무엇인가'를 명확히 파악할 수 있다면 피험자의 적극적인 측정참여로 평가의 타당성을 얻을 수 있을 것이다.

최근 체육에서 측정 · 설계 · 처방이라는 방식이 논의되고 있다. 진단이란 어감에는 약자에 대한 위로가 느껴지는 데 비해, 평가라는 어감에는 강자에 대한 칭찬이 느껴진다. 이것은 학교체육의 영향을 받은 탓일지라도 모른다. 회귀평가가 지금까지의 평균치평가의 결점을 제거한 것처럼 새로운 평가체제를 수립할 필요가 있다.

한편 평가단계에서는 보다 나은 건강생활을 추구하려는 피험자에게 방향을 설정해 주려는 지도자 간의 인간적인 교류가 없으면 안된다. 의학이 개인의 건강추구에서 출발하는 것과 같이 측정평가도 개인을 위해 행해지는 것이지 통계를 위해 행해지는 것이 아님을 염두에 두도록 한다. 그러나 현재 단계에서는 통계적인 기초자료를 모으는 데 집중되어 있기 때문에 일부에서는 측

정이 개인의 행위에 대한 배려가 없이 실시되어 측정평가연구에 대한 편견을 초래하고 있다.

국제체력테스트 표준화위원회가 체력테스트항목을 결정하는 단계의 예비실험으로 어느 개발도상국에서 50m 달리기를 실시했을 경우 전력질주의 의의가 피험자에게 충분히 이해되지 못해 "왜 그렇게 빨리 달릴 필요가 있느냐?"라는 질문이 있었다고 한다. 피험자의 목적의식이나 교육환경 등을 고려해 본다면 이것은 의미깊은 에피소드라고 할 수 있다.

9. 체육방법학에 관한 연구

체육방법학이라는 용어는 어쩌면 생소할 수도 있다. 오히려 체육방법학과 밀접한 관계를 가진 체육과교육학이 귀에 익은 용어일 것이다. 체육방법학은 체육과교육학의 유사개념으로 사용되었으나, 1979년에 체육과교육학이 독자의 학문으로 자리잡게 되었다.

체육과교육학은 체육의 목적 · 목표, 학습내용, 교과과정, 학습과정 등을 연구내용으로 하지만, 체육방법학은 그의 한 방편인 운동의 기술학적 측면을 연구내용으로 한다. 즉 체육과교육학은 교육적 측면에서 체육목적을 달성하기 위한 종합적인 연구영역이고, 체육방법학은 운동기술 자체의 분석적 연구와 각종 운동기술의 숙달과정에 대한 연구와 각 운동종목의 지도에 관한 연구영역이라고 할 수 있다. 따라서 체육방법학 영역에서 운동기술의 정확한 관찰을 위해서는 역학적 · 생리학적 · 해부학 · 형태학적인 원리들을 파악해야 한다.

1) 체육의 방법학적 접근

체육방법학이란 체육방법에 관한 이론을 의미하며, 이것은 최선의 체육방법을 찾아 거기에 필요한 모든 이론을 계통적 · 조직적으로 설명하는 학문이다. 한편 체육방법학의 임무는 두 가지인데, 하나는 체육방법을 과학적 기술로서 연구해가는 것이고, 다른 하나는 교사의 인격이나 인간성이 체육교육에 미치는 영향을 연구해가는 방법이다. 이 두 가지는 체육의 목적이나 목표를 달성하기 위한 체육방법(체육실천)을 이끄는 원리를 규명하는 과학이라는 점에서 공통점이 있다.

체육방법학은 체육방법에 관한 학문일뿐만 아니라 체육실천이론을 널리 규명하는 과학이라고도 할 수 있으나, 실제로는 교육방법학이 학교교육방법학인 것처럼 체육방법학이 학교체육교육방법학으로 되어가는 경향이 있다. 그러나 체육과교육학이 분리됨으로써 체육방법학은 운동기술 자체의 분석적 연구나 각종 운동기술의 숙달과정에 대한 연구와 각종 운동종목별 지도에 관한 연구 등으로 일명 '운동기술학'을 연구하는 영역으로 그 범위가 축소되어 가고 있다.

2) 체육방법학의 연구영역

체육방법학의 연구영역은 다음과 같다.
① 종목별 스포츠기술을 과학적으로 연구
② 운동기술 자체의 분석적 연구
③ 각종 운동기술의 숙달과정에 대한 연구

3) 체육방법학의 연구방법

체육방법학은 고속카메라를 이용한 영상분석, 스트레인게이지(straingauge)를 이용한 측정, 근전도계나 텔레메터(telemeter)를 이용한 측정 · 분석 등을 통한 운동기술학적 연구법과 운동동작기록법을 연구한다.

(1) 운동기술학적 연구법

운동기술은 현장에서 발견하여 연구하고 개선한 선수 개인의 동작 가운데 존재하는 것으로, 운동동작을 정확하게 관찰하는 방법을 연구한다. 그 운동동작에서 합리적이고 경제적인 방법을 발견하기 위해서 역학적 · 생리학적 · 해부학적 · 형태학적 원리를 이용한다. 발견된 방법은 누구에게나 전이가 가능한 것인지 검증하지 않으면 안된다.

(2) 운동동작의 기록법

운동동작을 정확히 파악 · 관찰하기 위해서는 가시적으로 발생하는 사상을 그대로 기록하는 방법, 동작의 경과에 따라 신체기능이 어떠한 순서에 의하여 활동하는가를 기록하는 방법, 동작의 경과에 따라 어떠한 변화가 나타나는가를 기록하는 방법 등이 있다.

4) 체육방법학의 연구동향

(1) 개인스포츠의 운동기술연구

개인스포츠의 운동기술연구는 체조운동인 매트 · 철봉 · 마루 · 안마 · 뜀틀 · 링 · 평균대에서의 회전과 균형에 관한 분석, 육상경기에서 출발동작의 운동학적 분석과 단거리 · 중장거리

달리기에서 속력과 보폭 간의 관계를 고속카메라를 이용한 분석 등이다. 또한 중장거리 달리기 선수의 에너지 소비에 관한 연구와 다리의 협응성에 관한 연구도 있다. 던지기에 대한 연구로는 투포환 · 투창의 역학적 고찰, 고속카메라에 의한 신체운동학적 분석 등이 이루어지고 있다. 스키의 운동기술연구는 회전, 다리의 굴곡신전, 다리동작의 분석이 주류를 이루고 있으며, 수영에서 팔동작과 스트로크 동작 그리고 근전도 분석이 있다.

(2) 대인스포츠의 운동기술연구

대인스포츠의 운동기술연구는 태권도 · 유도 · 검도 · 씨름 등의 경기에서 많이 사용되는 기술의 분석이다. 여기에는 팔과 다리의 동작분석, 상대방의 타격에 대한 반응분석, 에너지 소비분석 등이 있다.

(3) 집단스포츠의 운동기술연구

여기에서는 구기경기의 기술분석이 주가 된다. 구기경기의 기술은 경기의 구성단위인 집단적 기술과 그 집단적 기술의 구성요인이 되는 대인적 및 개인적 기술로 구성되어 있다.

집단적 기술은 볼을 갖고 하는 공격기술과 볼을 갖지 않은 수비기술로 나눌 수 있다. 본래의 집단적 기술은 몇 명의 공격과 수비수들의 대응동작으로 성립되지만, 이는 결국 공격 및 수비수 각 한 사람씩의 기술이 합쳐진 것이다. 공격의 개인기술은 볼을 목적에 따라 조작하는 동작과 볼을 점유하려는 동작으로 나눌 수 있다. 또, 수비의 개인기술은 볼을 갖는 상대의 공격의도를 수비하는 동작과 볼을 받으려고 움직이는 공격 측의 동작을 방해하는 동작으로 나눌 수 있다. 공수가 1 대 1로 행해지는 경우를 대인적 기술 혹은 전술적 개인기술이라고 하는데, 이는 집단적 기술에 제일 필요한 기본적인 개인기술로 볼 수 있다. 이러한 여러 가지 구기기술이 모두 분석적 연구대상이 된다. 한편 경기를 할 때 어떠한 장면에서 언제 누가 어떠한 기술적 공헌을 했는가, 그것이 승패에 어떤 영향을 미쳤는가를 분석하는 것을 게임의 기술연구라하는데, 이는 구기경기에서 중요시되는 연구영역이다.

최근 구기경기에서 경기의 효율적 운영을 위한 기술연구를 열심히 하게 된 이유는 집단적 기술 · 대인적 기술 · 개인적 기본기술이 게임에서 필요한 때와 장소에 따라 효과적으로 발휘할 수 있는가를 알게 하며, 또한 어떻게 조화되고 결합되는가를 해명할 필요가 있기 때문이다.

① 피험자선택

기술연구의 목적과 과제에 따른 피험자의 선택은 모든 연구영역에 공통된다. 집단적 기술연구에서도 연구목적에 따라 피험자를 선택하지만, 대부분은 대표선수 또는 대학의 일류선수와 비교하기 위해 미숙련자를 피험자로 하는 경우가 많다. 또, 기술의 발달과 성숙과정을 연구하기 위하여 피험자의 숙련 정도를 달리 하기도 하고, 연령적으로 다른 피험자를 선택하는 경우도 있다. 그리고 일정한 기간, 일정한 장면, 일정한 조건 아래에서 연습을 시켜 그 결과를 검토하기도 한다.

② 경기분석방법

경기분석은 일반적으로 경기 도중 나타나는 운동수행에 대한 기준을 정하여 세밀히 기록한 다음, 그것을 연구목적에 적합한 관점별로 정리하여 통계학적으로 처리하는 방법이다. 승자 · 패자는 단순한 기술의 우열에 의해 정해지는 것이 아니고, 득점을 상대팀보다 많이 하기 위하여 필요한 종합력 즉, 기술 · 체력 · 정신력 외에 작전 · 팀워크 등이 관계된다.

그러나 기록에는 그것들의 종합된 결과가 나타나므로 분석은 주로 기록에 대해서만 행하게 된다. 따라서 분석자료가 되는 게임의 기록방법이 포인트가 된다. 예를 들어 승자 측과 패자 측의 승인 · 패인을 기술적으로 찾기 위하여 슛과 그 성공 수에 의한 슛 성공률만 기록한다면 대략적인 것만 알 수 있을 뿐이다. 농구경기를 예로 들어보면 다음과 같다.

① 슛 이전에 어느 위치에서 어떤 각도에서 드리블했는가.
② 어떤 위치에서 어떤 슛을 했는가.
③ 슛 이전에 어떤 패스를 어떤 위치에서 받았는가.
④ 상대의 볼을 커트하여 슛을 했는가.
⑤ 상대의 미스플레이 때문에 볼을 소유하게 되었는가.

한편 경기를 구성하는 각 운동수행이 승패에 어떤 공헌을 했는가, 공격과 수비력이 승패에 미친 영향은 어떤가 등을 연구할 때에는 확률론을 이용하여 타당한 반론에 따라 게임을 모델화하여 계산하는 방법도 있다. 이것이 앞으로 주목되는 연구분야이다.

다음에 기록방법에 의하여 어떤 포메이션의 선수가 어느 정도 공격과 수비를 성공했는가 등도 연구할 수 있다. 더욱이 경기기록 시에 이름과 기록을 병기하면 누구와 누구의 컴비네이션이 성공률이 높은가, 어떠한 수비에 누구와 누구의 컴비네이션이 성공률이 낮은가 등을 알 수 있을 뿐 아니라, 어떤 방법에는 어떤 공격법이 유효한가의 분석도 가능할 것이다.

경기를 분석하여 기록할 때에는 볼의 움직임만을 쫓지 말고 볼을 받으려고 달리는 자기편의 움직임, 커버와 팔로업을 위해 움직이는 자기편의 위치와 움직임, 수비자의 특징과 움직임 등을 살펴보아야 한다. 이 경우 게임 전체를 촬영하면 되는데, 이때에는 시간적 · 공간적으로 라인과 코트시설 등을 전부 기록할 수 있도록 스케일을 명확히 하는 것이 중요하다.

5) 체육방법학의 연구과제

체육방법학의 연구과제는 다음과 같다.
① 카메라를 이용한 경기종목별 기술의 분석
② 경기에서 유효율을 이용한 모델화
③ 연구결과를 이용한 효율적 지도방법

10. 발육발달에 관한 연구

신체의 발육발달과 운동기능의 발달은 인간의 행동발달이나 정신발달과 더불어 일찍부터 연구되어 왔다. 발육발달연구는 신생아기부터 유아기, 아동기, 청년기, 성인기(노인 포함)에 이르기까지 성장단계별로 발육 · 발달현상의 특질을 검토하는 것에서 시작하여 그 요인을 고찰하는 것이다.

1) 체육의 발육발달적 접근

발육발달의 영역은 운동심리학, 측정평가, 운동생리학 등의 분야를 통합해서 바라보아야 한다. 운동심리학은 유전이나 환경과 관련이 있고, 측정평가는 기능과 관련이 있으며, 운동생리학은 호르몬 등과 관련지어서 통합적으로 발육발달영역을 형성한다.

발달은 그 어원이 나타내듯이 잠재적인 가능성이 전개되어 현실적이고 활동적인 상태를 이루는 것으로 유전형(genotype)이 표현형(phenotype)으로 변하는 과정이다. 이러한 원리에 의하여 신체와 운동기능의 발달을 체육활동과 관련지어 연구하는 것을 발육발달이라 한다. 광의로 보면 성장 또는 발육에 의한 발달과 학습에 의한 발달을 포함하고 있다.

2) 발육발달의 연구영역

발육발달의 연구영역은 다음과 같다.
① 여러 신체부위와 조직 · 기관의 크기 증대
② 생물학적 기능의 발달
③ 행동적인 내용의 발달

④ 동작이나 운동능력의 향상

3) 발육발달의 연구방법

(1) 운동능력 발달과정의 연구

운동능력의 발달과정은 얼마나 높고 얼마나 빠른가를 연령별로 본 양적 연구가 제일 많다. 반면 질적 연구로 운동능력의 발달을 보는 경우도 있다. 예를 들어 일정한 운동수행에서 맥박 · 혈압 · 산소섭취량 등의 생리학적 요인의 연령에 따른 변화와, 신체움직임의 역학적인 관찰 · 분석 등이 여기에 해당된다. 또 동작의 정확성 · 규칙성 · 효율성 등도 질적발달의 척도가 된다.

이것과는 달리 어떤 과제행동이 언제 획득되는가를 보는 것이 있는데, 이것은 유아의 행동능력 발달연구에 잘 이용된다. 유아의 포복과 보행 등의 발현은 규칙적이고 연령과도 잘 대응하며, 이들 연구는 표준화되어 발달검사법으로서 잘 정리되어 있다.

(2) 운동능력발달을 규정하는 요인의 연구

①유 전

혈액형과 색맹이 1개의 유전자로 결정되는 데 대하여 체육학과 생리학에서 대상으로 하는 형질, 예를 들어 키 · 맥박 · 근력 등의 정상형질은 그 변이가 양적 · 연속적이고 환경의 영향을 받는다. 그런데 달리는 능력이 훌륭하다 하더라도 그것이 유전적 요인에 의한 것인지 환경적 요인에 의한 것인지를 분명하게 구별하기는 쉽지 않다.

유전의 영향에 대해서는 다음과 같은 연구방법이 사용되고 있다.

① 유전율을 보는 방법

② 유전적 요인이 같고 환경적 요인이 다른 2군을 비교하는 방법

③ 유전적 요인이 다르고 환경적 요인이 같은 2군을 비교하는 방법

①의 '유전율을 보는 방법'은 부모의 형질이 다음 대에 어느 정도 나타나는가를 보는 것으로, 식물과 동물의 품종개량에 응용된다. 인간은 동식물처럼 순종을 얻을 수 없으므로 친자간의 상관을 구하기도 하고 근친혼의 부모와 비근친혼의 부모를 가진 아이의 여러 가지 형질을 비교하는 방법이 취해지고 있다.

②의 '유전적 요인이 같고 환경적 요인이 다른 2군'의 비교에서 제일 순도가 높은 것은 일란성 쌍생아이다. 대 간의 유사도는 상관(급내 상관, 편상관 등)으로 보는 경우가 많다.

유전과 환경의 비율을 보는 식은 다음과 같다.

$$\frac{\text{유전}}{\text{환경}} = \frac{(\text{이란성 쌍생아의 대 간 차}) - (\text{일란성 쌍생아의 대 간 차})}{(\text{일란성 쌍생아의 대 간 차})}$$

※ 주 : 대마다 평균값을 구하고, 각자의 평균에서 편차의 백분율을 동종 쌍생아에 대하여 평균한다.

이 식은 일란성 쌍생아의 대 간 차는 환경에, 이란성 쌍생아의 대 간 차는 유전과 환경 모두에 의한다는 생각에 따른 것이다. 그러나 일란성 쌍생아는 비쌍생아보다 유전요인이 더 같으므로 다음과 같은 식도 쓰인다.

$$t^2 = \frac{(\text{일란성 쌍생아의 상관값}) - (\text{이란성 쌍생아의 상관값})}{1 - (\text{일란성 쌍생아의 상관값})}$$

쌍생아에 의한 운동발달의 연구에 의하면 운동능력은 형태척도보다 환경의 영향이 큰데, 그 영향은 연령과 더불어 증가한다. 또 근력과 파워 등의 체력적인 기능보다 체력요소에 신경지배가 많이 관계되는 이유는 일반 운동능력은 유전적 영향이 크기 때문이다.

③의 '유전적 요인이 다르고 환경적 요인이 같은 2군'을 비교하는 방법에는 친아들과 양아들의 비교, 집단시설의 어린이 비교 등이 있다.

② 연습과 성숙

발육기에는 특별한 연습을 행하지 않는 개체에서도 성숙에 따른 운동능력의 발달을 볼 수 있다. 성숙에 의한 차와 연습에 의한 차를 비교할 때에는 대조군법(control group method)이 가장 많이 이용된다. 또 이미 얻어진 기준값과 표준값을 비교하는 방법도 있다.

연습효과와 발육과정의 관련을 보는 방법은 다음과 같다.

① 횡단적 방법 : 각각 다른 연령군에게 동질의 부하로 연습을 실시하여 어느 연령군에서 가장 연습효과가 컸는가를 보는 방법이다.

② 종단적 방법 : 연령대별 연습효과가 성숙에 따라 어떻게 향상되는가를 보는 연습의 정착효과를 보는 방법이다.

①의 '횡단적 방법'에는 Hettinger의 "아동기부터 노년기까지의 각 군에게 근력 트레이닝을 실시하여 그 효과가 남자 20~30세에서 최고이며 10세에서는 그 60% 밖에 안되며, 여자는 전반적으로 남자의 50% 이하"라는 보고가 있다. 또한 근지구력의 연습효과가 고학년 아동에서 최고를 나타내고, 중학생 · 고교생이 다음이며, 대학생과 유아는 효과가 적다는 보고도 있다.

②의 '종단적 방법'에는 "5세 어린이에게 30일간 테이핑을 한 상태에서 연습을 실시하여 이에 따른 연습효과의 경과"를 본 연구가 있다. 연구에 의하면 효과는 2년 후에도 나고, 대조군과의 사이에는 유의한 차이를 볼 수 있었으나, 실험군에서는 성숙에 의한 발달은 볼 수 없었다.

③ 내분비

내분비에는 그 분비가 계속적으로 운동기능을 촉진 · 흥분시키는 아드레날린 등과, 그 분비가 근육 · 체격 등의 발육을 촉진시킴으로써 계속적으로 기능촉진이 일어나는 성장호르몬 등이 있다. 후자에 대해서는 내분비 장기의 중량과 분비량, 형태와 신체발육을 대응시키는 연구법이 있다. 그러나 발육기에는 일종의 성장호르몬이 방아쇠식으로 다른 호르몬분비를 촉진하여 이와 같은 작용을 하게 하므로 한두 종류의 호르몬의 분비량으로 운동기능과 기능발달을 추론하기는 어렵다. 예를 들어 사춘기의 하수체호르몬분비 증가를 여자의 운동능력발달 곡선의 정체와 관련시키는 것은 모순이다.

④ 환경

① 공통환경요인에 의하여 대상을 나누어, 그 발육발달을 비교하는 분류적인 방법
② 어느 개체에 대한 추측된 환경과 발육의 인과관계가 다른 개체와 군에도 해당되는지를 알기 위하여 그 폭을 넓혀가는 방법
③ 실험적 방법

①에 대해서는 지리적 · 사회적 환경의 비교, 운동군과 대조군의 비교, 민족비교 등 많은 자료가 있다. 도시와 농촌사람의 체격 · 체력을 비교한 연구를 예로 들어 본다. 이러한 연구에서 어려운 점은 어느 군과 대응하는 군 사이에 차이가 있더라도, 그 차이가 처음에 분류한 요인에만 귀결시킬 수 없는 점이다. 지리적 차이가 있는 2군을 비교했다고 할 때 기온 · 고도 · 시간 등 일차적인 차이뿐만 아니라 유전 · 의복 · 생활양식 등 이차적인 차이에 의해서도 영향을 받는다. 따라서 대상선정과 자료정리를 할 때에는 이 점을 검토해야 한다.

비교집단이 광범위하고 다수일 때, 예컨대 민족비교 시에는 미리 측정법과 조사법의 통일을 전제로 한다. 이미 측정법이 완성된 형태척도와는 달라서 기능측정법은 아직 개발도상에 있다. 따라서 기구 · 피험자 · 조사의 일시와 장소에 따라 결과에는 상당한 차이가 나타난다. 이런 종류의 연구에서는 유전적 · 환경적 조건의 차이가 심한 집단이 대상이 되므로, 결과에서 각 민족의 특성을 파악하기도 하고, 환경조건을 분석하기도 하며, 적응능력의 극한값과 최대공약수를 얻는 데 의미가 있다.

⑤ 신체적 · 정신적 장애

신체적 · 정신적 장애로 인한 영향을 정상발달과 대비시킨 연구가 많다. 지능과 운동능력의 관련에 대하여는 유아기의 운동발달이 지진아에서 느린 것을 조사한 연구가 있으며, 그것을 기본으로 발달검사를 작성하고 있다. 또한 지능과 운동능력의 상관을 구하고, 지능이 낮은 군일수

록 양자의 상관이 높다는 것을 보고하는 경우도 있다. 맹 · 농아의 운동발달에 관하여는 행동제약에 의한 일반운동능력의 지진에 관한 연구, 결함이 있는 기관의 기능발달 연구 등이 있다.

(3) 운 동

운동이 발육발달과정에 미치는 영향에 관한 연구에는 운동군과 비운동군을 비교하는 방법이 주로 이용된다. 이 경우에는 실험과 측정 전에 양집단에 차이가 없다는 것이 전제가 되며, 또 운동량 · 운동방식의 기록과 환경조건의 통제도 필요하다.

4) 발육발달의 연구동향

발육발달의 연구동향은 시기별로 크게 다섯 단계로 나눌 수 있다.

(1) 문제제기

이 시기는 발육발달이라는 개념의 정리와 현대적 의의를 이해하는 것이 중심문제이다. 제기된 문제 중에서 특히 주목하여 노력을 기울인 연구는 발달가속화현상이다. 이 가속화현상의 특질이 점차 명확해짐에 따라 발육촉진현상이라는 용어로 불려지게 되었다. 이에 의하여 성적 성숙경향과 형태적 속성에 대해서만 촉진현상이 보이고, 신체기능에는 보이지 않는 것이 명확해졌다. 그래서 신체기능은 형태의 발달과 무관한 상태에서 발육발달현상이 일어난다고 보게 되었다.

(2) 현상분석에 의한 과학화와 능률화

위 (1)의 관점에서 접근한 결과 청소년의 체력문제가 대두되어 학교체육의 실태에 비판이 가해지기 시작했다. 단지 현상분석만이 아니라, 이를 위한 새로운 도구의 개발과 함께 현상분석의 계량적 처리와 능률화에 초점을 맞추었다. 이 도구들은 발육촉진현상이 개념적 · 직관적으로 영양섭취상태의 개선과 생활환경의 변화에 기인한다는 가설을 증명하기 위한 것이었다. 즉 이 시기에는 발육발달에 관여하는 모든 조건의 검토가 주요한 연구과제로 거론되었다. 이러한 연구노력에도 불구하고 발육발달현상의 검토는 충분히 행해지지 않았다. 즉 인간의 성장단계별 발육발달현상의 특징과 요인의 고찰이 필요하게 되었다.

(3) 성장단계에서의 발육발달

여기에서는 유아의 운동능력의 발달적 특징, 운동학습(트레이닝)이 유아의 심신발육발달에 미치는 영향, 소년기(아동기) 운동기능발달의 특징, 소년기의 신체적 발육발달이 생활조건 및 생활환경에 미치는 영향 등이 거론되고 있다. 성장단계를 유 · 소년기로 한정하면 심적인 면의 고찰뿐만 아니라 신체적인 면의 고찰도 불충분할 수 있다. 따라서 이에 관하여는 앞으로 많은 연구가 있어야 할 것이다.

(4) 발육발달에 미치는 운동의 효과

여기에서는 "운동능력(근력 · 지구력 · 조정력 · 유연성 등)이 유아의 발육발달에 어떤 영향을 끼치는가"하는 평가론이 논의된다. 그러나 운동능력만으로 유아기의 발육발달연구가 충분한 것은 아니다. 그 이유는 유아를 대상으로 해서 심신의 발육발달을 논할 때에는 근력 · 지구력 · 민첩성 · 유연성이라는 능력수준에서 운동능력의 발달을 문제로 하기보다 볼핸들링(ball handling)의 능숙함, 달리기운동의 숙련도, 뜀뛰기 운동의 능숙함 등과 같이 소위 기능수준발달을 문제로 삼는 편이 낫기 때문이다. 이것들에 대한 운동기능의 발달법칙을 발견하는 것이야말로 유아 연구에서 급선무라고 할 수 있다. 이를 위해 유아체력 테스트항목의 검토, 실험적 방법의 도입 등과 같은 연구방법론상의 과제가 제기되었다.

(5) 신체적 · 사회적 발육발달

여기에서는 신체적 발달과 사회성 발달의 관련까지 분석하려고 노력한다. 유아의 신체활동 참가는 체력의 유지 · 발달 및 심신에 관련된 여러 가지 속성의 발달에 공헌한다고 보았다. 유아의 운동기능은 지도의 직접 목적이고, 기능발달에서부터 근력 · 지구력 발달을 기대하는 것은 아니다. 오히려 기능발달을 통해서 보다 넓은 운동경험 · 사회적 경험 · 지적 경험을 가질 수 있도록 기대하는 것으로 보았다. 따라서 운동경험 및 각종 경험의 확대를 위해서 기능발달이 필요하므로 근력 · 지구력 등의 발달은 오히려 기능발달을 수반한 결과라고 할 수 있다.

한편 유아의 신체적 발육발달(형태 · 운동능력 · 운동기술)의 특징, 운동학습에 관한 준비성 발달, 운동기능의 발달과 경험범위의 확대관련성 검토, 놀이확대에 따른 변화와 심신발달의 관련성, 지적 발달과 신체적 발달의 관련성, 신체적 속성의 발육발달적 연속성 검토, 유아의 모든 활동에 대한 집중유지기능의 발달 등 종래 아동심리학영역에서 검토되어 온 것도 있지만, 큰근육활동영역에서의 검토는 아주 적다고 할 수 있다.

결국 바람직한 발육발달이란 '모든 운동능력은 균형을 유지하며 발육발달하는 것'이라는 가정을 근거로 하여 발육발달의 여러 속성의 검토를 통해 아동의 발육발달특성과 문제점을 끌어내려고 시도하였다. 여기에서는 발육발달과 그 유형문제, 아동에 대한 부모의 교육태도, 의식과 발육발달문제, 균형 및 가치론적인 발육발달에 관한 사고방식 등이 제기되었다.

유아기 및 아동기는 성장이 연속되는 시기이다. 연구에서도 이 연속성을 유지시켜야 하는데, 학교 단위로 추출한 표본만으로는 해결할 수 없는 문제이다. 현재 발육 · 발달연구에서 중요한 과제는 유아기 · 아동기의 연속성을 유지해서 연구를 진행하는 것이다.

5) 발육발달의 연구과제

이상의 고찰을 토대로 발육발달의 연구과제를 보면 다음과 같다.

① 유아 · 아동기의 심신발육발달의 문제와 해결
② 성장단계에 따른 운동기능의 발달특성과 연속성
③ 심신발달의 관련성 규명
④ 체력 · 운동능력 구조의 문제 연구
⑤ 심신발달에 관여한 요인문제 규명
⑥ 운동기능의 학습문제
⑦ 횡단적 연구방법보다 종단적 연구방법의 체계화
⑧ 노령사회화로 인한 노화 및 쇠퇴에 관한 연구

11. 체육과교육학에 관한 연구

체육과교육학은 체육학습에 관한 문제를 취급하는 것으로, 1979년에 체육방법학의 영역에서 독립한 새로운 영역의 학문이다. 1979년 이전까지는 체육학습지도에 관한 연구가 체육연구의 각 세부영역에서 취급되어 왔다. 즉 체육사회학, 체육심리학, 체육원리 등의 분야에서 체육학습에 관한 방법이나 내용을 함께 다루었다. 이러한 연구방향은 체육의 특수영역에 관계되는 학습에 관한 연구를 보다 집중적으로 시도할 수 있는 이점이 있는 반면, 체육학습에 관한 일관성 있는 체계를 설정하기에는 어려움을 갖게 하였다.

체육교육의 근본목적이나 학습자들의 상태, 적절한 교재의 선택과 적용 등을 체육의 특수연구영역에 속하는 체육원리 · 체육사회학 · 체육심리학 등에서 체육과교육학을 포괄적으로 다루기에는 너무나 광범위하고 고도의 전문성을 요구한다. 체육과교육학은 심리학 · 생리학 등과 같은 분석적인 연구결과를 기초로 하여 학습자들이 설정된 체육목표를 가장 효과적으로 달성할 수 있는 방법이나 도구를 발견해내려는 연구이다.

체육과교육학 연구를 위해서는 체육수업에 영향을 미치는 여러 가지 조건들이 고려되어야 하는데, 무엇보다도 체육의 교육적인 기능 이해가 우선되어야 한다.

1) 체육의 교육학적 접근

체육현상에 대한 연구에는 체육심리학 · 운동생리학 · 바이오메카닉스 등과 같이 운동하는 사람의 입장에서 운동과정을 분석적으로 연구하는 것과, 이것의 성과를 기초로 체육의 목적 달성을 위해 종합적으로 연구하는 경우가 있다. 즉 체육의 기초가 되는 여러 과학의 분석적 연구성과를 충분히 거두면서 개인이나 집단의 체육실천을 종합적으로 진행시킬 수 있을 때 체육은 과학이 되는 것이다. 체육과교육학은 이러한 내용을 종합해서 체육은 교육의 한 기능이라는 전제하에 피교육자에게 무엇을 실현시키느냐, 그것을 위해서 어떤 내용 또는 수단을 쓰느냐, 그것을 어떻게 지도하느냐 등과 같은 문제의식을 가지고 실시해야 한다.

2) 체육과교육학의 연구영역

(1) 목표론적 연구

'체육을 하려는 사람에게 무엇을 실현시키느냐'하는 문제는 체육의 목표론적 연구이다. 가령 목표가 설정되면 그것을 실현하는 데 필요한 여러 가지 학습방법(예를 들면 교재) 가운데서 제일 효과적인 것을 선택하여 그것으로 학습자를 자극시킨다. 이러한 측면은 체육의 내용적 연구로 볼 수 있다.

(2) 체육지도적 연구

목표론적 연구에 의한 학습과 연습과정을 지나 그 효과를 올리기 위하여 학습의 법칙에 따라 학습을 진행시키는 지도자가 있다. '그것을 어떻게 하면 좋을까'하는 것은 체육지도적 연구이다. 체육과교육학 연구에서는 이 목표 · 내용 · 방법이 일관성 있게 진행되도록 해야 한다.

3) 체육과교육학의 연구내용

체육과교육학의 연구내용은 다음과 같다.

① 체육과의 목적 · 목표
② 학습내용의 선택
③ 효과과정의 편성
④ 교수 · 학습과정 또는 수업과정과 학습지도법
⑤ 학습평가
⑥ 체육과생활지도

4) 체육과교육학의 연구동향

(1) 체육의 목적 · 목표

체육의 목적 · 목표는 학교체육에서는 교육과정에 명시되어 있다. 체육과교육학은 목적 · 목표의 실현을 위한 방법이기 때문에 제1차적으로는 목적 · 목표의 연구를 그렇게 중시하지 않아도 좋을지 모른다. 사실은 이것에 대한 연구는 아직 거의 없다. 다만 교육과학기술부의 교육과정에 나타난 목표를 정확히 이해하고, 그것을 체육수업에 반영시키기 위한 방법이 연구되어 있을 뿐이다. 체육원리분야의 연구에서도 체육(또는 체육과교육학)의 목표에 대한 연구는 거의 찾아볼 수 없다.

목표의 설정과 관련된 문제는 "배구지도에서 체력을 높이기 위해서는 어떻게 하면 좋은가"라든가, "인간관계를 증진시키려면 육상경기 지도를 어떻게 하면 좋을까"와 같은 연구가 두드러진다. 체육과교육학의 연구방향에 '목표와 그 지향에 대해서'를 첨가하는 것이 좋으리라고 생각된다. 체육원리분야의 연구에서도 "체육과의 목표는 어떻게 개선하면 좋을까"라든가, "체육과의 목표에 대한 교수와 훈련"과 같은 고찰이 가까운 장래에 이루어져야 할 것이다.

체육의 세 가지 목표는 다음과 같으며, 이것이 종합적으로 달성되어야 바람직한 체육이 된다.

① 체력향상

② 기능습득과 공정 · 책임 · 협력의 태도

③ 건강 · 안전의 능력이나 태도

목표의 구체화와 학습내용, 지도법과의 일관성이 거론되고 있다고는 해도 위의 세 가지 중 하나만을 끄집어내어 그 달성을 도모하는 연구는 반드시 좋은 것이 아니다. 앞으로 이것들에 대한 구체적인 연구와 동시에 일관성 있는 사고에도 눈을 돌려야 한다.

(2) 학습내용의 선택

체육의 학습내용은 주로 운동내용을 말하는데, 중 · 고교는 대부분 교육과정에 명시되어 있다. 체육실천에서는 학생의 심신상태를 정확하게 파악하는 것이 중요한데, 이를 위해서는 각종 조사 · 측정으로 자료를 얻어야 한다. 특히 운동능력이나 운동기능의 예비적인 테스트에 의해 학생의 학습능력이나 개인차를 파악하는 것이 필요하다.

체육과교육학의 연구발표에도 이에 대한 내용이 많아지고 있고, 다른 영역에서도 참고가 되는 자료가 나오고 있다. 그러나 현실은 아직 일부에 대한 실태나 능력파악에 머물러 있는 정도이다. 학생의 능력이나 개인차를 종합적으로 파악하기 위한 조사나 측정방법에 대해서 체육과교육학뿐만 아니라 다른 분야의 기초체육학과 협력하에 연구를 진행할 필요가 있다.

학습내용으로서의 운동내용은 체조의 일부를 제외하고, 소위 운동문화(스포츠문화)라고 불리우는 것이다. 운동내용은 운동기술을 가리키는데, 이것들은 개인적 기능 · 집단적 기능 · 게임, 기본동작, 대인적 기능 · 시합 등으로 분류 · 정리되어 내용선택 및 지도에 편리한 형태를 취하고 있다. 어느 것도 운동내용 자체가 그대로 교재가 되는 것은 아니다. 교재라고 불리워지기 위해서는 학생의 발달단계에 따라 내용을 단계적 · 계통적으로 구체화할 필요가 있다. 최근 초 · 중학교 교재만들기에 대한 연구는 구기 · 기계체조 · 댄스 등의 영역에까지 미치고 있다.

Bruner의 제언에 의해 교과의 구조나 교재의 구조에 대한 고찰방식이 보급되어 체육계에도 알려졌기 때문인지 중심적 내용이라는 말이 등장하여 교재만들기 연구도 매우 빠른 진전을 보이고 있다. 교재만들기에 운동기술형태를 분석한 운동학적 연구의 최근 성과는 상당한 도움이 되지만, 발달에 따른 기술분석 연구는 아직 이렇다 할 성과를 올리지 못하고 있다.

(3) 교육과정의 편성

체육내용이 선택되면 그것들을 조직적으로 배열하거나 조합하여 교육과정을 만들게 된다. 교육과정에 대한 연구는 1960년경까지 활발히 행해졌는데, 연구중심은 언제나 교육계획의 형식문제였다. 현재는 이것이 '교육과정'이라는 형식으로 정리되어 있다. 그러나 학생들의 자발성 · 창조성 · 주체성의 존중과 개발이 다시 강조되고 있다.

요즈음은 이 형식에 대해 현장에서의 문제도 제기되고 있다. 그것은 현재와 같이 학습과정이나 지도법의 연구주제로 다루는 것(집단에 의한 문제해결 학습의 중시)은 한계에 다다르지 않았는가 하는 의문이 든다. 본래 교육과정은 객관적인 지식 · 기능을 계통적으로 가르치는 데 편리하고 계획도 세우기 쉽다는 장점이 있고, 교사가 주체가 되어 가르치는 능률적인 커리큘럼 형식이다. 여기에 대해서 전후(2차대전 후)에 유행한 아동중심의 교육방식이나, 경험주의를 기본으로 하는 소위 경험중심 교육과정과 거기에 가까운 관련 커리큘럼, 광역 커리큘럼 등의 장점을 교육과정에 반영해야 한다는 의견이 있다.

그러나 교육방법상의 자발성 · 자주성 · 창조성의 존중도 체육교과구조의 요인이라고도 할 수 있는 교사, 어린이, 학습집단, 교재, 시설 · 용구 등을 활용하거나 수업과정이나 지도법연구 즉, 수업형태연구로 대처할 수 있을 것이다.

(4) 수업과정과 학습지도법

방법학상 가장 크고 중요한 문제는 수업과정과 학습지도법이다. 이것들을 수업형태라고 부르는 경우가 많으며, 또 매우 다양하여 같은 교사라도 같은 형태의 수업을 펼쳐나가는 경우가 적다고 볼 수 있다. 여기에 관한 연구는 '문제해결학습 또는 계통학습'과 '신계통학습 또는 발견학습'이라고 하는 명칭상의 양자 모순을 지양한 학습지도형태를 취하고 있다. 때로는 계통적인 교육과정을 이용하여 학습지도는 자주성 · 창조성을 살리는 문제해결학습으로 진행한다는 사고방식도 생겼다.

5) 체육과교육학의 연구과제

체육과교육학의 연구과제는 다음과 같다.

① 체육교육목표의 구체화와 일관성 있는 학습내용과 지도법
② 발육 · 발달에 따른 기술분석연구와 지도
③ 학습에 따른 운동량의 분석과 그 대책
④ 지체부자유자를 위한 운동종목 개발과 지도방법
⑤ 시대변화에 적응할 수 있는 커리큘럼
⑥ 집단과 개인의 관계를 생각하는 학습집단 조직방법

학습집단은 일제학습 · 개별학습 · 집단학습 · 능력별학습집단으로 나누지만, 이 형태를 어떤 조건하에서 선택하여 이용할 것인지를 확실히 하는 것이 앞으로 체육과교육학의 중요한 과제가 된다. 또한 집단학습으로 자주성이나 창조성을 살리는 방법과, 자주적 · 창조적 학습을 진행하기 위한 문제해결학습에서 집단과 개인의 관계를 어떻게 처리할 것인지는 앞으로 해결해야 할 연구과제이다. 이와 같은 학습형태와 시청각교구에 의한 학습효과를 연구하는 학교가 늘고 있다. 시청각 교구에 관한 연구를 하고 있는 학교에서는 이제부터라도 항상 사용하는 교구의 사용효과가 어떠한지 자료를 정리할 필요가 있을 것이다.

체육과교육학의 결실은 '좋은 수업'의 실현에 있음을 상기하여 '수업연구'가 체육과교육학의 종합연구의 장이 되도록 해야 한다. 다행히 수업의 분석적 연구가 수년 전부터 성행하게 되었고, 체육수업에 대해서도 많은 연구법이 제안되고 있는 것은 고무적인 현상이다.

12. 체육과보건학에 관한 연구

보건학은 질병을 예방하고 수명을 연장하며 건강과 안녕상태를 증진시키는 과학인 동시에 기술이다. 사람은 누구나 건강하기를 바라며 행복한 삶을 향유하기를 원한다. 세계보건기구

(WHO)의 헌장은 "건강이란 단지 질병이 없고 허약하지 않을 뿐만 아니라 신체적 · 정신적 · 사회적으로 완전무결한상태를 말한다(Health is a state of complete physical, mental, and social well being and not merely the absence of disease or infirmity)."라고 하였다. 그러나 이는 너무 추상적이어서 전문분과위원회에서 "건강이란 유전적으로나 환경적으로 주어진 조건 아래에서 적절한 생체기능을 나타내고 있는 상태이다."라고 보다 실용적인 정의를 내린 바 있다.

인류문화가 발달하기 위해서는 사람들이 건강하여야 한다는 것이 필수조건이다. 그러나 건강을 지키기 위해서는 의학분야뿐만 아니라 인문 · 사회 · 과학 등 여러 분야가 다 함께 기여할 때에만 비로소 가능하게 된다. 따라서 체육과보건학 연구는 역학(疫學), 의학, 보건통계학, 사회학, 심리학 등 많은 관련 학문과의 연계하에 행해져야 할 것이다.

1) 체육의 보건학적 접근

보건학을 건강교육 측면에서 보면 건강교육의 목적은 청소년기부터 노년기까지의 일생 동안 건강에 관심을 갖고 건강에 관한 지식 · 습관 · 태도를 기르고 생활화함으로써 개인의 건강 및 공중의 보건을 보다 향상시키는 데 있다. 건강한 삶을 유지하는 방법론, 인체 및 환경의 이해와 체육의 보건학적 접근방법은 보건학의 목적달성을 위해 매우 중요한 일이다. 인체 및 환경에서 일어나는 갖가지 현상을 파악하고 응용하여 질병의 원인이 되는 여러 유해인자를 인식 · 평가 · 관리하는 보건학적 접근법을 통하여 체육의 목표달성이 가능해진다.

발병 이전에 환경을 개선하고 병에 대한 저항력을 높이는 등의 노력을 통해 건강을 유지 · 증진시키는 것은 보건학적 차원에서 의미가 있다. 오늘날 유행하는 조깅 · 에어로빅댄스 등을 통한 체력조절과 건강증진, 고혈압 · 당뇨병의 예방을 위하여 식사를 통한 영양개선, 각종 사고의 예방 등이 예방적 차원에 포함되는데, 여기에는 체육의 역할이 많은 부분을 차지하고 있다. 예방의 개념은 질병이 발생하기 이전부터 발병 후 재활에 이르기까지 광범위하게 적용되며, 의학의 발전에 따라 다양하게 발전해왔다. 이러한 질병의 예방은 인류의 수명을 연장해주었으며, 또한 삶의 질적인 면에도 크게 기여하였다. 예방활동은 인류를 질병의 고통에서 벗어나게 한다. 이러한 관점에서 보면 건강교육의 중요성은 매우 크다.

Turner는 건강교육을 예방의학의 한 영역으로 보고, 질병예방, 결함의 치료교정, 건강증진 등을 도모하여 가장 잘 살고 가장 잘 봉사할 수 있는 인간기능을 획득하는 일이라고 하였다.

한편 Mayshardk와 Irwin(1986)은 건강교육을 다음과 같이 정의하였다. "건강교육은 개인, 집단, 민족의 건강에 관계된 습관 · 태도 및 지식에 영향을 줄 수 있는 모든 경험의 총화(Health education is the sum of all experience which favorable influential habits, attitudes and knowledge relating to individual, community and racial health)이다." 곧 "생명력의 발전에 대한 교육인 동시에 체력향상에 대한 생활지도이다."라고 할 수 있다.

이같은 의미를 가진 건강교육의 실천을 위해 Anderson(1961)은 건강교육의 목표를 건강에 관한 지식과 이해, 기술과 능력, 태도와 인식 등으로 설정하고 건강의 개선과 증진을 위해 노력할 것을 강조하였다.

2) 체육과보건학의 연구영역

체육과보건학의 연구영역은 다음과 같다.

① 건강교육 ② 건강관리
③ 학교보건 ④ 지역보건
⑤ 산업보건 ⑥ 보건운동
⑦ 안전교육 ⑧ 기 타

3) 체육과보건학의 연구동향

체육과보건학의 연구동향을 파악하기에 앞서 현재 어떤 연구가 요청되고 있으며 연구과제의 세부내용이 무엇인지를 분석하는 태도를 갖는 것이 연구자의 기본조건이다. 종전의 보건학 영역은 주로 운동을 대상으로 "운동하는 인간의 건강 · 안전'을 지향한 연구", "인간의 건강 · 안전을 위한 운동을 지향한 연구", 보건체육영역에서 "학교보건 · 안전에 관한 연구" 등으로 이루어졌다. 그러나 점차 보건학(health science)의 영역은 '건강문제의 발생과 그 연구, 그리고 건강을 유지하고 향상시키기 위한 과학'으로 지향하는 경향이 현저하게 나타나고 있다.

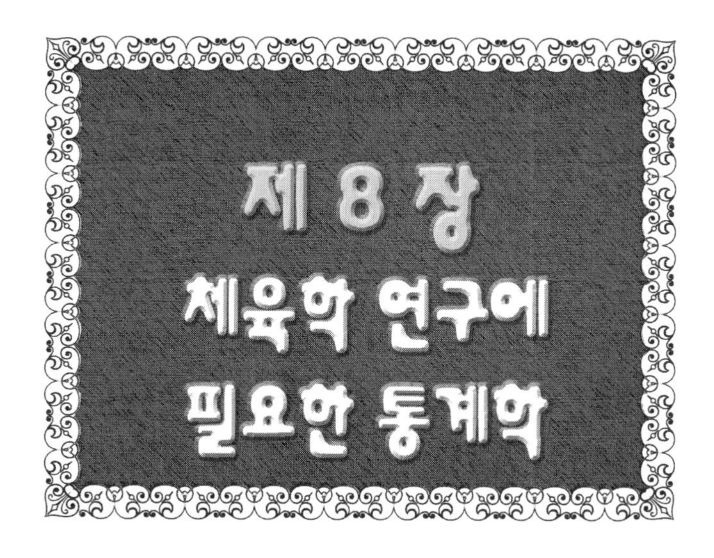

연구문제에 대한 구체적인 답을 얻고, 연구의 결과를 정확하게 파악하기 위해서는 수집한 자료를 체계적으로 정리하고 요약할 필요가 있다.

대개 원자료(raw data)는 잡다한 개별적 사실이 무질서하게 섞여 있는 정리되지 않은 상태이므로, 이것으로 의미있는 사실을 발견하기란 쉬운 일이 아니다. 이렇게 무질서한 자료에서 어떤 질서가 발견될 수 있도록 수리적인 조작을 가해야 한다. 자료를 포함한 모든 개별내용들이 연구자에게 유용한 정보를 제공해 줄 수 있겠지만, 그 양이 방대하면 이를 일일이 열거하면서 설명하기란 여간 번거로운 일이 아니다. 따라서 자료처리과정을 거쳐 분석이 가능한 형태로 전환된 자료들을 연구목적에 맞도록 분석해야 한다.

자료의 종류 및 특성에 따라 적용해야 할 분석기법에는 제약이 있다. 연구목적을 효과적으로 달성하고 의미있는 분석결과를 얻기 위해서는 연구의 초기단계인 조사설계와 설문지작성 단계에서부터 분석에 이용할 분석기법 등을 구상해 두어야 한다. 유용한 자료를 수집해 놓고도 알맞은 분석기법을 사용할 줄 몰라서 당황하거나, 적합하지 않은 분석기법을 적용하여 엉뚱한 결론을 도출하는 경우도 있다. 그러므로 올바른 통계기법의 선택이 체육학연구에서 차지하는 비중은 매우 크다고 할 수 있다.

통계학이란 관심의 대상이 되는 전체집단으로부터 자료를 수집 · 정리하여 과학적으로 분석한 다음 최적의 의사결정을 할 수 있도록 정확한 정보를 제공하는 여러 방법론을 연구하는 학문이다. 이러한 통계학은 실험이나 관찰을 통하여 얻어진 자료를 자연현상뿐만 아니라 사회현상의 과학적인 분석에까지 광범위하게 적용하고 있다. 이러한 현상이 대두된 이유는 21세기 사회 전반의 과학화물결이 학문영역에 파급되면서 사회과학에서의 탐구방법도 자연과학에서의 탐구방법처럼 경험과 실증에 근거하여야 된다는 학문적 추세로 인해 과학적인 방법론의 중요성이 강조되었기 때문이다.

이와 같이 현대의 모든 학문분야에서 실증적 연구(empirical study)와 과학적 분석기법(scientific approach technique)이 중요시됨에 따라 체육학 연구에서도 통계학이 널리 응용되고 있다.

1. 통계의 기본개념

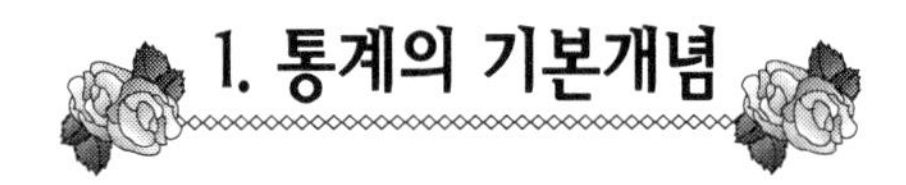

1) 모집단과 표본

체육학 연구를 위해서 통계학을 배우는 목적은 관심의 대상이 되는 전체집단의 현상과 특성의 관찰과 분석을 과학적으로 하려는 데 있다. 그런데 관심의 대상이 되는 전체집단의 현상과 특성은 불확실하며, 전체집단을 조사하여 특성을 파악하는 것은 매우 어렵고, 또 경비나 시간도 많이 소요된다. 예를 들어 아동들의 비만 정도를 조사한다든지, 도시와 농촌사람들의 체력상태를 비교하고자 할 때, 한국 아동 전부 또는 도시와 농촌사람 전체를 조사하는 것은 거의 불가능하다. 이 경우에는 전체집단을 구성하고 있는 개체들의 일부분을 잘 추출하여, 추출된 자료들의 특성치를 분석함으로써 전체의 특성과 현상을 파악하는 것이 보다 합리적이다.

여기에서 관심의 대상인 개체들의 전체집단을 모집단(母集團, population)이라 하고, 그 모집단에서 실제 조사대상으로 추출된 일부분을 표본(標本, sample)이라 한다. 모집단을 요약한 특성을 수치로 표시한 것을 모수(母數, parameter)라 하고, 모집단으로부터 추출된 표본의 특성을 요약한 것을 통계량(統計量, statistic)이라 한다. 그런데 모수는 일반적으로 모르고 정확히 알려져 있지 않은 경우가 대부분이기 때문에, 통계량을 통하여 모수값을 추정하게 된다.

2) 통계학의 분류

통계자료의 해석 또는 통계자료분석 분야는 대체로 두 개의 큰 가지로 나누어진다. 하나는 자료가 함축하고 있는 정보를 일목요연하게 표, 그래프, 평균, 분산 등과 같은 간단한 통계량으로 요약하는 기술통계학(descriptive stastics)이고, 다른 하나는 표본에서 얻은 자료를 이용하여 자료가 수집된 모집단의 특성을 추정 및 검증하는 추론통계학(inferential stastics)이다.

추측통계학에는 모집단 분포형태의 정규성(normality)에 근거한 모수적(parametric) 방법과 모집단의 분포와 무관한 비모수적(nonparametric) 방법이 있다.

3) 변 수

사회과학이든 자연과학이든 학문의 목적은 주어진 현상을 요약 · 기술하고, 나아가 그 현상을 정확하고 광범위하게 설명하고 예측하는 데 있다. 이러한 기능을 수행하기 위해서는 현상에 관계되는 특성을 찾아내어 정확하고 타당하게 측정해야 하며, 또한 이들 간의 관계를 정확히 기술하고 추론해야 한다.

연구의 대상이 되는 일련의 개체가 갖는 특성이 어떤 속성에 의하여 구별될 때 이를 변수(또는 변인, variable)라 한다. 예를 들어 어느 스포츠센터의 회원을 대상으로 선호하는 스포츠종목을 조사한다고 하자. 이를 위하여 회원의 고유번호, 성별, 학력별 선호종목을 조사하였다면 고유번호, 성, 학력, 선호종목 등이 변수가 된다. 변수의 종류는 자료의 형태에 따라 양적변수(quantitative variable)와 질적변수(qualitative variable)로, 인과관계에 따라 독립변수(independent variable)과 종속변수(dependent variable)로 나누어진다.

양적변수란 관심의 대상이 되는 속성을 수치로 나타낼 수 있는 변수를 말한다. 즉 운동선수의 신장, 아동의 연령 등이 여기에 속한다. 그러나 성별, 종교, 학력 등과 같은 속성들은 수치로 표현하기보다는 범주(範疇, category)로 구분해야 하는데, 이와 같은 변수를 질적변수라 한다. 양적변수는 자료의 형태에 따라 연속형(continuous type)과 이산형(discrete type)으로 구분된다.

독립변수는 변수 간의 관계에서 다른 변수를 변화시키는 원인 또는 영향을 주는 변수를 말하며, 종속변수는 다른 변수(독립변수)에 의해 영향을 받아 변화되는 변수를 말한다. 예를 들면 운동선수를 대상으로 흡연과 허파(폐)활량 관계를 알아보고자 한다면, 흡연량이 독립변수이며, 허파활량이 종속변수가 된다. 또한 성별 간 근력차이의 비교에서는 성(남 · 여)이 독립변수이고, 근력의 정도가 종속변수이다.

4) 척 도

어떤 자료의 속성에 숫자를 부여한 형태를 척도(scale)라 하는데, 척도는 그 형태에 따라 명목척도(nominal scale, 또는 명명척도), 서열척도(ordinal scale, 또는 순위척도), 등간척도(interval scale, 또는 동간척도), 비율척도(ratio scale)로 분류된다.

(1) 명목척도

측정대상을 고유한 특성에 따라 분류하거나 구분만을 할 목적으로 수치를 부여하는 척도이다. 여기에서 이용되는 숫자의 크기는 양적크기를 의미하지 않는다. 성별을 '남자'와 '여자'와 같이 구분할 때 남자를 '1', 여자를 '2'와 같이 숫자화할 수 있지만, 이때의 숫자는 크기를 나타내는 수치가 아니고 단지 분류를 위한 기호일 뿐이다. 축구선수의 백넘버 등도 이에 속한다고 할 수 있다.

(2) 서열척도

측정대상을 비교하기 위하여 특성의 다과, 대소의 크기 및 순서에 따라 측정대상들에게 수치를 부여한 척도이다. 예를 들면 운동경기에서 등위를 1등, 2등, 3등. . .등과 같이 크기순으로 대상을 구분할 때처럼 숫자의 크기가 속성의 양적 차이를 나타내지는 못하는 척도이다. 따라서 숫자인 경우에는 단위들 간에 간격의 의미를 부여할 수 없으므로, 기본적으로 수학적 연산이 불가능하다.

(3) 등간척도

측정대상이 갖고 있는 속성의 양적인 정도를 나타내주는 척도로서 척도점 간의 간격이 일정한 척도이다. 등간격은 측정하고 있는 특성들 간의 차이의 크기가 서로 같다는 것을 의미하므로, 덧셈과 뺄셈의 연산은 가능하다. 그러나 해당 속성이 전혀 없는 상태인 절대적 원점(absolute zero)이 존재하지 않아, 절대적인 크기비교는 할 수 없는 형식의 자료이므로 척도 간 곱셈과 나눗셈은 의미가 없다.

등간척도의 예는 지능지수(IQ)를 들 수 있다. A라는 학생의 지능지수가 160이고 B학생은 80이라고 할 때 'A학생이 B학생보다 지능의 두 배이다'라고 할 수 없으며, 지능지수가 0 이하라고 해서 그 사람의 지능이 없다는 뜻은 아니다. 운동선수의 체력지수 등도 여기에 속한다.

(4) 비율척도

등간척도에 절대영점이 존재하는 경우로서, 절대적 크기의 비교가 가능한 척도이다. 척도들 중 가장 높은 수준의 척도로서 측정 결과 얻어진 자료에 내포되어 있는 정보가 가장 많다. 즉 분류 · 순서 · 간격 · 비율에 대한 정보를 모두 포함하고 있는 척도이므로 모든 수학적 연산이 가능하다. 비율척도의 예로 아동의 신장, 체중, 소득 등을 들 수 있다.

위의 각 척도들의 특성 및 분석방법을 요약하면 <표 8-1>과 같다.

표 8-1. 척도별 특성 및 분석방법

척도	비교방법	자료의 형태	대표값의 측정	적용가능 분석방법	예
명목척도	분류, 구분	질적자료	최빈수	빈도 및 교차분석, 비모수통계	성별, 운동종목, 선수의 백넘버 등
서열척도	순위비교	질적자료	중위수	순위상관	등위, 선호순위, 사회계층, 학력 등
등간척도	간격비교	양적자료	산술평균	모수통계	체력점수, 지능지수, 학업성적 등
비율척도	절대적 크기 비교	양적자료	기하평균, 조화평균	모수통계	키, 나이, 소득 등

2. 기본통계의 기술

연구과정에서 얻어진 원자료 그대로는 연구목적에 맞는 형태가 아닐 뿐만 아니라 양적으로 방대하여, 이를 요약하고 정리하지 않으면 그 특성을 파악하거나 이해하기 힘들다. 기본통계량의 기술은 수집된 정보와 자료를 알아보기 쉽게 함축시켜 일목요연하게 표나 그래프로 나타내거나 대표값이나 산포도를 기술하는 절차인데, 이는 전체 자료의 특성과 분포를 파악하기 위하여 사용된다. 자료에 대한 정확하고 적절한 기본통계량의 기술은 통계적 기법선택과 그 적용을 통한 확증적 분석에도 많은 정보를 제공해 준다.

1) 자료의 표현

자료를 요약하여 표현하는 방법 중에서 표와 그래프를 이용하는 방법을 알아보기로 한다.

(1) 도수분포표

도수분포표는 계급, 도수 및 상대도수로 구성되어 있다. 계급이란 자료의 전체범위를 몇 개의 소집단으로 나눈 것이고, 도수는 각 계급에 속하는 자료의 수이며, 누적도수는 계급의 상한과 같거나 작은 경우의 도수이다. 상대도수는 도수를 전체자료로 나눈 비율(또는 퍼센트)이며, 상대누적도수는 누적도수를 전체자료로 나눈 비율이다.

도수분포표를 작성할 때 계급의 개수와 계급구간의 결정은 자료에 따라 달라진다. 그러나 계급의 수가 정해지지 않으면 자료의 성격을 고려하여 적당한 범위로 결정하게 된다.

계급구간을 구하는 공식은 다음과 같다.

$$\text{계급구간} = \frac{\text{최대값} - \text{최소값}}{\text{계급수}}$$

(2) 히스토그램

히스토그램(histogram)은 자료의 범위를 몇 개의 구간으로 나누고, 그 구간 내에 존재하는 자료의 수(도수, 또는 빈도(frequency)라 함)를 그래프로 표시한 것이다. 히스토그램으로 자료의 중심위치, 퍼진 정도, 분포의 형태와 이상값(outlier)의 유무를 시각적으로 파악할 수 있다.

(3) 줄기와 잎 그림

줄기와 잎 그림(stem and leaf plot)은 히스토그램에 비하여 원래 자료값에 대한 정보를 유지할 수 있으며 자료를 크기순으로 나열하기 쉽다는 장점이 있다. 줄기와 잎 그림을 보면 자료가 어떤 형태의 분포를 나타내는지를 알 수 있다. 하지만 줄기와 잎 그림에서는 가장 적절한 줄기의 개수가 결정되어야 하는데, 이는 상황에 따라 달라서 일률적으로 정할 수 없으며 자료의 크기가 클 때는 수기로 작성하기 어렵다. 줄기와 잎 그림의 작성절차는 다음과 같다.

① 자료의 줄기부분을 선택하고, 나머지 부분은 잎으로 정한다. 줄기값을 크기순으로 세로로 나열하고, 그 옆에 수직선을 긋는다.
② 각 줄기에 해당하는 자료의 잎부분을 그 줄기의 오른쪽에 가로로 나열한다.
③ 각 줄기에서 잎의 값을 크기순으로 재배열한다.

(4) 상자와 수염 그림

상자와 수염 그림(box and whisker plot)은 두 개 이상의 집단을 상대적으로 비교하기 위해서 각 집단에서 제일 큰 값과 제일 작은 값 즉, 극단값(extreme values)과 중앙값(median) 및 사분위수(quartiles)를 그래프로 나타낸다. 상자와 수염 그림은 전체자료로부터 대표치가 되는 중위수의 양쪽에 두 개의 사분위수를 양끝으로 하는 직사각형의 상자를 그리고, 상자의 양쪽에 이상치를 제외한 최대 및 최소값을 잇는 수염을 직선으로 그려 전체적인 분포양상을 쉽게 파악하게 한다.

상자와 수염 그림의 작성절차는 다음과 같다

① 사분위수값들 $\{Q_1, Q_2$(중앙값), $Q_3\}$을 결정한다.
② Q_1과 Q_3를 네모난 상자로 연결하고 중앙값(Q_2)의 위치에 수직선을 긋는다.
③ IQR = $Q_3 - Q_1$을 계산한다.
④ 상자 양끝에서 1.5×IQR크기의 범위를 경계로 하여, 이 범위에 포함되는 최소값과 최대값을 Q_1과 Q_3로부터 각각 선으로 연결한다
⑤ 양쪽 경계를 벗어나는 자료값들을 *로 표시하고, 이 점들을 이상점으로 판정한다.

2) 자료의 요약

앞에 서술한 내용들은 자료의 전체적인 양상을 시각적 · 직관적으로 파악하기는 좋으나 객관적으로 서술하기에는 적합하지 않다. 예를 들어 두 가지 방법으로 측정한 자료를 그래프로 나타냈을 때 꼭 같지는 않겠으나 두 가지 방법이 어느 정도 다른지를 말하기는 어렵다. 이렇게 차이의 객관적인 정도는 자료의 특성을 수치화하여 나타낼 수 있다. 일반적으로 기초통계량은 분포의 중심위치를 나타내는 측도, 평균치에서 흩어짐(산포)을 나타내는 측도, 상대적 위치의 측도, 분포의 형태를 나타내는 측도 등을 이용하여 나타낸다.

주요 기술통계치를 요약하면 <표 8-2>와 같다.

표 8-2. 각종 기술통계치

측도	통계치	특성
중심경향값(대표값)	평균(mean)	분포의 중심
	중위수(median)	
	최빈수(mode)	
산포도	분산(variance)	분포의 퍼짐 정도
	표준편차(standard deviation)	
	범위(range)	
	사분위범위(interquartile range)	
분포도	왜도(skewness)	분포의 모양
	첨도(kurtosis)	

3) 중심위치를 나타내는 측도

중심위치를 나타내는 측도에는 평균, 중위수, 최빈수 등이 있는데, 이것은 자료의 대푯값으로 주로 사용된다.

(1) 평 균

평균(mean)은 대푯값 중에서 가장 널리 이용되는 것으로, 자료의 합을 관측치 개수 n으로 나눈 값이다. n개의 자료를 $X_1, X_2, \cdots, X_n$ 이라 하고 평균을 $\overline{X}$라고 할 때 평균은 다음과 같이 표현된다. 엄밀하게 말하면 이는 산술평균이다.

$$\overline{X}=\frac{X_1+X_2+\cdots+X_n}{n}=\frac{1}{n}\sum_{i=1}^{n}X_i$$

평균은 무게중심을 나타내는 것과 같아서 전체자료 중 몇 개가 나머지와 동떨어져 있을 때,

이들 중 아주 크거나 작은 값에 크게 영향을 받는 단점이 있다 그러나 평균은 통계적 추론 시 수학적인 장점을 지니고 있으며, 앞으로 배울 통계적 추론에서 가장 중요한 역할을 하게 된다.

예) 자료 : 10, 20, 30, 40, 50 $\overline{X}=(10+20+30+40+50)/5=30$

(2) 중 위 수

중위수(median)는 전체자료의 관찰치값을 크기순으로 나열했을 때 중앙에 위치하는 값을 말한다. 즉 자료의 값을 크기순서대로 나열했을 때 중앙에 있는 값이 전체자료의 중심성향을 나타내는 대푯값이다. 이러한 중위수는 앞에서 언급한 평균에 비해 쉽게 구해지는 장점이 있으며, 몇 개의 아주 크거나 작은 숫자에는 비교적 덜 민감하여 어느 집단의 소득 · 임금의 대푯값으로 적합하게 쓸 수 있다. 중위수를 M_e라고 할 때 중위수를 나타내는 공식은 자료의 수가 홀수인지 짝수인지에 따라 다음과 같이 표현된다.

n이 홀수인 경우 : $M_e=X\left(\frac{n+1}{2}\right)$

n이 짝수인 경우 : $M_e=\dfrac{X\left(\frac{n}{2}\right)+X\left(\frac{n}{2}+1\right)}{2}$

예) 자료 : 19, 20, 25, 33, 41 중위수=25

(3) 최빈수

최빈수(mode)는 전체자료 중에서 가장 빈도수가 많이 나타나는 관찰치이다. 자료가 도수분포표로 정리되었다면 가장 많은 빈도수를 나타내는 계급구간의 중간값(midpoint value)이 최빈수가 된다. 이러한 최빈수는 중앙값과 같이 몇 개의 특이하게 크거나 작은 값에는 영향을 받지 않는 장점을 지니고 있으나, 기술통계 이외에는 거의 사용되지 않는다.

예) 자료 : 3 4 4 1 5 4 3 2 최빈수=4

4) 산포를 나타내는 측도

자료의 특성을 파악하고자 할 때 대푯값은 매우 중요한 역할을 한다. 그러나 대푯값만으로 자료의 특성을 충분히 파악할 수는 없다. 왜냐하면 자료의 특성 중에서 대푯값으로 중심성향은 측정할 수 있으나, 자료가 중심으로부터 어느 정도 퍼져 있는지를 알 수 없기 때문이다. 전체자료의 관찰값들이 퍼져 있는 정도를 산포도(dispersion)라 하며, 이러한 산포도를 측정하는 방법에는 분산, 표준편차, 범위, 사분위범위 등이 있다.

(1) 분 산

분산(variance)은 평균을 중심으로 자료의 흩어진 정도가 어느 정도인지를 측정하는 것이다. 이때 모집단에서 분산을 모분산(population variance)이라 하고, 표본에서 분산을 표본분산(sample variance)이라 한다. 일반적으로 모집단의 크기를 N, 모평균을 μ, 모분산을 σ^2이라 하고 표본의 크기를 n, 표본평균을 $\overline{X}$, 표본분산을 s^2이라고 할 때 모분산과 표본분산은 다음과 같이 표현된다.

$$\sigma^2=\frac{1}{N}\sum_{i=1}^{n}(X_i-\mu)^2 \qquad s^2=\frac{1}{n-1}\sum_{i=1}^{n}(X_i-\overline{X})^2$$

이러한 분산은 자료에 대한 단위가 제곱형태로 구해지므로 자료를 설명할 때 까다로운 경우가 있다. 예를 들어 자료에 대한 단위가 그램(g)이라면 분산의 단위는 그램의 제곱(g^2)형태이어서 단위에 대한 설명이 곤란해진다. 따라서 분산에서 단위는 의미를 부여할 수 없는 자료의 상대적으로 퍼진 정도에 대한 크기를 나타낼 뿐이다.

(2) 표준편차

자료와 같은 단위를 갖는 흩어진 정도를 구하기 위해 분산에 양의 제곱근을 취한 것이 모표준편차(population standard deviation)와 표본표준편차(sample standard deviation)이다. 일반적으로 모표준편차와 표본표준편차는 다음과 같이 표현된다.

$$\sigma=\sqrt{\sigma^2}=\sqrt{\frac{1}{N}\sum_{i=1}^{n}(X_i-\mu)^2} \qquad s=\sqrt{s^2}=\sqrt{\frac{1}{n-1}\sum_{i=1}^{n}(X_i-\overline{X})^2}$$

(3) 범 위

범위(range)는 전체자료의 최대값과 최소값의 차이를 나타낸다. 일반적으로 범위는 자료의 퍼짐을 나타내지만 평균과 마찬가지로 자료에 이상값이 존재하는 경우에 크게 영향을 받는 단점이 있다.

예) 자료 : 12, 14, 22, 28, 40, 52 　　　　범위 = 최대값 − 최소값 = 52 − 12 = 40

(4) 사분위범위

앞에 서술한 범위는 계산하기 간편하나 이상값이 있을 때에는 올바른 산포의 측도가 되지 못한다. 또한 범위는 극단값 이외의 자료들의 산포를 측정할 수 없는 단점이 있다. 이런 단점을 일부 보완한 것이 사분위범위(interquartile range)이다. 사분위수의 제1사분위수(Q_1)와 제3사분위수(Q_3)의 차이를 사분위범위라고 한다.

(예) 자료 : 10, 15, 17, 25, 32, 40, 47, 51, 55, 63, 72

사분위범위 = 제3사분위수 − 제1사분위수 = $Q_3 - Q_1$ = 55 − 17 = 38

Q_1(제1사분위수 : 25백분위수) = 17
Q_2(제2사분위수 : 50백분위수) = 40
Q_3(제3사분위수 : 75백분위수) = 55

참고) 백분위수 : 어떤 숫자들의 집합에서 C백분위수는 수들의 C%가 그 값 아래에 있고 나머지는 모두 그 위에 있다는 것을 의미한다.

5) 분포형태를 나타내는 측도

자료의 분포형태를 나타내는 측도에는 왜도, 첨도가 있다.

(1) 왜 도

왜도(skewness)란 자료의 분포형태가 어떻게 치우쳐 있는지를 나타내는 척도이다. 왜도의 값이 0이면 자료의 분포는 대칭꼴이다. 왜도의 값이 0보다 크면 자료의 분포형태는 왼쪽으로 치우쳤다는 것을 의미한다. 이때 분포형태는 오른쪽으로 긴 꼬리 모양을 나타낸다. 한편 왜도의 값이 0보다 작으면 자료의 분포형태가 오른쪽으로 치우쳤다는 것을 의미한다. 이때 분포형태가 왼쪽으로 긴 꼬리모양을 나타낸다. 일반적으로 왜도(엄밀하게 표본자료의 왜도)는 다음과 같이 표현한다.

$$S_k = \sum_{i=1}^{n} \frac{[(X_i - \overline{X})/s]^3}{n-1}$$

$S_k = 0$, 좌우대칭
$S_k < 0$, 왼쪽으로 긴 꼬리
$S_k > 0$, 오른쪽으로 긴 꼬리

(2) 첨 도

첨도(kurtosis)란 자료의 분포형태가 중간위치에서 뾰족한 정도를 나타내는 척도이다. 첨도의 값은 분포형태가 뾰족할수록 크다. 첨도의 값이 0이면 집단의 분포가 표준정규분포와 뾰족한 정도가 같다. 첨도의 값이 0보다 크면 표준정규분포보다 뾰족한 정도가 심하고, 첨도의 값이 0보다 작으면 표준정규분포보다 납작하다는 것을 의미한다. 첨도는 다음과 같이 표현한다.

$$K = \sum_{i=1}^{n} \frac{[(X_i - \overline{X})/s]^4}{n-1} - 3$$

$K = 0$, 표준정규분포와 뾰족한 정도가 같다.
$K < 0$, 표준정규분포보다 납작하다.
$K > 0$, 표준정규분포보다 뾰족하다.

SPSS를 이용한 예제분석

[예제] 다음은 C지역 중년남녀의 스포츠참여에 대한 설문결과이다.

(문 1) 당신은 정기적으로 스포츠활동을 하고 계십니까?

① 예 ② 아니오

(문 2) 당신의 성별은?

① 남자 ② 여자

(문 3) 당신의 연령은?

( )세

(문 4) 한 달 평균수입은?

( )만 원

(문 5) 당신의 학력은?

① 고졸 이하 ② 대졸 이상

분석절차 및 결과

스포츠참여설문자료에 대한 SPSS입력형태는 다음과 같다.

스포츠설문자료 - SPSS 데이터 편집기

파일(F) 편집(E) 보기(V) 데이터(D) 변환(T) 분석(A) 그래프(G) 유틸리티(U) 창(W) 도움말(H)

2 :

	대상자	참여유무	성별	연령	월수입	학력	변수
1	1	2	2	40	100	1	
2	2	2	2	41	200	1	
3	3	1	1	40	350	2	
4	4	1	1	35	200	2	
5	5	2	2	40	250	2	
6	6	1	2	40	300	2	
7	7	1	2	41	300	2	
8	8	2	2	38	300	2	
9	9	2	2	36	420	2	
10	10	1	2	38	170	2	
11	11	2	2	36	500	2	
12	12	1	2	43	500	2	
13	13	1	2	40	180	2	
14	14	1	2	39	500	2	
15	15	1	1	42	300	2	
16	16	2	2	35	300	2	

데이터 보기 / 변수 보기

SPSS 프로세서 준비 완료

(1) 빈도분석

- 자료의 빈도분석을 실시한다. 빈도분석을 실시하기 위해서는 데이터편집기 화면에서 분석(A)->기술통계량(E)->빈도분석(F))...을 선택한다.

- 빈도분석 대화상자가 나타난다. 빈도분석 대상변수를 선택하기 위하여 왼쪽의 입력변수 중 연령, 스포츠참여 유무 변수를 화살표 버튼을 이용하여 선택한다. 그리고 빈도분석표의 결과에 따라 도표를 작성하기 위하여 도표(C) 버튼을 누른다.

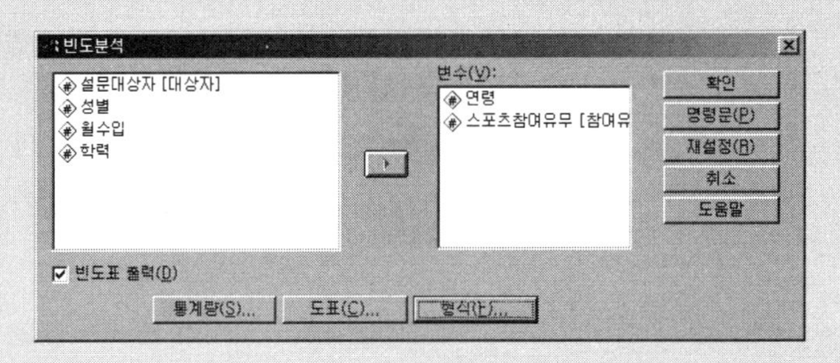

- 도표 대화상자에서는 도표유형을 설정하는데, 여기에서는 히스토그램(H)과 정규곡선표시(W)를 선택한 후 계속 버튼을 누른다.

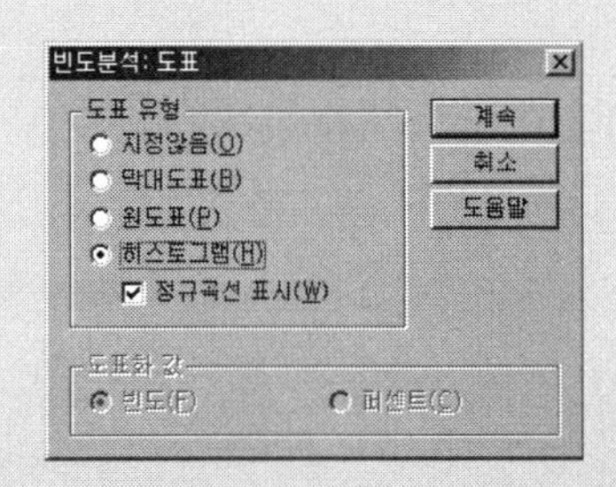

- 다시 빈도분석 대화상자로 돌아와 확인 버튼을 누르면 Output-SPSS뷰어에 다음의 결과가 출력된다. 여기에서는 연령 및 스포츠참여 유무에 대한 전체분석대상자의 수가 100명임을 나타내고 있다. 그리고 결측값(계획된 실험배치에서 얻은 관측값 중에서 어떤 사고로 측정되지 못한 값)은 없음을 보여주고 있다.

통계량

		연 령	스포츠참여 유무
N	유 효	100	100
	결 측	0	0

– 설문대상자의 연령 및 스포츠참여 유무에 대한 빈도표를 나타낸다. 여기에는 각 범주에 대한 빈도, 백분율(%), 유효백분율, 누적백분율 등이 제시되어 있다.

빈도표

		빈도	퍼센트	유효 퍼센트	누적 퍼센트
유효	32	1	1.0	1.0	1.0
	33	1	1.0	1.0	2.0
	34	1	1.0	1.0	3.0
	35	2	2.0	2.0	5.0
	36	4	4.0	4.0	9.0
	37	3	3.0	3.0	12.0
	38	7	7.0	7.0	19.0
	39	7	7.0	7.0	26.0
	40	15	15.0	15.0	41.0
	41	13	13.0	13.0	54.0
	42	15	15.0	15.0	69.0
	43	9	9.0	9.0	78.0
	44	10	10.0	10.0	88.0
	45	4	4.0	4.0	92.0
	46	3	3.0	3.0	95.0
	47	1	1.0	1.0	96.0
	48	2	2.0	2.0	98.0
	49	2	2.0	2.0	100.0
	합계	100	100.0	100.0	

스포츠참여 유무

		빈도	퍼센트	유효 퍼센트	누적 퍼센트
유효	참여	58	58	58	58
	비참여	42	42	42	100
	합계	100	100	100	

– 다음은 연령 및 스포츠참여 유무의 빈도에 따른 히스토그램과 정규분포곡선이다. 이것은 전체 분포에 대한 개략적인 모양을 시각적으로 제시해 주는 것이다.

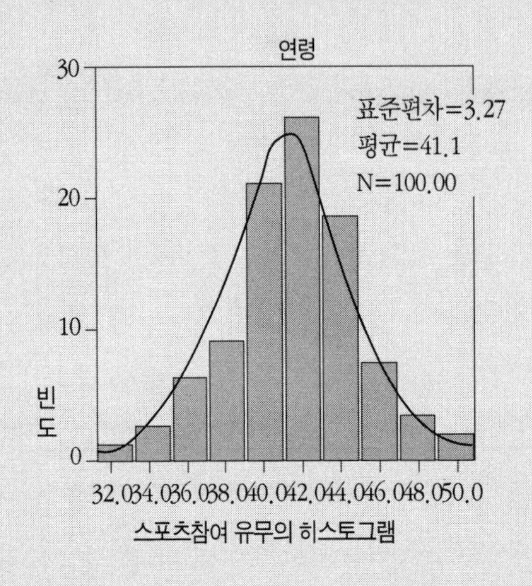

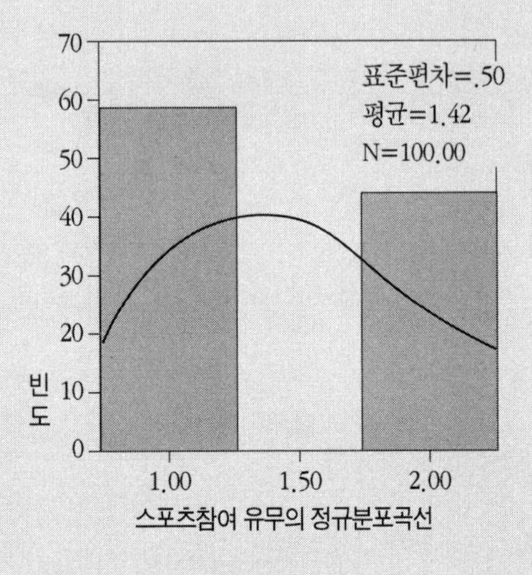

(2) 기술통계

- 자료의 기술통계들을 알아보고자 한다. 데이터편집기 화면에서 분석(A)->기술통계량(E)->기술통계(D)...를 선택한다.
- 기술통계 대화상자가 나타난다. 변수(V)에 기술통계량을 출력할 연령을 선택하고, 하단의 옵션(O)을 누른다.

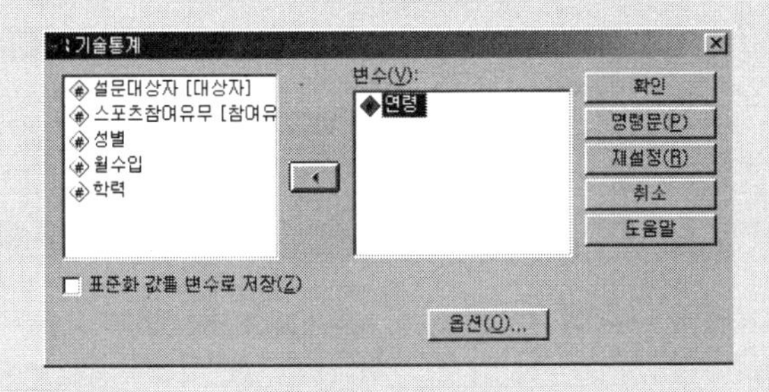

- 옵션에서는 출력할 통계량의 종류 및 출력순서를 지정할 수 있는데, 필요한 내용(여기서는 평균, 표준편차, 분산, 범위, 첨도, 왜도 등)을 선택한 후 계속 버튼을 누른다.

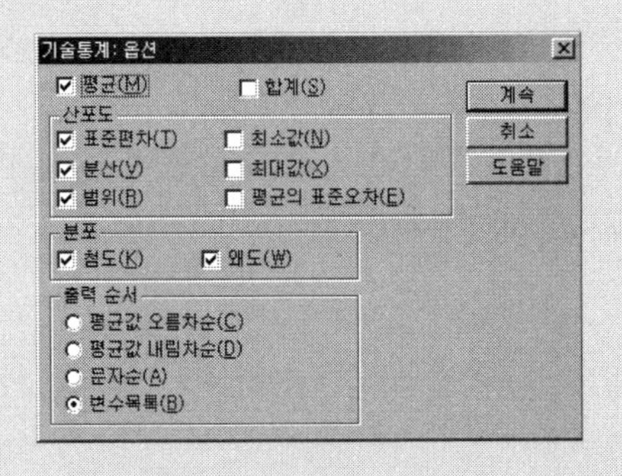

- 기술통계 대화상자로 돌아와 확인을 선택하면 결과물이 Output-SPSS뷰어에 출력된다. 이것은 기술통계결과를 제시한 것으로, 설문참여자의 연령범위는 17세이며, 평균 41.12세, 표준편차는 3.27(분산 10.713)로 나타났으며, 왜도는 -0.128, 첨도는 0.450으로 정규분포에 비해 왼쪽으로 약간 긴 꼬리모양이며, 뾰족한 분포형태를 나타내고 있다.

기술통계량

	N	범위	평균	표준편차	분산	왜도		첨도	
	통계량	통계량	통계량	통계량	통계량	통계량	표준오차	통계량	표준오차
연령	100	17	41.12	3.27	10.713	-.128	.241	.450	.478
유효수(목록별)	100								

(3) 데이터 탐색

- 자료에 대한 기술통계량들을 탐색한다. 아래 그림과 같이 분석(A)->기술통계량(E)->데이터탐색(E)...을 선택한다.

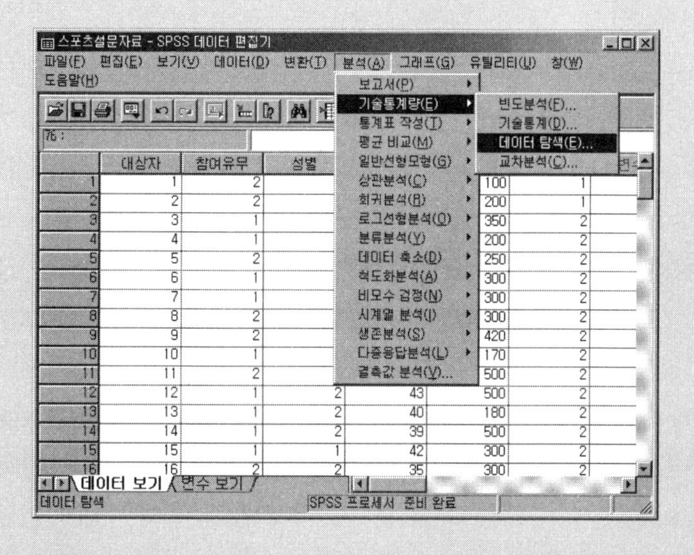

- 데이터탐색 대화상자가 나타난다. 여기에서는 성별에 따라 각각 연령에 대한 기술통계량 및 도표들을 탐색하고자 하기 때문에 탐색하고자 하는 변수연령을 종속변수(D)에, 집단구분이 되는 변수성별을 요인(F)에 선택한다.

그리고 필요한 통계량 및 도표 등을 선택해서 버튼을 누른다.

- 통계량(S) 대화상자에서 기술통계(D)를 선택한 후 계속 버튼을 누른다.

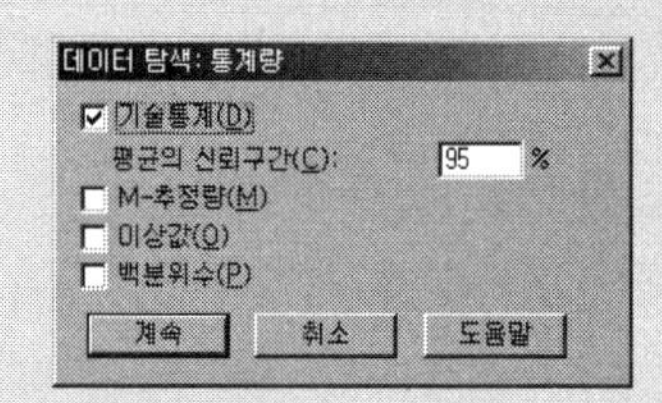

- 도표 대화상자에서는 기술통계에서 줄기와 잎 그림(S) 및 히스토그램(H)를 선택한 후 계속 버튼을 누른다.

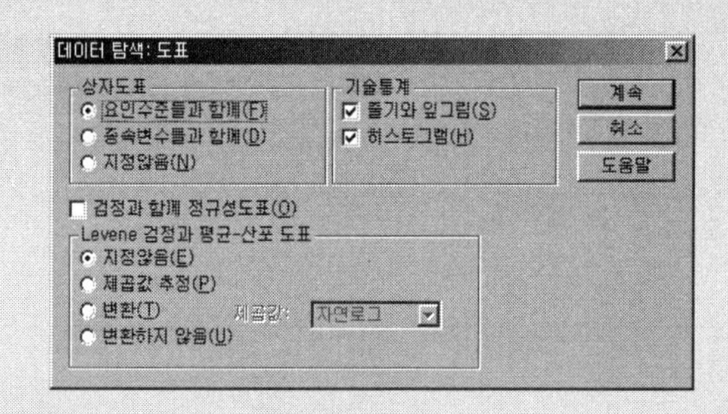

- 다시 데이터탐색 대화상자로 돌아와서 확인 버튼을 누르면 Output-SPSS뷰어에 다음의 결과가 출력된다. 이것은 설문 대상자의 성별에 따른 빈도표이다.

케이스 처리 요약

		케이스					
		유효		결측		전체	
	성별	N	퍼센트	N	퍼센트	N	퍼센트
연령	남자	50	100.00%	0	0.00%	50	100.00%
	여자	50	100.00%	0	0.00%	50	100.00%

- 다음은 성별에 따라 연령에 대한 다양한 기술통계량들이다. 여기서 절삭평균(trimmed mean)이란 전체 자료 중 상위 5%와 하위 5%의 연령값을 제외한 나머지 값을 계산한 산술평균 값을 말한다. 이는 자료 중에서 극단값(매우 큰 값이나 작은 값)이 존재할 경우 전체평균보다 더 안정적이다.

기술통계

	성별			통계량	표준오차
연령	남자	평균		41.980	.430
		평균의 95% 신뢰구간	하한	41.110	
			상한	42.850	
		5% 절삭평균		41.960	
		중위수		42.000	
		분산		9.408	
		표준편차		3.070	
		최소값		35.000	
		최대값		49.000	
		범위		14.000	
		사분위수 범위		4.000	
		왜도		.249	.337
		첨도		.543	.662
연령	여자	평균		40.260	.460
		평균의 95% 신뢰구간	하한	39.330	
			상한	41.190	
		5% 절삭평균		40.360	
		중위수		40.000	
		분산		10.727	
		표준편차		3.280	
		최소값		32.000	
		최대값		46.000	
		범위		14.000	
		사분위수 범위		5.000	
		왜도		−.368	.337
		첨도		−.013	.662

(4) 줄기와 잎 그림

– 자료의 분포형태를 알아보기 위한 줄기와 잎 그림을 제시한다. 마치 이는 히스토그램을 옆으로 회전한 모양이다. 히스토그램은 막대로 빈도를 표시하지만, 줄기와 잎 그림은 실제자료의 수치를 이용하여 나타낸다. 따라서 이것은 전체자료의 정보를 잃지 않고 자료를 요약하는 탐색적 자료분석기법이라는 차원에서 의미가 있다.

연령 Stem-and-Leaf Plot for
성별 = 남자

Frequency	Stem & Leaf
1,00	3,5
2,00	3,66
4,00	3,8889
15,00	4,000000011111111
15,00	4,222222222233333
8,00	4,44444555
1,00	4,7
4,00	4,8899

Stem width : 10
Each leaf : 1 case(s)

연령 Stem-and-Leaf Plot for
성별 = 여자

Frequency	Stem & Leaf
.00	3.00
2.00	3.23
2.00	3.45
5.00	3.66777
10.00	3.8888999999
13.00	4.0000000011111
9.00	4.222223333
6.00	4.444445
3.00	4.666

Stem width : 10
Each leaf : 1 case(s)

– 다음은 상자 그림(box plot)으로, 전체자료분포에 대한 정보를 그림으로 쉽게 파악할 수 있게 한다. 그림을 비교하여 보면 남자가 여자보다 중위수가 크며, 사분범위의 크기로 보아 전체 자료 가운데 50%의 연령분포가 여자보다 밀집되어 있음을 보여준다.

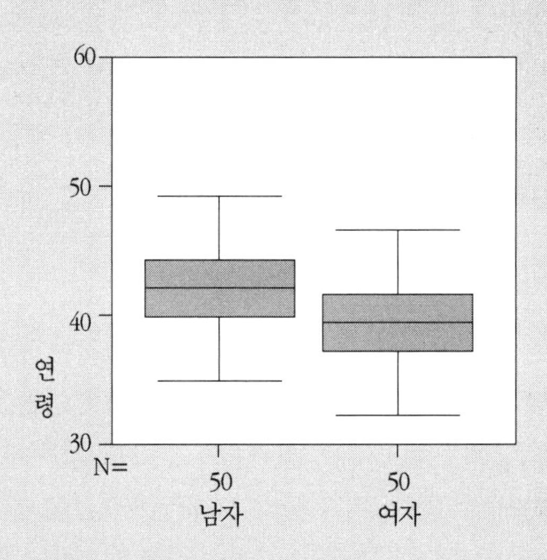

(5) 교차분석

– 두 개 이상의 범주형자료변수에 대한 빈도분포를 알아보고자 한다. 데이터편집기 화면에서 분석(A)-> 기술통계량(E)->교차분석(E)...을 선택한다.

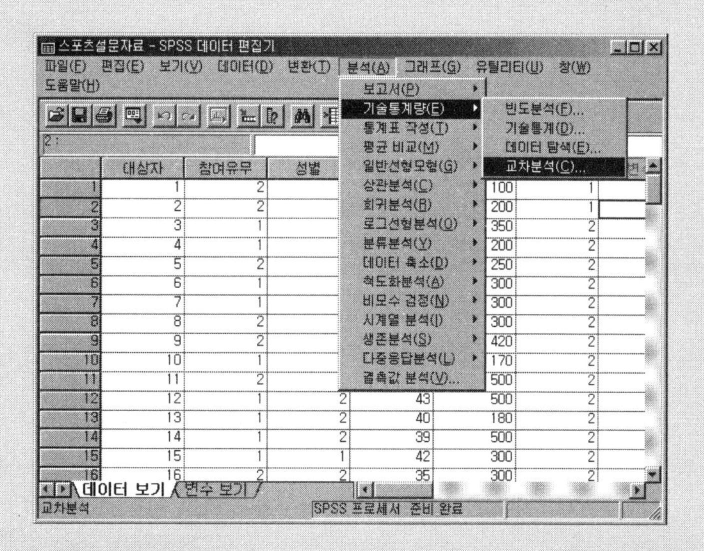

– 교차분석 대화상자가 나타난다. 여기에서는 스포츠참여 경향이 성별에 따라 어떻게 나타나는지 알아보기로 한다. 따라서 교차표의 행과 열의 변수를 지정해야 하는데, 행(R)에는 스포츠참여 유무변수를, 열(C)에 성별변수를 선택한다. 그리고 각 교차표의 각 칸에 출력할 필요한 내용을 지정하기 셀(E)...버튼을 누른다.

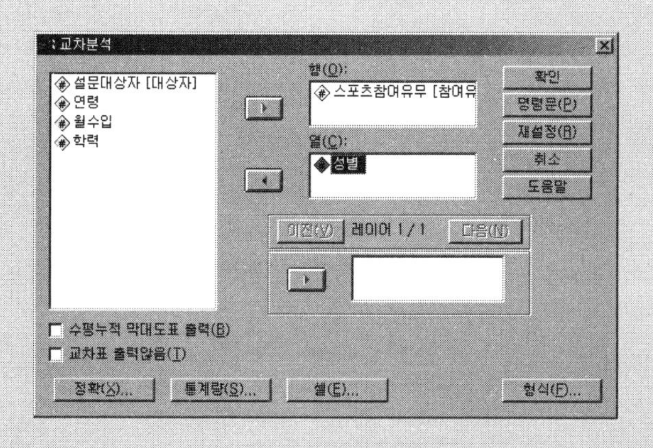

– 셀출력 대화상자에서는 관측빈도(O), 기대빈도(E), 행(R) · 열(C) · 전체(T) 퍼센트 등을 선택한 후 계속 버튼을 누른다.

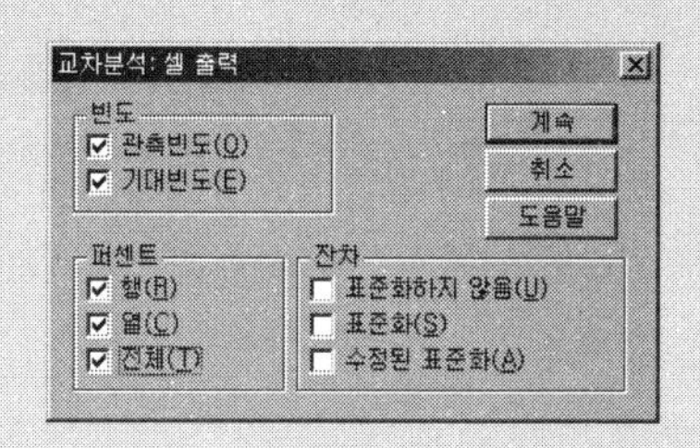

– 다시 교차분석 대화상자로 돌아와서 확인 버튼을 누르면 Output-SPSS뷰어에 다음의 결과가 출력된다.

케이스 처리 요약

	케이스					
	유효		결측		전체	
	N	퍼센트	N	퍼센트	N	퍼센트
성별 * 스포츠참여 유무	100	100.00%	0	0.00%	100	100.00%

– 성별과 스포츠참여 유무에 대한 교차분석표가 제시되어 있다. 남 · 여 각 50명씩의 대상자 중 스포츠참여자는 58명(58%)이며, 비참여자는 42명(42%)으로 나타나 있다. 58명의 참여자 중 남자가 34명(58.6%), 여자가 24명(41.4%)임을 보여 주고 있어 남자가 여자보다 스포츠참여 경향이 다소 높은 것으로 나타났다.

성별 스포츠참여 유무 교차표

			스포츠참여 유무		전 체
			참 여	비 참 여	
성 별	남 자	빈도	34	16	50
		기대빈도	29	21	50
		성별의 %	68.00%	32.00%	100.00%
		스포츠참여 유무의 %	58.60%	38.10%	50.00%
		전체 %	34.00%	16.00%	50.00%
	여 자	빈도	24	26	50
		기대빈도	29	21	50
		성별의 %	48.00%	52.00%	100.00%
		스포츠참여 유무의 %	41.40%	61.90%	50.00%
		전체 %	24.00%	26.00%	50.00%
전 체		빈도	58	42	100
		기대빈도	58	42	100
		성별의 %	58.00%	42.00%	100.00%
		스포츠참여 유무의 %	100.00%	100.00%	100.00%
		전체 %	58.00%	42.00%	100.00%

이 결과에서 기대빈도는 성별에 따라 스포츠참여 경향이 같을 경우의 빈도이다. 이는 해당 셀을 기준으로 행과 열의 주변 관측빈도의 곱을 전체 관측빈도로 나눈 값이다. 예를 들어 남자이면서 스포츠참여자의 기대빈도는 $50 \times 58/100 = 29$명으로 계산된다.

3. 통계학에서의 주요 분포

통계적 분포에는 이산확률분포와 연속확률분포가 있다. 여기에서는 통계적 추론에 많이 쓰이는 대표적인 연속확률분포를 설명한다.

1) 정규분포 및 표준정규분포

정규분포는 연속확률분포의 일종으로 아래 그림과 같이 평균에 대하여 대칭인 확률밀도함수의 그래프를 가진다. 정규곡선(normal curve)은 μ를 중심으로 좌우대칭이다. 그러므로 μ는 분포의 평균임과 동시에 중위수 및 최빈수가 된다.

정규분포는 다음과 같은 특징을 갖고 있다.

① 정규분포는 평균을 중심으로 좌우대칭인 종모양(bell-shaped)의 확률밀도함수의 그래프를 가진다.

② 정규확률변수는 평균 주위의 값을 많이 취하며 평균으로부터 좌우로 표준편차의 3배 이상 떨어진 값이 나올 가능성은 매우 적다.

③ 정규분포는 그것의 평균과 표준편차에 의해 완전히 결정된다. 즉 평균과 표준편차가 같은 두 개의 다른 정규분포는 존재할 수 없다.

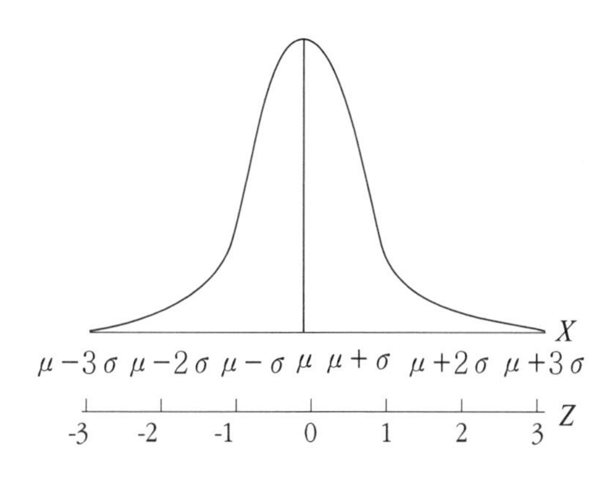

한편 확률변수 X가 $N(\mu, \sigma^2)$을 따른다면 $(X-\mu)$를 따르고, 다시 $\frac{X-\mu}{\sigma}$는 $N(0, 1)$을 따르게 된다. $N(0, 1)$을 표준정규분포(standard normal distribution)라 하며, 이러한 확률변수는 Z로 표시한다.

여기에서 $Z=\frac{X-\mu}{\sigma}$를 표준점수(standard score) 혹은 Z값이라 한다. 그러므로 Z값은 평균이 0이며 분산이 1인 확률변수이며, X가 정규분포를 따른다면 Z는 표준정규분포를 따른다. 그러므로 X가 $N(\mu, \sigma^2)$을 따르면 이의 확률을 표준정규분포로 바꾸어 나타낼 수 있다.

$$P(X \leq c)=P\left(\frac{X-\mu}{\sigma} \leq \frac{c-\mu}{\sigma}\right)=P\left(Z \leq \frac{c-\mu}{\sigma}\right)$$

이와 같이 어떠한 정규분포의 확률도 표준정규분포의 확률로 바꾸어 표현할 수 있다.

2) 카이제곱(χ^2) 분포

카이제곱분포(chi-square distribution)는 통계적 추론에 많이 이용되는 분포로서 비모수적 추론(nonparametric inference)과 범주형자료분석(categorical data analysis)에 자주 쓰인다. 일반적으로 카이제곱분포는 다음과 같이 정의한다.

확률변수 $Z_1, Z_2, \cdots, Z_k$가 각각 표준정규분포 $N(0, 1)$을 따르고 서로 독립일 때 $V=Z_1^2+Z_2^2+\cdots+Z_k^2$의 분포는 자유도(degrees of freedom) k인 카이제곱분포를 따른다. 확률변수 V가 자유도 k인 카이제곱분포를 갖는다는 것은 $V=\sum_{i=1}^{k} Z_i^2 \sim \chi^2(k)$로 나타낸다.

이러한 카이제곱분포는 다음과 같은 특징을 갖는다.

① 자유도 k가 커질수록 봉우리가 오른쪽으로 이동하면서 정규분포를 따른다.

② 카이제곱분포의 모양은 오른쪽으로 늘어진 꼬리를 같는 비대칭분포이다.

③ 오른쪽으로 긴 꼬리를 갖는다.

④ 확률변수의 실현값은 항상 양의 값을 갖는다.

⑤ 카이제곱분포의 평균과 분산은 $E(V)=k, Var(V)=2k$이다.

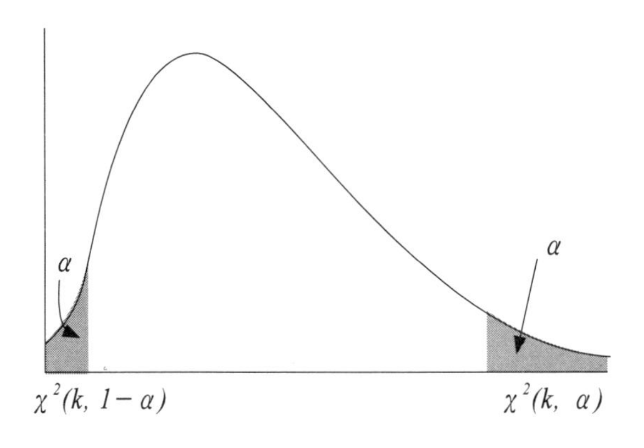

카이제곱분포의 모양은 자유도에 따라 다르지만 형태는 앞의 그림과 같다. 그림에서 카이제곱분포의 모양이 왼쪽으로 치우쳐 있고 오른쪽으로 긴 꼬리를 갖는 이유는 표준정규분포 Z_i들이 0 근처에 주로 분포하기 때문이다.

카이제곱분포에 대한 누적확률은 '부록 1의 부표 3. 카이제곱분포표'를 사용하면 쉽게 계산할 수 있다. 예를 들어 자유도가 5이고 α =0.05이면 부록에 있는 카이제곱분포표로부터 11.0705임을 알 수 있고, 또 α =0.95이면 1.145476이 된다. 여기서 카이제곱값이 11.0705보다 클 확률은 0.05이고, 카이제곱값이 1.14576보다 작을 확률도 0.05가 된다.

모분산 σ^2에 대한 추정량으로 사용되는 표본분산 s^2의 분포는 카이제곱분포를 따른다. 즉 $X_1, X_2, \cdots, X_k$을 정규분포 $N(\mu, \sigma^2)$으로부터의 확률표본이라 할 때

$$\frac{(n-1)s^2}{\sigma^2} \sim \chi^2(n-1)$$

$$\text{여기서 } s^2 = \frac{1}{n-1}\sum_{i=1}^{n}(X_i - \overline{X})^2$$

3) T-분포

T-분포(T-distribution)는 정규모집단에서 표본의 크기가 작을 때 표본평균 $\overline{X}$의 분포로 유용하게 사용되는 분포로서, Gosset, W. S.가 1990년경 Student라는 필명으로 발표하여 Student T-분포라고도 불린다. 일반적으로 T-분포는 다음과 같이 정의된다.

확률변수 Z가 표준정규분포 $N(0, 1)$을 따르고, 이와는 서로 독립이며 자유도가 k인 카이제곱분포를 따르는 확률변수를 V라 할 때

$$T = \frac{z}{\sqrt{V\sqrt{k}}}$$

인 분포를 자유도가 k인 T-분포라 한다. 확률변수 T가 자유도 k인 T-분포를 갖는다는 것은 $T \sim t(k)$로 나타낸다.

이러한 T-분포는 다음과 같은 특징을 갖는다.

① 평균이 0이고 좌우대칭이다.

② 자유도 k가 증가함에 따라 정규분포에 접근한다.

③ 자유도 1인 T-분포를 코시분포(Cauchy distribution)라고 한다.

T-분포에 대한 누적확률은 부록에 있는 T-분포표를 사용하면 쉽게 계산할 수 있으며, 계산방법은 앞에서 배운 표준정규분포표의 그것과 같다. 예를 들어 자유도가 10이고 α=0.05이면 T-분포표로부터 1.812임을 알 수 있다. T-분포는 좌우대칭이므로 왼쪽 꼬리에서 면적이 0.05가 되는 점은 -1.812이다.

또한 α=0.05에 대하여 자유도가 20인 경우에는 T-값이 1.725, 자유도가 ∞인 경우에는 T-값이 1.645임을 볼 수 있다. 표준정규분포에서 α=0.05일 때의 값이 1.645이므로 T-분포의 자유도가 ∞가 될 때 표준정규분포와 일치되는 것을 볼 수 있다. 이것은 T-분포가 자유도가 커짐에 따라 표준정규분포에 접근한다는 사실을 보여준다. 여기에서 자유도가 30 정도에 이르면 근사적으로 표준정규분포를 따르는 것으로 볼 수 있다.

4) F-분포

F-분포(F-distribution)는 주로 분산분석(ANOVA)이나 두 정규모집단의 분산의 동질성을 비교할 때 사용된다. F-분포는 두 개의 자유도 k_1과 k_2에 따라 그 모양이 달라진다. 일반적으로 F-분포는 다음과 같이 정의한다.

V_1과 V_2를 각각 자유도 k_1, k_2인 카이제곱분포를 따르는 서로 독립인 확률변수라 할 때

$$F=\frac{V_1/k_1}{V_2/k_2}$$

인 분포를 자유도 (k_1, k_2)인 F-분포라 한다.

확률변수 F가 자유도 (k_1, k_2)인 F-분포를 갖는다는 것은 $F \sim F(k_1, k_2)$로 나타낸다. F-분포의 모양은 다음 그림과 같다.

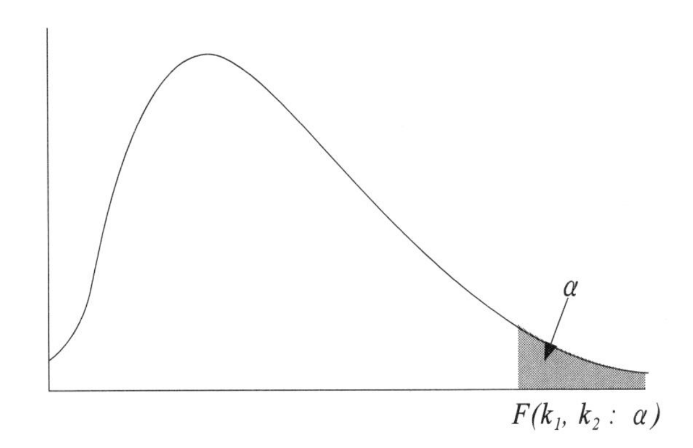

이러한 F−분포는 다음과 같은 특징을 갖는다.

① F−분포의 평균은 $\frac{k_2}{k_2-2}$이다. 여기서 $k_2>2$

② 자유도 k_2가 커질수록 F−분포의 평균은 작아진다.

F−분포에 대한 누적확률은 F−분포표를 사용하여 쉽게 계산할 수 있다. 예를 들어 자유도 $k_1=10$, $k_2=20$이고 $\alpha=0.01$이면 F−분포표로부터 3.37임을 알 수 있다.

4. 추정과 검정

1) 추 정

통계학의 궁극적인 목적은 모집단의 여러 특성치에 대한 추정(estimation)에 있다고 할 수 있다. 앞에서는 자료를 요약 정리하고 자료의 특성을 표현하는 방법을 알아보았다. 그러나 단순히 자료를 정리하고 요약하는 것으로 미래현상에 대한 추측을 하거나 의사결정을 할 수 없다. 우리는 스포츠현장에서 미래의 현상이나 미지의 값을 가능한 한 정확하게 추측하기를 원하는 경우가 많다. 예를 들어 경기의 승패예측이나, 운동선수의 연봉을 추정하는 문제 등은 이러한 예이다.

추정은 그 형태에 따라 점추정과 구간추정의 두 가지로 구분된다. 점추정(point estimation)은 모수를 하나의 값으로 추정하는 것을 말하며, 구간추정(interval estimation)은 확률적 표현에 의하여 모수가 속하리라고 생각되는 구간을 설정하여 추정하는 것이다.

(1) 점추정

특정한 모수를 추정하는 방법은 다양하다. 예를 들어 모집단의 평균을 추정하고자 할 때 모집단으로부터 추출된 표본의 산술평균, 중위수, 최빈값 중에서 어느 하나를 사용할 수 있다. 그러나 모평균을 알지 못하기 때문에 어떤 추정치가 모집단의 평균에 잘 접근되는지 알 수 없다. 이때 평균, 중위수, 최빈값들의 표본분포를 비교하면 추정량들 중에서 어떤 것이 모평균에 잘 접근되는지 알 수 있다. 좋은 추정량이 되기 위한 기준은 불편성(unbiasedness), 효율성(efficiency), 일치성(consistency) 등이다.

(2) 구간추정

점추정은 모수에 대응하는 표본통계량으로 추정량을 구하는 것이므로 오차의 정밀도에 관하여 신뢰성 있는 정보를 제공하지 못한다. 그러나 추정하고자 하는 모수가 포함될 확률을 하나의 구간으로 제시하여 추정하면 추정의 결과를 신뢰할 수 있을 것이다. 이러한 추정방법을 구간추정(interval estimation)이라고 한다. 구간추정을 통하여 얻어지는 구간이 신뢰구간(confidence interval)인데, 이러한 신뢰구간은 신뢰수준(confidence level)과 표본의 크기에 의해 결정된다. 예를 들어 모평균 μ에 대한 구간추정이 다음과 같은 형태로 주어진다고 하자.

$$\hat{\mu}=\overline{X}\pm d$$

여기서 $\overline{X}+d$를 신뢰구간의 상한(upper limit)이라 하고, $\overline{X}-d$를 신뢰구간의 하한(lower limit)이라 한다. d는 추정량 $\overline{X}$의 오차한계(error margin)이므로 이 값이 작을수록 구간의 길이가 작아져 좋은 신뢰구간을 만들 수 있다.

모수를 추정하기 위하여 표본을 추출한다면 매번 추출할 때마다 그 표본에 의한 통계량의 값은 달라질 것이다. 신뢰구간은 표본에 따라 달라질 수 있다. 따라서 신뢰구간이 모수를 포함할 확률을 고려하게 되는데, 이러한 확률이 신뢰수준이다. 모평균 μ에 대한 95% 신뢰구간이라고 할 때 표본을 똑같은 방법으로 100번 추출하여 신뢰구간을 구하면 100개의 신뢰구간 중 95개가 모수를 포함하게 되는 것을 의미한다.

(3) 모평균의 구간추정

모평균에 대한 구간추정에는 모분산 σ^2이 알려진 경우와 모분산 σ^2이 알려지지 않은 경우로 구분하여 추정할 수 있다.

① 모분산 σ^2이 알려진 경우

모분산 σ^2이 알려진 경우 모평균 μ에 대한 신뢰구간은 다음과 같다. 즉 크기 n인 확률표본 $X_1, X_2, \cdots, X_n$을 추출하였다면, 표본평균 $\overline{X}$에 대한 확률분포는 평균이 μ이고 분산이 σ^2/n인 정규분포를 따른다. 여기서 μ에 대한 $100(1-\alpha)$%의 신뢰구간은 다음과 같이 구할 수 있다.

$$P(a\leq\overline{X}\leq b)=1-\alpha$$

여기서 $\overline{X}$를 표준화하면

$$P\left(\frac{a-\mu}{\sigma/\sqrt{n}}\leq\frac{\overline{X}-\mu}{\sigma/\sqrt{n}}\leq\frac{b-\mu}{\sigma/\sqrt{n}}\right)=1-\alpha$$

$$P\left(-Z_{\alpha/2}\leq\frac{\overline{X}-\mu}{\sigma/\sqrt{n}}\leq Z_{\alpha/2}\right)=1-\alpha$$

의 식을 얻을 수 있다. 이때 $Z_{\alpha/2}$와 $-Z_{\alpha/2}$를 신뢰계수라고 한다. 여기서 괄호 속에 있는 부등식을 μ에 관하여 정리하면

$$P\left(\overline{X}-Z_{\alpha/2}\frac{\sigma}{\sqrt{n}}\leq\mu\leq\overline{X}+Z_{\alpha/2}\frac{\sigma}{\sqrt{n}}\right)=1-\alpha$$

를 얻는다. 따라서 모평균 μ에 대한 $100(1-\alpha)\%$의 신뢰구간은 다음과 같다.

$$\left(\overline{X}-Z_{\alpha/2}\frac{\sigma}{\sqrt{n}},\quad \overline{X}+Z_{\alpha/2}\frac{\sigma}{\sqrt{n}}\right)$$

다음은 신뢰구간에 따른 신뢰계수를 나타낸 것이다.

90%에 대한 신뢰구간에 따른 신뢰계수 $Z_{0.05}=\pm1.645$
95%에 대한 신뢰구간에 따른 신뢰계수 $Z_{0.025}=\pm1.96$
99%에 대한 신뢰구간에 따른 신뢰계수 $Z_{0.005}=\pm2.58$

② 모분산 σ^2이 알려지지 않은 경우

모분산 σ^2이 알려지지 않고 $n\geq30$인 경우 모평균 μ에 대한 신뢰구간은 표본분산 이 근사적으로 모분산 σ^2에 접근한다. 따라서 모평균 μ에 대한 $100(1-\alpha)\%$의 신뢰구간은 다음과 같다.

$$\left(\overline{X}-z_{\alpha/2}\frac{s}{\sqrt{n}},\quad \overline{X}+z_{\alpha/2}\frac{s}{\sqrt{n}}\right)$$

그러나 모분산 σ^2이 알려지지 않고 $n<30$인 경우 모평균 μ에 대한 신뢰구간은 다음과 같다. 즉 크기 n인 확률표본 $X_1, X_2, \cdots, X_n$을 추출하였다면 표본평균 $\overline{X}$에 대한 확률분포는 평균이 μ이고 분산이 σ^2/n인 정규분포를 따른다. 그러나 모분산 σ^2이 알려지지 않았으므로 $\overline{X}$의 표준편 $\sigma/\sqrt{n}$을 $s/\sqrt{n}$으로 추정하여 다음과 같이 자유도가 $n-1$인 T-분포를 따른다.

$$\frac{\overline{X}-\mu}{s/\sqrt{n}}\sim t(n-1)$$

따라서 μ에 대한 $100(1-\alpha)\%$의 신뢰구간은 다음과 같이 구할 수 있다.

$$P\left(\frac{a-\mu}{s/\sqrt{n}}\leq\frac{\overline{X}-\mu}{s/\sqrt{n}}\leq\frac{b-\mu}{s/\sqrt{n}}\right)=1-\alpha$$

$$P\left(-t_{\alpha/2}\leq\frac{\overline{X}-\mu}{s/\sqrt{n}}\leq t_{\alpha/2}\right)=1-\alpha$$

의 식을 얻을 수 있다. 괄호 속에 있는 부등식을 평균 μ에 관하여 정리하면 다음과 같다.

$$P\left(\overline{X}-t_{\alpha/2}\frac{s}{\sqrt{n}}\leq\mu\leq t_{\alpha/2}\frac{s}{\sqrt{n}}\right)=1-\alpha$$

따라서 모평균 μ에 대한 100(1−α)%의 신뢰구간은 다음과 같다. 이때 t는 자유도가 $n-1$인 T−분포의 꼬리면적을 $\alpha/2$ 로 하는 값으로 T-분포표에서 찾을 수 있다.

$$\left(\overline{X}-t_{\alpha/2}\frac{s}{\sqrt{n}},\ \ \overline{X}+t_{\alpha/2}\frac{s}{\sqrt{n}}\right)$$

2) 검 정

다음의 광고 예는 우리 주변에서 흔히 볼 수 있는 것들이다. "A사의 다이어트제품은 사용한 후 한 달만에 10kg 감량을 할 수 있습니다.", "본사에서 개발한 운동화는 기존의 운동화에 비하여 내구성이 뛰어납니다."

그런데 "이런 광고는 얼마나 신빙성이 있을까?" 또, "이런 것은 통계적으로 입증이 가능한가?"에 대한 의문을 가질 수 있다. 이런 주장의 타당성은 통계적으로 입증이 가능하다. 즉 모집단에서 표본을 추출하고, 표본이 갖고 있는 정보를 이용하여 이러한 주장이 타당한지 알아볼 수 있다.

모집단의 분포모형이나 모수 등에 대한 가설을 세우고, 모집단에서 추출한 표본에 기초하여 가설의 채택이나 기각을 결정하는 통계적 기법을 가설검정(hypothesis testing)이라 한다. 가설검정은 대개 표본의 정보를 바탕으로 이루어지므로 언제나 오류의 가능성을 내재하고 있다. 따라서 통계적 가설검정에서는 오류의 가능성을 사전에 관리하는 것이 중요하다. 즉 검정법에서는 오류의 허용확률을 미리 정해놓고, 그 기준에 따라 가설의 채택 또는 기각을 결정하는 것이다.

(1) 가 설

통계학에서 가설(hypothesis)이란 모집단의 특성이나 모수에 관한 주장이나 서술을 말한다. 이러한 가설은 모집단의 특성에 관한 것이지 특정한 표본이나 실험결과에 관한 것은 아니다. 따라서 통계적 가설은 절대적인 결론이 아니며 불확실성이 내포된다. 예를 들어 어떤 헬스센터에서 제작한 운동치료법이 비만에 효과가 있다는 가설을 검정하고자 한다면 다음과 같은 두 가지 가설을 세울 수 있다.

① "새로운 운동치료법은 효과가 없다."

② "새로운 운동치료법은 효과가 있다"

여기에서 ①과 같이 이미 존재하는 사실에 해당하는 가설을 귀무가설(null hypothesis)이라 하고, ②처럼 자료로부터 새로운 사실을 입증하고자 하는 가설을 대립가설(alternative hypothesis)이라고 한다. 일반적으로 귀무가설을 H_0로, 대립가설을 H_1으로 표기한다. 예를 들어 "새로운 비만치료운동법에 의한 치료효과는 기존 치료법보다 효과가 있다." 라고 주장하고 있다면, 이러한 주장을 검정하기 위한 가설은 다음과 같이 세울 수 있다.

① 귀무가설 H_0 : 새로운 비만치료법에 의한 치료효과는 기존과 차이가 없다.
② 대립가설 H_1 : 새로운 비만치료법에 의한 치료효과는 기존에 비해 우수하다.

(2) 제1종의 오류와 제2종의 오류

가설에 대한 검정은 사실 여부를 완벽하게 설명할 수 없다. 표본조사에서 얻은 자료의 분석을 통해 귀무가설을 지지할 가능성이 크면 귀무가설을 채택하고, 반대로 틀릴 가능성이 높으면 귀무가설을 기각하게 된다. 여기서 H_0가 옳은 주장(眞)일 때 이를 기각하든가, 또는 틀린 주장(虛僞)일 때 이를 받아들이는 오류(error)를 범할 수 있다. 이러한 오류를 검정오류라 한다. 검정오류는 크게 제1종의 오류와 제2종의 오류로 구분한다.

제1종의 오류는 귀무가설 H_0이 맞는데도 잘못하여 이를 기각하고 대립가설 H_1을 채택할 확률을 말하며, α로 표시한다. 제2종의 오류는 대립가설이 참일 때 이를 기각하고 귀무가설을 채택하여 생기는 오류의 확률을 말하며 β로 표시한다.

좋은 의사결정이란 이러한 2종류의 오류를 최소화하는 것이다. 그런데 이 두 오류를 범할 확률을 동시에 최소로 하여 주는 검정방법은 존재하지 않는다. 그러므로 통계학에서는 제1종의 오류를 범할 확률 α를 미리 지정된 확률 이하로 하여 제2종의 오류를 범하는 확률 β를 최소화시키는 검정방법을 사용한다. 이때 제1종의 오류를 범할 확률의 최대허용한계를 유의수준(significance level)이라 하며, 유의수준 0.05인 검정방법이란 제1종의 오류를 범할 확률이 0.05 이하인 검정방법을 의미한다.

다음 표는 두 종류의 오류를 나타낸다.

의사결정 \진실	H가 참일 때	H_1이 참일 때
H_0를 채택	옳은 결정($1-\alpha$)	제2종의 오류(β)
H_0를 기각 (H_1을 채택)	제1종의 오류 (α)	옳은 결정($1-\beta$)

(3) 양측검정과 단측검정

가설검정은 크게 양측검정과 단측검정으로 구분된다. 양측검정(two-sided test)은 기각영역이 각각 왼쪽과 오른쪽의 두 부분으로 구성되는 가설검정이다. 그리고 단측검정(one-sided test)은 기각영역이 한쪽 부분으로 구성되는 가설검정이다.

여기서 단측검정은 다시 좌측검정과 우측검정으로 구분된다. 좌측검정(left-sided test)은 기각영역이 왼쪽에 있는 검정방법이고, 우측검정(right-sided test)은 기각영역이 오른쪽에 있는 검정방법이다.

5. 자료분석을 위한 통계기법

연구자는 적절한 통계기법을 이용하여 수집된 자료를 분석한다. 적절하지 못한 통계기법을 이용한 자료분석은 옳지 못한 의사결정을 유도하게 된다. 따라서 연구자는 통계적 기법을 적용하기 전에 전제조건으로서 적용가능성을 검토하고, 실제로 기법을 사용할 때 적용과정 및 절차상 문제가 없는지 반드시 확인하여야 한다.

통계기법은 크게 분석의 대상이 되는 변수의 수에 따라 단일변량분석(univariate)과 다변량분석(multivariate)으로 나누어진다. 단일변량분석이란 분석하고자 하는 종속변수의 수가 하나인 자료분석에 이용되는 기법이며, 다변량분석은 분석하고자 하는 종속변수의 수가 둘 이상인 자료에 적용되는 기법이다.

단일변량분석기법은 t-검정(t-test), 분산분석(analysis of variance), 공분산분석(analysis of covariance), 회귀분석(regression analysis) 등이며, 다변량분석기법에는 다변량분산분석(multi-variate analysis of variance), 정준상관분석(canonical analysis), 인자분석(factor analysis), 판별분석(discriminant analysis), 군집분석(cluster analysis) 등이 있다.

여기에서는 이러한 다양한 통계기법 중 체육학 연구에 많이 이용되고 있는 기법을 살펴보기로 한다.

1) t-검정

두 집단 또는 두 시점 간 평균차를 이용하여 검증하는 방법으로, 두 집단 및 시점 간 평균이 통계적으로 유의한 차이가 있는지를 알아보는 형태의 검정방법이다. t-검정에는 두 집단이 서로 독립적인 관계에서의 독립표본 t-검정과 두 집단이 서로 독립적이지 않은 대응표본 (paried) t-검정의 두 가지가 있다. 예를 들어 남녀의 체중차이를 비교할 때에는 두 집단이 독립적이기 때문에 t-검정을 적용하여 유의한 차이가 있는지를 확인하면 되고, 체육과 학생을 대상으로 체조수업을 한 학기 수강하게 한 후 동집단의 수업 전·후의 차를 비교할 때에는 대응표본 t-검정을 적용하면 된다.

(1) 독립표본(independent sample)에 대한 검정

두 집단의 모평균차이에 대한 검정을 실시하기 전에 "두 집단은 정규분포에 근사하며 두 집단 간에 분산이 동일하다."라고 가정을 해야 한다. 독립표본 t-검정절차는 다음과 같다.

① 귀무가설과 대립가설을 세운다.

$$H_0 : \mu_1 = \mu_2,\ H_1 : \mu \neq \mu_0\ (\text{또는 } \mu > \mu_0,\ \mu_1 < \mu_2)$$

② 유의수준 α를 설정한다.

③ 검정통계량 T값을 구한다.

$$T = \frac{\overline{X_1} - \overline{X_2}}{S_P \sqrt{\frac{1}{n_1} + \frac{1}{n_2}}} \sim t(n_1 + n_2 - 2)$$

$$\text{여기서 } T = S_p = \frac{\overline{X_1} - \overline{X_2}}{\sqrt{\frac{(n_1 - 1)S_1^2 + (n_2 - 1)S_2^2}{n_1 + n_2 - 2}}}$$

④ 기각역을 정한다.

$$H_1 : \mu_1 > \mu_2 \text{ 일 때, } T \geq t_\alpha (n_1 + n_2 - 2)$$

$$H_1 : \mu_1 < \mu_2 \text{ 일 때, } T \leq -t_\alpha (n_1 + n_2 - 2)$$

$$H_1 : \mu_1 \neq \mu_2 \text{ 일 때, } |T| \leq t_\alpha / 2(n_1 + n_2 - 2)$$

⑤ 검정통계량 T값이 기각역에 포함되는지를 비교하여 기각 여부를 결정한다.

예를 들면 한 회사에서는 새로운 야구배트를 개발하여 기존의 배트보다 더 강하다고 선전하고 있다. 이를 확인하기 위해 기존의 배트와 새로운 배트 각각 5개에 대한 강도실험을 실시하였다. 측정한 결과 다음과 같은 표를 얻었다면, 새로운 제품이 기존의 것보다 더 우수하다고 할 수 있는가에 대한 검정을 해보자.

새로운 배트 (X_1)	48	46	44	46	43
기존 배트 (X_2)	42	43	45	44	43

위 자료에 대한 분석과정은 다음과 같다.

① 귀무가설과 대립가설을 세운다.

$$H_0 : \mu_1 = \mu_2, \qquad H_1 : \mu_1 > \mu_2$$

② 유의수준 α를 설정한다.

$$\alpha = 0.05$$

③ 검정통계량 T값을 구한다.

$$\overline{X}_1 = 45.4,\ \overline{X}_2 = 43.4,\ S_p = 2.55$$

$$T = \frac{\overline{X}_1 - \overline{X}_2}{S_P\sqrt{\frac{1}{n_1}+\frac{1}{n_2}}} = 1.98$$

④ 기각역을 정한다.

$$|T| \geq t_{0.05}(8) = 1.86$$

⑤ 검정통계량 T값이 기각역에 포함되는지를 비교하여 기각여부를 결정한다.

$t_{0.05}(8) = 1.86 < 1.98$ 이므로 H_0를 기각한다.

즉 새로운 배트가 기존의 것보다 강도가 더 우수하다고 할 수 있다.

성별(SEX)	신장(HEIGHT)	체중(WEIGHT)
1	127	25.5
1	123	25.0
1	124	25.7
1	125	26.5
1	126	26.0
1	125	25.2
1	128	25.7
1	127	27.0
1	126	26.9
2	124	23.6
2	120	22.8
2	121	23.6
2	128	27.5
2	127	25.0
2	120	22.5
2	124	25.5
2	129	27.8
2	124	24.0
2	123	23.0

1 : 남학생, 2 : 여학생

SPSS를 이용한 예제분석

[예제] 다음은 남녀 아동 19명에 대한 신장 및 체중 측정 결과이다. 성별에 따라 아동의 신장과 체중에 차이가 있는지를 검정하라.

분석절차 및 결과

- 자료의 입력형태는 다음과 같다

독립t검정(남여간 신장몸무게차이비교).sav - SPSS 데이터 편집기

	sex	height	weight	변수	변수	변수	변수
1	남학생	127.00	25.50				
2	남학생	123.00	25.00				
3	남학생	124.00	25.70				
4	남학생	125.00	26.50				
5	남학생	126.00	26.00				
6	남학생	125.00	25.20				
7	남학생	128.00	25.70				
8	남학생	127.00	27.00				
9	남학생	126.00	26.90				
10	여학생	124.00	23.60				
11	여학생	120.00	22.80				
12	여학생	121.00	23.60				
13	여학생	128.00	27.50				
14	여학생	127.00	25.00				
15	여학생	120.00	22.50				
16	여학생	124.00	25.50				

데이터 보기 / 변수 보기 — SPSS 프로세서 준비 완료

- 성별에 따른 신장과 몸무게의 차이를 비교하기 위해 독립 t-검정을 실시한다. 독립 t-검정을 실시하기 위해서는 데이터편집기 화면에서 분석(A)→평균비교(M)→독립표본 t-검정(T)...을 선택한다.

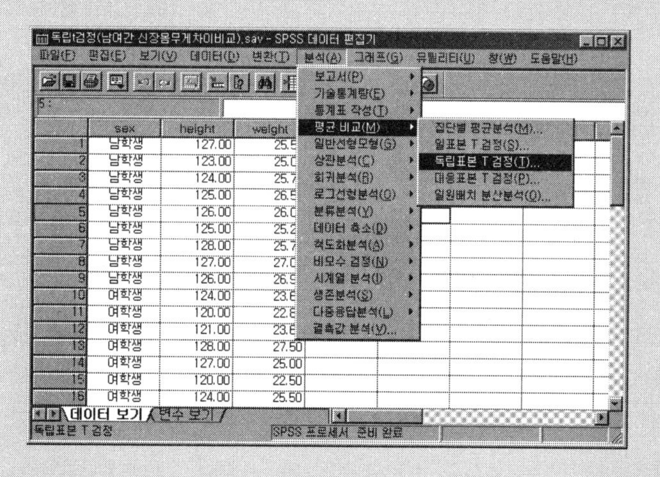

- 독립표본 t-검정 대화상자에서 검정변수(T)에 신장(height), 몸무게(weight)변수를, 집단변수(G)에는 성별(sex)변수를 입력한다.

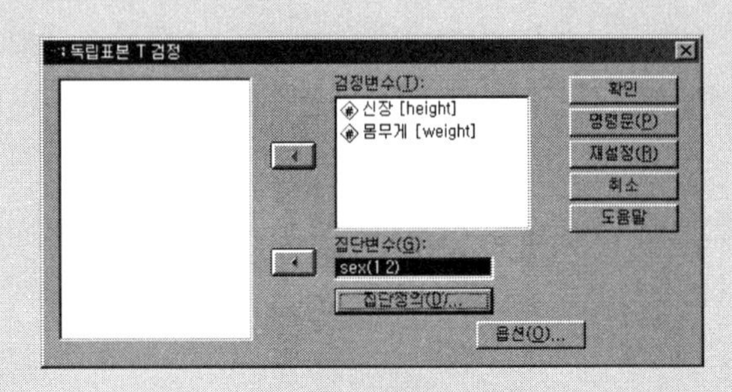

– 집단정의(D)...를 선택하여 sex(성별)변수를 정의해 준다. 1은 남자, 2는 여자이므로 집단 1에는 1을, 집단 2에는 2를 입력한 후 계속 버튼을 선택하고, 확인 버튼을 누르면 출력결과물이 Output-SPSS뷰어에 출력된다.

집단정의
지정값 사용(U)
집단 1: 1
집단 2: 2
분리점(C):
계속
취소
도움말

집단통계량

	성별	N	평균	표준편차	평균의 표준오차
신장	남학생	9	125.6667	1.5811	0.527
	여학생	10	124.0000	3.1972	1.0111
몸무게	남학생	9	25.9444	0.7161	0.2387
	여학생	10	24.5300	1.8898	0.5976

– 독립표본 t-검정을 이용하여 집단 간 차이를 비교하기 위해서는, 먼저 두 집단 간 분산이 동일한지를 검토해야 한다. 먼저 신장에 대한 등분산검정을 위한 Levene의 등분산 검정 결과 유의하지 않다(유의확률 p=0.125). 따라서 결과에서 신장의 등분산이 가정됨이라는 부분의 결과를 읽어야 하는데, 이때 성별에 따른 신장의 차이는 유의확률이 0.176이므로 유의수준 5%에서 유의하지 않게 나타났다(즉 성별에 따른 신장의 차이는 없다).

– 몸무게는 등분산가정이 기각되어(유의확률 p=0.013) 등분산이 가정되지 않음으로 이때의 성별 간 차이에 대한 검정결과 유의확률 p값이 0.049로서 유의수준 5%에서 유의한 차이를 나타내고 있다. 따라서 성별에 따른 몸무게의 차이가 있으며, 남자가 여자보다 크다고 할 수 있다.

독립표본 t–검정

		Levene의 등분산 검정		평균의 동일성에 대한 t–검정						
		F	유의 확률	t	자유도	유의확률 (양쪽)	평균차	차이의 표준 오차	차이의 95% 신뢰구간	
									하한	상한
신장	등분산이 가정됨	2.611	0.125	1.413	17.000	.176	1.6667	1.1793	–.8215	4.1549
	등분산이 가정되지 않음			1.462	13.439	.167	1.6667	1.1402	–.7884	4.1217
몸무게	등분산이 가정 됨	7.627	0.013	2.108	17.000	.050	1.4144	.6709	–9.87E–04	2.8299
	등분산이 가정되지 않음			2.198	11.764	.049	1.4144	.6435	9.24E–03	2.8196

(2) 대응표본(paired sample, 짝진 표본)에 대한 검정

앞에서 배운 내용은 두 표본이 두 모집단으로부터 서로 독립적으로 추출된 경우였다. 그러나 어느 실험에서 두 실험을 비교하고자 할 때에는 동질적인 실험단위를 얻기 어려운 경우가 많다. 예를 들어 특정 두통약이 사용자의 혈압을 저하시키는지를 알아보고자 할 때 사용자 20명을 랜덤하게 두 그룹으로 나누어 사용 전 · 후를 관찰하면, 사용자의 건강상태나 나이 등의 이유로 혈압의 저하에 변동이 심할 경우에 실제로는 혈압을 저하시키면서 S_p의 값이 커지므로 이러한 차이를 판별할 수 없게 된다.

이와 같은 문제를 해결하기 위하여 대응개념을 이용한다. 즉 실험단위를 동질적인 쌍으로 묶은 다음, 각 쌍의 실험단위에서 랜덤하게 선택하여 두 처리를 적용하고, 각 쌍에서 관측값의 차를 이용하여 두 모평균의 차에 관한 추론문제를 다룰 수 있는데, 이와 같은 방법을 대응비교라고 한다.

체육 및 스포츠현장에서 이러한 자료형태는 한 집단의 비만환자들을 대상으로 운동 전후 체중을 비교한다든지, 또는 역도선수들의 오른손과 왼손의 악력의 차이를 알아보는 경우에 해당된다. 이때 짝지은 설계는 결과에 영향을 줄 수 있는 다른 요인을 제어할 수 있으므로 보다 정밀하게 처리효과를 비교할 수 있다. 대응비교의 자료형태는 다음과 같다.

처리\대상자	1	2		n
처리 1 (X_1)	X_{11}	X_{21}	……	X_{1n}
처리 2 (X_2)	X_{12}	X_{22}	……	X_{2n}
차이($D=X_1-X_2$)	D_1	D_2	……	D_n

이와 같이 추출된 X_{1i}와 X_{2i}차로 만들어진 D_i들은 X_1과 X_2가 정규분포를 따르는 경우에는 $H_0: \mu_1=\mu_2$하에서 0에 관하여 대칭인 정규분포를 따른다. D_i가 정규분포를 따른다는 것을 이용하여 아래와 같이 두 평균의 비교방법을 나타낼 수 있다.

먼저 $D_1, D_2, \cdots, D_n$의 표본평균과 표본분산은 다음과 같다.

$$\overline{D}=\sum_{i=1}^{n} D_i, \quad S_D^2=\frac{\sum_{i=1}^{n}(D_i-\overline{D})^2}{n-1}$$

대응표본의 가설검정 절차는 다음과 같다.

① 귀무가설과 대립가설을 세운다.

$$H_0: \mu_1=\mu_1, \; H_1: \mu_1= \mu_2(\text{또는 } \mu>\mu_0, \mu_1<\mu_2)$$

② 유의수준 α를 설정한다.

③ 검정통계량 T값을 구한다.

$$\text{소표본일 경우} : T=\frac{\overline{D}}{S_D/\sqrt{n}}$$

④ 기각역을 정한다.

⑤ 검정통계량값이 기각역에 포함되는지를 비교하여 기각여부를 결정한다.

예를 들어 비만환자들에게 체중을 감소시켜주는 새로운 운동방법을 개발하였다는 주장이 있다. 이러한 방법에 의하면 2주일만에 체중을 부작용 없이 줄일 수 있다고 한다. 이 방법이 유효한지를 알아보기 위하여 10명의 환자에게 2주일간의 치료를 실시하여 다음의 자료를 얻었다. 이를 유의수준 0.05으로 검정한다면, 다음과 같이 적용할 수 있다.

환자	1	2	3	4	5	6	7	8	9	10
치료전 체중(X)	98	76	102	83	92	88	72	93	81	80
치료후 체중(Y)	97	77	100	78	94	87	85	90	80	83
차이(D)	1	−1	2	5	−2	1	−3	3	1	−3

위 자료의 분석결과는 다음과 같다.

① 검정의 귀무가설과 대립가설 설정

$$H_0 : \mu_D=0, \quad H_1 : \mu_D\neq 0$$

② 유의수준 α를 설정한다.

$$\alpha=0.05$$

③ 검정통계량 T값을 구한다.

$$T=\frac{\overline{D}}{S_D/\sqrt{n}}=0.48$$

④ 대립가설의 형태에 의한 양측검정이므로 기각역은 다음과 같다.

$$T\leq t_{0.025}(9)=-2.262\text{이거나 } T\geq t_{0.025}(9)=2.262$$

⑤ 검정통계량 T값이 0.48로 기각치인 2.262보다 작으므로 귀무가설 H_0을 채택한다.

⑥ 새로운 운동요법은 효과가 없다고 결론을 내릴 수 있다.

SPSS를 이용한 예제분석

[예제] 다음은 비만환자 10명을 대상으로 운동을 통한 비만치료 전과 치료 후의 체중을 나타낸 것이다. 비만 치료효과가 있는지 검정하라.

치료 전	치료 후
103	98
77	76
100	97
78	75
94	92
87	88
85	72
90	90
80	79
83	80

분석절차 및 결과

– 자료의 입력형태는 다음과 같다.

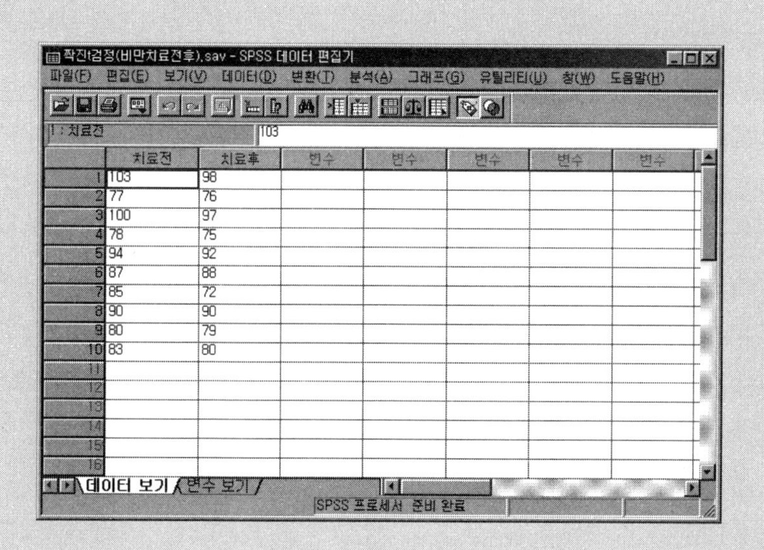

– 성별에 따른 신장과 몸무게의 차이를 비교하기 위해 대응표본 t–검정을 실시한다. 대응표본 t–검정을 실시하기 위해서는 데이터편집기 화면에서 분석(A)→평균비교(M)→대응표본 t–검정(P)...을 선택한다.

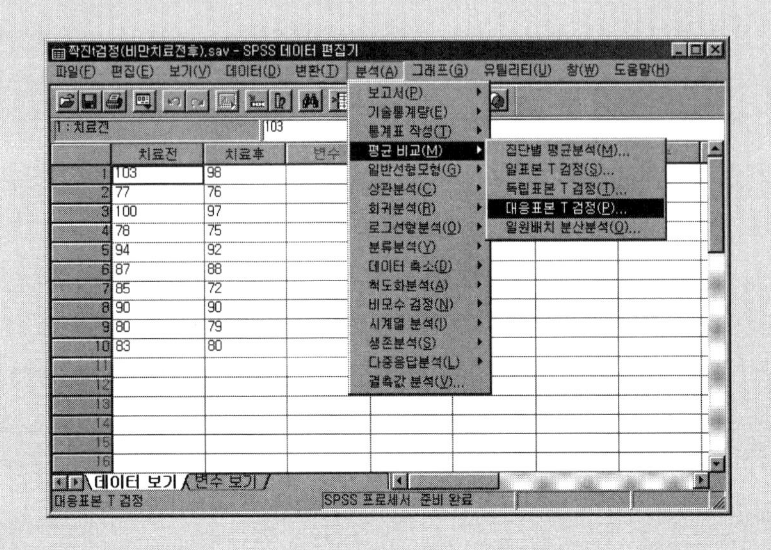

– 대응표본 T–검정 대화상자가 나타난다. 대응변수(V)에 치료 전 · 치료 후 변수를 화살표 버튼을 이용하여 선택한 후 확인 버튼을 누른다.

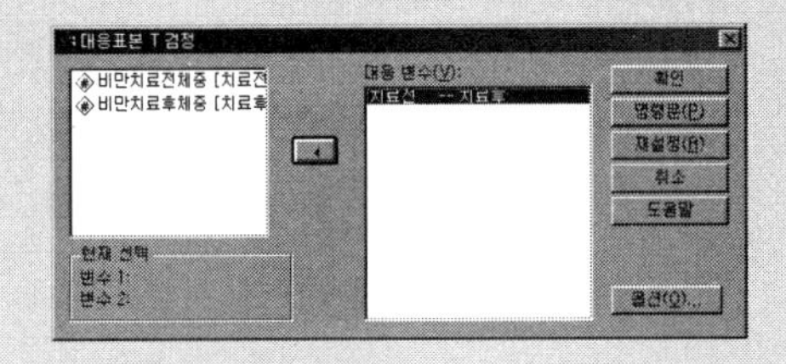

– Output-SPSS뷰어에 다음의 결과가 출력된다. 여기에서 비만치료 전과 후의 체중의 평균치, 대상자수, 표준편차, 평균의 표준오차 등을 제시하고 있다. 비만치료 후 체중이 전보다 감소한 것으로 나타났다.

대응표본 통계량

		평균	N	표준편차	평균의 표준오차
대응 1	비만치료전체중	87.7	10	8.99	2.84
	비만치료후체중	84.7	10	9.46	2.99

– 비만치료 전과 후의 체중의 상관계수를 나타내고 있다. 상관의 크기는 0.911로 매우 높게 나타났으며, 통계적으로 유의함을 보여주고 있다(p=0.000).

대응표본 상관계수

		N	상관계수	유의확률
대응 1	비만치료전체중 & 비만치료후체중	10	0.911	0

- 대응표본에 대한 검정결과를 제시하고 있다. 즉 비만치료의 효과가 있는지 알아보기 위한 검정으로 검정통계량 t=2.423(자유도=9)이며, 이때의 유의확률값이 0.038로서 유의수준 5%에서 귀무가설을 기각할 수 있게 된다. 따라서 "비만치료는 효과가 있다."라고 결론 내릴 수 있다.

대응표본검정

		대응차					t	자유도	유의확률 (양쪽)
		평균	표준편차	평균의 표준오차	차이의 95% 신뢰구간				
					하한	상한			
대응 1	비만치료전체중-비만치료후체중	3	3.92	1.24	0.2	5.8	2.423	9	0.038

2) 분산분석

(1) 개 요

두 표본에 의한 모평균의 차이를 알아보는 실험이나 관찰에서와 마찬가지로 세 개 이상의 실험조건이나 방법이 주어졌을 때 이들의 모평균에 차이가 있는지를 실험결과를 이용하여 판단하려고 하는 경우가 많이 있다. 예를 들어 여러 가지 교수법에 의한 운동수행효과를 비교한다거나, 스포츠광고효과나 판촉방법에 따른 판매량의 비교가 이러한 예이다. 여기에서 이야기하는 실험조건이나 방법을 처리(treatment, 흔히 요인(factor)이라고도 한다)라 부르고, 이에 따른 결과에 차이를 처리효과(treatment effect)라 부른다.

여러 가지 처리를 비교하는 방법으로는 이들의 표본평균을 분산이라는 척도로 재어보았을 때 의미있는 차이로 받아들일 수가 있는가를 결정하는 것이다. 즉 각 처리집단 간에서 얻은 표본평균들의 분산과 각 처리집단 내의 분산을 비교함으로써 각 처리의 평균들의 차이가 통계적으로 의미 있는 것인지를 보는 것이다. 이와 같이 두 집단 이상의 모평균의 차이 유무를 알아보는 통계적 방법이 분산분석(analysis of variance : ANOVA)이다.

(2) 분산분석의 적용상황과 분류

분산분석의 적용상황과 가정 및 모형은 다음과 같다.

① 분산분석의 상황
- 종속변수(반응변수) : 연속형 변수
- 독립변수(설명변수) : 범주형 변수, 범주형 변수와 연속형 변수

② 분산분석의 가정

- 독립성(independence) : 특정표본의 관찰값이 다른 표본의 관찰값과 서로 독립적이다.
- 정규성(normality) : 관찰값의 분포가 정규분포로부터 나온 것이다.
- 분산의 동일성(homogeneity of variance) : 집단 간 분산이 동일하다.

③ 분산분석의 모형

- 설명변수와 반응변수의 수에 따른 분류
  · 일원분류분산분석(one-way ANOVA) : 설명변수의 개수가 한 개인 경우
  · 다원분류분산분석(multi-way ANOVA) : 설명변수의 개수가 두 개 이상인 경우
  (특히 두 개일 경우를 이원분산분석(two-way ANOVA)이라 함)
  · 일변량분산분석(univariate ANOVA) : 반응변수의 개수가 한 개인 경우
  · 다변량분산분석(multivariate ANOVA : MANOVA): 반응변수의 개수가 두 개 이상인 경우
- 지정된 효과들의 성격에 따라
  · 고정효과모형(fixed effect model)
  · 랜덤효과모형(random effect model)
  · 혼합효과모형(mixed effect model)

(3) 일원분산분석

일원분산분석(one-way ANOVA) 또는 일요인분산분석이란 한 요인의 각 수준에서 표본들을 구분하여 관측하는 것이다. 예를 들어 세 가지 강도의 웨이트트레이닝 처방을 했을 때 운동강도에 따른 환자의 근력을 비교하거나 한국인, 일본인, 중국인 사이의 신장차이를 비교하고 할 때 이용한다.

K개의 수준별 모집단에서 크기가 n개인 독립표본을 각각 무작위로 추출하였다고 하자. 이들 각각의 모집단은 정규분포를 가정하고 있으며 분산은 σ^2으로 모두 같은 값을 가진다고 가정하자. 이때 모집단들의 평균을 $\mu_i(i=1\sim k)$이라고 할 때 일원분산분석은 다음과 같은 가설을 검증하는 방법이다.

$H_0 : \mu_1=\mu_2=\cdots=\mu_k$

H_1 : 적어도 하나의 모집단의 평균은 서로 같지 않다.

앞의 예에서 한 · 중 · 일 세 국가 간 성인의 신장차이가 있을 것인가를 검증한다고 하자. 그러면 다음과 같은 가설을 세울 수 있다.

H_0 : μ(한)=μ(일)=μ(중) (세 국가 간 성인의 평균신장은 모두 같다)

H_1 : 세 국가 중에서 적어도 한 국가의 평균신장은 다르다.

이러한 가설은 어떻게 검증할 수 있을까? 앞에서 제시한 세 국가 간 성인의 평균신장은 모두 같다는 귀무가설을 설정하였는데, 이 귀무가설을 기각하면 세 국가 간 성인의 신장은 차이가 있는 것이 된다.

	처리 1	처리 2	처리 3	…	처리 k
	x_{11}	x_{21}	x_{31}		x_{k1}
	x_{12}	x_{22}	x_{32}	…	x_{k2}
	⋮	⋮	⋮		⋮
	x_{1n}	x_{2n}	x_{3n}		x_{kn}
평균	$\overline{x_1}$	$\overline{x_2}$	$\overline{x_3}$	…	$\overline{x_n}$
제곱합	$\sum_{i=1}^{n}(x_{1i}-\overline{x_1})$	$\sum_{i=1}^{n}(x_{2i}-\overline{x_2})^2$	$\sum_{i=1}^{n}(x_{3i}-\overline{x_3})^2$	…	$\sum_{i=1}^{n}(x_{ki}-\overline{x_k})^2$

위의 자료형태에서 다음과 같은 분산분석모형을 생각해 보자.

$$x_{ij}=\mu_i+\varepsilon_{ij}\ (i=1, 2, \cdots, k\quad j=1, 2, \cdots, n)$$

여기서 μ_i는 처리 i에서 모평균이고, ε_{ij}는 x_{ij}의 오차항으로 정규분포 $N(0,\ \sigma^2)$을 따르는 서로 독립인 확률변수이다.

위에서 제시한 수식은 전체평균(grand mean)과의 차이로 나타낼 수 있다. 즉 μ를 전체평균으로 나타내면 i번째 처리의 효과는 $\alpha_i=\alpha_i-\mu$로 나타낼 수 있다. 따라서 다음과 같은 분산분석모형으로 나타낼 수 있다.

$$x_{ij}=\mu+\alpha_j+\varepsilon_{ij}\ (i=1, 2, \cdots, k\quad j=1, 2, \cdots, n)$$

따라서 귀무가설은 다음과 같다.

$$H_0 : \mu_1=\mu_2=\mu_3=\cdots=\mu_k$$

이제 검정절차를 위하여 전체제곱합을 처리제곱합과 오차제곱합으로 분해하는 방법을 생각해보자.

관측값 x_{ij}와 전체평균 $\overline{x}$의 차 $x_{ij}-\overline{x}$는 다음과 같이 분해할 수 있다.

$$(x_{ij}-\overline{x})=(x_{ij}-\overline{x}_i)+(\overline{x}_i-\overline{x})$$

이때 $(\overline{x}_i-\overline{x})$는 i번째 처리의 평균과 총평균의 거리인데, 이것은 처리효과의 크기라고 한다. 또한 $(\overline{x}_{ij}-\overline{x}_i)$는 오차라고 하여 처리효과로 설명할 수 없는 부분을 나타낸다.

위의 식에서 양변을 제곱하여 더하면 다음과 같다.

$$\sum_i\sum_j(x_{ij}-\overline{x})^2=\sum_i\sum_j(\overline{x}_i-\overline{x})^2+\sum_i\sum_j(x_{ij}-\overline{x}_i)^2+2\sum_i\sum_j(x_{ij}-\overline{x}_i)(\overline{x}_i-\overline{x})$$

여기서 우변의 끝항 $\sum_i\sum_j(x_{ij}-\overline{x}_i)(\overline{x}_i-\overline{x})$을 정리하면 0이 된다. 따라서 다음과 같은 관계식을 얻게 된다.

$$\sum_i\sum_j(x_{ij}-\overline{x})^2=\sum_i\sum_j(\overline{x}_i-\overline{x})^2+\sum_i\sum_j(x_{ij}-\overline{x}_i)^2$$

이때 $\sum_i\sum_j(x_{ij}-\overline{x}_i)^2$는 전체 제곱합(sum of square total)이라고 하며 SST로 나타내고, $n\sum_i(\overline{x}_i-\overline{x})^2$는 집단간 제곱합(sum of square between)이라고 하며 SSB로 나타낸다. 또 $\sum_i\sum_j(x_{ij}-\overline{x}_i)^2$는 집단내 제곱합(sum of square within)이라고 하며 SSW로 나타낸다. 이러한 사항을 정리하여 다음과 같은 분산분석표(ANOVA table)로 나타낼 수 있다.

요 인	자유도	제곱합	평균제곱합	F값
처 리	$k-1$	SSB	$\text{MSB}=\frac{\text{SSB}}{k-1}$	$F=\frac{\text{MSB}}{\text{MSW}}$
오 차	$N-k$	SSW	$\text{MSW}=\frac{\text{SSW}}{(n-1)}$	
전 체	$N-1$	SST		

위 표의 F값은 귀무가설 H_0 : $\alpha_1=\alpha_2=\alpha_3=\cdots=\alpha_k=0$하에서 자유도가$(k-1, N-k)$인 F분포를 따른다. 따라서 유의수준 α에서 기각역은 $F>F_a(k-1, N-k)$이다. 그러나 대부분의 통계패키지에서는 p값을 출력하여 p값이 유의수준 α값보다 작다면 귀무가설을 기각하게 된다.

SPSS를 이용한 예제분석

[예제] 멀리뛰기에 대한 각각 다른 지도방법이 멀리뛰기기록에 영향을 주는가를 연구하고자 대학생 30명을 무선으로 6명씩 5개 집단으로 나누어 일정 기간 동안 지도를 한 뒤 기록을 측정한 결과는 다음과 같다. 이것으로 5개 집단의 각각 다른 지도방법에 차가 있다고 볼 수 있겠는가?

지도방법 1	지도방법 2	지도방법 3	지도방법 4	지도방법 5
551	595	639	417	563
457	580	615	449	631
450	508	511	517	522
731	583	573	438	613
499	633	648	415	656
632	517	677	555	679

분석절차 및 결과

- 자료의 입력형태는 다음과 같다.

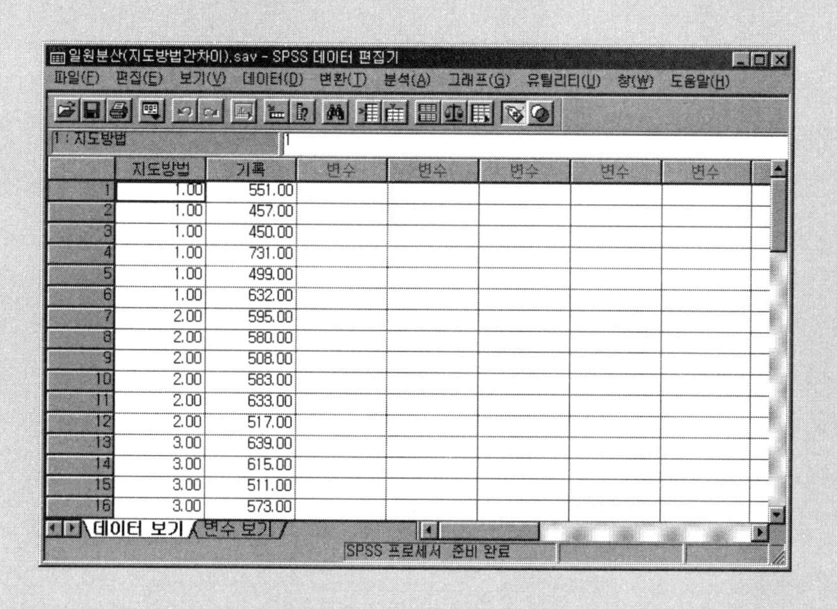

	지도방법	기록	변수	변수	변수	변수	변수
1	1.00	551.00					
2	1.00	457.00					
3	1.00	450.00					
4	1.00	731.00					
5	1.00	499.00					
6	1.00	632.00					
7	2.00	595.00					
8	2.00	580.00					
9	2.00	508.00					
10	2.00	583.00					
11	2.00	633.00					
12	2.00	517.00					
13	3.00	639.00					
14	3.00	615.00					
15	3.00	511.00					
16	3.00	573.00					

- 지도방법에 따른 기록의 차이를 알기 위해 일원배치분산분석을 실시한다. 일원배치분산분석을 실시하기 위해서는 데이터편집기 화면에서 분석(A)->평균비교(M)->일원배치분산분석(O)...을 선택한다.

– 일원배치분산분석 대화상자가 나타난다. 종속변수(D)에 기록을, 요인(F)에 지도방법을 화살표 버튼을 이용하여 선택한다. 그리고 하단의 사후분석(P)을 선택한다.

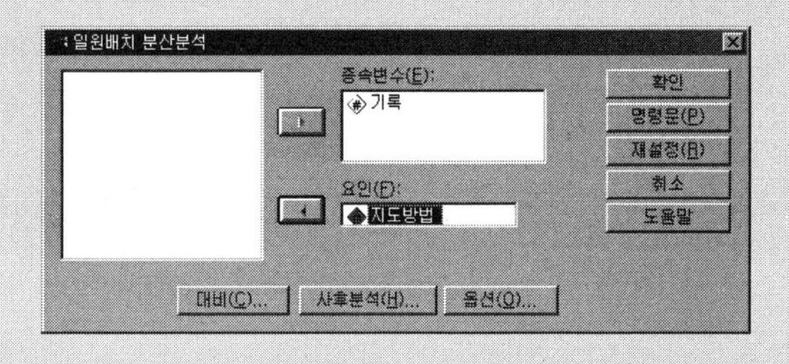

– 사후분석을 위한 다중비교에서 Duncan(D)을 지정하고 계속 버튼을 누른다.

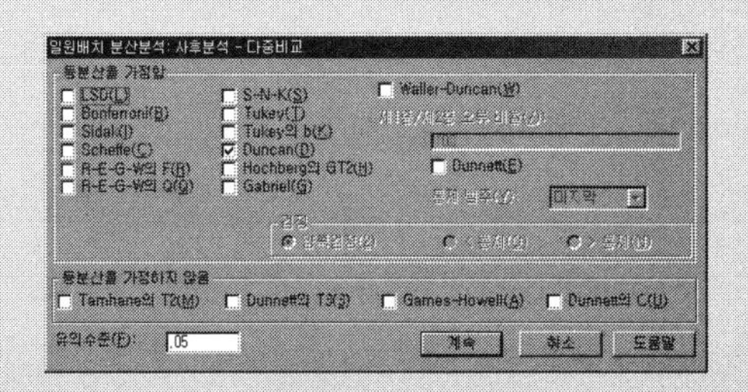

– 일원배치분산분석 대화상자로 돌아와 확인을 선택하면 결과물이 Output-SPSS뷰어에 출력된다. 이것은 일원분산분석 결과를 제시한 것으로 F값은 4.302이고, 이때의 유의확률값이 0.009이므로 지도방법에 따라 멀리뛰기기록에 유의한 차이가 있는 것으로 나타났다. 따라서 그 차이가 어떻게 다른지에 대한 구체적인 분석을 위해 사후검정이 요구되는데, 그 결과는 다음과 같다.

분산분석

	제곱합	자유도	평균제곱	F	유의확률
집단-간	85356.467	4	21339.117	4.302	.009
집단-내	124020.333	25	4960.813		
합계	209376.8	29			

– 사후검정은 Duncan의 다중비교를 이용하였다. 부집단을 보면 1, 2로 두 개의 그룹으로 형성되었다. 이를 해석하면 지도방법 4에 비하여 다른 지도방법이 유의하게 기록이 좋음을 나타내고 있다.

사후검정(Duncan)

지도방법	N	유의수준 = .05에 대한 부집단	
		1	2
4	6	465.17	
1	6		553.33
2	6		569.33
3	6		610.50
5	6		610.67
유의확률		1.000	.209

동일 집단군에 있는 집단에 대한 평균이 표시됩니다.
a 조화평균 표본크기 = 6.000을(를) 사용

(4) 이원분산분석(two-way ANOVA)

일원분산분석은 하나의 요인에 대하여 그 요인에 대한 처리효과가 반응효과에서 차이가 있는지를 검정하는 분석방법이다. 그러나 실험을 통해 얻어지는 자료들은 한 가지 요인뿐만 아니라 여러 요인에 대한 처리효과가 차이가 있는지를 검정하는 경우가 더 많다고 할 수 있다. 이 때문에 이원분산분석이란 두 가지 요인에 대한 처리효과가 차이가 있는지를 검정하는 분석방법을 사용하게 된다. 예를 들어 분석대상자료가 N개 주어져 있으며, 이들 각각의 모집단은 정규분포를 가정하고 있으며 분산은 σ^2으로 모두 같은 값을 가진다고 가정하자. 주어진 자료는 실험요인 A와 B에 의하여 분석이 실시된다. 이때 실험요인 A의 k번째 효과를 α_k라 하고 실험요인 B의 h번째 효과를 β_h라 하자(이를 주효과(main effect)라고 한다). 그리고 실험요인 A와 B가 결합하여 나타내는 교호효과 또는 상호작용효과(interaction effect)를 $(\alpha\beta)_{kh}$라고 할 때 이원분산분석의 가설은 다음과 같이 설정된다.

H_0 : $\alpha_1 = \alpha_2 = \cdots = \alpha_k = 0$

H_1 : 실험요인 A의 α_k중 적어도 하나 이상의 α값이 0이 아니다.

H_0 : $\beta_1 = \beta_2 = \cdots = \beta_k = 0$
H_1 : 실험요인 B의 β_k중 적어도 하나 이상의 β값이 0이 아니다.
H_0 : $(\alpha\beta)_1 = (\alpha\beta)_2 = \cdots = (\alpha\beta)_{kh} = 0$
H_1 : 교호효과에서 $(\alpha\beta)_{kh}$중 적어도 하나 이상의 $\alpha\beta$값이 0이 아니다.

다음에는 이원분산분석에서 위의 가설을 검증하는 방법을 살펴보자. 예를 들어 세 가지 강도의 웨이트트레이닝 처방을 했을 때 환자의 운동강도별 · 성별차이를 분석하려고 한다. 이는 운동발현력차이에 대하여 운동강도(A요인)와 성별(B요인)의 두 가지 요인이 있는 이원분산분석의 경우로, 다음과 같은 가설을 설정한다.

먼저 A요인에 대한 가설이다.

H_0 : $\alpha_{\text{운동강도1}} = \alpha_{\text{운동강도2}} = \alpha_{\text{운동강도3}}$ (즉 운동강도별 운동발현력은 모두 같다)
H_1 : 운동강도별 운동발현력은 같지 않다.

이번에는 B요인에 대한 가설이다.

H_0 : $\beta_{\text{남자}} = \beta_{\text{여자}}$ (즉 성별 운동발현력은 모두 같다)
H_1 : 성별 운동발현력은 같지 않다

그런데 각 실험요인을 반복적으로 측정하면 두 집단 간의 상호작용을 반영하는 교호효과를 측정할 수 있다. 둘 이상의 실험요인이 종속변수에 미치는 영향을 알아보기 위해서는 각각의 실험요인의 효과 이외에도 둘 이상의 실험요인이 결합하여 나타나는 효과까지도 분석해야 한다. 일반적으로 교호작용효과가 있는 실험계획은 의미를 두지 않는다는 견해도 있지만, 실제적으로 분석상 중요한 의미를 지니고 있으므로 이에 대한 주의가 필요하다.

인자 A의 i번째 수준과 인자 B의 j번째 수준의 교호작용의 효과를 γ_{ij}라고 하면, 반복이 있는 이원배치법의 모형은 다음과 같이 주어진다.

$$x_{ijk} = \mu + \alpha_i + \beta_j + \gamma_{ij} + \varepsilon_{ijk} (i=1,\cdots,p \quad j=1,\cdots,q \quad k=1,\cdots,r)$$

여기서 μ : 총평균, α_i : A의 효과, β_j : B의 효과, r_{ij} : A_i와 B_j의 교호작용효과
ε_{ijk} : 오차항으로서 서로 독립인 $N(0, \sigma^2)$ 확률변수

이에 대한 분산분석표를 만들면 다음과 같다.

요인	자유도	제곱합	평균제곱합	F값
A요인	$p-1$	SSA	$MSA=\frac{SSA}{p-1}$	$\frac{MSA}{MSE}$
B요인	$q-1$	SSB	$MSB=\frac{SSB}{q-1}$	$\frac{MSB}{MSE}$
교호작용	$(p-1)(q-1)$	SSAB	$MSAB=\frac{SSAB}{(p-1)(q-1)}$	$\frac{MSAB}{MSE}$
오차	$pq(r-1)$	SSE	$MSE=\frac{SSE}{pq(r-1)}$	
전체	$pq-1$	SST		

SPSS를 이용한 예제분석

[예제] 다음은 남 · 여 초등학교 9세, 10세, 11세 아동의 신장을 측정한 자료이다. 아동의 신장이 성별 · 연령별 차이가 있는지 분석하라.

성별	연령	신장	성별	연령	신장	성별	연령	신장	성별	연령	신장
1	9	127	2	9	124	1	10	130	2	10	133
1	9	123	2	9	120	1	10	130	2	10	134
1	9	124	2	9	121	1	10	130	2	10	127
1	9	125	2	9	128	1	10	133	2	10	131
1	9	126	2	9	127	1	10	132	2	10	137
1	9	125	2	9	120	1	11	135	2	11	132
1	9	128	2	9	124	1	11	131	2	11	145
1	9	129	2	9	129	1	11	132	2	11	145
1	9	127	2	9	124	1	11	133	2	11	136
1	9	126	2	9	123	1	11	134	2	11	135
1	10	128	2	10	126	1	11	135	2	11	134
1	10	127	2	10	128	1	11	137	2	11	147
1	10	130	2	10	128	1	11	139	2	11	137
1	10	130	2	10	127	1	11	137	2	11	138
1	10	129	2	10	130	1	11	134	2	11	136

성별 : 1(남자), 2(여자)

분석절차 및 결과

– 데이터 입력형태는 다음과 같다.

미원분산(성,연령별신장비교).sav - SPSS 데이터 편집기

	성별	연령	신장
23	남학생	11세	132
24	남학생	11세	133
25	남학생	11세	134
26	남학생	11세	135
27	남학생	11세	137
28	남학생	11세	139
29	남학생	11세	137
30	남학생	11세	134
31	여학생	9세	124
32	여학생	9세	120
33	여학생	9세	121
34	여학생	9세	128
35	여학생	9세	127
36	여학생	9세	120
37	여학생	9세	124
38	여학생	9세	129

– 성별 · 연령별 신장차이를 알기 위해 이원분산분석을 실시한다. 이원분산분석을 실시하기 위해서는 데이터편집기 화면에서 분석(A)->일반선형모형(G)->일변량(U)...을 선택한다.

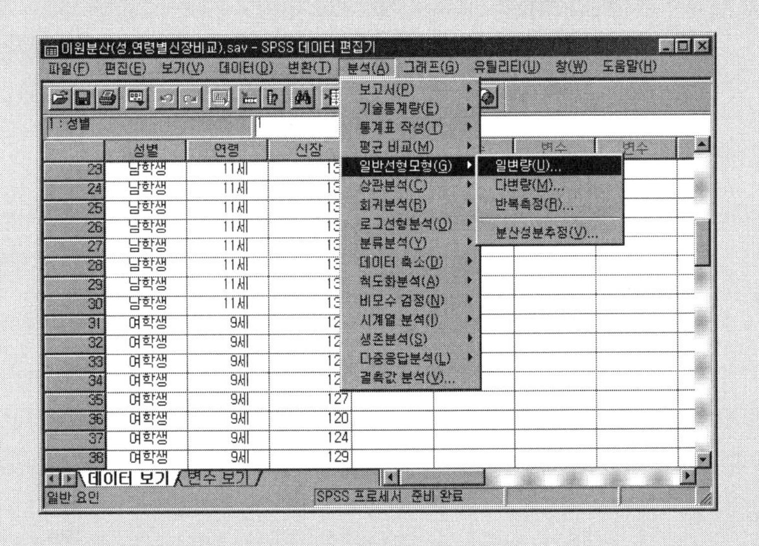

– 일변량 대화상자가 나타난다. 이원분산분석을 실시하기 위해서는 종속변수(D)에 신장변수를, 독립변수(I)에 성별 · 연령을 화살표 버튼을 이용하여 선택한다. 모형설정을 위하여 오른쪽의 모형(M) 버튼을 누른다.

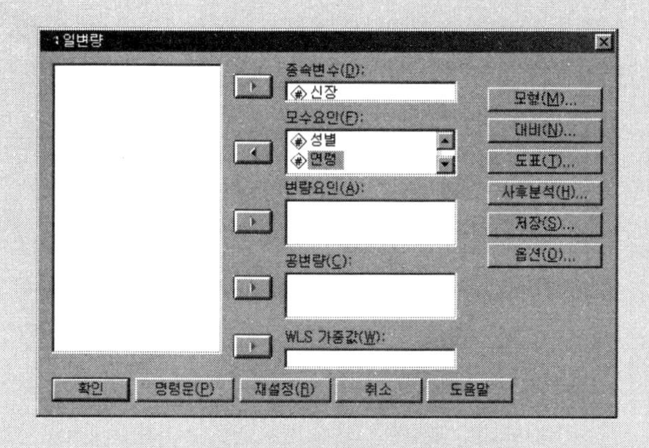

- 모형(M)에서는 주효과와 교호작용효과를 출력하기 위하여 완전요인모형(A)을 선택한 후 계속 버튼을 누른다.

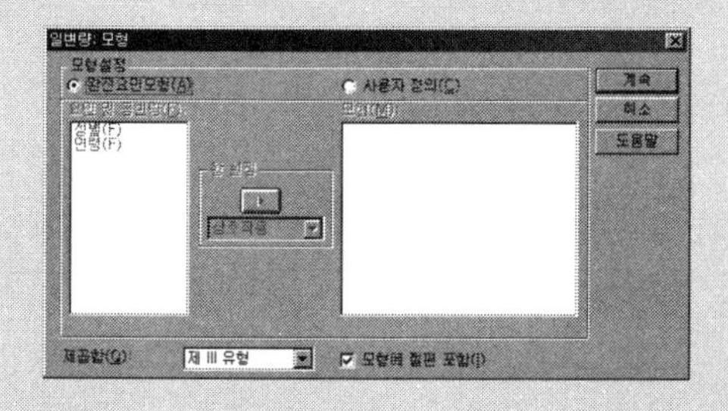

- 일변량 대화상자에서 다중비교를 하기 위해 사후분석(H)을 선택하면, 관측평균의 사후분석다중비교 대화상자가 나타난다. 화살표 버튼을 이용하여 사후검정변수(P)에 연령을 선택하고, 같은 방법으로 Ducan(D) 지정한 후 계속 버튼을 누른다.

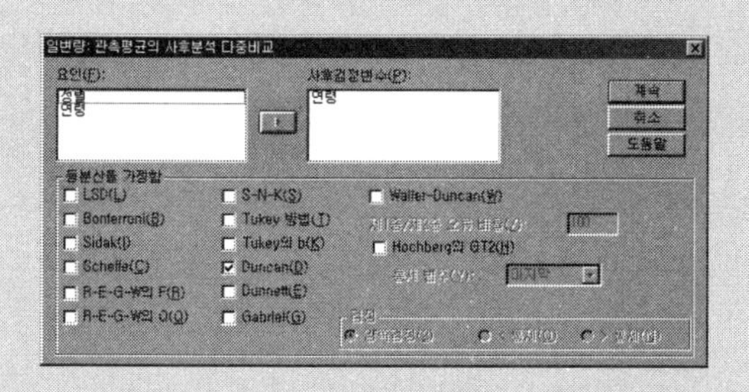

- 일변량 대화상자로 돌아와 확인을 선택하면 결과물이 Output-SPSS뷰어에 출력된다. 여기에서는 개체-간 효과검정에서 모형 자체는 유의하게 나타나 있다(p=0.000). 각 효과별로 살펴보면 성별 간 신장의 차이는 유의확률 p값이 0.452이므로 유의수준 5%하에 유의하지 않으며, 연령 간에는 매우 유의함을 알 수 있다(p=0.000). 그리고 성별과 연령과의 교호작용은 유의확률 p값이 0.022로 유의수준 5%하에서 유의함을 보여주고 있다.

개체-간 요인

		변수값 설명	N
성별	1.000	남학생	30
	2.000	여학생	30
연령	9.000	9세	20
	10.000	10세	20
	11.000	11세	20

개체-간 효과검정

소스	제 III 유형 제곱합	자유도	평균제곱	F	유의확률
수정 모형	1446.533(a)	5	289.307	27.582	.000
절편	1022337.067	1	1022337.067	97468.576	.000
성별	6.667	1	6.667	0.636	0.429
연령	1354.133	2	677.067	64.551	.000
성별 연령	85.733	2	42.867	4.087	0.022
오차	566.4	54	10.489		
합계	1024350	60			
수정 합계	2012.933	59			

a. R 제곱 = .719 (수정된 R 제곱 = .693)

- Duncan의 다중비교 결과는 각 수준 간의 유의한 차이 여부를 살펴보는 것이다. 부집단을 보면 집단 1, 2, 3으로 각각 분리되어 있는데, 이는 각 연령별로 모두 유의한 차이가 있음을 나타낸다.

사후검정(Duncan)

연령	N	집단군 1	집단군 2	집단군 3
9세	20	125.00		
10세	20		130.00	
11세	20			136.60
유의확률		1.000	1.000	1.000

동일집단군의 그룹에 대한 평균이 표시됩니다.
유형 III 제곱합에 기초합니다.
오차항은 평균제곱(오차) = 11.645입니다.
a. 조화평균 표본크기 20.000을(를) 사용합니다. b 유의수준 = .05.

- 오른쪽 그림은 이러한 결과를 도표형태로 제시한 것이다. 9세 때는 남학생이 여학생보다 신장이 크나, 10세 때는 서로 비슷하였다가, 11세 때는 여학생이 남학생에 비하여 더 크게 나타나 있다. 그리고 두 그래프가 서로 교차하고 있어 교호작용효과가 있음을 보여주고 있다.

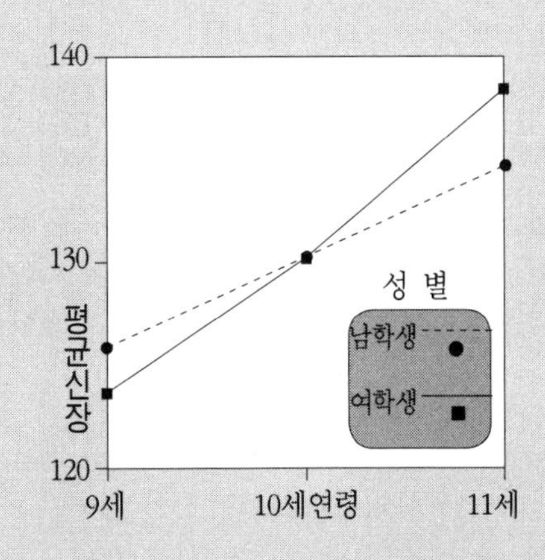

3) 반복측정자료분석

여기에서는 분산분석의 특수한 형태인 동일개체에 대하여 시간의 변화에 따른 반복측정자료분석(repeated measures ANOVA)에 대한 통계적 기법을 알아본다. 최근 이러한 자료형태는 체육학연구 실험에서 자주 측정되고 있으나, 이에 대한 구체적인 개념이나 설명이 부족하여 연구자가 많은 어려움을 겪고 있다. 따라서 여기에서는 이에 대한 개념 및 분석방법, 장단점을 보기로 한다.

(1) 개 요

스포츠의학, 운동생리학, 스포츠심리학, 교육학 등의 분야에서는 같은 실험대상에 대하여 실험조건이나 처리(treatment)를 달리하거나, 다른 시점에서 반복적으로 값을 측정하는 경우가 많다.

운동선수들을 대상으로 칼슘의 경구투여가 운동성빈혈에 미치는 영향을 알아보기 위하여 투여 전과 투여 후 일정 기간 반복하여 혈액을 측정하여 분석한다든가, 랜덤하게 나눈 두 군의 실험집단에게 테니스의 심리적 훈련(mental training)을 시켜 매주 운동수행능력의 차이 및 변화량을 조사하거나, 아동들의 읽기능력에 대한 새로운 교수법과 기존의 교수법과의 차이 및 변화양상에 대한 조사 등과 관련된 연구는 각 실험이 모두 동일개체를 대상으로 처리 및 시점을 달리하여 반응값을 얻는다는 데 있다.

이러한 특성을 가진 자료를 반복측정자료(repeated measurement data)라 하며, 분산분석법(analysis of variance)을 적용하여 처리 또는 시점 간의 차이를 검정한다. 같은 개체들을 실험단위로 하여 여러 처리 및 시점 간의 차이를 비교하는 전통적인 실험계획방법으로는 동질적인 실험단위를 묶어서 배치하는 확률화블록계획법(randomized block design)이 있으나, 이는 같은 블록의 동질적 개체들에게 할당하는 처리순서를 랜덤하게 결정해야 한다는 제약이 따른다. 실험의 성격상 처리순서를 일정하게 해야 하거나, 같은 내용을 시간변화에 따른 연속적으로 측정해야 할 경우에는 확률화블록계획법 처리순서의 확률화조건을 만족시킬 수 없다.

이런 특성을 가진 자료에 적용되는 실험방법을 실험배치의 관점에서는 분할구계획법(split-plot design), 모형의 관점에서는 혼합모형(mixed model), 분석의 관점에서는 반복측정자료 분산분석법(repeated measures ANOVA)이라 한다.

(2) 반복측정자료의 분석방법

반복측정자료의 분석방법은 다음의 2가지가 있다.

① 요인실험(factorial experiment)의 특정모형으로부터 출발한 통상적인 분할구계획법에 따른 일분산분석(univariate analysis)
② 여러 시점에서 얻어진 각 관찰값을 다분산자료로 간주하여 처리하는 다변량분석(multivariate analysis)

이 두 방법 중 어느 것을 선택하느냐 하는 것은 각 처리(시간)들의 변량 및 공변량에 대한 가정에 따르게 된다. 단일변량 혼합모형분석에 요구되는 분산공분석행렬의 형태는 각 처리(시간)에 대한 분산공분산행렬 ∑에서 대각선 선원소인 분산은 σ^2으로 모두 같으며, 비대각선원소인 처리(시간)의 공분산은 0으로 서로 독립인 행렬형태를 갖는다는 것이 필요충분조건이다. 이러한 조건을 만족하지 않는 경우 F-검증의 제1종 오류는 유의수준보다 커지게 되어 검정력이 떨어지게 된다.

주어진 자료가 구형성 조건을 만족하지 않는 경우 대체할 수 있는 방법은 두 가지가 있다. 그 하나는 다변량분석적 접근방법인데, 이는 분산공분산행렬 ∑에 대한 아무 가정을 하지 않기 때문에 실제로 구형성 가정을 만족하는 경우에도 자유도가 손실되며, 또한 처리(시간)수가 자유도를 넘는 경우에는 사용할 수 없는 한계가 있다.

실제로 많은 자료에는 구형성 조건을 쉽게 만족하지 않을 뿐만 아니라 위의 결점들이 있으므로 이에 대한 대응책으로 제안된 것이 자유도수정계수 ε(epsilon)을 써서 보정하는 방법으로 그린하우스-가이즈(Greenhouse and Geisser : GG방법)와 훈-펠트(Huynh and Feldt : HF방법)방법이 있다. 이 방법들은 자유도를 좀더 작게 수정한 F-검정으로 일변량분석을 실시하는데, 일반적으로 0과 1 사이의 값을 갖는 수정계수를 검정통계량 F의 분자 및 분모의 자유도를 각각 곱한 값을 F-검정의 자유도로 사용함으로써 보다 정직한 p값을 찾는 방법이다. 이 두 방법을 비교한다면 GG방법이 HF보다 수정계수 ε을 약간 과소추정하여 더 보수적이다(p값이 크게 나타난다).

(3) 반복측정 분산분석의 장점 및 문제점

① 반복측정 분산분석의 장점

반복측정 분산분석 계획이 다른 계획법보다 선호되는 이유는 다음과 같은 장점이 있기 때문이다.

- 사람을 대상으로 하는 실험(스포츠의학, 생리학, 심리학, 역학 등)에서는 실험대상자를 충분히 확보하기 어렵기 때문에 최소한의 대상자로서 실험효율을 높일 수 있다.
- 동일대상자의 모든 처리를 수행함으로써 대상자 스스로가 블록(block)이 되어 이질적인

개체들을 대상으로 실험할 때 생길 수 있는 개체들 간의 오차를 실험오차에서 그만큼 줄일 수 있다.

② 반복측정 분산분석의 문제점

위의 장점 외에 각 대상자에게 일정한 시간 후에 여러 번에 걸친 실험측정이 이루어지므로 많은 시간이 소요된다는 단점과 이 방법을 실험에 적용하기 전에 반드시 고려해야 하는 다음과 같은 문제점들이 있다.

- 먼저 수행된 처리효과가 다음 처리에 영향을 주는 이월효과(carry-over effect)를 가져올 수 있다. 이월효과를 없애기 위해서는 각 처리시행 간의 간격을 크게 하여야 하나, 실제 실험여건상 실험기간이 길어지는 것을 허용할 수 없는 경우도 있다.
- 어떤 처리를 할 당시에는 나타나지 않았던 효과가 다음 처리를 할 때 비로소 나타나거나 전·후 두 가지 이상의 효과가 복합적으로 작용하는 경우 기존 처리에 잠재효과(latent effect)가 있다고 하며, 이런 경우 반복측정분석법의 적용을 피해야 한다.
- 시간에 따라 처치가 계속됨으로써 싫증(boredom) 및 피곤함(fatigue)을 느껴 실험결과에 부정적 영향을 미칠 수 있다.

SPSS를 이용한 예제분석

[예제] 다음은 40~50세의 중년여성을 대상으로 훈련강도 80~90% 집단, 90~100% 훈련 집단으로 구분하여 12주간 스텝훈련을 실시하여 훈련강도와 기간에 따라 체중당 산소섭취량(단위 : ml/kg · min)에 차이가 있다고 가정하고 최적훈련강도와 최적훈련기간을 찾아내기 위한 실험이다. 이 실험에서 훈련강도, 훈련기간, 훈련강도와 훈련기간의 상호작용은 체중당 산소섭취량에 영향을 미치는지 5%의 유의수준에서 검증하라.

구분	훈련전	4주후	8주후
80-90% 강도 집단	36.0	36.5	37.1
	30.8	33.0	35.0
	28.0	34.0	36.0
	33.0	38.0	40.0
	35.0	40.0	41.0
90-100% 강도 집단	35.0	35.5	40.0
	31.0	33.0	38.0
	34.0	36.0	34.0
	29.0	32.0	33.0
	35.0	38.0	40.0

분석절차 및 결과

– 자료의 입력형태는 다음과 같다.

반복측정자료분석 - SPSS 데이터 편집기

파일(F) 편집(E) 보기(V) 데이터(D) 변환(T) 분석(A) 그래프(G) 유틸리티(U) 창(W) 도움말(H)

10 : pre 35

	group	pre	week4	week8	변수	변수	변수
1	1	36.00	36.50	37.10			
2	1	30.80	33.00	35.00			
3	1	28.00	34.00	36.00			
4	1	33.00	38.00	40.00			
5	1	35.00	40.00	41.00			
6	2	35.00	35.50	40.00			
7	2	31.00	33.00	38.00			
8	2	34.00	36.00	34.00			
9	2	29.00	32.00	33.00			
10	2	35.00	38.00	40.00			
11							
12							
13							
14							
15							
16							

데이터 보기 / 변수 보기

SPSS 프로세서 준비 완료

– 훈련강도 및 훈련기간에 따른 체중당 산소섭취량의 차이를 알기 위해 반복측정분산분석을 실시한다. 반복측정분산분석을 실시하기 위해 다음과 같이 분석(A)->일반선형모형(G)->반복측정(R)...을 선택한다.

– 반복측정분산분석을 위해 먼저 반복측정요인을 정의해야 하는데, 개체-내 요인이름(W)에 훈련시간을, 수준의 수(L)에 3(pre, week4, week5의 3수준)을 입력한 후 추가 버튼을 누른다. 그리고 정의(F) 버튼을 누른다.

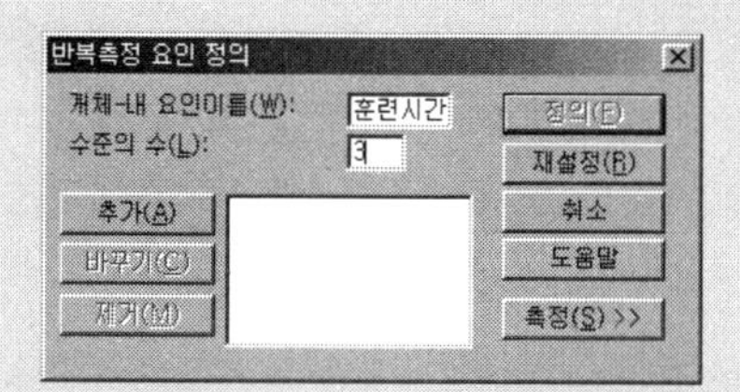

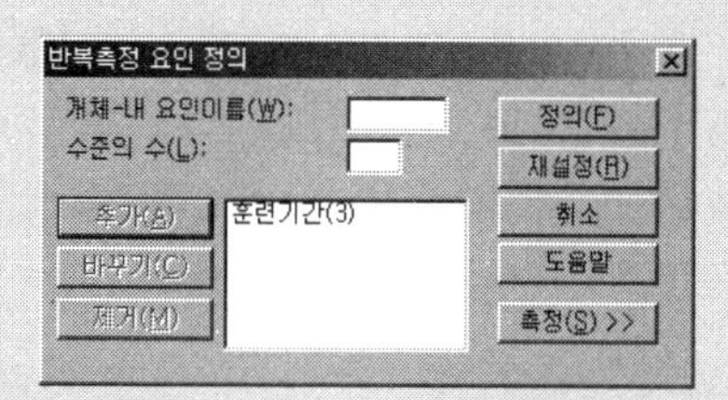

- 반복측정 대화상자가 나타나면 개체-내 변수[W]에는 pre, week4, week8을 순서대로 입력하고, 개체-간 요인[B]에는 훈련강도집단을 화살표 버튼을 이용하여 선택한다. 그리고 집단(group)별 훈련기간에 따른 경향성을 도식적으로 알아보기 위하여 도표(T)를 선택한다.

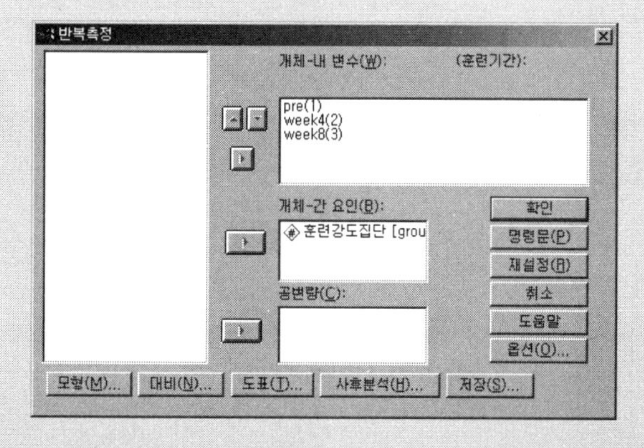

- 프로파일도표를 작성하기 위해 요인(F)에서 화살표 버튼을 이용하여 수평축변수(H)에 훈련기간을 선구분(S)변수에 group을 입력하고 추가(A) 및 계속 버튼을 누른다.

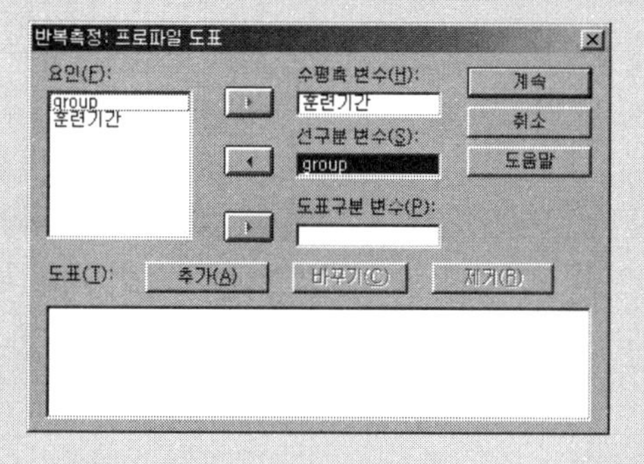

- 반복측정편집 화면으로 돌아와서 확인 버튼을 누르면 Output-SPSS뷰어에 다음의 결과가 출력된다.

개체-내 요인

훈련기간	종속변수
1	PRE
2	WEEK4
3	WEEK8

– 반복측정자료에서 개체-내 요인은 반복측정된 요인으로 여기서는 훈련시간을 의미한다. 개체-간 요인은 독립집단 요인으로, 여기에서는 훈련강도에 의해 구분된 집단을 의미한다.

개체-간 요인

		변수값 설명	N
훈련강도에 의한 집단구분	1	80–90%강도집단	5
	2	90–100%강도집단	5

– 반복측정자료의 다변량분산분석 결과이다. 훈련기간에 따른 산소섭취량의 평균차이는 4가지 다변량통계량 모두 유의확률 p=0.003으로 유의하게 나타났다. 그러나 훈련기간과 집단(group)의 교호작용효과는 유의확률 p=0.419로, 유의하지 않게 나타났음을 보여주고 있다. 반복측정자료에서의 다변량분산분석은 반복요인만 적용된다. 따라서 집단(group) 간 비교에 대한 결과는 없다.

다변량검정(b)

효과		값	F	가설 자유도	오차 자유도	유의확률
훈련 기간	Pillai의 트레이스	.819	15.840(a)	2.000	7.000	.003
	Wilks의 람다	.181	15.840(a)	2.000	7.000	.003
	Hotelling의 트레이스	4.526	15.840(a)	2.000	7.000	.003
	Roy의 최대근	4.526	15.840(a)	2.000	7.000	.003
훈련 기간 group	Pillai의 트레이스	.220	.988(a)	2.000	7.000	.419
	Wilks의 람다	.780	.988(a)	2.000	7.000	.419
	Hotelling의 트레이스	.282	.988(a)	2.000	7.000	.419
	Roy의 최대근	.282	.988(a)	2.000	7.000	.419

a 정확한 통계량
b 계획: Intercept+group
개체–내 계획: 훈련기간

– 모크리(Mauchly)의 구형성검정 결과를 제시한 것이다. 검정결과 유의확률 p=.400으로 귀무가설이 기각되지 않으므로 구형성가정을 만족함을 보여주고 있다. 오른쪽의 GG 및 HF의 자유도 수정계수를 나타내고 있는데, 그 값들이 1에 가까운 값이므로 구형성 조건을 만족함을 보여주고 있다.

Mauchly의 구형성검정(b)–측도 : MEASURE_1

개체-내 효과	Mauchly의 W	근사 카이제곱	자유도	유의확률	엡실런(a)		
					Greenhouse-Geisser	Huynh-Feldt	하한값
훈련기간	0.771	1.819	2	0.4	0.814	1	0.5

정규화된 변형 종속변수의 오차공분산행렬이 단위행렬에 비례하는 영가설을 검정합니다.
a. 유의성 평균검정의 자유도를 조절할 때 사용할 수 있습니다. 수정된 검정은 개체내 효과검정 표에 나타납니다.
b. 계획: Intercept+GROUP
개체–내 계획: 훈련기간

– 다음은 반복측정자료의 단일변량적 분석이라 할 수 있는 개체-내 효과검정 결과를 제시한 것이다. 구형성 가정하에서의 유의확률 p값이 0.000으로 나타나 있고, G-G와 H-F의 자유도 수정에 의한 검정값도 유의하게 나타나 있음을 보여주고 있다. 그리고 훈련기간과 집단(group) 간 교호작용효과는 유의하지 않은 것으로 나타났다.

개체-내 효과검정–측도 : MEASURE_1

소스		제Ⅲ유형 제곱합	자유도	평균제곱	F
훈련기간	구형성 가정	113.918	2	56.959	23.636
	Greenhouse-Geisser	113.918	1.628	69.993	23.636
	Huynh-Feldt	113.918	2.000	56.959	23.636
	하한값	113.918	1.000	113.918	23.636
훈련기간 group	구형성가정	3.458	2	1.729	.717
	Greenhouse-Geisser	3.458	1.628	2.125	.717
	Huynh-Feldt	3.458	2.000	1.729	.717
	하한값	3.458	1.000	3.458	.717
오차 (훈련기간)	구형성가정	38.557	16	2.410	
	Greenhouse-Geisser	38.557	13.020	2.961	
	Huynh-Feldt	38.557	16.000	2.410	
	하한값	38.557	8.000	4.820	

– 다음은 개체-내 대비검정 결과로, 훈련기간의 선형(1차)식에 의한 회귀의 적합성이 유의한 것으로 나타나 있다.

개체-내 대비검정–측도 : MEASURE_1

소스	훈련 기간	제 Ⅲ 유형 제곱합	자유도	평균제곱	F	유의확률
훈련기간	선 형	111.864	1	111.864	31.784	.000
	2차형	2.053	1	2.053	1.579	.244
훈련기간group	선 형	1.404	1	1.404	.399	.545
	2차형	2.054	1	2.054	1.579	.244
오차 (훈련기간)	선 형	28.156	8	3.519		
	2차형	10.401	8	1.300		

– 다음은 개체-간 효과검정 결과는 집단(group) 간 산소섭취량의 평균차이를 비교한 것이다. 유의확률 p값이 0.696으로 집단 간 차이는 통계적으로 유의하지 않은 것으로 나타나 있다.

개체-간 효과검정–측도 : MEASURE_1(변환된 변수 : 평균)

소스	제 Ⅲ 유형 제곱합	자유도	평균제곱	F	유의확률
Intercept	37234.587	1	37234.587	1876.239	.000
group	3.267	1	3.267	.165	.696
오차	158.763	8	19.845		

4) 공분산분석

(1) 개 요

공분산분석(analysis of variance : ANCOVA)모형은 분산분석과 회귀분석이 결합된 형태로, 분산분석모형에 연속변수를 추가하여 오차를 줄여 분석의 정밀도를 높이는 방법이다. 즉 분산분석의 효과를 더욱 분명히 하기 위하여 연속변수를 포함시켜 종속변수에 포함되어 있는 효과를 추출하여 외생변수의 교락효과(confounding effect)를 통계적으로 통제하는 기법이다.

가장 간단한 공분산분석모형은 일원분산분석모형에서 회귀변수(교락변수)가 추가된 형태이다. 비교대상이 되는 두 그룹 간 연속형 반응변수 Y에 교락변수 X가 선형적으로 영향을 준다면 다음과 같은 모형이 된다.

그룹 0 : $Y_0 = \alpha_0 + \beta x_0 + \varepsilon_0$

그룹 1 : $Y_1 = \alpha_1 + \beta x_1 + \varepsilon_1$

만약 교락요인 X가 분석에서 무시된다면, 그룹 간 평균값의 차이는 $Y_1 - Y_0 = \alpha_1 - \alpha_0 + \beta(x_1 - x_0)$이기 때문에 참효과 $\delta = \alpha_1 - \alpha_0$를 정확하게 측정할 수 있다. 이때 발생하는 편의 $\beta(x_1 - x_0)$를 교락효과라 한다. 따라서 공분산분석으로 그룹 간 차이를 검정할 때는 각 그룹의 평균에서 교락효과를 뺀 보정된 평균(adjusted mean)을 반드시 사용해야 한다.

이러한 공분산분석모형은 체육학 연구에서 매우 많이 적용된다. 특히 심리학이나 생리학 실험연구에서 집단 간 처리효과를 비교하는 경우 사전(pre, 처리 전) · 사후(post, 처리 후)검정 시 사전처리 시의 반응값을 교락요인으로 하여 사후비교를 실시해야 하는 이유도 참효과를 정확히 파악할 수 있기 때문이다.

공분산분석에서는 연속형인 교락변수를 다루는 것이 원칙이지만, 이산형(binary type)도 사용 가능하다.

(2) 공분산분석적용 시 주의사항

공분산분석을 바르게 사용하고 정확한 결과를 평가하기 위해서는 다음과 같이 주의해야 할 관점이 있다.

첫째, (회귀)계수 β이다. 공분산분석모형에서는 각 그룹별로 회귀계수가 동일해야 모형 자체가 그 의미를 가지므로 제일 먼저 고려해야 할 부분이 기울기의 동질성(homogeneity of slope)이다. 이는 그룹과 교락변수 간의 교호작용의 존재유무로 판단되는데, 공분산분석이 적용되기 위해서는 교호작용효과에 대한 검정이 선행되어야 한다.

둘째, 회귀분석기울기의 선형성(linearity of slope) 즉, 각 집단 내에서 반응변수와 교락변수의 관계는 선형적이어야 한다는 것이다. 실제 이를 확인하기 위한 방법으로는 각 그룹의 자료를 독립적으로 선형회귀식에 적합시켜 보는 것도 한 방법이다.

SPSS를 이용한 예제 분석

[예제] 다음의 자료는 Greenberg의 연구자료로서 환경이 아동의 성장에 영향을 줄 것인가에 관한 연구가설을 검정하기 위해서 시행된 것이다. 연구자는 다음의 표와 같이 지방 공립학교에서 한 그룹의 아동들의 자료를 모으고 도시 사립학교에서 다른 그룹의 아동들을 모아 지방과 도시 아동의 신장차이를 비교하고자 하였다. 지방 아동과 도시 아동 간의 신장차이는 있는가?

지방 아동		도시 아동	
나이(개월)	신장(cm)	나이(개월)	신장(cm)
121	139.0	109	137.6
131	148.7	119	132.7
138	142.9	126	148.5
140	135.8	134	133.2
121	140.9	141	165.3
132	131.0	113	147.8
138	147.7	120	145.4
140	148.5	129	148.3
128	134.9	135	148.7
133	142.3	142	149.9
138	147.7	115	136.8
129	149.5	121	135.0
134	139.9	130	147.5
140	134.6	137	152.0
		116	140.7
		124	133.0
		133	148.8
		139	150.6

분석절차 및 결과

– 자료의 입력형태는 다음과 같다.

제목없음 - SPSS 데이터 편집기

파일(F) 편집(E) 보기(V) 데이터(D) 변환(T) 분석(A) 그래프(G) 유틸리티(U) 창(W) 도움말(H)

32 : 신장 150.6

	지역	나이	신장	변수	변수	변수
1	지방	121	139.0			
2	지방	131	148.7			
3	지방	138	142.9			
4	지방	140	135.8			
5	지방	121	140.9			
6	지방	132	131.0			
7	지방	138	147.7			
8	지방	140	148.5			
9	지방	128	134.9			
10	지방	133	142.3			
11	지방	138	147.7			
12	지방	129	149.5			
13	지방	134	139.9			
14	지방	140	134.6			
15	도시	109	137.6			
16	도시	119	132.7			

데이터 보기 / 변수 보기 SPSS 프로세서 준비 완료

– 지역 간 아동의 신장차이를 알아보기 위하여 공분산분석을 실시한다. 공분산분석을 실시하기 위해서는 데이터편집기 화면에서 분석(A)->일반선형모형(G)->일변량(U)...을 선택한다.

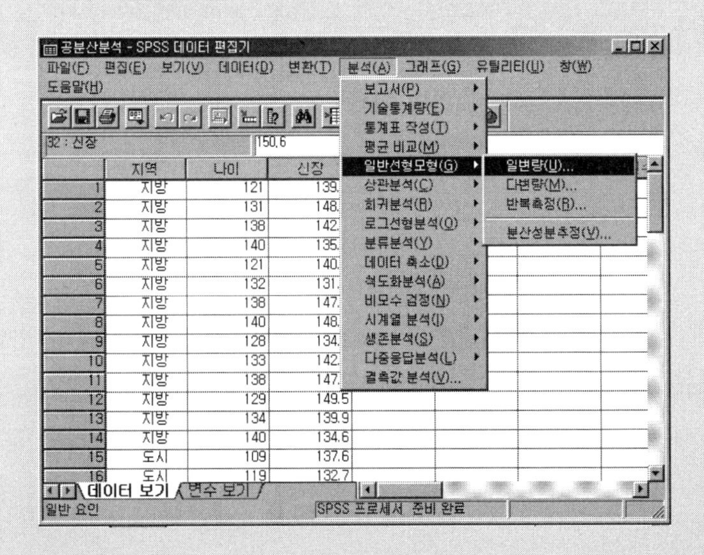

– 일변량 대화상자가 나타난다. 종속변수(D)에 변수신장을, 모수요인(P)에 변수지역을, 그리고 공변량(C)에 나이변수를 화살표 버튼을 이용하여 선택한다. 그리고 모형설정을 위하여 모형(M) 버튼을 누른다.

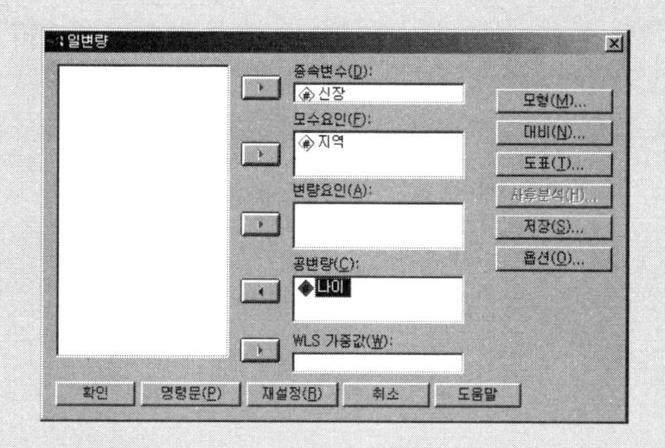

- 모형(M)에서는 모형설정을 위하여 사용자 정의를 선택한 후 교호작용(나이와 지역)효과를 포함한 모형을 선택한다. 그리고 계속 버튼을 누른다.

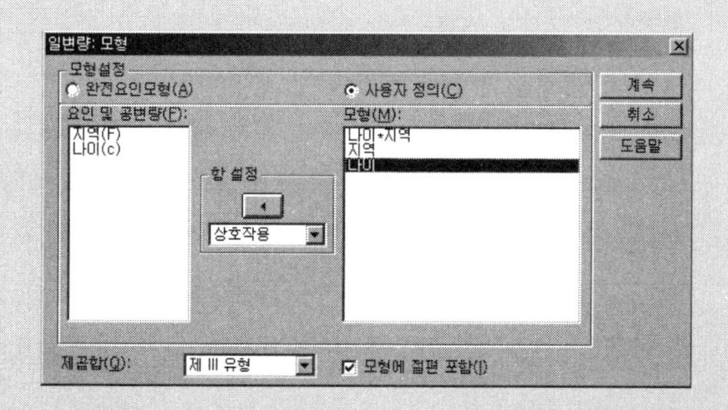

- 일변량 대화상자로 돌아와 확인 버튼을 누르면 Output-SPSS뷰어에 다음의 결과가 출력된다.

개체-간 요인

		변수값 설명	N
지역	1	지방	14
	2	도시	18

- 다음의 개체-간 효과검정에서는 공분산분석적용의 기본가정 중의 하나인 나이가 신장에 미치는 효과가 그룹(지역) 간에 동일한가를 검토하기 위하여, 지역과 나이간 교호작용효과가 알아보기 위한 것이다. 지역과 나이 간 교호작용은 유의확률 p=0.233으로 유의하지 않으므로 나이가 신장에 미치는 효과가 그룹(지역)간 동일하다고 할 수 있으므로 기본가정을 충족한다 하겠다(만약 유의하게 나타났다면 공분산분석의 적용은 의미없음에 주의하기 바란다).

개체-간 효과검정－종속변수 : 신장

소스	제 III 유형 제곱합	자유도	평균제곱	F	유의확률
수정 모형	534.811(a)	3	178.270	3.929	.019
절편	1039.581	1	1039.581	22.912	.000
지역 * 나이	67.573	1	67.573	1.489	.233
지역	54.056	1	54.056	1.191	.28
나이	164.542	1	164.542	3.626	.067
오차	1270.444	28	45.373		
합계	658807.100	32			
수정 합계	1805.255	31			

a R^2=.296 (수정된 R^2=.221)

– 다시 모형(M)에서 모형설정을 위하여 사용자 정의를 선택한 후 교호작용을 제외한 모형을 선택한다. 그리고 계속 버튼을 누른다.

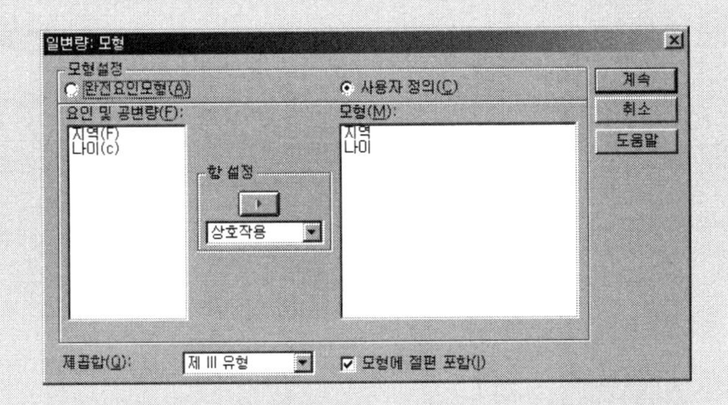

– 일변량 대화상자로 돌아와 옵션설정을 위하여 옵션(O)을 누르면 다음과 같이 나타난다. 주변평균추정에서 지역변수를 화살표 버튼을 이용하여 평균출력기준(M)으로 옮긴 후 출력에서 기술통계량(S)을 선택한 후 계속 버튼을 누른다.

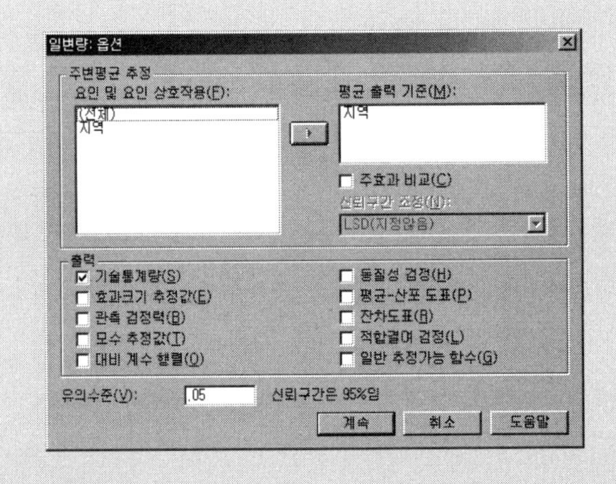

– 일변량 대화상자로 돌아와 확인 버튼을 누르면 Output SPSS뷰어에 다음의 결과가 출력된다.

개체-간 요인

		변수값 설명	N
지역	1	지방	14
	2	도시	18

– 다음의 기술통계량에서는 나이(공변량)의 효과를 고려하지 않은 집단(지역) 간 신장의 평균 및 표준편차를 제시한 것이다. 지방 아동의 신장평균은 141.671(cm)이며, 도시 아동은 144.544(cm)로 나타나 있다.

기술통계량–종족변수 : 신장

지역	평균	표준편차	N
지방	141.671	6.121	14
도시	144.544	8.586	18
합계	143.288	7.631	32

– 다음 [참고] 는 이에 대한 아동집단의 평균차이를 검정한 결과인데, 이를 보면 지역 간 아동의 신장은 유의한 차이가 없음을 보여 준다(p=0.298).

[참고]

나이를 고려하지 않은 일원분산분석 결과

소스	제 III 유형 제곱합	자유도	평균제곱	F	유의확률
수정 모형	65.002(a)	1	65.002	1.121	.298
절편	645116.267	1	645116.267	11121.077	.000
지역	65.002	1	65.002	1.121	.298
오차	1740.253	30	58.008		
합계	658807.1	32			
수정 합계	1805.255	31			

a. R 제곱 = .036 (수정된 R 제곱 = .004)

– 다음의 개체 간 효과검정은 나이를 고려한 공분산분석 결과이다. 나이에 대한 검정결과 유의확률은 p=0.006으로 유의하여, 나이가 신장에 영향을 주고 있음을 나타내고 있다(즉 나이를 이용한 공분산분석모형이 타당하다). 그리고 "나이를 고려한 지역 간 신장차이가 있다."라고 결론지을 수 있다.

개체-간 효과검정－종속변수 : 신장

소스	제 III 유형 제곱합	자유도	평균제곱	F	유의확률
수정 모형	467.238(a)	2	233.619	5.063	0.013
절편	1088.957	1	1088.957	23.602	0
지역	207.933	1	207.933	4.507	0.042
나이	402.236	1	402.236	8.718	0.006
오차	1338.017	29	46.139		
합계	658807.1	32			
수정 합계	1805.255	31			

a. R^2=.259 (수정된 R^2=.208)

－ 다음의 추정된 주변평균은 지역에 따라 나이차이를 고려해서 보정된 신장의 평균치를 제시한 것으로 지방 아동은 140.213(cm), 도시 아동은 145.679(cm)로 나타났다.

추정된 주변평균－종속변수 : 신장

지역	평균	표준오차	95% 신뢰구간	
			하한값	상한값
지방	140.213(a)	1.881	136.365	144.061
도시	145.679(a)	1.646	142.312	149.046

a. 공변량에서 평가된 가치가 모형: 나이=129.56로 나타났다.

결론적으로 위에서 본 것처럼 공분산분석을 적용한 결과와 적용하지 않은 분산분석결과는 전혀 다른 결론을 유도하고 있다. 어떻게 해서 이러한 결과의 차이를 가져왔을까?

위의 자료에서 신장차이는 도시 아동(평균 144.54cm)이 지방 아동(평균 141.67cm)보다 평균 2.87cm크지만, 나이에 있어서는 도시 아동(평균 126.8개월)이 지방 아동(평균 133.1개월)보다 평균 6.3개월이 작으므로 실제 동일한 나이 그룹 간 신장차이는 다를 수 있다.

나이차이를 고려한 두 집단의 신장평균의 크기는 지방 아동이 140.21cm, 도시 아동이145.68cm로 집단 간 차이가 5.47cm였다. 이는 교락요인인 나이를 고려하지 않았을 때 집단 간 신장평균차이 2.87cm보다 더 큰 차이를 보여주고 있는데, 이는 도시 아동들의 나이가 지방 아동보다 적어서, 나이를 보정한 후의 신장은 도시 아동은 약간 크게, 시골아동은 작게 조정되었기 때문이다.

독자들은 이러한 결과차이를 보고 통계적 기법적용의 올바른 인식이 중요함을 느꼈을 것이다. 그리고 어떤 자료는 위의 결과와 반대되는 경우도 있음을 명심하기 바란다.

5) 상관분석

누구나 다음의 문제를 한 번쯤 생각해본 적이 있을 것이다. "박찬호 선수는 2011년 시즌에서 연봉은 얼마나 받을 수 있을까?" 그래서 우리는 그가 게임에서 이기기를 바라고, 또한 방어율은 낮아지기를 기대한다. 그 이유는 선수의 연봉은 승리게임수, 그리고 방어율과 밀접한 관계를 가지고 있기 때문이다.

이와 같이 야구선수의 타율과 연봉, 양궁선수의 불안도와 경기기록, 그리고 사람의 비만도와 혈압 간의 관련성의 정도를 알아보기 위한 통계적 기법이 바로 상관분석(correlation analysis)이다. 여기에서 상관이란 어떤 것과 어떤 것의 관계를 말하는 것으로, 통계용어로 설명하면 (두)변수 간의 관계를 의미한다. 즉 상관분석은 하나의 변수가 다른 변수와 어느 정도 밀접한 관련성을 갖고 변화하는지 알아보기 위해 사용하는데, 두 변수가 같은 방향으로 움직이면 정(+)의 상관관계가 있으며, 반대방향으로 움직이면 부(−)의 상관관계가 있다고 한다. 그리고 한 변수의 변화가 다른 변수에 영향을 주지 않는다면 무상관관계에 있다고 해석할 수 있다.

분석변수의 수에 따라서 단순상관(simple correlation), 다중상관(multiple correlation) 및 정준상관(canonical correlation)분석으로 나눈다. 단순상관분석은 어떤 집단의 100m 기록과 서전트점프능력과의 관련성 정도와 같이 두 변수 간의 관계를 알아보는 기법이며, 다중상관분석은 100m 기록과 신장, 체중, 연령 등과 같이 한 변수와 두 변수 이상의 변수군과의 관련성을 알아보고자 할 때 이용되는 기법이다. 또한 정준상관분석은 100m기록과 서전트점프능력과 신장 · 체중 · 연령 등과 같이 두 변수 이상의 변수군과의 관련성을 분석하기 위한 기법이다.

(1) 상관분석의 개념

일상생활에서나 학문적 연구에서 둘 또는 그 이상의 변수들이 서로 어떠한 관계를 가지고 있는가를 알아보고자 할 경우가 자주 있다. 예를 들면 다리의 길이와 달리기속도 간의 관계를 알아본다든지, 호흡량과 지구력 간의 관계를 알아보는 것들이 여기에 속한다. 이렇게 변수와 변수 간의 관계를 규명하고자 할 때 가장 자주 사용되는 통계적 분석방법 중의 하나가 상관분석(correlation analysis)이다.

(2) 상관계수

① 상관계수의 이해

여기에서는 상관분석을 통해 계산되는 상관계수에 대해서 알아본다. 상관계수를 정확하게 이해하기 위해서는 결합확률분포와 공분산에 대한 내용을 알고 있어야 한다. 결합확률분포란 두 개의 확률변수가 결합되어 있는 것이고, 공분산은 결합확률분포의 분산이다. 공분산을 구하는 식은 다음과 같다.

$$Cov(X, Y) = \frac{\sum (X_i - \mu_X)(Y_i - \mu_Y)}{N}$$

공분산은 두 변수의 측정단위에 따라서 커다란 차이가 나는 문제점이 있으므로 상대적인 강도를 나타내는 좋은 지표가 되지 못한다. 예를 들어 길이를 나타내는 두 변수의 공분산을 구할 때 그 변수들이 cm로 표시되는 경우보다 m로 표시될 때가 공분산의 절대값은 훨씬 작아진다. 이렇듯 공분산은 X와 Y의 단위에 의존하는 양이므로 단위와는 무관한 척도를 얻기 위하여 공분산을 X와 Y의 표준편차의 곱으로 나누어 구한 값을 X와 Y의 상관계수(correlation coefficient)라 하며, *Corr(X, Y)* 또는 ρ(rho)로 나타낸다. 즉 상관계수는 선형관계의 강도에 대한 척도로서 단위와는 무관한 양이다. 상관계수는 아래의 식으로 나타난다.

$$Corr(X, Y) = \rho = \frac{Cov(X, Y)}{sd(X)sd(Y)} = \frac{\text{공분산}}{\text{두 변수의 표준편차}}$$

상관계수는 두 변수의 관계를 직선으로 표시할 때 그 밀접한 정도가 어느 정도 되는지를 나타내주는 것으로서 +1~−1의 범위를 갖는다.

위에서 살펴본 식들은 모집단에서의 공분산과 상관계수를 계산할 때 사용된다. 추출된 표본에 대해서 표본의 상관계수를 구할 때는 기호만 다를 뿐 계산방식은 모집단의 상관계수를 구할 때와 동일하다. 표본의 공분산 S_{XY}을 구한 다음 각각의 표본표준편차 와 S_X을 S_Y구하여 계산하면 된다. 모집단의 상관계수를 ρ(rho)로 표시하고, 표본의 상관계수는 r로 표시한다. 표본의 공분산과 상관계수는 다음의 식으로 나타낸다.

$$S_{XY} = \frac{\sum (X_i - \overline{X})(Y_i - \overline{Y})}{n} = \frac{\sum X_i Y_i}{n} - \overline{XY}$$

$$r = \frac{S_{XY}}{S_X \cdot S_Y}$$

상관계수는 변수들 간의 관계성이 어느 정도 되는지 그 강도를 측정하는 것이다. 그리고 상관계수는 −1~+1 사이의 값을 갖는다. 여기에서는 이러한 내용들이 무엇을 의미하는지 살펴보자. 반드시 기억해야 할 것은 상관계수가 변수들 간의 선형적인 관계의 정도를 나타낸다는 것이다. 선형적인 관계라는 것은 변수들 간의 움직임이 선형, 즉 직선의 형태로 나타난다는 것을 의미한다. <그림 8-1>, <그림 8-2>를 살펴보자.

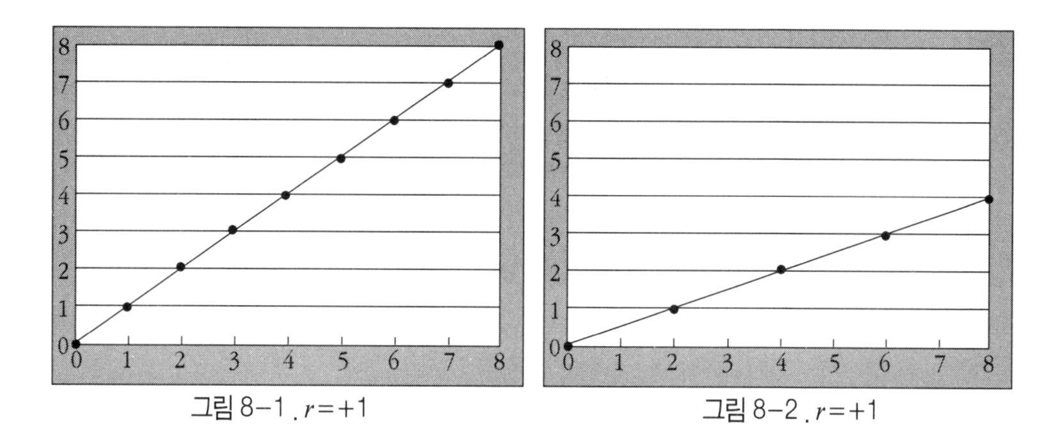

그림 8-1 . $r=+1$ 그림 8-2 . $r=+1$

<그림 8-1>과 <그림 8-2>를 보면 x축에 따른 y축의 변화가 하나의 직선으로 표시되어 있다. 따라서 모든 데이터는 직선상에 존재하게 되는데, 이러한 형태를 선형관계라 한다. 그러므로 선형관계의 강도를 측정한다는 것은 변수들의 관계가 직선에 얼마나 가까운 가를 측정한다는 것이다. <그림 8-1>과 <그림 8-2>는 모두 상관계수가 $r=+1$일 때의 그래프이다. 그러나 두 직선의 기울기는 다르다. 그림 8-1의 직선의 기울기는 +1이고, <그림 8-2>의 직선의 기울기는 +0.5이다. 따라서 상관계수는 직선의 기울기와는 상관이 없다. 물론 기울기가 0이 되면 상관계수는 존재하지 않게 된다. 상관계수의 값은 데이터들의 변화양상이 직선에서 벗어난 정도에 의해 결정된다. 즉 데이터들이 직선상에 존재하지 않고 넓게 퍼져 있을수록 상관계수값은 낮아진다. 변수들 간의 어떠한 관계성도 나타나지 않으면 상관계수값은 0이 된다.

한편 상관계수가 음(−)의 값을 가진다는 것은 역상관이 된다는 것을 의미한다. 즉 하나의 변수가 증가할 때 다른 하나의 변수가 감소한다는 뜻이다(그림 8-3).

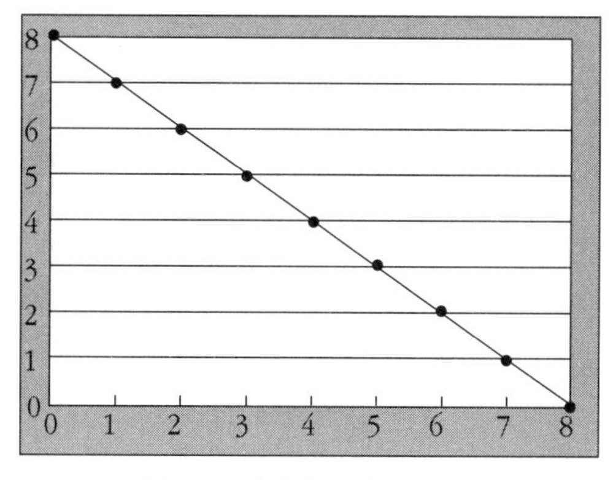

그림 8-3 . 역상관 그래프 : $r=-1$

위의 역상관그래프를 보면 직선의 방향이 반대로 되어 있음을 알 수 있다. 즉 직선의 기울기가 −1이다. 상관계수값의 절대값은 변수들 간의 관계 정도를 나타내고, 상관계수의 부호는 방향성을 나타낸다.

<그림 8-4>는 상관계수가 +1이 아닐 때의 데이터분포 모양들이다. <그림 8-4>를 보면 데이터의 분포가 직선에서 벗어나 원형에 가까울수록 상관계수 값이 낮아지고 있음을 알 수 있다. 특히 r=0일 때는 데이터가 완전한 원형임을 알 수 있다. 그림들과 같이 산포도를 그려서 데이터의 퍼짐 정도를 살펴보면 변수들 간의 상관도를 어느 정도 예측할 수 있다.

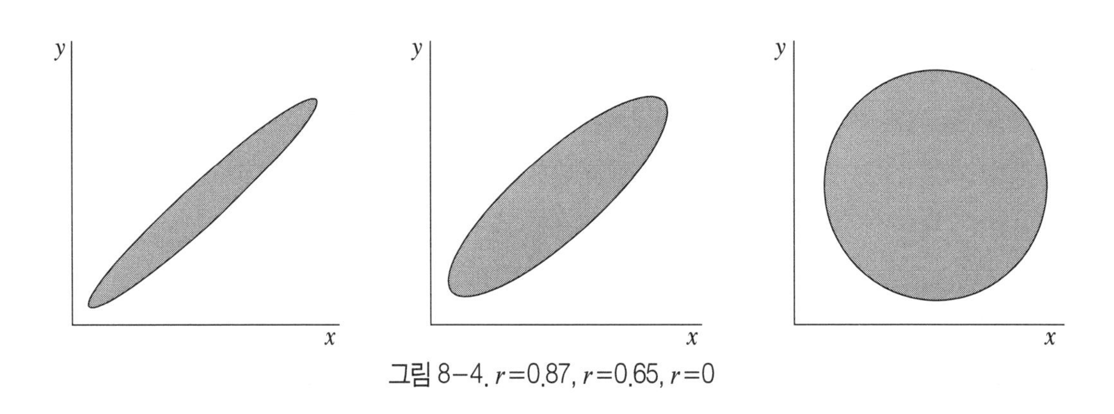

그림 8−4. r=0.87, r=0.65, r=0

상관도가 높기 위해서는 한 변수의 증가에 따라 다른 변수의 값이 증가하거나 또는 낮아지는 일정한 패턴이 있어야 한다. 이러한 일정한 패턴이 약할수록 상관계수값은 낮아진다. 상관분석을 통해 상관계수를 구하고자 할 때는 추출된 표본이 어느 범위에 존재하느냐가 매우 중요하다. 추출된 표본이 변수들을 충분히 설명할 수 있는 범위를 포함하고 있느냐에 따라 상관계수값의 크기가 달라지며 그 방향성 또한 달라진다. 따라서 상관계수를 구할 때에는 표본추출에 각별히 신경을 써야 한다.

다음에는 추출된 표본에 따라 상관계수가 어떻게 달라지는지 살펴보기로 한다. <그림 8-6, 7, 8>을 보자. <그림 8-5>와 <그림 8-6>은 상관계수의 값이 낮으며 표본의 범위가 한쪽에 치우쳐져 있다. 이렇게 한쪽으로 치우쳐져 있으며 상관계수값이 낮은 두 표본을 합치면 <그림 8-7>과 같이 상관계수값이 증가하게 된다. 이 경우는 동일 모집단에서 상이한 범위를 갖고 있는 두 표본에서도 자주 발생되며, 성격이 다른 두 모집단에서 표본을 추출하였을 경우에도 발생한다. 따라서 상관분석을 하기 위해서 표본을 추출할 때 표본의 범위가 모집단을 설명할 수 있을 만큼의 범위를 포함하고 있는지를 살펴볼 필요가 있다. 상관분석 시 표본의 범위가 충분하지 않으면 그릇된 결과와 해석을 하게 될 수 있다.

그림 8-5. 표본 1 그림 8-6. 표본 2 그림 8-7. 합친 표본

이번에는 상관계수의 부호가 바뀌는 경우를 살펴보자. <그림 8-8>과 <그림 8-9>를 보자. 그림들을 보면 상관계수의 부호가 어떻게 변경되는지 충분히 이해할 수 있을 것이다. <그림 8-8>에서는 양의 상관계수를 가진 표본 3개를 합칠 경우 전체에 대한 상관계수의 부호는 음의 값을 지니게 된다. <그림 8-9>는 <그림 8-8>과 반대로 음의 상관계수를 지닌 표본 3개를 합쳤을 경우 전체에 대한 상관계수의 부호는 양의 값을 지니게 된다.

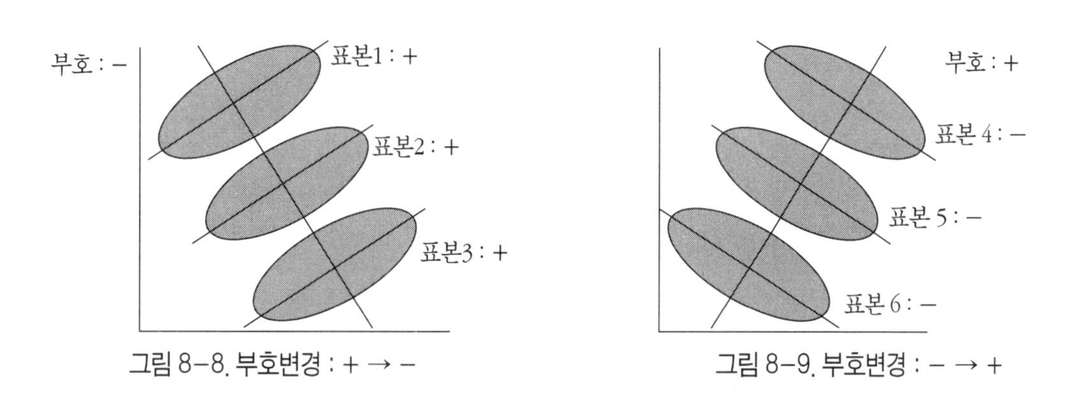

그림 8-8. 부호변경 : + → – 그림 8-9. 부호변경 : – → +

이와 같이 상관계수는 추출된 표본의 범위가 모집단을 설명할 수 있을 만큼 충분하여야 정확한 분석을 수행할 수 있다. 추출된 표본의 범위가 충분하지 못하면 상관계수의 값이 높게 나오더라도 그 값을 옳은 값으로 받아들이기 힘들다.

② 상관계수에서 주의할 점

상관계수를 다룰 때 주의할 점은 다음과 같다.

첫째, 상관계수는 두 변수 간의 선형성에 대한 측도라는 특성을 가지고 있어, 그 해석이 '선형'의 범주 내로 제한되어 있다는 점이다. 따라서 두 변수 간의 관계가 아주 밀접하여 상당수준의 상호 예측이 가능하다고 하더라도 두 변수가 선형적인 관계를 갖지 않으면, 대응되는 상관계수의 절대값이 크지 않게 될 것이다. 예를 들어 $Y=X^2$과 같이 완전히 2차곡선의 관계를 가질 때의 자료로부터 구한 상관계수는 0이 된다. 그러나 두 변수 간에는 완벽한 함수관계가 존재한다. 따라서 상관계수의 계산에 앞서 먼저 산점도를 일차적으로 그려보는 일이 권장된다.

X	−2	−1	0	1	2
Y	4	1	0	1	4

둘째, 상관계수에 대한 해석상의 문제점이다. 예컨대 비만도와 혈압에 대한 연구에서 상관계수가 0.6이라 해서 '비만이 혈압에 영향을 미치고 있다'라는 식의 인과관계적 해석을 단정적으로 내릴 수 없다. 즉 제3의 교락변인(confounding factor ; 여기에서는 나이 등)이 비만과 상관관계가 있고 혈압에 영향을 주는 경우 비만이 혈압에 아무 관계가 없음에도 불구하고 강한 상관을 보일 수도 있기 때문이다.

셋째, 통계적 유의성의 해석 및 유의성과 실제적 유의성 관계를 고려해야 한다. $r=0.08$은 실제적으로 미미한 양의 상관계수로서 $n=100$일 경우에는 10%의 유의수준에서도 통계적으로 유의하지 않으나, $n=1000$인 경우에는 1%에서도 유의하다. 따라서 $n=1000$인 표본에서의 상관계수 $r=0.08$은 통계적 유의성에도 불구하고 실제적으로는 두 변수가 불연관성(no association)의 관계에 있음을 뜻한다.

SPSS를 이용한 예제 분석

[예제] 다음은 8명의 피험자에게 100m달리기와 포환던지기를 실시한 기록이다. 두 기록 간에 관련성이 있는지를 분석하라.

대상자	100M달리기(초)	포환던지기(M)
1	13.0	7.65
2	13.2	9.40
3	13.9	6.58
4	14.5	6.11
5	14.8	6.07
6	14.9	5.87
7	15.0	7.32
8	15.4	8.80

분석절차 및 해석

– 자료의 입력형태는 다음과 같다.

상관분석.sav - SPSS 데이터 편집기

파일(F) 편집(E) 보기(V) 데이터(D) 변환(T) 분석(A) 그래프(G) 유틸리티(U) 창(W) 도움말(H)

1 : 달리기 13

	달리기	던지기	변수	변수	변수	변수	변수
1	13.0	7.65					
2	13.2	9.40					
3	13.9	6.58					
4	14.5	6.11					
5	14.8	6.07					
6	14.9	5.87					
7	15.0	7.32					
8	15.4	8.80					

데이터 보기 / 변수 보기

SPSS 프로세서 준비 완료

– 달리기와 던지기의 선형관계를 알기 위해서 상관분석을 실시한다. 상관분석을 실시하기 위해 데이터편집기 화면에서 분석(A)->상관분석(C)->이변량상관계수(B)...를 선택한다.

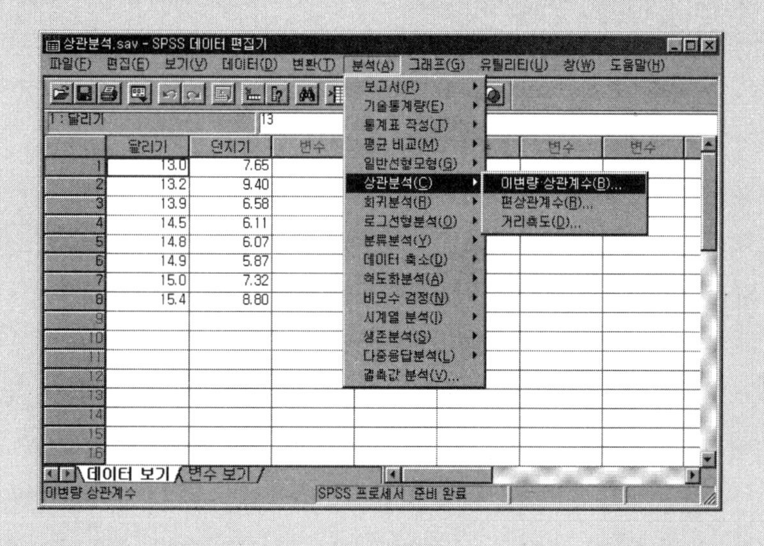

– 상관분석 대화상자가 나타난다. 화살표 버튼을 이용하여 변수(V)에 달리기와 던지기를 입력하고 상관계수는 Pearson(N)로 선택한 다음 확인 버튼을 누른다.

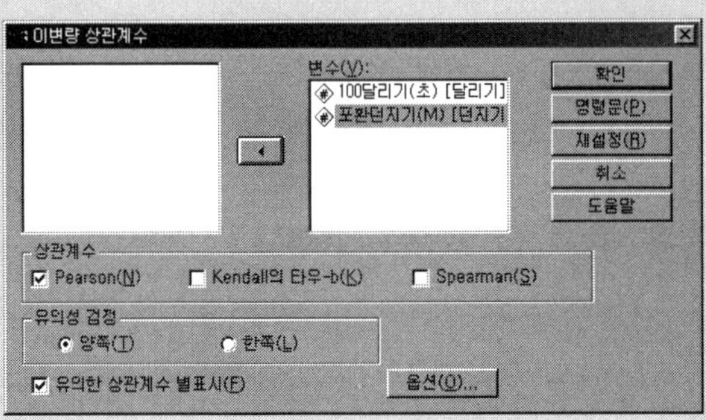

: 이변량 상관계수

변수(V):
100달리기(초) [달리기]
포환던지기(M) [던지기
확인
명령문(P)
재설정(R)
취소
도움말
상관계수
Pearson(N) Kendall의 타우-b(K) Spearman(S)
유의성 검정
양쪽(T) 한쪽(L)
유의한 상관계수 별표시(F)
옵션(O)...

- Output-SPSS뷰어에 다음의 결과가 산출된다. 여기에서는 100달리기(초)와 포환던지기(m)의 상관계수는 -0.308로 약한 음의 선형관계가 있으나, 통계적으로 유의하지는 않은 것으로 나타났다(p=0.458).

상관계수

		100달리기(초)	포환던지기(M)
100 달리기(초)	Pearson 상관계수	1.000	-.308
	유의확률 (양쪽)	.	.458
	N	8	8
포환 던지기(M)	Pearson 상관계수	-.308	1.000
	유의확률 (양쪽)	.458	.
	N	8	8

이 결과를 해석할 때 유의할 점은 상관계수가 음이라고 해서 100m기록이 좋은 사람이 포환던지기기록이 나쁘다고 해석해서는 안된다는 것이다. 왜냐하면 100m기록은 작을수록 그리고 포환던지기 기록은 클수록 운동능력이 우수하기 때문이다. 따라서 100m달기기능력과 멀리뛰기는 서로 관련성이 있다고 해석하는 것이 타당하다.

6) 회귀분석

회귀분석(regression analysis)은 한 변수가 다른 변수들에 의해 어떻게 설명 또는 예측되는지를 알아보기 위해 자료를 적절한 함수식으로 표현하여 분석하는 통계적 방법이다. 어떤 스포츠용품 회사에서 광고비를 통하여 매출량을 예측한다든지, 야구선수의 타율로서 연봉액을 예측하고자 할 때 회귀분석을 이용한다. 상관분석은 단순히 두 변수 사이의 상관관계만 나타내 줄 뿐 두 변수 사이의 관계에서 원인과 결과의 관계는 설명할 수 없는 반면, 회귀분석은 하나의 변수로부터 다른 변수의 값을 예측할 수 있다.

회귀분석에서 설명, 예측, 원인의 역할을 하는 변수를 설명변수(explanatory variable) 혹은 독립변수(independent variable)라 하고, 결과의 역할을 하는 변수를 반응변수(response variable) 혹은 종속변수(dependent variable)라 한다. 하나의 설명변수(독립변수)와 하나의 반응변수(종속변수)사이의 선형모형을 단순선형회귀모형(simple linear regression model)이라 하고, 두 개 이상의 설명변수가 하나의 반응변수의 선형모형을 다중선형회귀모형(multiple linear regression model)이라 한다.

회귀라는 용어는 1886년 Galton, F.에 의하여 최초로 사용되었다. 그는 부모의 키와 자식의 키의 관계에서, 부모의 키가 크면 자식의 키는 대체로 작아지고, 또 반대로 부모의 키가 작으면 자식의 키는 커지는 현상을 발견하고 이를 평균 쪽으로의 회귀(regression toward mean)라는 용어를 사용한데서 명명되었다.

(1) 단순선형회귀분석

일반적으로 사람의 체중과 비만은 밀접한 관계가 있다. 이러한 관계를 일차함수식으로 표현할 수 있다면, 우리는 그 사람의 체중을 통하여 비만 정도가 얼마인지를 예측할 수 있을 것이다. 이와 같이 하나의 변수로부터 다른 변수의 값을 예측하고자 할 때 이용되는 통계적 기법이 단순선형회귀분석이다. 단순선형회귀모형은 다음과 같다.

$$Y_i = \beta_0 + \beta_1 x_i + \varepsilon_i$$

여기에서 기본가정은 설명변수의 고정된 어떠한 값에 대하여 반응변수는 정규(normality) 분포를 따른다는 것과 통계적으로 서로 독립(independence)이어야 하며, 분산은 일정(identical)하다는 것이다.

① 모수의 추정

단순선형회귀모형에서의 모수 β_0와 β_1을 추정하기 위하여 일반적으로 최소제곱법(least square method)을 사용한다. 최소제곱법이란 오차들의 제곱합이 최소가 되도록 회귀계수를 추정하는 방법이다.

다음 그림과 같이 각 점들에 대한 회귀직선은 직선과 점들의 거리의 합이 최소가 되는 직선이다. 직선상의 점들의 y좌표를 $\hat{y}_i$이라 하고 실제 관측된 값을 y_i이라 할 때, β_0와 β_1의 최소제곱추정치는 오차제곱합 $Q = \sum_{i=1}^{n} \varepsilon_i^2 = \sum_{i=1}^{n} [y_i - (\beta_0 + \beta_1 x_i)]^2$을 최소화하는 것이다.

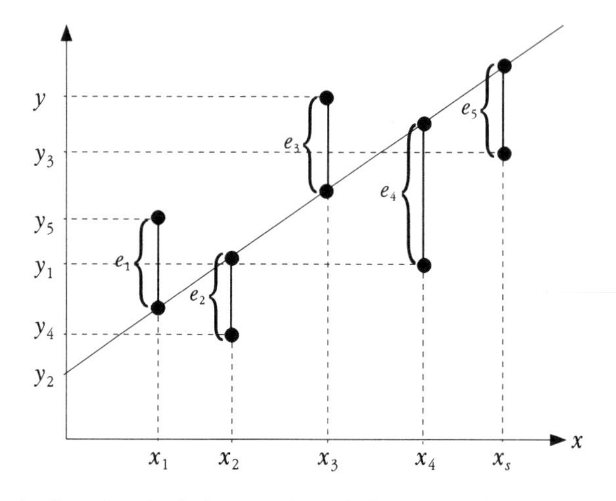

회귀계수 β_0와 β_1의 최소제곱추정치를 b_0와 b_1이라 할 때, 이는 다음과 같은 수식으로 계산할 수 있다.

$$b_1 = \frac{\sum(x_i - \bar{x})(y_i - \bar{y})}{\sum(x_i - \bar{x})^2} = \frac{n\sum x_i y_i - (\sum x_i)(\sum y_i)}{n\sum x_i^2 - (\sum x_i)^2}$$

$$b_0 = \bar{y} - b_1\bar{x}$$

② 회귀계수의 해석과 검정

선형회귀모형에서는 설명변수 x에 대한 회귀계수 β_1에 가장 큰 관심을 두게 되는데, 이는 설명변수 x가 한 단위 증가할 때 반응변수 y가 변화하는 양을 나타낸다. 그런데 이와 같은 회귀계수에 대한 해석은 입력변수 x에 의해서 반응변수 y가 잘 받아들여지지 않으면 아무 의미가 없다. 즉 적합된 회귀직선이 자료에 잘 들어맞는지를 점검해야 할 필요가 있는데, 이는 곧 H_0 : β_1=0이라는 가설을 검정하는 문제가 된다. 회귀직선의 기울기 β_0에 대한 가설검정을 위한 검정통계량은

$$T = (b - \beta_1)/s(b)$$

인데, 이것은 자유도$(n-2)$인 t-분포를 따른다. 여기서 $s(b)$는 β_1의 표준오차이다. 이를 이용하여 회귀계수에 대한 검정을 시도할 수 있다. 이 경우 β_1이 유의해야 회귀식이 의미있게 된다.

③ 적합도 검토

단순선형회귀모형의 적합도 검토는 추정된 회귀모형이 데이터를 얼마나 잘 설명하도록 추정되었는지 통계적 모형의 유의성을 살펴보는 것이다. 이를 위해 결정계수나 모형에 대한 분산분석 결과를 이용한다.

결정계수는 총변동 중에서 회귀모형에 의해서 설명되는 변동의 크기로 0에서 1사이의 값을 가지며, 1에 가까울수록 추정된 회귀모형이 적합하다고 할 수 있다.

결정계수(measure of determination)는

$$R^2 = \frac{\text{회귀모형에 의해 설명되는 변동}}{\text{총변동}} = 1 - \frac{\text{회귀모형에 의해 설명되지 않는 변동}}{\text{총변동}}$$

$$R^2 = \frac{SSR}{SST} = 1 - \frac{SSE}{SST},\ 0 \le R^2 \le 1$$

와 같이 된다. 한편 결정계수 R^2을 설명변수의 수를 고려하여 수정된 결정계수도 있다.

SPSS를 이용한 예제 분석

[예제] 다음은 6개월간 수영을 실시한 15명의 노인여성들에게 트레드밀을 이용하여 Bruce's 프로토콜 방법으로 최대한 올아웃(all out)시킨 다음 심박수와 체중당 산소섭취량을 측정한 결과이다. 산소섭취량과 심박수 사이의 관계에 대하여 회귀분석을 실시하라.

대상자	1	2	3	4	5	6	7	8	9	10	11	12	13	14	15
심박수(beats/min)	165	185	180	183	170	168	165	180	179	187	168	188	173	175	176
산소섭취량(ml/kg · min)	28	38	30	35	25	24	26	30	31	35	27	40	23	26	27

분석절차 및 결과

– 회귀분석을 위한 자료의 입력형태는 다음과 같다.

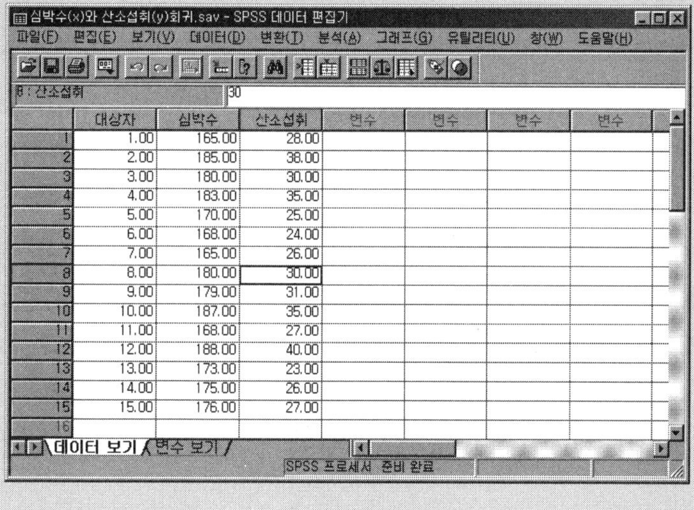

심박수(x)와 산소섭취(y)회귀.sav - SPSS 데이터 편집기

파일(F) 편집(E) 보기(V) 데이터(D) 변환(T) 분석(A) 그래프(G) 유틸리티(U) 창(W) 도움말(H)

8 : 산소섭취 30

	대상자	심박수	산소섭취	변수	변수	변수	변수
1	1.00	165.00	28.00				
2	2.00	185.00	38.00				
3	3.00	180.00	30.00				
4	4.00	183.00	35.00				
5	5.00	170.00	25.00				
6	6.00	168.00	24.00				
7	7.00	165.00	26.00				
8	8.00	180.00	30.00				
9	9.00	179.00	31.00				
10	10.00	187.00	35.00				
11	11.00	168.00	27.00				
12	12.00	188.00	40.00				
13	13.00	173.00	23.00				
14	14.00	175.00	26.00				
15	15.00	176.00	27.00				
16							

데이터 보기 / 변수 보기

SPSS 프로세서 준비 완료

– 심박수와 산소섭취량의 관계를 알기 위해서 회귀분석을 실시한다. 회귀분석을 실시하기 위해서 데이터 편집기 화면에서 분석(A)->회귀분석(R)->선형(L)...을 선택한다.

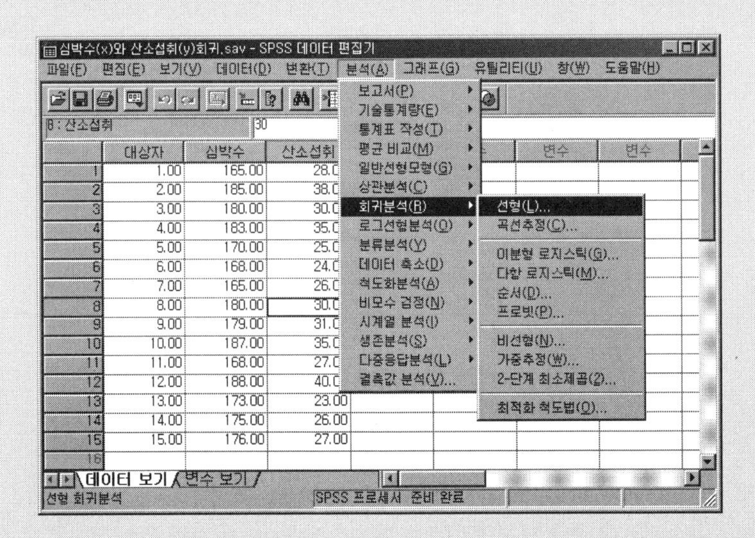

– 회귀분석 대화상자가 나타난다. 종속변수(D)에 산소섭취변수량를, 독립변수(I)에 심박수를 화살표 버튼을 이용하여 입력하고, 회귀방법(M)에서는 입력을 선택한 후 확인 버튼을 누른다.

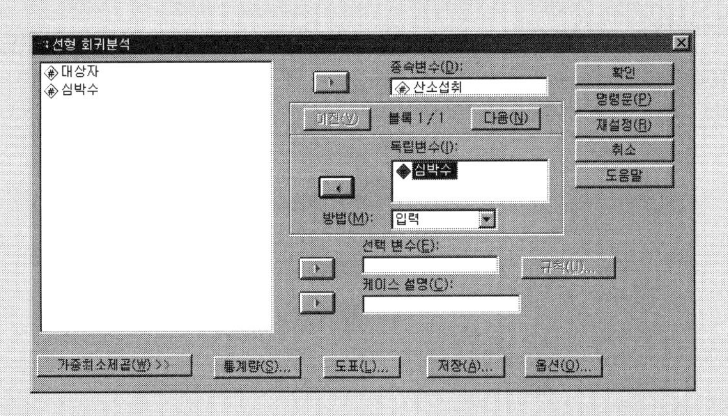

– Output-SPSS뷰어에 다음과 같은 결과가 출력된다.

진입/제거된 변수(b)

모형	진입된 변수	제거된 변수	방법
1	심박수(a)	.	입력

a 요청된 모든 변수가 입력되었습니다.
b 종속변수: 산소섭취량

– 심박수와 산소섭취량 간의 상관계수는 0.844이며, 결정계수(R^2)가 0.713으로 모형설명력이 71.3%로 비교적 높음을 보여주고 있다.

모형요약

모형	R	R^2	수정된 R 제곱	추정값의 표준오차
1	.844(a)	0.713	0.691	2.8867

a 예측값: (상수), 심박수

- 회귀모형의 적합성을 검정하기 위한 분산분석 결과 F-값이 32.283이고, 유의확률 0.000으로 추정된 회귀모형이 유의함을 알 수 있다.

분산분석(b)

모형		제곱합	자유도	평균제곱	F	유의확률
1	선형회귀분석	269.006	1	269.006	32.283	.000(a)
	잔차	108.327	13	8.333		
	합계	377.333	14			

a 예측값: (상수), 심박수
b 종속변수: 산소섭취량

- 추정된 회귀식의 비표준화계수(B)는 0.562이며, 절편(상수)은 −69.319로서, 추정된 회귀모형식은 '산소섭취량=−69.319+.562×심박수'로 나타낼 수 있다. 회귀계수의 유의성검정 결과 통계적으로 유의한 것으로 나타났다(p=0.002). 그리고 표준화회귀계수(β)는 산소섭취량과 심박수의 자료를 표준화시킨 후의 회귀계수로서 단순선형회귀분석에서는 상관계수와 일치한다.

계수(a)

모형		비표준화 계수		표준화 계수	t	유의확률
		B	표준오차	베타		
1	(상수)	−69.319	17.437		−3.975	.002
	심박수	.562	.099	.844	5.682	.000

a 종속변수: 산소섭취량

(2) 다중선형회귀분석

앞에서 본 바와 같이 사람의 비만도는 체중과도 관계가 있지만, 신장 · 연령 · 허리둘레와도 관련성이 있다. 즉 비만의 정도를 체중뿐만 아니라 이와 같이 다른 변수들을 추가하여 예측한다면 보다 더 정확하게 예측할 수 있을 것이다.

다중선형회귀모형은 설명변수가 두 개 이상인 경우를 말하며, 모형에 대한 가정이나 추론절차는 단순선형회귀분석과 같다. 다중선형회귀모형은 다음과 같이 나타낼 수 있다.

$$Y_i = \beta_0 + \beta_1 x_1 + \beta_2 x_2 + \ldots + \beta_p x_p + \varepsilon_i$$

회귀분석이란 앞에서 설명한 바와 같이 종속변수가 다른 몇 개의 설명변수로 어떻게 설명 또는 예측되는지를 알아보는 통계적 방법인데, 일반적으로 종속변수에 영향을 미치거나 원인이 될만한 설명변수의 수는 매우 많을 것이다. 가능한 모든 후보변수들을 설명변수로 사용하여 예측모형을 만들 때에는 데이터를 계속 수집하고 관리하는 데 많은 노력과 비용이 필요하게 될 뿐만 아니라 소위 다중공선성(multicollinearity)과 같은 문제가 발생하면 일부 회귀계수 추정치의 분산과 예측값의 분산이 매우 커지게 되어 이를 신뢰할 수 없게 된다. 따라서 불필요한 변수들이 들어 있는 완전모형(full model)보다는 필요한 변수들만 들어 있는 축소모형(reduced model)이 보다 바람직한 회귀모형이라 할 수 있다. 이러한 모형을 선택하는 방법은 다음과 같다.

① 전진선택법(forward selection)

설명변수를 종속변수에 대해 각 변수의 기여도가 큰 순서에 따라서 하나씩 추가하면서 선택하는 방법이다. 이 방법은 계산시간이 빠르다는 장점이 있지만, 한 번 선택된 변수는 절대로 제거되지 않는다는 단점이 있다.

② 후진소거법(backward elimination)

모든 변수를 포함하는 완전모형으로부터 시작하여 종속변수에 대해 기여도가 낮은 설명변수를 하나씩 제거해 나가는 방법이다. 이 방법은 중요한 변수가 모형에서 제외될 가능성이 적으므로 비교적 안전한 방법이라 할 수 있다. 그러나 한 번 제외된 변수는 다시 선택되지 못한다는 단점이 있다.

③ 단계적 방법(stepwise method)

전진선택법에 후진소거법을 결합한 것으로서, 매 단계마다 선택과 제거를 반복하면서 중요한 변수를 찾아내는 방법이다. 이 방법은 중요한 변수를 하나씩 추가로 선택하면서 이미 선택된 변수들이 제거될 수 있는지를 매 단계마다 검토하는 방법이다. 일반적으로 단계적 방법을 많이 이용하고 있으며, 특히 다중공선성의 문제를 해결하는 이점도 있다.

SPSS를 이용한 예제 분석

[예제] 다음은 31명의 성인남자를 대상으로 유산소운동능력을 측정한 자료이다. 자료에서 반응(종속)변수는 OXY(oxygen uptake rate : 산소섭취율)이며, 설명(독립)변수는 runtime(1.5마일 주행거리의 시간), age(나이), weight(체중, pound), runpurse(주행중맥박수), rstpurse(휴식중맥박수), maxpurse(주행중최대맥박수)의 6가지 항목이다. 다중선형회귀분석을 실시하라.

AGE	WEIGHT	OXY	RUNTIME	RSTPULSE	RUNPULSE	MAXPULSE
44	89.47	44.609	11.37	62	178	182
40	75.07	45.313	10.07	62	185	185
44	85.84	54.297	8.65	45	156	168
42	68.15	59.571	8.17	40	166	172
38	89.02	49.874	9.22	55	178	180
47	77.45	44.811	11.63	58	176	176
40	75.98	45.681	11.95	70	176	180
43	81.19	49.091	10.85	64	162	170
44	81.42	39.442	13.08	63	174	176
38	81.87	60.055	8.63	48	170	186
44	73.03	50.541	10.13	45	168	168
45	87.66	37.388	14.03	56	186	192
45	66.45	44.754	11.12	51	176	176
47	79.15	47.273	10.60	47	162	164
54	83.12	51.855	10.33	50	166	170
49	81.42	49.156	8.95	44	180	185
51	69.63	40.836	10.95	57	168	172
51	77.91	46.672	10.00	48	162	168
48	91.63	46.774	10.25	48	162	164
49	73.37	50.388	10.08	67	168	168
57	73.37	39.407	12.63	58	174	176
54	79.38	46.080	11.17	62	156	165
52	76.32	45.441	9.63	48	164	166
50	70.87	54.625	8.92	48	146	155
51	67.25	45.118	11.08	48	172	172
54	91.63	39.203	12.88	44	168	172
51	73.71	45.790	10.47	59	186	188
57	59.08	50.545	9.93	49	148	155
49	76.32	48.673	9.40	56	186	188
48	61.24	47.920	11.50	52	170	176
52	82.78	47.467	10.50	53	170	172

분석절차 및 결과

– 다중선형회귀분석을 위한 자료의 입력화면은 다음과 같다.

산소섭치율에 대한 다중회귀.sav - SPSS 데이터 편집기

파일(F) 편집(E) 보기(V) 데이터(D) 변환(T) 분석(A) 그래프(G) 유틸리티(U) 창(W) 도움말(H)

3 :

	age	weight	oxy	runtime	rstpulse	runpulse	maxpulse	변수
1	44	89.47	44.61	11.37	62.00	178.00	182.00	
2	40	75.07	45.31	10.07	62.00	185.00	185.00	
3	44	85.84	54.30	8.65	45.00	156.00	168.00	
4	42	68.15	59.57	8.17	40.00	166.00	172.00	
5	38	89.02	49.87	9.22	55.00	178.00	180.00	
6	47	77.45	44.81	11.63	58.00	176.00	176.00	
7	40	75.98	45.68	11.95	70.00	176.00	180.00	
8	43	81.19	49.09	10.85	64.00	162.00	170.00	
9	44	81.42	39.44	13.08	63.00	174.00	176.00	
10	38	81.87	60.06	8.63	48.00	170.00	186.00	
11	44	73.03	50.54	10.13	45.00	168.00	168.00	
12	45	87.66	37.39	14.03	56.00	186.00	192.00	
13	45	66.45	44.75	11.12	51.00	176.00	176.00	
14	47	79.15	47.27	10.60	47.00	162.00	164.00	
15	54	83.12	51.86	10.33	50.00	166.00	170.00	

데이터 보기 / 변수 보기 / SPSS 프로세서 준비 완료

– 산소섭취율 관계를 알기 위해 다중선형회귀분석을 실시한다. 회귀분석을 실시하기 위해서는 데이터편집기 화면에서 분석(A)->회귀분석(R)->선형(L)...을 선택한다.

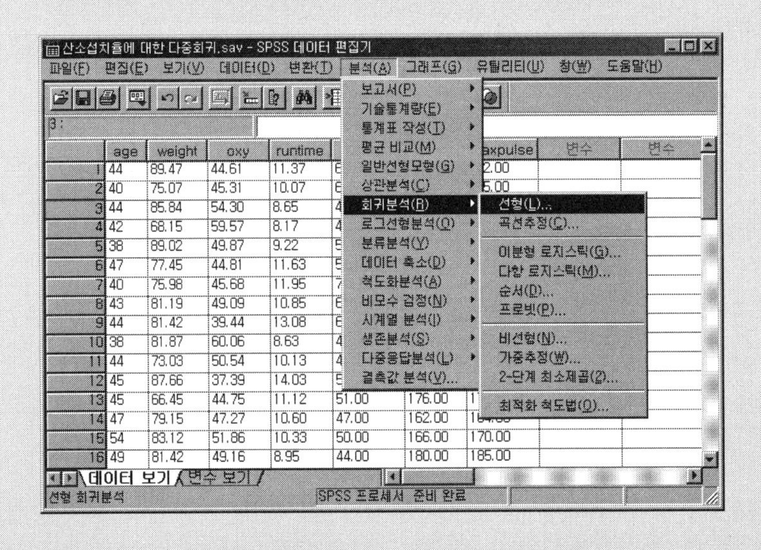

– 선형회귀분석 대화상자가 나타난다. 종속변수(D)에 변수 oxy(산소흡수율), 독립변수(I)에 변수 runtime(1.5마일 주행거리), age(나이), rstpulse(휴식중맥박수), runpulse(주행중맥박수), maxpulse(주행중최대맥박수)을 화살표 버튼을 이용하여 입력한다. 다음에 회귀방법(M)에서 전체변수를 고려한 완전모형을 위한 입력을 선택하고 확인 버튼을 누른다.

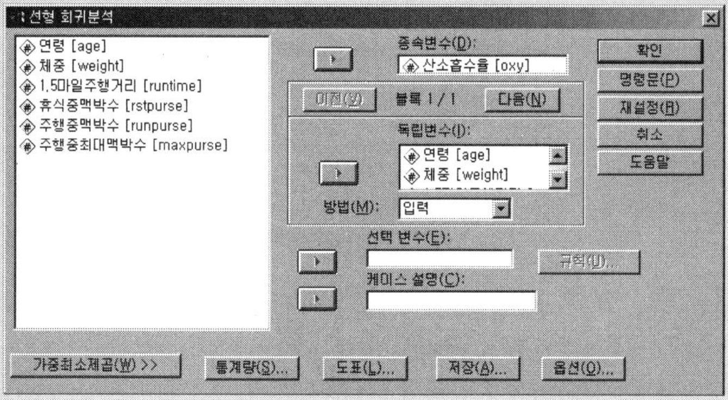

- Output-SPSS뷰어에 다음의 결과가 출력된다. 진입된 독립변수와 종속변수를 나타내고 있다.

진입/제거된 변수(b)

모형	진입된 변수	제거된 변수	방법
1	주행중최대맥박수, 1.5마일주행거리, 체중, 휴식중맥박수, 연령, 주행중맥박수(a)	.	입력

a. 요청된 모든 변수가 입력되었습니다.
b. 종속변수: 산소흡수율

- 다중회귀모형에 대한 요약된 결과로서, 다중상관계수(R^2)는 0.921이며, 결정계수(R^2)는 0.849이고, 수정된 결정계수는 0.811로 나타나 독립변수들이 종속변수에 대한 설명력이 높음을 보여주고 있다.

모형요약

모형	R	R^2	수정된 R^2	추정값의 표준오차
1	.921(a)	.849	.811	2.3169

a. 예측값 : (상수), 주행중최대맥박수, 1.5마일주행거리, 체중, 휴식중맥박수, 연령, 주행중맥박수

- 다중회귀모형의 적합성에 대한 분산분석 결과 매우 유의하게 나타나서, 본 회귀식이 적합함을 보여주고 있다.

분산분석(b)

모형		제곱합	자유도	평균제곱	F	유의확률
1	선형회귀분석	722.544	6	120.424	22.433	.000(a)
	잔차	128.838	24	5.368		
	합계	851.382	30			

a. 예측값: (상수), 주행중최대맥박수, 1.5마일주행거리, 체중, 휴식중맥박수, 연령, 주행중맥박수

b. 종속변수: 산소흡수율

- 각 회귀계수에 대한 추정치와 표준오차, t-값 및 유의확률 등을 제시하고 있다. 추정된 회귀식은 산소흡수율＝102.934－0.227×연령－0.074×체중－2.629×1.5마일주행거리－0.021×휴식중맥박수－0.370×주행중맥박수＋0.303×주행중최대맥박수이다.
- 6개의 독립변수 중 휴식중맥박수(p=0.747) 및 체중(p=0.187)을 제외하고는 회귀계수가 유의함을 보여주고 있는데, 특히 휴식중맥박수는 적절한 모형을 선택한다면 제거 가능성을 제시해 준다.

계수(a)

		비표준화 계수		표준화 계수	t	유의확률
모형		B	표준오차	베타		
1	(상수)	102.934	12.403		8.299	.000
	연령	−0.227	.100	−.222	−2.273	.032
	체중	−7.42E−02	.055	−.116	−1.359	.187
	1.5마일 주행거리	−2.629	.385	−.685	−6.835	.000
	휴식중 맥박수	−2.15E−02	.066	−.031	−.326	.747
	주행중 맥박수	−0.37	.120	−.711	−3.084	.005
	주행중 최대맥박수	0.303	.136	.522	2.221	.036

a. 종속변수: 산소흡수율

- 선형회귀분석 대화상자에서 종속변수(D)에 변수 oxy(산소흡수율), 독립변수(I)에 변수 runtime(1.5마일주행거리), age(나이), rstpulse(휴식중맥박수), runpulse (주행중맥박수), maxpulse(주행중최대맥박수)을 화살표 버튼을 이용하여 입력한다. 다음에 회귀방법(M)에서 적절한 변수 선택을 위하여 단계 선택을 선택한다.

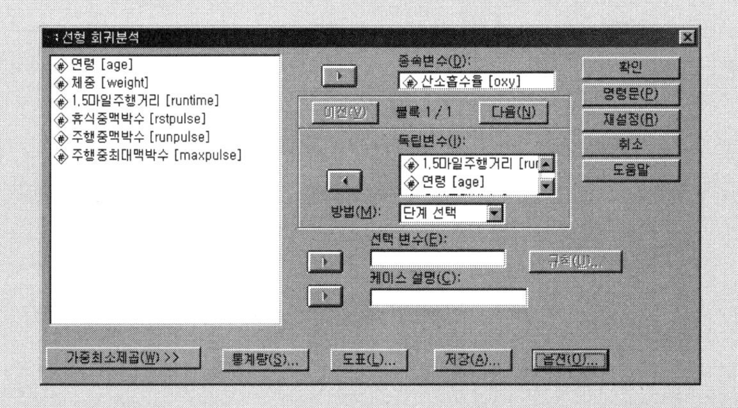

- 다른 선택 부분은 기본설정으로 하고 옵션(O)을 선택하여, 선택법 기준에서 F-확률 사용(C)을 선택하고 진입(E)을 0.25으로, 제거(M)을 0.30으로 한 후 계속 버튼을 누른다.

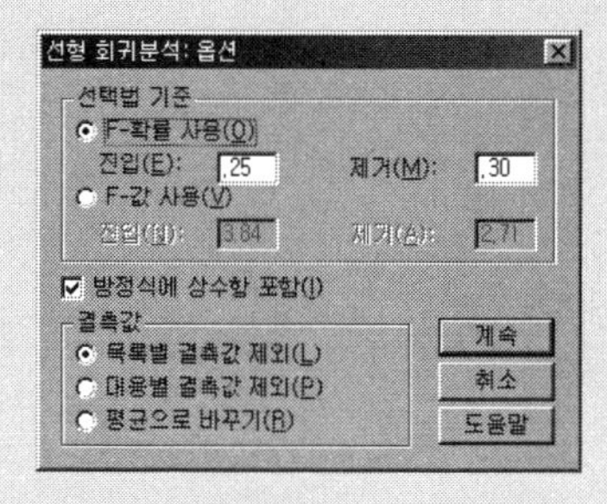

- 다시 선형회귀분석 대화상자로 돌아와 확인 버튼을 누르면 Output-SPSS뷰어에 다음의 결과가 출력된다.

진입/제거된 변수(a)

모형	진입된 변수	제거된 변수	방법
1	1.5마일주행거리	.	단계선택 (기준: 입력할 F의 확률 <= .250, 제거할 F의 확률 >= .300).
2	연령	.	
3	주행중맥박수	.	
4	주행중최대맥박수	.	
5	체중	.	

a. 종속변수: 산소흡수율

- 단계적 변수선택에서는 특정변수가 모형에 진입하고, 제거를 반복하면서 변수를 선택하는 방법이다. 즉 중요한 변수를 하나씩 추가 · 선택하되, 이미 모형에 들어간 변수들이 제거될 수 있는지를 단계별로 검토한다. 따라서 변수선택에서는 진입과 제거의 기준에 따라 그 결과가 달라질 수 있다.
- 단계선택방법의 기본설정된 기준은 입력할 F의 확률≤0.10, 제거할 F의 확률≥0.15이지만, 본 분석에서 기본설정으로 할 경우 runtime(1.5마일 주행거리)변수만이 입력됨으로 기준을 조절하였다(단계선택 (기준: 입력할 F의 확률≤.250, 제거할 F의 확률≥.300)).
- 이에 따른 진입 · 제거의 기준과 그 순서를 제시하고 있는데, 1.5마일주행거리, 연령, 주행중맥박수, 주행중최대맥박수, 체중의 순으로 진입하였음을 보여주고 있다.
- 각 단계의 모형들의 결정계수(R^2) 및 수정된 결정계수(수정 R^2) 값을 제시하고 있다. 결정계수는 독립변수들이 종속변수를 설명하는 정도를 나타내는 것으로, 모형선택에 있어 하나의 중요한 기준이 된다. 모형 5(변수 : 1.5마일주행거리, 연령, 주행중맥박수, 주행중최대맥박수, 체중)가 가장 높은 설명력(약 84.8%)을 나타내고 있음을 보여주고 있다.

모형요약

모형	R	R^2	수정된 R^2	추정값의 표준오차
1	.862(a)	.743	.735	2.7448
2	.874(b)	.764	.747	2.6774
3	.901(c)	.811	.790	2.4406
4	.915(d)	.837	.812	2.3116
5	.921(e)	.848	.818	2.2752

a. 예측값: (상수), 1.5마일주행거리
b. 예측값: (상수), 1.5마일주행거리, 연령
c. 예측값: (상수), 1.5마일주행거리, 연령, 주행중맥박수
d. 예측값: (상수), 1.5마일주행거리, 연령, 주행중맥박수, 주행중최대맥박수
e. 예측값: (상수), 1.5마일주행거리, 연령, 주행중맥박수, 주행중최대맥박수, 체중

– 각 단계별로 추정된 회귀모형의 적합성에 대한 검정으로 분산분석을 실시한 결과를 보여 주고 있다. 모든 모형이 유의함을 알 수 있다.

분산분석(f)

모형		제곱합	자유도	평균제곱	F	유의확률
1	선형회귀분석	632.900	1	632.900	84.008	.000(a)
	잔차	218.481	29	7.534		
	합계	851.382	30			
2	선형회귀분석	650.666	2	325.333	45.384	.000(b)
	잔차	200.716	28	7.168		
	합계	851.382	30			
3	선형회귀분석	690.551	3	230.184	38.643	.000(c)
	잔차	160.831	27	5.957		
	합계	851.382	30			
4	선형회귀분석	712.452	4	178.113	33.333	.000(d)
	잔차	138.930	26	5.343		
	합계	851.382	30			
5	선형회귀분석	721.973	5	144.395	27.895	.000(e)
	잔차	129.408	25	5.176		
	합계	851.382	30			

a. 예측값: (상수), 1.5마일주행거리
b. 예측값: (상수), 1.5마일주행거리, 연령
c. 예측값: (상수), 1.5마일주행거리, 연령, 주행중맥박수
d. 예측값: (상수), 1.5마일주행거리, 연령, 주행중맥박수, 주행중최대맥박수
e. 예측값: (상수), 1.5마일주행거리, 연령, 주행중맥박수, 주행중최대맥박수, 체중
f. 종속변수: 산소흡수율

– 각 단계별 추정된 회귀모형에서의 회귀계수에 대한 검정결과를 보여주고 있다.

계수(a)

모형		비표준화 계수 B	비표준화 계수 표준오차	표준화 계수 베타	t	유의확률
1	(상수)	82.422	3.855		21.379	.000
	1.5마일주행거리	−3.311	0.361	−0.862	−9.166	.000
2	(상수)	88.462	5.373		16.465	.000
	1.5마일주행거리	−3.204	0.359	−0.834	−8.930	.000
	연령	−0.150	0.096	−0.147	−1.574	.127
3	(상수)	111.718	10.235		10.915	.000
	1.5마일주행거리	−2.825	0.358	−0.736	−7.886	.000
	연령	−0.256	0.096	−0.251	−2.664	.013
	주행중 맥박수	−0.131	0.051	−0.252	−2.588	.015
4	(상수)	98.148	11.786		8.328	.000
	1.5마일주행거리	−2.768	0.341	−0.721	−8.127	.000
	연령	−0.198	0.096	−0.193	−2.068	.049
	주행중 맥박수	−0.348	0.117	−0.670	−2.963	.006
	주행중최대맥박수	0.271	0.134	0.465	2.024	.053
5	(상수)	102.204	11.979		8.532	.000
	1.5마일주행거리	−2.683	0.341	−0.699	−7.867	.000
	연령	−0.220	0.096	−0.215	−2.300	.030
	주행중 맥박수	−0.373	0.117	−0.719	−3.188	.004
	주행중최대맥박수	0.305	0.134	0.525	2.277	.032
	체중	−7.23E−02	0.053	−0.113	−1.356	.187

a 종속변수: 산소흡수율

– 각 단계별로 제외된 회귀계수에 대한 여러 통계량을 제시하고 있다.

제외된 변수(f)

모형		진입-베타	t	유의확률	편상관	공선성 통계량 공차한계
1	연령	−.147(a)	−1.574	.127	−.285	.964
	휴식중 맥박수	−.014(a)	−.129	.898	−.024	.797
	주행중 맥박수	−.141(a)	−1.455	.157	−.265	.902
	주행중최대맥박수	−.044(a)	−.450	.656	−.085	.949
	체중	−.040(a)	−.413	.683	−.078	.979
2	휴식중 맥박수	−.065(b)	−.600	.553	−.115	.733
	주행중 맥박수	−.252(b)	−2.588	.015	−.446	.738
	주행중최대맥박수	−.156(b)	−1.471	.153	−.272	.714
	체중	−.085(b)	−.881	.386	−.167	.909
3	휴식중 맥박수	−.028(c)	−.282	.780	−.055	.717
	주행중최대맥박수	.465(c)	2.024	.053	.369	.119
	체중	−.077(c)	−.875	.390	−.169	.908
4	휴식중 맥박수	−.017(d)	−.181	.858	−.036	.714
	체중	−.113(d)	−1.356	.187	−.262	.875
5	휴식중 맥박수	−.031(e)	−.326	.747	−.066	.706

a. 모형내의 예측값: (상수), 1.5마일주행거리

b. 모형내의 예측값: (상수), 1.5마일주행거리, 연령

c. 모형내의 예측값: (상수), 1.5마일주행거리, 연령, 주행중맥박수

d. 모형내의 예측값: (상수), 1.5마일주행거리, 연령, 주행중맥박수, 주행중최대맥박수

e. 모형내의 예측값: (상수), 1.5마일주행거리, 연령, 주행중맥박수, 주행중최대맥박수, 체중

f. 종속변수: 산소흡수율

7) 교차분석

(1) 교차분석의 개념

하나의 집단을 두 개의 범주로 나누어 표로 나타낸 것을 교차표(cross table) 또는 분할표라 하며, 이렇게 구성된 표를 대상으로 분석을 수행하는 것을 교차분석(cross tabulation, 약칭으로 자주 'crosstab'으로 표기하기도 한다)이라 한다. 다음의 표는 교차표의 한 예로, 한 집단을 성별과 참여여부의 두 범주로 분류한 것이다. 이같은 구조의 표를 r×c 테이블이라 하는데, 여기에서 r은 row, c는 column이다.

교차표

참여여부 \ 성별	남성	여성	합계
참여	40	30	70
비참여	20	10	30
합계	60	40	100

교차분석은 확률화(randomization) 및 비확률화(non-randomization) 비교연구(comparative study)에 자주 사용하는 분석방법으로, 주로 설문조사에 대한 분석 시 많이 이용되고 있다. 특히 조사를 통해 얻어진 데이터는 질적변수이어서 빈도를 이용한 분석을 할 때 주로 사용된다.

여기서는 주로 설문지데이터를 대상으로 교차분석을 수행하는 방법들을 보기로 한다. 교차분석을 수행하기 전에 설문지데이터를 코딩하는 것이 선행되어야 하므로 코딩방법과 그에 따른 SPSS의 기능을 살펴본 후 교차분석을 설명한다.

(2) 설문지데이터 코딩

여기에서는 예제분석을 통하여 설문지데이터 코딩방법을 알아보기로 한다.

SPSS를 이용한 예제 분석

[예제] 설문지문항의 구성종류에는 다음과 같은 것들이 있다.

(문항 1) 귀하께서 가장 좋아하는 종목을 하나 선택하시오.

① 농구 ② 축구 ③ 야구 ④ 배구 ⑤ 탁구

(문항 2) 귀하께서 좋아하는 종목 2개를 선택하시오.

① 농구 ② 축구 ③ 야구 ④ 배구 ⑤ 탁구

(문항 3) 귀하께서 좋아하는 종목 모두를 선택하시오.

① 농구 ② 축구 ③ 야구 ④ 배구 ⑤ 탁구

(문항 4) 귀하께서 좋아하는 종목을 순서대로 순위를 적어 주십시오(- - - -).

① 농구 ② 축구 ③ 야구 ④ 배구 ⑤ 탁구

(문항 5) 귀하께서 좋아하는 종목을 순서대로 순위를 2개 적어 주십시오(- -).

① 농구 ② 축구 ③ 야구 ④ 배구 ⑤ 탁구

(문항 1)은 가장 일반적인 형태로 단일응답문항이라 하며, 일반적인 코딩을 수행하면 된다. (문항 2)~(문항 5)까지는 복수응답문항이며, 특히 (문항 4)과 (문항 5)는 순위응답문항이라 한다.

설문지문항이 복수응답문항일 경우 코딩하는 방법을 알아보자.

1. 복수응답문항의 코딩 및 분석-1

(문항 2) 귀하께서 좋아하는 종목 2개를 선택하시오.

① 농구 ② 축구 ③ 야구 ④ 배구 ⑤ 탁구

이 문항은 응답자가 2개의 항목만을 선택할 수 있다. 응답자가 3개의 종목을 좋아하더라도 2개만을 선택해야 한다. 따라서 필요한 변수는 2개가 된다. 위 문항에 대해서 10명의 응답자가 다음과 같이 응답하였다고 가정하자.

응답자	첫 번째 종목	두 번째 종목	응답자	첫 번째 종목	두 번째 종목
1	1	2	6	1	3
2	1	3	7	1	3
3	2	3	8	2	3
4	2	3	9	2	3
5	2	3	10	2	4

- 응답결과를 코딩완료한 화면은 다음과 같다.

제목없음 - SPSS 데이터 편집기

	종목선택1	종목선택2	변수	변수	변수	변수	변수
1	1	2					
2	1	3					
3	2	3					
4	2	3					
5	2	3					
6	1	3					
7	1	3					
8	2	3					
9	2	3					
10	2	4					
11							
12							
13							

- 코딩이 완료된 후 문항을 분석하기 위해서는 변수군 정의를 실시하기 위하여 데이터편집기 화면에서 분석(A)->다중응답-분석(L)->변수군정의(D)...메뉴를 선택한다.

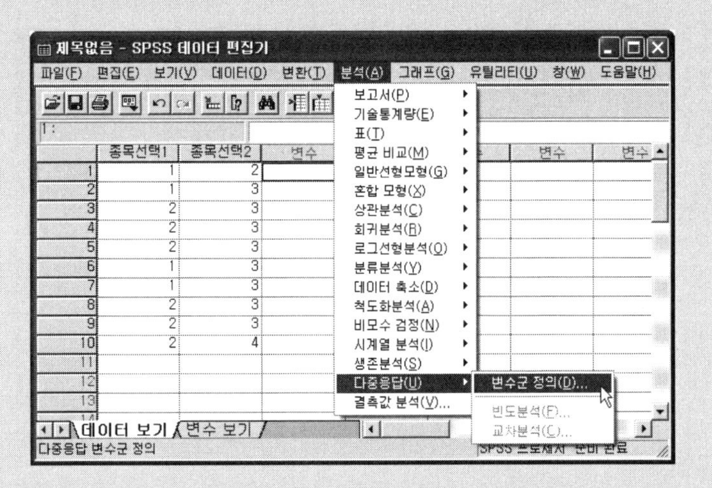

- 다중응답변수군정의 대화상자가 나타난다.

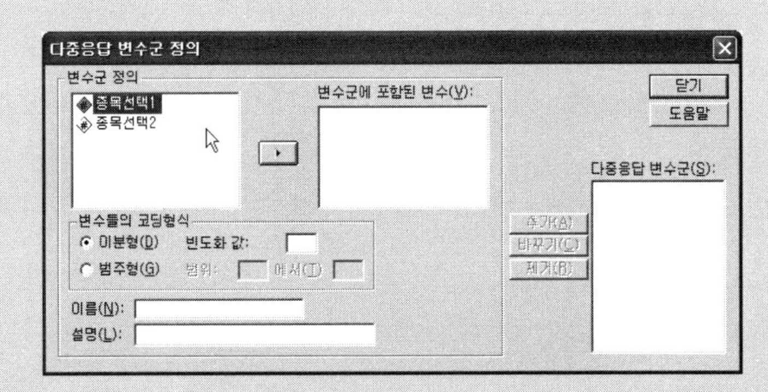

- 다중응답변수군정의 대화상자에 보이는 종목선택 1과 종목선택 2의 두 개 변수는 실제로는 하나의 문항에 대한 변수이므로 이를 하나의 변수로 통합하여야 한다. 이같은 역할은 다중응답변수군정의 대화상자에서 하는데, 방법은 다음과 같다.
  a. 종목선택 1과 종목선택 2 모두를 변수군에 포함된 변수(V)로 이동시킨다.
  b. 변수에 입력된 값들이 1~5까지이므로 변수들의 코딩형식에서 범주형(G)을 선택하여 범위에 1과 5를 입력한다.
  c. 이름(N)에 새롭게 생성할 변수이름을 입력한다(선호종목에서 변수이름을 입력한다).
  d. 추가 버튼(A)을 누르면 선호종목변수가 다중응답변수군(S)에 추가된다.
- 각 항목을 입력한 화면은 다음과 같다.

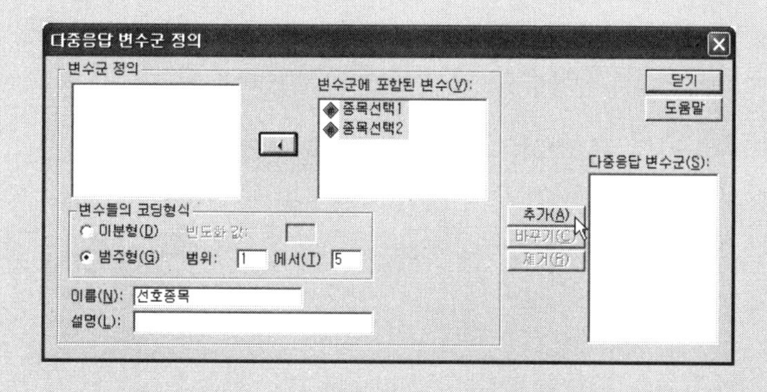

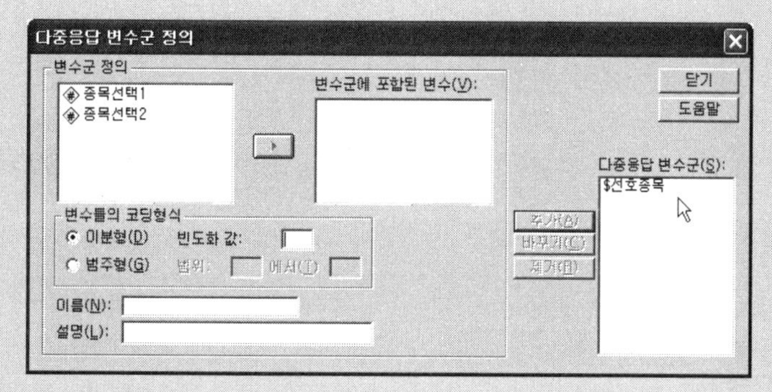

- 위의 완료화면에서 닫기버튼을 누르면 코딩완료 화면으로 복귀한다. 이제 다중응답변수군을 대상으로 빈도분석을 수행해 보자. 데이터편집기 화면에서 다음과 같이 분석(A)->다중응답(U)->빈도분석(F)...을 선택한다.

– 다중응답빈도분석 대화상자가 나타나면 다중응답변수군(M)에서 '선호종목'을 선택하여 표작성응답군(I)으로 이동시킨다. 선호종목 이름옆에 붙어 있는 $기호는 다중응답변수임을 나타내는 기호이다.

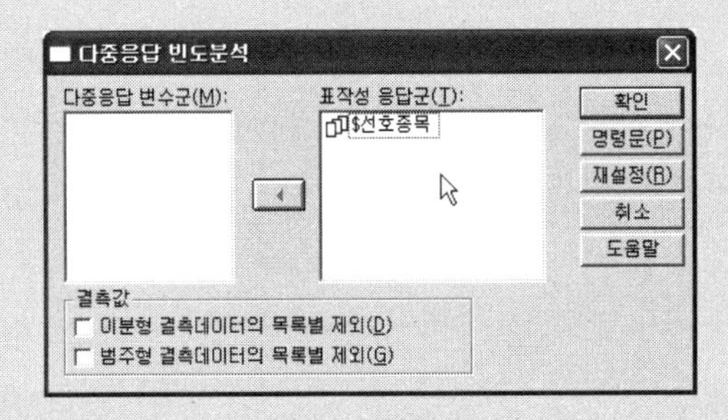

– 확인 버튼을 누르면 분석결과가 다음과 같이 나타난다.

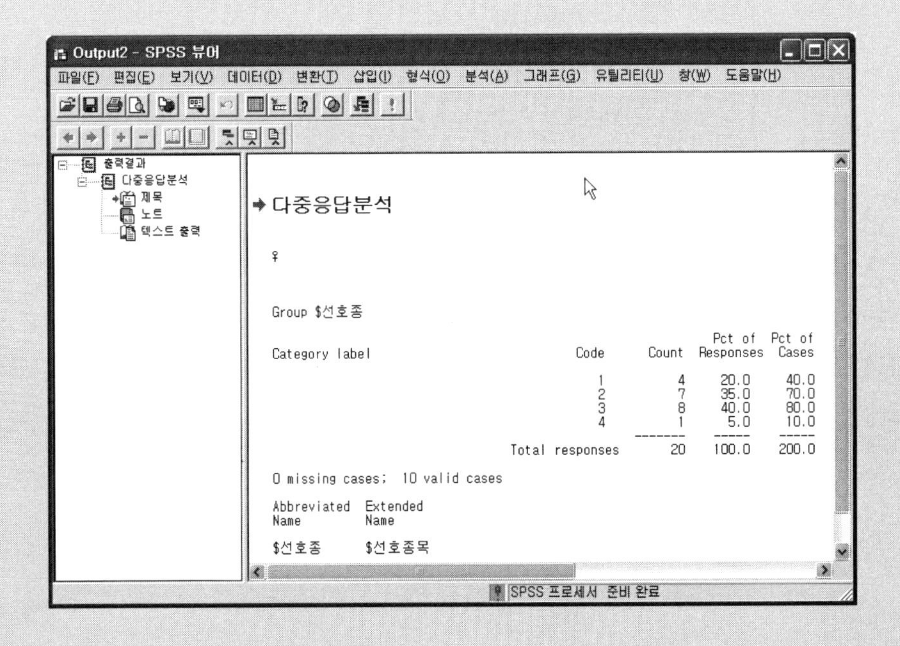

분석결과를 보면 Code, Count, Pct of Responses, Pct of Cases의 4개 항목이 출력되어 있다. Code는 응답자가 선택한 종목의 종류를 나타내는 것이고, Count는 해당종목을 선택한 횟수이다. 합계를 보면 20으로 되어 있는데, 이는 10명의 응답자가 2개씩 선택하였기 때문에 총선택횟수가 20으로 나온 것이다. Pct of Responses는 응답횟수에 대한 백분율이다. Pct of Cases에 나타난 퍼센트(%)는 응답자에 대한 퍼센트이다.

2. 복수응답문항의 코딩 및 분석-2

(문항 3) 귀하께서 좋아하는 종목 모두를 선택하시오.

① 농구 ② 축구 ③ 야구 ④ 배구 ⑤ 탁구

위의 문항은 (문항 2)와는 다르게 응답자가 선택해야 할 종목개수가 정해져 있지 않다. 즉 응답자는 최대 5개 종목을 선택할 수 있다. 위 문항의 응답을 코딩하기 위해서는 최소 5개의 변수가 필요하다. 문제는 응답자마다 선택한 개수가 다를 수 있다는 것이다. 어떤 사람은 2개, 어떤 사람은 3개, 또 어떤 사람은 5개 모두를 선택할 수 있다. 이와 같은 문항을 코딩할 때는 각 항목에 대해서 이분형응답으로 간주하여 처리하는 것이 좋다. 즉 위의 문항이 다음과 같이 되어 있다고 보는 것이다.

① 귀하께서는 농구를 좋아하십니까?(예 아니오)
② 귀하께서는 축구를 좋아하십니까?(예 아니오)
③ 귀하께서는 야구를 좋아하십니까?(예 아니오)
④ 귀하께서는 배구를 좋아하십니까?(예 아니오)
⑤ 귀하께서는 탁구를 좋아하십니까?(예 아니오)

– '예'와 '아니오'를 선택하게 하여 '예'는 1로 코딩하고, '아니오'는 0으로 코딩하는 것이 좋다. 이같이 하나의 설문문항을 여러 개의 이분형문항으로 간주하여 코딩하는 경우에도 다중응답형태로 처리하여 분석하게 된다. 위의 설문문항에 대해서 아래와 같은 응답결과를 얻었다고 하자.

종목 / 번호	농구	축구	야구	배구	탁구
1	1	1	0	1	0
2	1	1	1	1	1
3	0	1	1	1	0
4	1	1	1	0	0
5	1	1	1	0	0
6	0	1	1	0	1
7	1	1	1	0	0
8	1	1	1	0	0
9	0	1	1	1	0
10	1	1	1	1	1

- 위의 응답결과를 보면 응답자 1번은 농구와 축구 그리고 배구를 좋아한다고 응답하였고, 야구와 탁구는 좋아하지 않은 것으로 응답한 것이다. 응답자 2번은 모든 종목을 좋아하는 것으로 응답한 것이다. 이러한 데이터를 코딩입력한 모습은 다음과 같다.

제목없음 - SPSS 데이터 편집기

파일(F) 편집(E) 보기(V) 데이터(D) 변환(T) 분석(A) 그래프(G) 유틸리티(U) 창(W) 도움말(H)

10 :

	응답자번호	농구	축구	야구	배구	탁구	변수
1	1	1	1	0	1	0	
2	2	1	1	1	1	1	
3	3	0	1	1	1	0	
4	4	1	1	1	0	0	
5	5	1	1	1	0	0	
6	6	0	1	1	0	1	
7	7	1	1	1	0	0	
8	8	1	1	1	0	0	
9	9	0	1	1	1	0	
10	10	1	1	1	1	1	
11							
12							

데이터 보기 / 변수 보기

SPSS 프로세서 준비 완료

- 데이터편집기 화면에서 변수보기 버튼을 선택하여 변수보기 화면으로 이동 후 농구변수의 값 항목에 1과 0에 대한 설명을 입력한다.

제목없음 - SPSS 데이터 편집기

파일(F) 편집(E) 보기(V) 데이터(D) 변환(T) 분석(A) 그래프(G) 유틸리티(U) 창(W) 도움말(H)

	이름	유형	자리수	소수점이하자리	설명	값
1	응답자번호	숫자	8	0		없음
2	농구	숫자	8	0		없음
3	축구	숫자	8	0		없음
4	야구	숫자	8	0		없음
5	배구	숫자	8	0		없음
6	탁구	숫자	8	0		없음
7						
8						
9						
10						
11						
12						
13						

데이터 보기 / 변수 보기

SPSS 프로세서 준비 완료

- 위와 같이 값에 나타나 있는 버튼을 선택하면 다음과 같이 변수값설명 대화상자가 나타난다. 변수값(U)에 0을 입력하고 변수값설명(E)에 '싫어한다'를 입력한 후 추가(A) 버튼을 선택하면 설명이 입력되고, 다시 변수값에 1을 입력하고 변수값설명(E)에 '좋아한다'를 입력한 후 추가 버튼을 선택하여 2개의 설명이 입력되도록 한다. 여기까지 하면 다중응답에 대한 변수군 정의는 끝난 것이다. 이제 다중응답변수군에 대한 빈도분석을 수행할 차례이다.

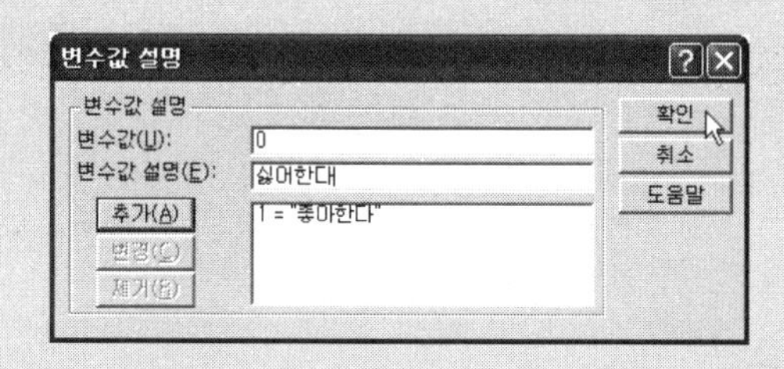

– 데이터편집기 화면에서 다음과 같이 분석(A)->다중응답(U)->변수군정의(D)...를 선택한다.

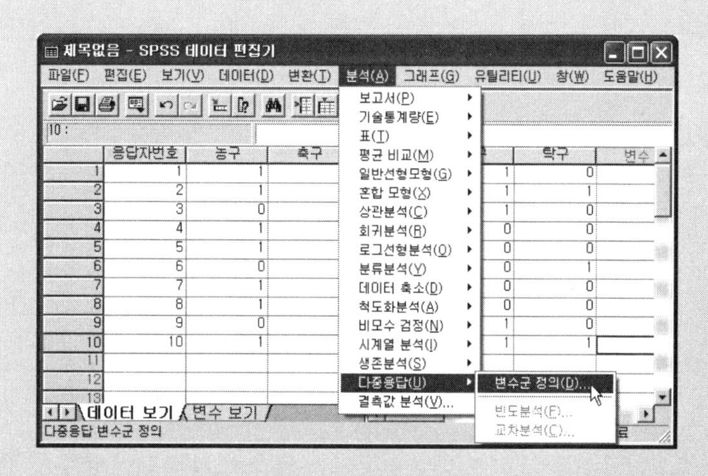

– 다중응답변수군정의 대화상자가 나타나면, 변수군정의에서 농구, 축구, 야구, 배구, 탁구 변수들을 선택해서 변수군에 포함된 변수(V)로 이동시킨다. 변수들의 코딩형식에서 이분형을 선택하고 빈도화값에 1을 입력한다.

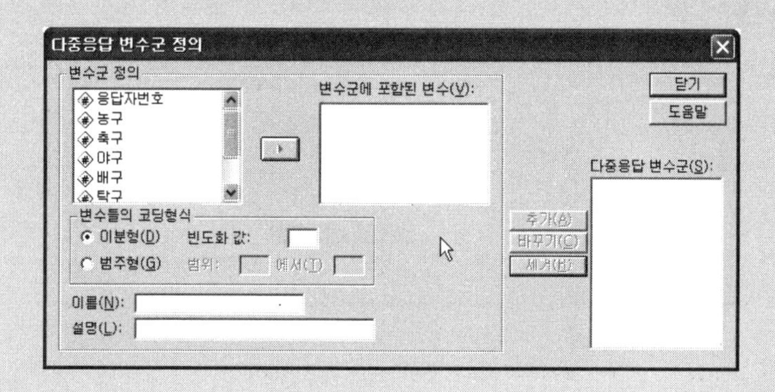

– 이름(N)에 새로 생성될 변수군 이름으로 '선호종목'을 입력한다. 여기까지 완료된 모습은 다음과 같다.

– 추가(A)을 선택하면 선호종목변수가 다중응답변수군(S)에 포함된 것을 다음과 같이 볼 수 있다.

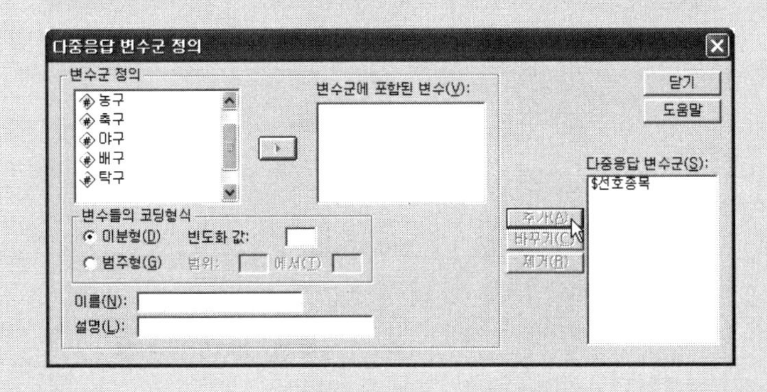

– 다중응답변수군에 대한 빈도분석을 수행하기 위해서는 위에서 해본 것과 같이 데이터편집기 화면에서 분석(A)->다중응답(U)->빈도분석(F)...을 선택한다.

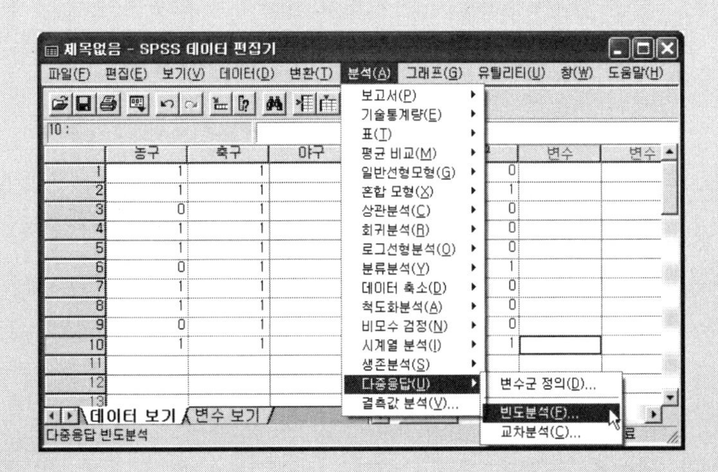

– 다중응답빈도분석 대화상자가 나타나면 다중응답변수군(M)에서 ‘선호종목’ 변수를 선택하여 표작성 응답군(T)으로 이동시킨다. 확인 버튼을 누르면 빈도분석이 수행되어 다음과 같이 빈도분석결과가 출력된다.

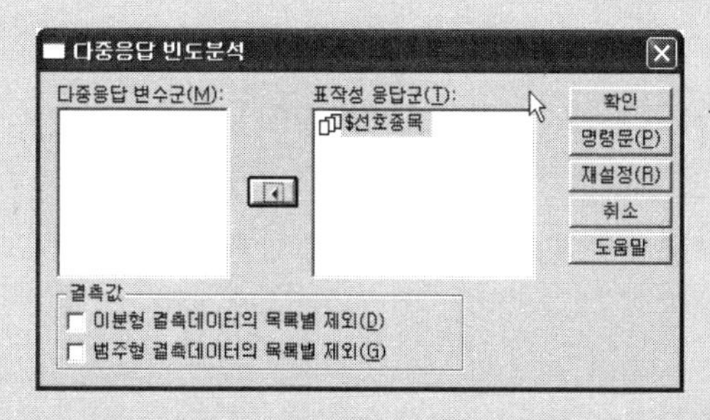

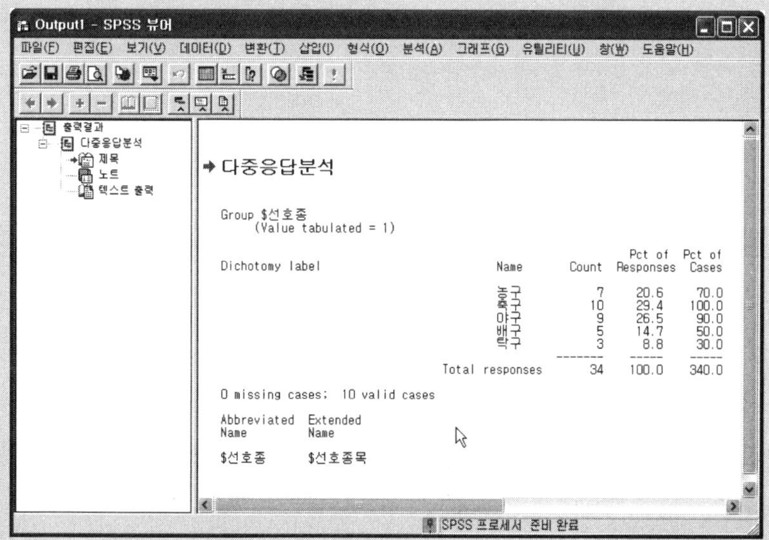

- 출력된 분석결과를 보는 방법은 앞에서 설명한 것과 동일하다.

3. 순위응답을 요하는 복수응답문항의 코딩 및 분석-1

(문항 4) 귀하께서 좋아하는 종목을 순서대로 순위를 적어 주십시오(- - - -).

① 농구 ② 축구 ③ 야구 ④ 배구 ⑤ 탁구

위의 (문항 4)는 제시된 항목을 대상으로 순위를 설정하는 문항이다. 앞에서 본 문항들과는 순위를 설정한다는 점에서 차이가 난다. 주어진 항목들 모두를 사용한다는 점에서는 뒤에서 다루게 될 문항과 차별이 된다. 위 문항에 대한 응답결과가 다음과 같다고 하자.

응답자 번호	응답	응답자 번호	응답
응답자 1	1-3-2-4-5	응답자 6	3-1-2-5-4
응답자 2	1-2-3-4-5	응답자 7	2-1-3-4-5
응답자 3	2-1-3-5-4	응답자 8	1-3-2-5-4
응답자 4	3-2-1-4-5	응답자 9	4-2-1-5-3
응답자 5	3-1-2-4-5	응답자 10	3-1-2-4-5

– 이같은 응답결과의 코딩은 다음과 같은 두 가지 방법이 있다.

– 첫 번째 방법은 항목을 변수로 사용하여 각 종목에 대한 순위를 코딩하는 것이다. 이렇게 코딩을 할 경우 응답자의 응답순서와 코딩순서가 달라지기 때문에 코딩할 때 많은 혼란이 있을 수 있다(응답자 5의 응답내용과 코딩내용을 비교해 보라).

항복을 변수로 사용하여 순위를 코딩

번호 \ 종목	1위	2위	3위	4위	5위
1	1	3	2	4	5
2	1	2	3	4	5
3	2	1	3	5	4
4	3	2	1	4	5
5	3	1	2	4	5
6	3	1	2	5	4
7	2	1	3	4	5
8	1	3	2	5	4
9	4	2	1	5	3
10	3	1	2	4	5

– 두 번째 방법은 순위를 변수로 설정하여 종목번호를 코딩하는 방식이다. 이 방법이 응답자가 응답한 형식대로 코딩할 수 있기 때문에 첫 번째 코딩방식보다 혼란이 적고 편하다.

– 위의 응답결과를 이용하여 SPSS에 코딩한 모습한 다음과 같다.

7장-복수응답 문항의 코딩(문항종류 4) 및 분석.sav - SPSS 데이터 편집기

파일(F) 편집(E) 보기(V) 데이터(D) 변환(T) 분석(A) 그래프(G) 유틸리티(U) 창(W) 도움말(H)

6 :

	순위1	순위2	순위3	순위4	순위5	변수	변수
1	1	3	2	4	5		
2	1	2	3	4	5		
3	2	1	3	5	4		
4	3	2	1	4	5		
5	3	1	2	4	5		
6	3	1	2	5	4		
7	2	1	3	4	5		
8	1	3	2	5	4		
9	4	2	1	5	3		
10	3	1	2	4	5		
11							

데이터 보기 / 변수 보기

SPSS 프로세서 준비 완료

– 앞에서 배운 대로 다중응답변수군 정의를 한 후 다중응답변수군에 대한 빈도분석 결과는 다음과 같다. 출력결과를 보면 모든 항목에 대한 값이 동일한 것을 볼 수 있다. 이것은 모든 항목을 이용하여 순위를 응답하도록 되어 있기 때문에 당연한 결과이다. 만약 각 순위에 대한 응답결과를 분석하고자 한다면 분석->기술통계량->빈도분석을 사용하여 분석하여야 한다.

4. 순위응답을 요하는 복수응답문항의 코딩 및 분석-2

(문항 5) 귀하께서 좋아하는 종목 순서대로 순위를 2개 적어 주십시오(-).
① 농구 ② 축구 ③ 야구 ④ 배구 ⑤ 탁구

(문항 5)는 앞에서 살펴본 (문항 4)와 순위의 개수만 다를 뿐 모든 것이 동일하다. 만약 항목인 종목을 변수로 사용한다면 5개의 코딩변수가 요구되나, 순위를 변수로 사용하여 종목번호를 코딩한다면 2개의 변수만이 필요하게 된다.

- 코딩과 다중응답분석방법은 위에서 많이 다루어 봤으므로 여기에서는 생략한다.

(3) 교차분석의 실제

교차분석은 일반적으로 교차표를 이용하여 둘 이상의 범주형변수(명목변수, 순서변수)의 비율을 분석하여 변수들 간의 관련성을 파악할 때 사용된다. 또한 데이터를 탐색하고, 보기 편하게 구성하기 위하여 사용하기 때문에 여러 분야에서 이용되고 있으며 활용빈도가 많은 분석방법이다. 그러나 교차분석을 수행할 때 데이터에 대한 면밀한 검토가 수행되지 않으면 잘못된 결론을 이끌어낼 수 있기 때문에 많은 주의가 요구되는 분석방법이기도 하다. 여기에서는 교차분석 시 필요한 기초적인 이용방법과 다양한 분석방법들을 살펴보기로 한다.

SPSS를 이용한 예제 분석

[예제] 교차분석을 실습하기 위한 설문데이터는 다음과 같다. 제품의 만족정도와 할인행사의 만족정도를 알아보기 위한 설문으로 총 8개의 문항으로 구성되어 있으며, 성별과 연령대 그리고 구체적인 문항 6개이다. 응답자는 12명이며, 이들이 응답한 결과를 표로 제시하고 있다.

제품에 대한 만족정도와 할인행사에 대한 만족정도를 알아보기 위해서 아래와 같은 설문지를 작성하여 조사하였다.

(성별) 귀하의 성별은? ① 여성 ② 남성

(연령) 귀하의 연령은? ① 20대 ② 30대 ③ 40대

(문항1) 제품의 기능에 만족하십니까?
① 매우 불만족하다 ② 불만족하다
③ 보통이다 ④ 만족한다
⑤ 매우 만족한다

(문항2) 제품의 디자인에 만족하십니까?
① 매우 불만족하다 ② 불만족하다
③보통이다 ④만족한다
⑤ 매우 만족한다

(문항3) 제품의 A/S에 만족하십니까?
① 매우 불만족하다 ② 불만족하다
③ 보통이다 ④ 만족한다
⑤ 매우 만족한다

(문항4) 년 4회의 할인행사에 만족하십니까?
① 매우 불만족하다 ② 불만족하다
③ 보통이다 ④ 만족한다
⑤ 매우 만족한다

(문항5) 할인행사의 할인율에 만족하십니까?
① 매우 불만족하다 ② 불만족하다
③ 보통이다 ④ 만족한다
⑤ 매우 만족한다

(문항6) 할인행사에 제공하는 서비스에 만족하십니까?
① 매우 불만족하다 ② 불만족하다
③ 보통이다 ④ 만족한다
⑤ 매우 만족한다

– 응답결과는 다음과 같다.

성별	연령	문항1	문항2	문항3	문항4	문항5	문항6
1	2	2	2	1	3	3	4
1	3	2	2	2	4	4	5
1	1	3	3	3	5	5	5
1	3	3	4	3	4	5	4
1	2	3	4	4	5	3	2
1	2	4	3	4	1	3	3
2	3	4	3	3	1	3	4
2	1	4	4	4	5	5	5
2	1	4	4	4	4	4	4
2	2	5	4	5	4	3	3
2	3	5	5	5	5	3	5
2	2	5	5	5	3	4	4

– 응답결과를 코딩완료한 화면은 다음과 같다.

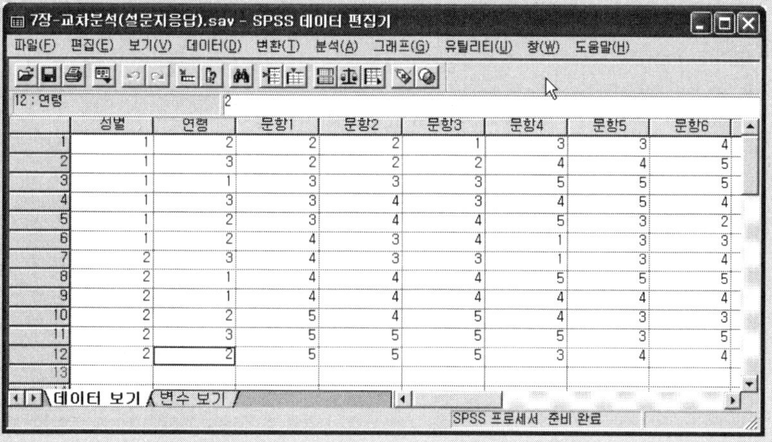

7장-교차분석(설문지응답).sav - SPSS 데이터 편집기

파일(F) 편집(E) 보기(V) 데이터(D) 변환(T) 분석(A) 그래프(G) 유틸리티(U) 창(W) 도움말(H)

12 : 연령 2

	성별	연령	문항1	문항2	문항3	문항4	문항5	문항6
1	1	2	2	2	1	3	3	4
2	1	3	2	2	2	4	4	5
3	1	1	3	3	3	5	5	5
4	1	3	3	4	3	4	5	4
5	1	2	3	4	4	5	3	2
6	1	2	4	3	4	1	3	3
7	2	3	4	3	3	1	3	4
8	2	1	4	4	4	5	5	5
9	2	1	4	4	4	4	4	4
10	2	2	5	4	5	4	3	3
11	2	3	5	5	5	5	3	5
12	2	2	5	5	5	3	4	4
13								

데이터 보기 / 변수 보기

SPSS 프로세서 준비 완료

1. 교차분석의 데이터코딩 시 값 설정방법

설문응답 데이터를 코딩할 때는 가능한 응답내용을 변수보기의 값항목에 입력해 놓으면 차후 분석결과를 볼 때 편하다. 여기에서는 보다 쉽게 값을 입력하는 방법을 살펴보기로 한다.

- 먼저 데이터편집기 화면에서 다음과 같이 변수보기로 이동한 후 성별과 연령대에 대한 내용을 입력하여 (문항 1)에 대한 항목들을 입력한다.

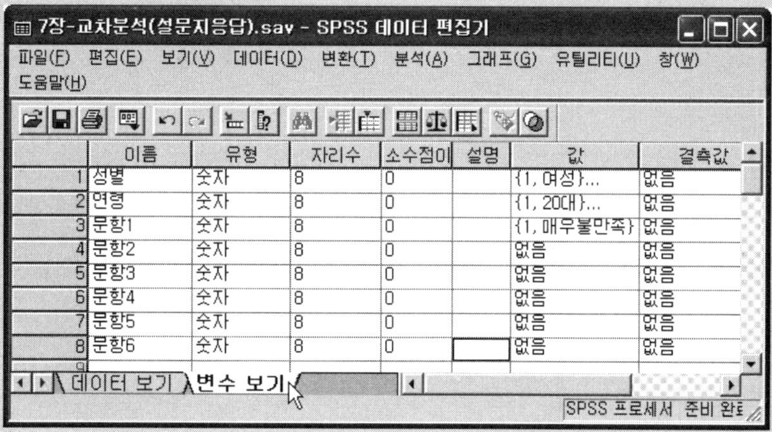

7장-교차분석(설문지응답).sav - SPSS 데이터 편집기

파일(F) 편집(E) 보기(V) 데이터(D) 변환(T) 분석(A) 그래프(G) 유틸리티(U) 창(W) 도움말(H)

	이름	유형	자리수	소수점이	설명	값	결측값
1	성별	숫자	8	0		{1, 여성}...	없음
2	연령	숫자	8	0		{1, 20대}...	없음
3	문항1	숫자	8	0		{1, 매우불만족}	없음
4	문항2	숫자	8	0		없음	없음
5	문항3	숫자	8	0		없음	없음
6	문항4	숫자	8	0		없음	없음
7	문항5	숫자	8	0		없음	없음
8	문항6	숫자	8	0		없음	없음

데이터 보기 / 변수 보기

SPSS 프로세서 준비 완료

- 설문문항을 살펴보면 (문항 1)부터 (문항 6)까지는 5점 척도로 동일한 내용이다. 따라서 (문항 1)의 내용을 다른 문항값에 그대로 사용하면 된다. 다음과 같이 (문항 1)의 값을 선택한 후 마우스 오른쪽 버튼을 누르면 팝업메뉴가 나타난다.

7장-교차분석(설문지응답).sav - SPSS 데이터 편집기

파일(F) 편집(E) 보기(V) 데이터(D) 변환(T) 분석(A) 그래프(G) 유틸리티(U) 창(W) 도움말(H)

	이름	유형	자리수	소수점이	설명	값	결측값
2	연령	숫자	8	0		{1, 20대}...	없음
3	문항1	숫자	8	0		{1, 매우불만	없음
4	문항2	숫자	8	0		없음	
5	문항3	숫자	8	0		없음	
6	문항4	숫자	8	0		없음	
7	문항5	숫자	8	0		없음	
8	문항6	숫자	8	0		없음	없음

복사
붙여넣기
격자 글꼴

데이터 보기 변수 보기

SPSS 프로세서 준비 완료

– 팝업메뉴에서 복사 버튼을 선택한 후 다음과 같이 (문항 2)에서 (문항 6)까지 마우스로 드래그를 하여 선택한 후 마우스 오른쪽 버튼을 누르면 팝업메뉴에 붙여넣기 메뉴가 활성화되어 나타난다. 붙여넣기를 실행하면 선택된 모든 변수에 값들이 자동으로 들어간다.

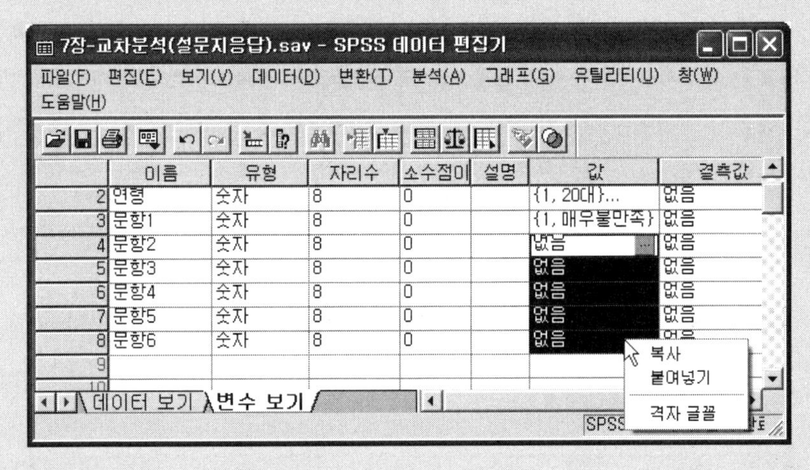

– 값 난에 입력완료된 모습은 다음과 같다.

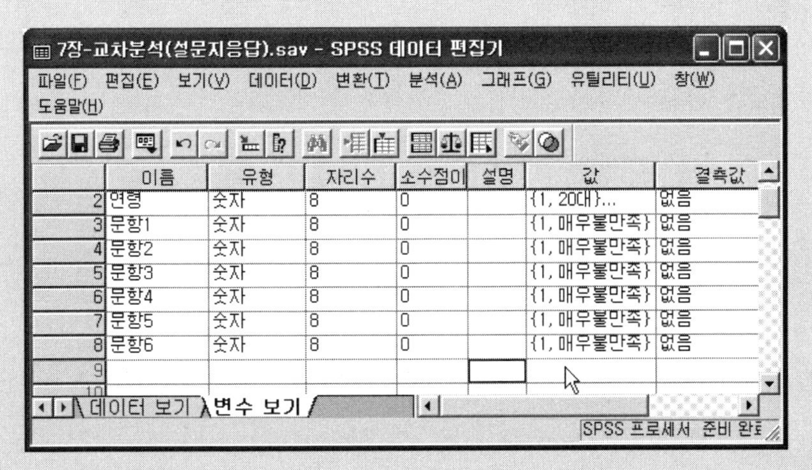

2. 교차분석 : 데이터 분포 확인하기

코딩이 완료되었다면 교차분석을 수행해 보자. 교차분석을 수행하기 위해서는 데이터편집기 화면에서 다음과 같이 분석(A)->기술통계량(E)->교차분석(C)...을 선택한다.

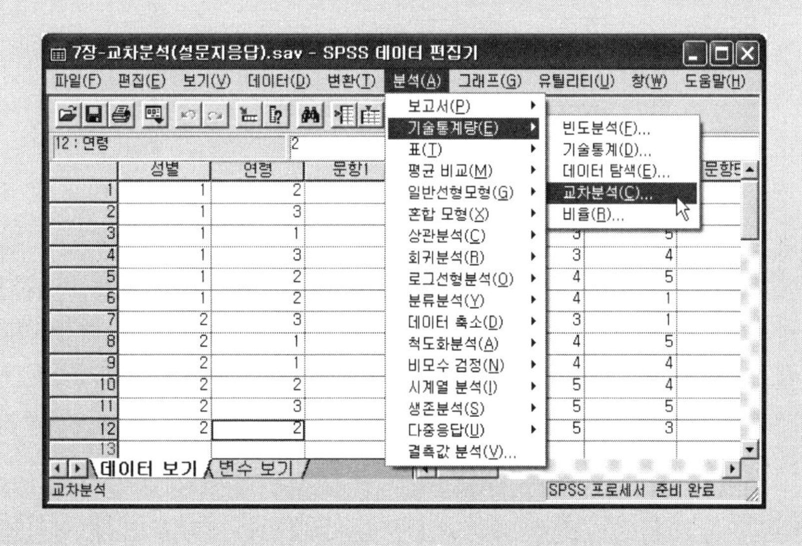

- 교차분석 대화상자가 나타나면, 왼쪽에 나열되어 있는 변수들 중에서 성별을 선택하여 행(O)으로 옮기고, 연령 변수를 선택하여 열(C)로 옮긴다.
- 완료된 모습은 다음과 같다. 이렇게 변수를 설정한 것은 피험자들의 분포를 성별과 연령대별로 보기 위해서이다.

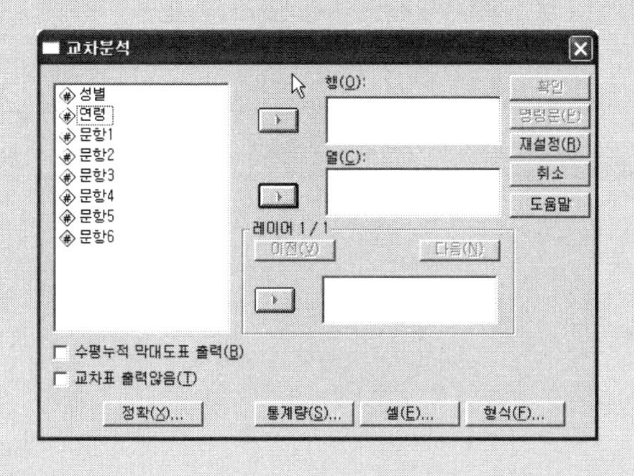

– 확인 버튼을 선택하면 다음과 같은 분석결과를 볼 수 있다.

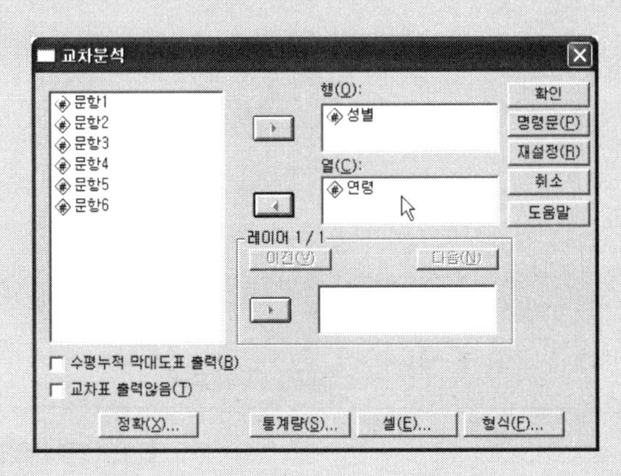

– 성별과 연령의 하위범주가 여성과 남성, 20대, 30대 40대로 표기되어 있는 것을 볼 수 있다. 만약 위에서 코딩 시 변수보기탭의 값에 문항의 항목들을 입력하지 않았다면, 성별은 1과 2로 연령은 1, 2, 3, 4로 표기되어 데이터를 살펴보는데 혼돈을 가져왔을 것이다. 내용을 살펴보면 각 하위범주별로 몇 명의 피험자가 속해 있는지를 나타내고 있다. 피험자 중 여성은 총 6명이며 그중 20대가 1명, 30대가 3명, 40대가 2명으로 나타나 있다. 이같은 교차표에서는 각 하위범주별 피험자 빈도 또는 도수만을 확인할 수 있을 뿐이다.

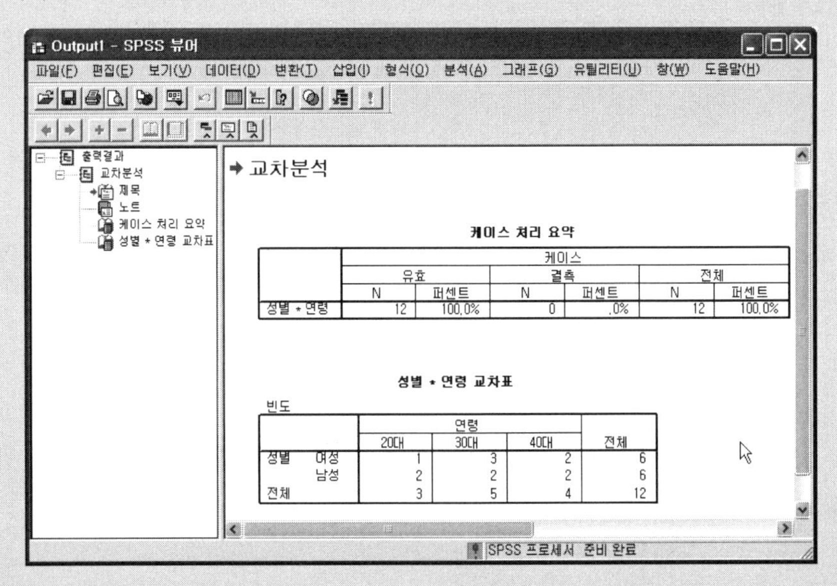

성별 · 연령 교차표 빈도

		연령			전체
		20대	30대	40대	
성별	여성	1	3	2	6
	남성	2	2	2	6
전체		3	5	4	12

3. 교차분석 : 데이터 분포 비율 확인하기

위의 자료는 도수만을 나타내고 있어 전체적인 데이터 분포의 확인은 어렵다. 이제 데이터의 비율(퍼센트)까지 출력하도록 설정해 보자.

- 교차분석 대화상자에서 셀(F) 버튼을 선택하면 다음과 같은 교차분석 : 셀출력 대화상자가 나타난다.

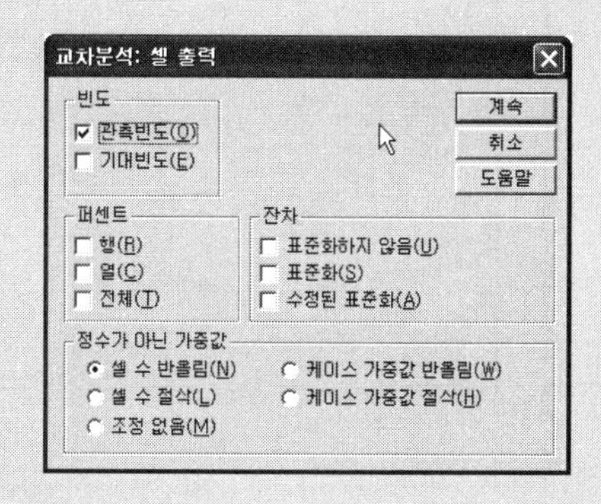

- 퍼센트에 나열되어 있는 행(R), 열(C), 전체(T)를 선택한다.

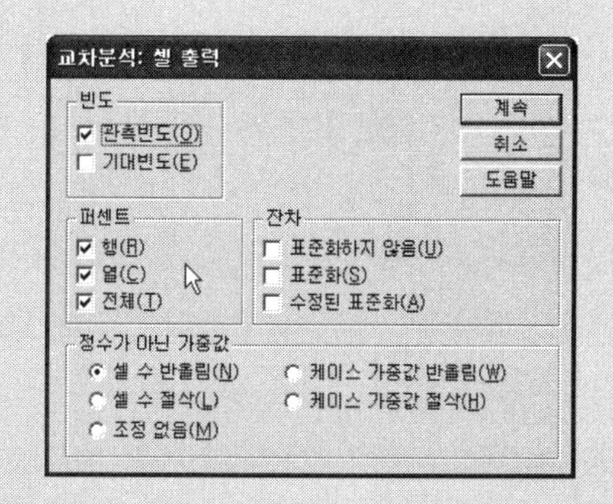

- 계속 버튼을 눌러 앞 화면으로 복귀한 다음. 확인 버튼을 누르면 출력결과가 나타난다.

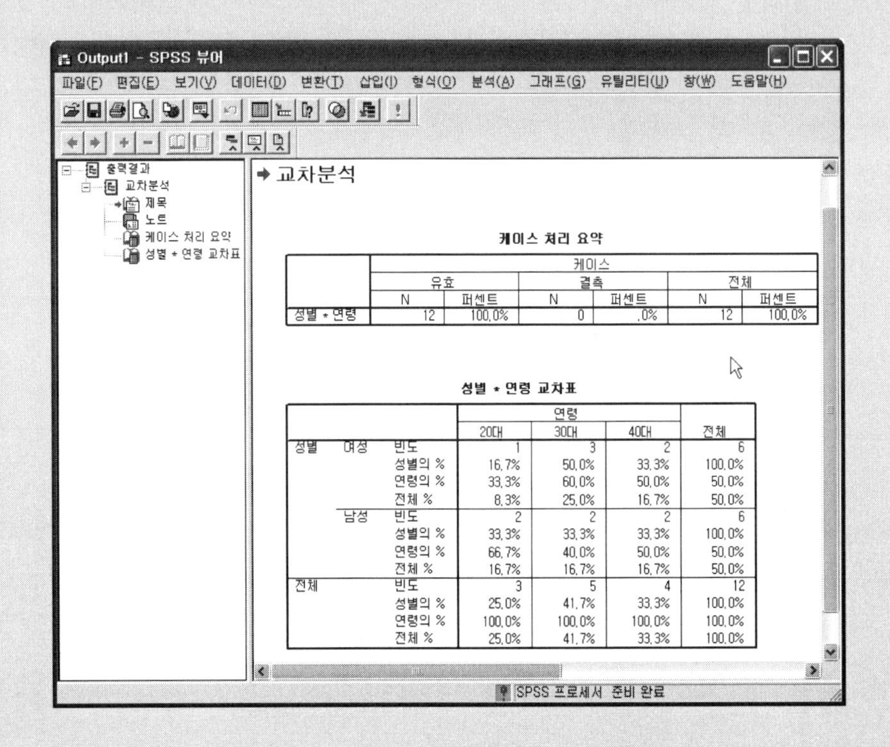

– 출력결과의 교차표를 보면 빈도 밑에 각 항목의 퍼센트값이 출력되어 있음을 볼 수 있다. 여성 20대는 1명인데, 이는 여성의 16.7%를 차지하는 값이고, 20대 전체 중에서 33.3%를 차지하며, 전체피험자 12명 중에서는 8.3%를 차지하는 값이다.

퍼센트 체크 후 출력 결과

			연령			전체
			20대	30대	40대	
성별	여성	빈도	1	3	2	6
		성별의 %	16.70%	50.00%	33.30%	100.00%
		연령의 %	33.30%	60.00%	50.00%	50.00%
		전체 %	8.30%	25.00%	16.70%	50.00%
	남성	빈도	2	2	2	6
		성별의 %	33.30%	33.30%	33.30%	100.00%
		연령의 %	66.70%	40.00%	50.00%	50.00%
		전체 %	16.70%	16.70%	16.70%	50.00%
전체		빈도	3	5	4	12
		성별의 %	25.00%	41.70%	33.30%	100.00%
		연령의 %	100.00%	100.00%	100.00%	100.00%
		전체 %	25.00%	41.70%	33.30%	100.00%

(4) 교차분석 시 주의사항

피험자들의 분포상황을 살펴보기 위해서 교차분석을 수행하였지만, 지금과 같이 피험자수가 매우 적을 때에는 교차표를 이용한 데이터의 탐색에서 얻을 수 있는 것은 매우 드물다. 따라서 이번에는 표본크기가 큰 데이터를 이용하여 교차분석을 수행하면서 교차분석 시 주의할 사항들을 알아보기로 한다.

SPSS를 이용한 예제 분석

[예제] 다음은 성별, 연령, 교육수준, 결혼여부, 월소득, 직업만족도, 스키소유 여부에 대한 조사결과이다. 연령변수는 응답 시 피험자들에게 직접 연령을 입력하게 한 것이고, 연령대 변수는 연령변수를 대상으로 하여 재코딩한 것이다.

7장-교차분석(스키소유여부).sav - SPSS 데이터 편집기

파일(F) 편집(E) 보기(V) 데이터(D) 변환(T) 분석(A) 그래프(G) 유틸리티(U) 창(W) 도움말(H)

2 : 연령 56

	성별	연령	연령대	결혼여부	교육수준	월소득	직업만족도	스키소유여부
1	1	55	5	1	1	3	5	0
2	2	56	5	0	1	4	4	0
3	1	28	2	1	3	2	3	1
4	2	24	2	1	4	2	1	1
5	2	25	2	0	2	1	2	0
6	2	45	4	1	3	4	2	0
7	2	42	4	0	3	2	2	0
8	1	35	3	0	2	3	1	0
9	1	46	4	0	1	1	5	0
10	2	34	3	1	3	4	4	0
11	1	55	5	1	3	3	3	0
12	2	28	2	0	4	1	5	0
13	1	31	3	1	4	2	2	0

데이터 보기 / 변수 보기

SPSS 프로세서 준비 완료

위의 데이터를 이용하여 우리는 많은 것을 볼 수 있다. 가령 성별에 따른 스키소유 여부나 연령대에 따른 스키소유 여부 등 연구자의 연구목적에 따라 다양하게 변수관계를 설정할 수 있다. 그러나 여기에서는 성별과 연령대변수에 따른 스키소유 여부와 월소득에 따른 스키소유 여부에 대해서만 살펴보기로 한다.

- 교차분석을 수행하기 위해서는 데이터편집기 화면에서 다음과 같이 분석(A)->기술통계량(E)->교차분석(C)...을 선택한다.

- 교차분석 대화상자가 나타나면 성별, 연령대, 월소득 변수를 선택하여 행(O)으로 옮기고, 스키소유 여부 변수를 선택하여 열(C)로 옮긴다. 변수설정이 완료된 화면은 다음과 같다.

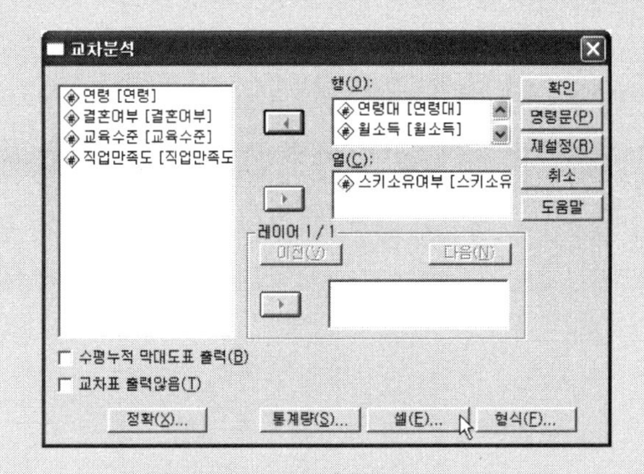

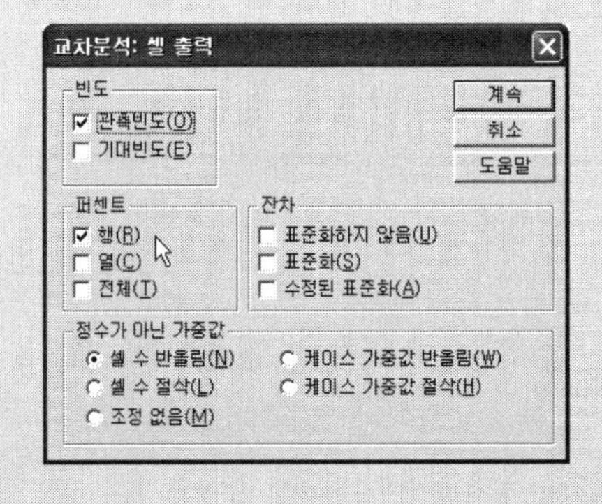

- 교차분석 대화상자에서 셀(E) 버튼을 누르면 다음과 같은 교차분석 : 셀 출력 대화상자가 나타난다. 퍼센트의 행(R)을 선택한다. 계속 버튼을 눌러 이전 화면으로 복귀한 후 확인 버튼을 선택하면 다음과 같은 교차분석결과가 출력된다.

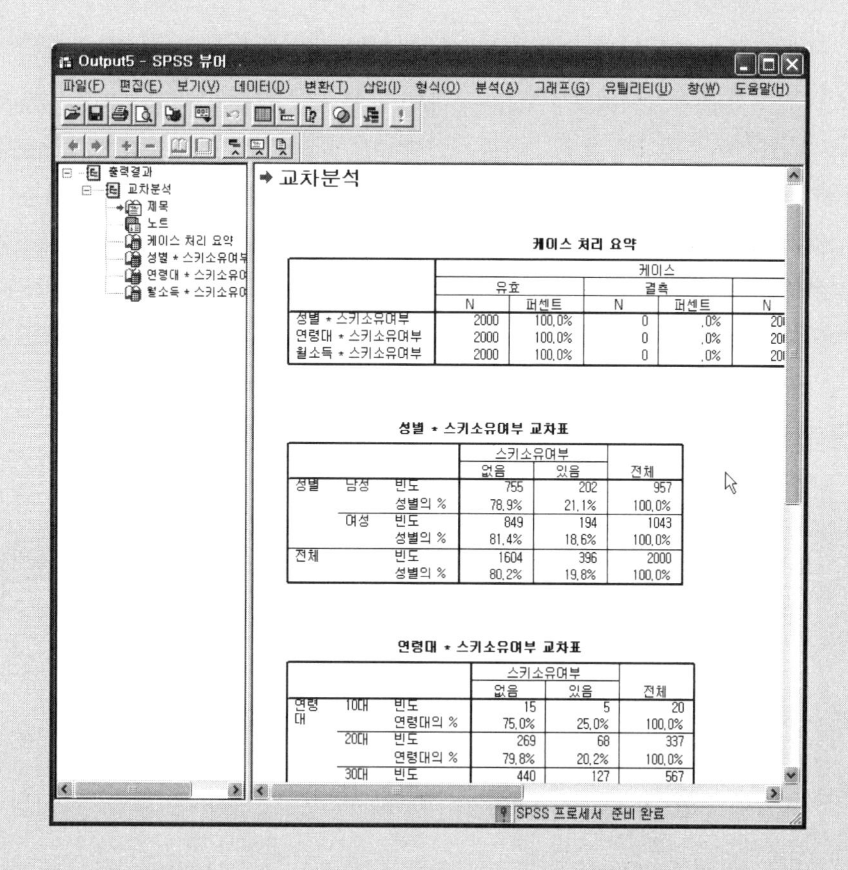

- 출력된 결과는 다음과 같이 4가지로 나눌 수 있다.
  ① 케이스처리요약 ② 성별*스키소유 여부 교차표
  ③ 연령대*스키소유 여부 교차표 ④ 월소득*스키소유 여부 교차표
- 케이스처리요약은 분석에 사용된 케이스, 즉 응답자들에 대한 빈도 결과를 보여주고 있는 것으로 만약 결측치가 존재한다면 이 부분에서 확인할 수 있다.
- 성별에 따른 스키소유 여부를 살펴보면 성별에 상관없이 스키를 소유하고 있는 사람이 그렇지 않은 사람보다 낮은 비율임을 알 수 있다.

성별*스키소유 여부 교차표

			스키소유 여부		전체
			없음	있음	
성별	남성	빈도	755	202	957
		성별의%	78.90%	21.10%	100.00%
	여성	빈도	849	194	1043
		성별의 %	81.40%	18.60%	100.00%
전체		빈도	1604	390	2000
		성별의 %	80.20%	19.80%	100.00%

– 연령대에 따른 스키소유 여부를 살펴보면 10대, 20대, 30대에서 비교적 많이 소유하고 있는 반면, 40대 이후부터는 점차 스키소유 비율이 낮아지고 있음을 볼 수 있다. 이렇게 교차표는 응답자들의 분포를 한눈에 볼 수 있다는 장점이 있다. 그러나 여기서 나온 결과를 무작정 연구자가 다 받아들여서는 안 된다. 교차표에서 제공하는 것은 단순히 집계한 결과를 제공하기 때문에 이를 그대로 해석하는 것은 옳지 않다. 연구자는 좀더 면밀하게 결과가 나온 이유를 살펴봐야 한다. '연령대*스키소유 여부 교차표'를 보면 10대와 70대의 경우 매우 낮은 스키소유비율을 나타내고 있는데, 이는 응답자가 다른 연령대에 비해 절대적인 수치가 작기 때문일 수 있다. 10대와 20대의 결과를 보면 10대가 스키를 소유한 비율이 20대와 유사하지만 인원수는 매우 큰 차이를 나타내고 있다. 이는 10대의 값이 인원수에 의해 영향을 받았을 수 있다는 예측을 가능하게 한다.

연령대 *스키소유 여부 교차표

			스키소유 여부		전체
			없음	있음	
연령대	10대	빈도	15	5	20
		연령대의 %	75.00%	25.00%	100.00%
	20대	빈도	269	68	337
		연령대의%	79.80%	20.20%	100.00%
	30대	빈도	440	127	567
		연령대의 %	77.60%	22.40%	100.00%
	40대	빈도	417	99	516
		연령대의 %	80.80%	19.20%	100.00%
	50대	빈도	302	69	371
		연령대의 %	81.40%	18.60%	100.00%
	60대	빈도	136	24	160
		연령대의 %	85.00%	15.00%	100.00%
	70대	빈도	25	4	29
		연령대의 %	86.20%	13.80%	100.00%
전체		빈도	1604	396	2000
		연령대의 %	80.20%	19.80%	100.00%

– 다음은 '월소득*스키소유 여부 교차표'를 보자. 스키를 소유한 인원만(빈도값)을 보면 2백만 원~3백만 원 미만이 146명으로 2백만 원 미만의 53명에 비해 상대적으로 높은데, 이는 2백만 원~3백만 원 미만의 응답자(780명)가 2백만 원 미만의 응답자(354명) 수에 비해 2배 이상이기 때문에 나타난 결과일 수 있다. 따라서 빈도뿐만 아니라 비율값을 함께 고려해야 한다.

월소득*스키소유 여부 교차표

			스키소유 여부		전체
			없음	있음	
월소득	2백만원 미만	빈도	301	53	354
		월소득의 %	85.00%	15.00%	100.00%
	2백만원~3백만원 미만	빈도	634	146	780
		월소득의 %	81.30%	18.70%	100.00%
	3백만원~4백만원 미만	빈도	258	71	329
		월소득의 %	78.40%	21.60%	100.00%
	4백만원 이상	빈도	411	126	537
		월소득의 %	76.50%	23.50%	100.00%
전체		빈도	1604	396	2000
		월소득의 %	80.20%	19.80%	100.00%

1. 교차분석에서의 카이제곱검정

'월소득*스키소유 여부 교차표'를 보면 월소득이 높을수록 스키소유비율이 높아지고 있음을 볼 수 있다(15.0%→18.7%→21.6%→23.5%).

이 결과를 토대로 월소득이 스키소유 여부에 영향을 미치는 것으로 판단하는 것은 시기상조이다. 월소득변수와 스키소유 여부 변수 간에 관련성이 있는지를 검정하기 위해서는 카이스퀘어(χ^2) 분석을 수행하여야 한다.

- χ^2 분석을 하기 위해서는 데이터편집기 화면에서 다음과 같이 분석(A)->기술통계량(E)->교차분석(C)...을 선택한다.

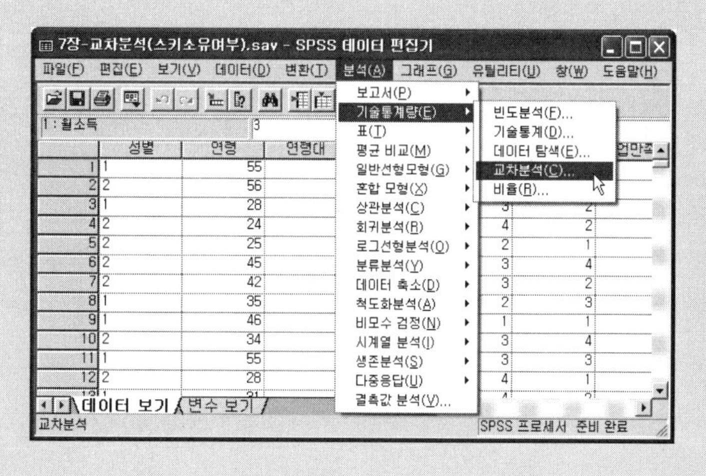

- 교차분석 대화상자가 나타나면 월소득변수를 행(O)으로 이동시키고, 스키소유 여부 변수를 열(C)로 이동시킨다. 통계량(S) 버튼을 선택하여 다음과 같이 교차분석 : 통계량 대화상자가 나타나게 한 후 카이제곱(H)을 선택한다.

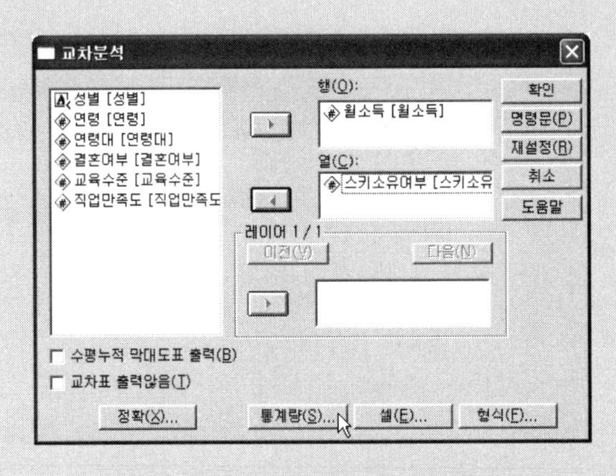

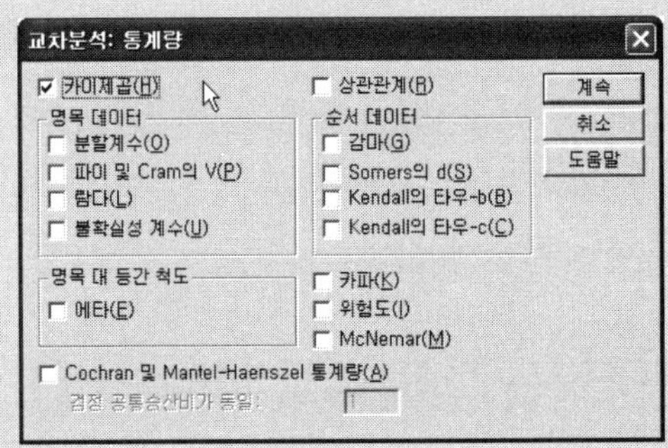

– 계속 버튼을 클릭하여 앞화면으로 복귀한 후 확인 버튼을 선택하면 다음과 같은 검정결과가 출력된다.

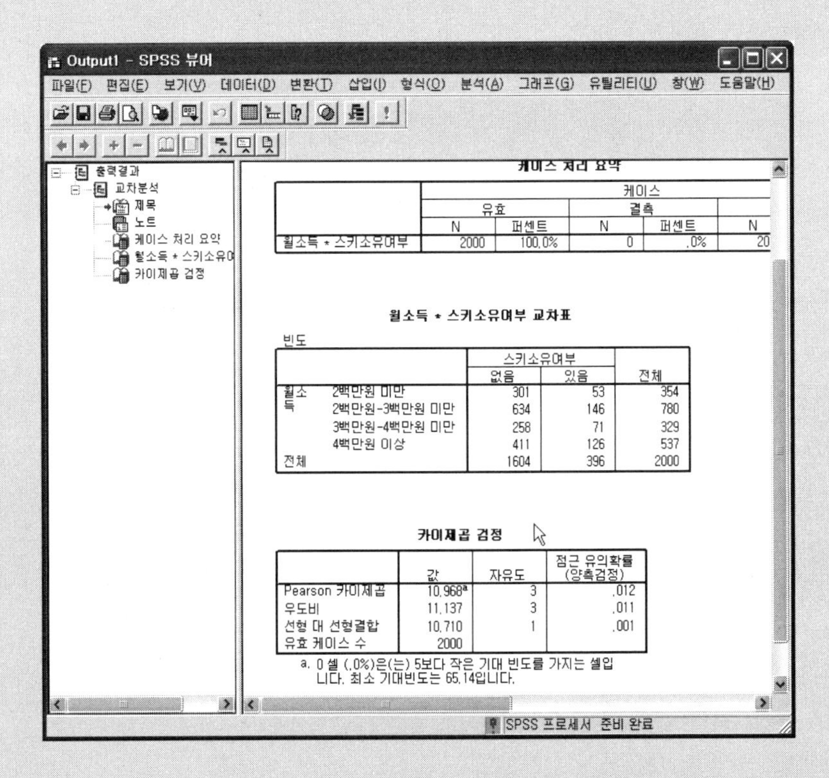

케이스 처리 요약

	유효 N	유효 퍼센트	결측 N	결측 퍼센트	전체 N
월소득 * 스키소유여부	2000	100.0%	0	.0%	20

월소득 * 스키소유여부 교차표

빈도

		스키소유여부 없음	스키소유여부 있음	전체
월소득	2백만원 미만	301	53	354
	2백만원-3백만원 미만	634	146	780
	3백만원-4백만원 미만	258	71	329
	4백만원 이상	411	126	537
전체		1604	396	2000

카이제곱 검정

	값	자유도	점근 유의확률 (양측검정)
Pearson 카이제곱	10.968a	3	.012
우도비	11.137	3	.011
선형 대 선형결합	10.710	1	.001
유효 케이스 수	2000		

a. 0 셀 (.0%)은(는) 5보다 작은 기대 빈도를 가지는 셀입니다. 최소 기대빈도는 65.14입니다.

- 출력된 결과물 중 마지막에 나타나 있는 χ^2검정결과를 보면 Pearson 카이제곱값이 10.968로 유의확률=0.012로 나타나 유의수준=0.05하에서 두 변수 즉, 월소득변수와 스키소유 여부 변수 간에 관련성이 있는 것으로 나타났다.

  이같은 결과는 월소득에 따라서 스키소유 여부의 비율이 다름을 나타내는 것이며, 비율의 차이는 위에서 살펴본 바와 같이 월소득이 증가할수록 스키소유가 증가하는 것으로 나타난 것이다.
- 이렇게 χ^2검정을 통해서 우리는 비율의 차이가 임의적 또는 우연히 발생한 것이 아닌 통계학적으로 비율의 차이가 존재한다는 것을 검정할 수 있다.

월소득*스키소유 여부 간의 카이제곱검정결과

	값	자유도	접근유의확률(양측검정)
Pearson 카이제곱	10.968[a]	3	.012
우도비	11.137	3	.011
선형 대 선형결합	10.710	1	.001
유효 케이스 수	2000		

a. 0셀(.0%)은(는) 5보다 작은 기대빈도를 가지는 셀입니다. 최소기대반도는 65.14입니다.

2. 제어변수를 이용한 카이제곱검정

앞에서 월소득변수와 스키소유 여부 변수 간에 통계적으로 관련성이 있음을 검정하였다. 즉 월소득이 증가할수록 스키소유가 증가하는 것을 확인하였다. 그러나 이같은 결과는 단순히 통계적으로 검정된 것일 뿐 내용적으로 타당한 것인가에 대해서는 연구자의 면밀한 검토가 필요하다. 특히 교차분석을 사용할 경우에는 변수 간의 관련성을 주의 깊게 관찰하여 타당성 있는 검정구조를 세우는 것이 중요하다.

위의 경우를 다시 살펴보자. 월소득은 교육수준(학력)에 의해 좌우되는 경향이 있다. 따라서 먼저 월소득과 교육수준 간에 관련성이 있는지 조사할 필요가 있다. 이를 위해 교차분석을 통한 χ^2 분석을 수행해 보면 다음과 같은 결과가 출력된다(위에서 수행한 χ^2 검정에서 변수들만을 재설정하면 된다).

- 다음 표는 학력수준이 높을수록 4백만 원 이상의 소득자비율이 증가함을 볼 수 있고, 2백만 원 미만의 소득자비율이 감소하고 있음을 알 수 있다.

교육수준*월소득 교차표

			월소득				전체
			2백만원 미만	2백만원 ~3백만원 미만	3백만원 ~4백만원 미만	4백만원 이상	
교육수준	중졸	빈도	96	185	54	104	439
		교육수준의 %	21.90%	42.10%	12.30%	23.70%	100.00%
	고졸	빈도	120	226	104	149	599
		교육수준의 %	20.00%	37.70%	17.40%	24.90%	100.00%
	대학중퇴	빈도	71	182	69	118	440
		교육수준의 %	16.10%	41.40%	15.70%	26.80%	100.00%
	대학졸업	빈도	57	144	79	128	408
		교육수준의 %	14.00%	35.30%	19.40%	31.40%	100.00%
	대학원 졸업	빈도	10	43	23	38	114
		교육수준의 %	8.80%	37.70%	20.20%	33.30%	100.00%
전체		빈도	354	780	329	537	2000
		교육수준의 %	17.70%	39.00%	16.50%	26.90%	100.00%

– 이러한 관련성에 대한 χ^2검정결과는 다음과 같다. Pearson 카이제곱값이 34.090으로 유의확률=0.001로 나타나 유의수준=0.05하에서 교육수준과 월소득변수 간에 관련성이 있음이 검정되었다. 즉 교육수준이 높을수록 월소득이 증가하는 것을 확인된 것이다.

교육수준 * 월소득에 대한 카이제곱검정 결과

	값	자유도	점근유의확률(양측검정)
Pearson 카이제곱	34.090[a]	12	.001
우도비	35.236	12	.000
선형 대 선형결합	24.515	1	.000
유효케이스수	2000		

a. 0셀(.0%)은(는) 5보다 작은 기대 빈도를 가지는 셀입니다. 최소기대빈도는 18.75입니다.

– 월소득이 증가할수록 스키소유가 증가하는 것을 확인하였으며, 또 월소득은 교육수준에 영향을 받는 것도 알아냈으므로 스키소유 여부는 근원적으로 교육수준에 의해 영향을 받는 것으로 생각할 수 있다.
– 그렇다면 이제 교육수준이 스키소유 여부에 영향을 미치는지 검정해 볼 필요가 있다. 위에서 수행했던 χ^2검정에서 교육수준변수와 스키소유 여부 변수를 이용하여 χ^2검정을 수행하면 다음과 같은 결과를 얻을 수 있다.
– 다음 표는 교육수준이 높을수록 스키소유비율이 높아지고 있음을 나타낸다.

교육수준 *스키소유 여부 교차표

			스키소유 여부		전체
			없음	있음	
교육수준	중졸	빈도	397	42	439
		교육수준의 %	90.40%	9.60%	100.00%
	고졸	빈도	531	68	599
		교육수준의 %	88.60%	11.40%	100.00%
	대학중퇴	빈도	345	95	440
		교육수준의 %	78.40%	21.60%	100.00%
	대학졸업	빈도	276	132	408
		교육수준의 %	67.60%	32.40%	100.00%
	대학원졸업	빈도	55	59	114
		교육수준의 %	48.20%	51.80%	100.00%
전체		빈도	1604	396	2000
		교육수준의 %	80.20%	19.80%	100.00%

- 다음 표는 교육수준과 스키소유 여부와의 χ^2검정결과이다. Pearson 카이제곱값이 170.546으로 유의확률=0.000으로 나타나 유의수준=0.05하에서 교육수준변수와 스키소유 여부 변수 간에 관련성이 있음이 검정되었다.

교육수준 * 스키소유 여부 카이제곱검정결과

	값	자유도	점근유의확률(양측검정)
Pearson 카이제곱	170.546[a]	4	.001
우도비	158.966	4	.000
선형 대 선형결합	153.700	1	.000
유효케이스 수	2000		

a. 0셀(.0%)은(는) 5보다 작은 기대 빈도를 가지는 셀입니다. 최소 기대빈도는 22.57입니다.

지금까지의 분석을 통해서 교육수준이 월소득에 영향을 미치고, 월소득은 스키소유 여부에 영향을 미치는 것을 확인하였다. 즉 스키소유 여부에 영향을 미치는 것은 교육수준이 근원적인 원인이 될 수 있음이 검정된 것이다. 지금까지의 검정내용으로 결론을 만들어낼 수 있을까? 비록 교육수준이 월소득에 영향을 주고 있다 하더라도 월소득이 스키소유 여부에 영향을 주고 있다고 할 수 있을까? 그렇지 않다. 월소득은 교육수준에 의해 영향을 받기 때문에 월소득 고유의 영향을 검정하여야 한다. 즉 교육수준 변수를 제어하여 월소득이 스키소유 여부에 끼치는 순수한 영향만을 검정하여야 한다. 위에서 수행한 '월소득과 스키소유 여부 간의 χ^2 검정결과'는 마치 월소득과 스키소유 여부와의 순수한 관련성을 검정한 것 같지만, 실제로는 교육수준이 월소득에 영향을 미치고 있기 때문에 교육수준이 월소득에 영향을 미친 상태에서 관련성을 검정한 것이다. 따라서 순수하게 월소득의 영향을 검정하기 위해서는 교육수준을 제어한 상태에서 검정할 필요가 있다.

다음에는 이렇게 특정변수를 제어하여 χ^2검정을 수행하는 방법을 알아보기로 한다.

– 다음과 같이 데이터편집기 화면에서 분석(A)->기술통계량(E)->교차분석(C)...을 선택한다.

– 교차분석 대화상자가 나타나면 월소득변수를 행(O)으로 이동시키고, 스키소유 여부 변수를 열(C)로 이동시킨다. 그리고 교육수준변수를 레이어로 이동시킨다. 레이어로 이동시킨 교육수준이 제어변수가 되는 것이다. 일반적으로 레이어를 사용하면 교차표를 3차원구조로 만들 수 있다.

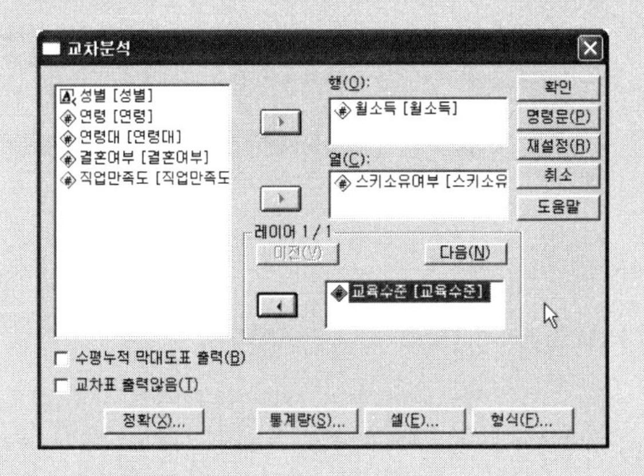

– 셀(E) 버튼을 눌러 다음과 같이 교차분석 : 셀출력 대화상자가 나타나면 퍼센트에서 행(R)을 선택한다.

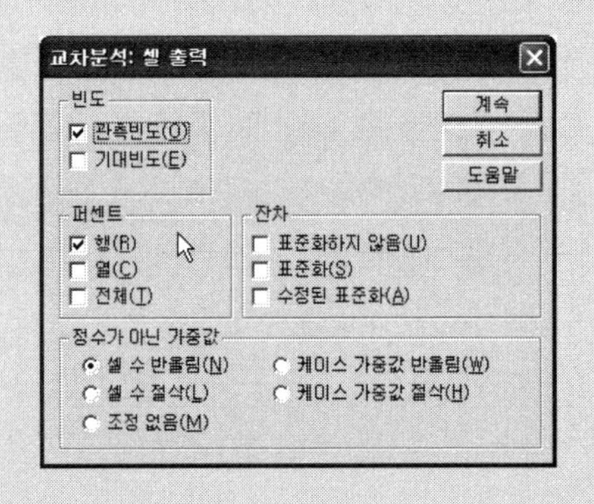

- 계속 버튼을 선택하여 이전 화면으로 복귀한 후 통계량(A) 버튼을 눌러 다음과 같이 교차분석 : 통계량 대화상자가 나타나면 카이제곱(H)을 선택한다.

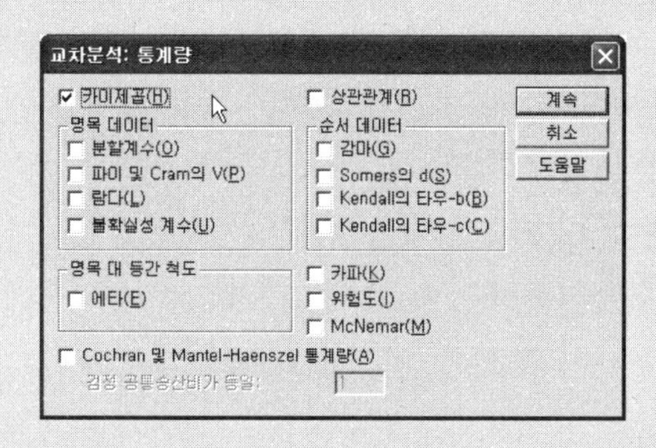

- 계속 버튼을 선택하여 이전화면으로 복귀한 후 확인 버튼을 누르면 다음과 같은 검정결과가 출력된다.

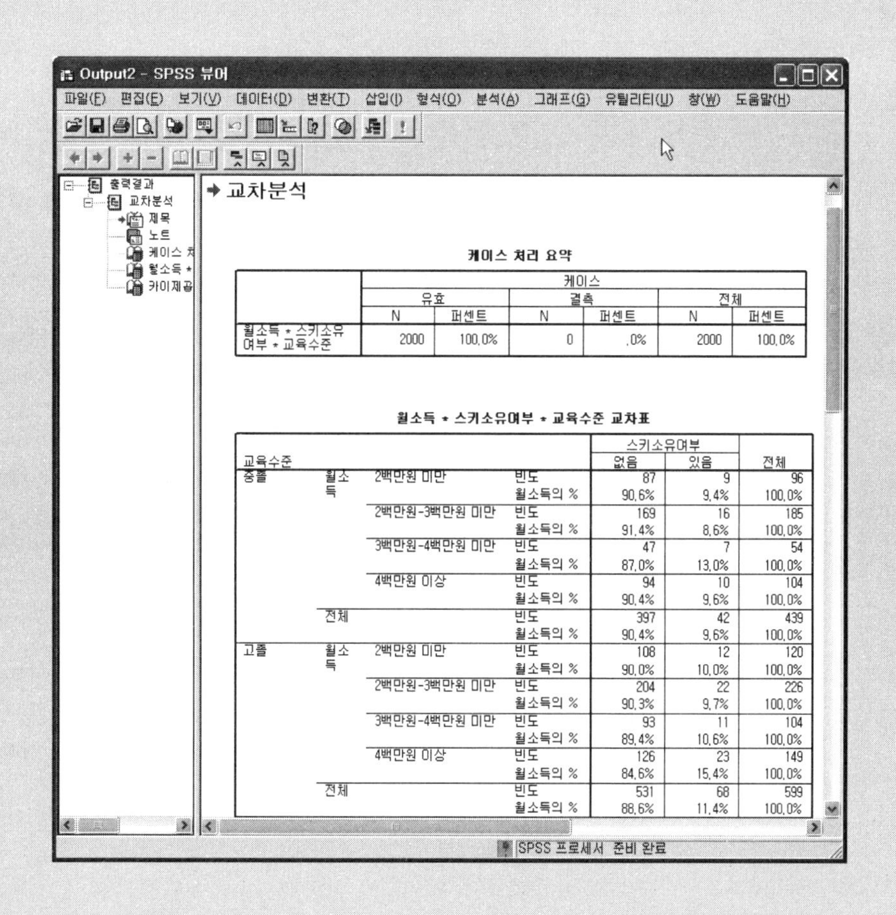

케이스 처리 요약

	케이스					
	유효		결측		전체	
	N	퍼센트	N	퍼센트	N	퍼센트
월소득 * 스키소유여부 * 교육수준	2000	100,0%	0	,0%	2000	100,0%

월소득 * 스키소유여부 * 교육수준 교차표

교육수준				스키소유여부 없음	스키소유여부 있음	전체
중졸	월소득	2백만원 미만	빈도	87	9	96
			월소득의 %	90,6%	9,4%	100,0%
		2백만원-3백만원 미만	빈도	169	16	185
			월소득의 %	91,4%	8,6%	100,0%
		3백만원-4백만원 미만	빈도	47	7	54
			월소득의 %	87,0%	13,0%	100,0%
		4백만원 이상	빈도	94	10	104
			월소득의 %	90,4%	9,6%	100,0%
	전체		빈도	397	42	439
			월소득의 %	90,4%	9,6%	100,0%
고졸	월소득	2백만원 미만	빈도	108	12	120
			월소득의 %	90,0%	10,0%	100,0%
		2백만원-3백만원 미만	빈도	204	22	226
			월소득의 %	90,3%	9,7%	100,0%
		3백만원-4백만원 미만	빈도	93	11	104
			월소득의 %	89,4%	10,6%	100,0%
		4백만원 이상	빈도	126	23	149
			월소득의 %	84,6%	15,4%	100,0%
	전체		빈도	531	68	599
			월소득의 %	88,6%	11,4%	100,0%

- 다음 표는 월소득과 스키소유 여부 간의 교차분석이 교육수준에 따라 분류되어 나타난 것이다.

월소득*스키소유 여부*교육수준의 교차분석결과

교육수준				스키소유 여부		전체
				없음	있음	
중졸	월소득	2백만원미만	빈도	87	9	96
			월소득의 %	90.60%	9.40%	100.00%
		2백만원 ~3백만원 미만	빈도	169	16	185
			월소득의 %	91.40%	8.60%	100.00%
		3백만원~4백만원 미만	빈도	47	7	54
			월소득의 %	87.00%	13.00%	100.00%
		4백만원 이상	빈도	94	10	104
			월소득의 %	90.40%	9.60%	100.00%
	전체		빈도	397	42	439
			월소득의 %	90.40%	9.60%	100.00%
고졸	월소득	2백만원 미만	빈도	108	12	120
			월소득의 %	90.00%	10.00%	100.00%
		2백만원~3백만원 미만	빈도	204	22	226
			월소득의 %	90.30%	97.00%	100.00%
		3백만원~4백만원 미만	빈도	93	11	104
			월소득의 %	89.40%	10.60%	100.00%
		4백만원 이상	빈도	126	23	149
			월소득의 %	84.60%	15.40%	100.00%
	전체		빈도	531	68	599
			월소득의 %	88.60%	11.40%	100.00%
대학중퇴	월소득	2백만원 미만	빈도	57	14	71
			월소득의 %	80.30%	19.70%	100.00%
		2백만원~3백만원 미만	빈도	146	36	182
			월소득의 %	80.20%	19.80%	100.00%
		3백만원~4백만원 미만	빈도	52	17	69
			월소득의 %	75.40%	24.60%	100.00%
		4백만원 이상	빈도	90	28	118
			월소득의 %	76.30%	23.70%	100.00%
	전체		빈도	345	95	440
			월소득의 %	78.40%	21.60%	100.00%
대학졸업	월소득	2백만원 미만	빈도	47	10	57
			월소득의 %	82.50%	17.50%	100.00%
		2백만원~3백만원 미만	빈도	91	53	144
			월소득의 %	63.20%	36.80%	100.00%
		3백만원~4백만원 미만	빈도	56	23	79
			월소득의 %	70.90%	29.10%	100.00%
		4백만원 이상	빈도	82	46	128
			월소득의 %	64.10%	35.90%	100.00%
	전체		빈도	276	132	408
			월소득의 %	67.60%	32.40%	100.00%

대학원 졸업	월소득	2백만원 미만	빈도	2	8	10
			월소득의 %	20.00%	80.00%	100.00%
		2백만원~3백만원 미만	빈도	24	19	43
			월소득의 %	55.80%	44.20%	100.00%
		3백만원~4백만원 미만	빈도	10	13	23
			월소득의 %	43.50%	56.50%	100.00%
		4백만원 이상	빈도	19	19	38
			월소득의 %	50.00%	50.00%	100.00%
	전체		빈도	55	59	114
			월소득의 %	48.20%	51.80%	100.00%

- 다음 표는 대학졸업 그룹에서 Pearson 카이제곱값이 8.146, 유의확률=0.043으로 유의수준=0.05하에서 월소득과 스키소유 여부 간에 관련성이 있는 것으로 나타났을 뿐 나머지 교육수준그룹에서는 월소득과 스키소유 여부 간에 관련성이 없는 것으로 나타났다.

월소득*스키소유 여부*교육수준의 카이스퀘어 검정결과

교육수준		값	자유도	점근유의확률(양측검정)
중졸	Pearson 카이제곱	.905[a]	3	.824
	우도비	.845	3	.839
	선형 대 선형결합	.103	1	.748
	유효 케이스 수	439		
고졸	Pearson 카이제곱	3.337[b]	3	.342
	우도비	.0154	3	.369
	선형 대 선형결합	2.435	1	.119
	유효 케이스 수	599		
대학중퇴	Pearson 카이제곱	1.196[c]	3	.754
	우도비	1.188	3	.756
	선형 대 선형결합	.869	1	.351
	유효 케이스 수	440		
대학졸업	Pearson 카이제곱	8.146[d]	3	.043
	우도비	8.768	3	.033
	선형 대 선형결합	2.254	1	.133
	유효 케이스 수	408		
대학원	Pearson 카이제곱	4.438[e]	3	.218
	우도비	4.690	3	.196
	선형 대 선형결합	.332	1	.570
	유효 케이스 수	114		

a. 0셀 (.0%)은(는) 5보다 작은 기대빈도를 가지는 셀입니다. 회소 기대 빈도는 5.17입니다.
b. 0셀 (.0%)은(는) 5보다 작은 기대빈도를 가지는 셀입니다. 회소 기대 빈도는 11.81입니다.
c. 0셀 (.0%)은(는) 5보다 작은 기대빈도를 가지는 셀입니다. 회소 기대 빈도는 14.90입니다.
d. 0셀 (.0%)은(는) 5보다 작은 기대빈도를 가지는 셀입니다. 회소 기대 빈도는 18.44입니다.
e. 0셀 (.0%)은(는) 5보다 작은 기대빈도를 가지는 셀입니다. 회소 기대 빈도는 4.82입니다.

만약 우리가 교육수준을 제어하지 않고 처음의 결과를 가지고 분석을 끝냈다면, 마치 월소득이 교육수준과는 무관하게 스키소유 여부에 영향을 끼치는 것으로 잘못된 판정을 내렸을 것이다. 또한 제어변수를 사용하지 않고 교차분석만을 반복적으로 사용하였다면, 교육수준과 월소득이 스키소유 여부에 영향을 끼치는 것으로 잘못된 결론을 내렸을 것이다.

이렇듯 교차분석을 이용한 검정에서는 단순히 통계기법을 적용하거나 SPSS의 분석기능만을 활용해서 검정결과를 내리는 것은 매우 위험하며, 자신의 연구대상이 되는 변수들 간의 관련성을 면밀히 검토하여 분석하여야 한다. 뛰어난 연구자가 되기 위해서는 복잡한 계산을 인간 대신 해주는 컴퓨터에게 논리적 판단능력까지 맡겨서는 안되며, 반드시 자신의 분석구조와 내용의 타당성 및 논리성을 심도 있게 관찰 · 조사할 필요가 있다.

만약 연구자의 연구목적이 월소득과 스키소유 여부와의 관련성을 알아보는 것이라고 가정한다면, 위에서 살펴본 교육수준은 스키소유 여부에 영향을 미치는 교락요인(confounding factor)이라고 할 수 있다. 교락요인이란 처리요인(treatment factor) 즉 월소득과 관련성이 있고, 반응요인(response factor) 즉 스키소유 여부 변수에 영향을 주는 요인을 말한다. 일반적으로 교락요인이 처리변수와 상관성이 있을 경우 잘못된 결과를 도출시킬 수 있다. 위에서 우리는 교육수준을 제어변수라고 표기하였으나, 교육수준변수의 역할을 고려하면 교락요인이 되는 것이다.

앞의 표를 보면 마치 월소득이 스키소유 여부에 영향을 주는 것으로 나타나 있지만, 교락요인인 교육수준을 고려해 보면 대학졸업그룹에서만 나타났을 뿐 다른 그룹에서는 그러한 결과를 대응시킬 수 없다는 것을 알 수 있다. 이렇듯 교락요인은 결과를 왜곡시키거나 과소 또는 과대평가하는 오류를 범하게 된다.

(5) 설문지의 신뢰도와 타당도검사방법

앞에서 설문지의 신뢰도와 타당도검사의 필요성과 그와 관련된 이론적 내용들을 살펴보았다. 신뢰도검사를 위해서는 Chronbach α 검정을 사용하고, 타당도검사를 위해서는 요인분석을 사용한다는 것을 살펴보았다. 여기서는 실제로 SPSS를 이용하여 신뢰도와 타당도검사를 수행해 보기로 한다.

SPSS를 이용한 예제분석

[예제] 검사수행을 위해서 다음과 같은 설문지를 작성하였다고 가정하자. 다음은 체육센터에 다니는 고객들을 대상으로 시설과 강사에 대한 만족도를 알아보는 설문지이다.

1. 귀하가 프로그램을 이용할 때 시설에 대해 느끼는 만족도에서 다음의 사항 중에 해당되는 번호에 표시해 주십시오.

	설문항목	매우 불만족			보통이다					매우 만족		
1	이용하시는 센터까지의 거리에 만족한다.	⓪	①	②	③	④	⑤	⑥	⑦	⑧	⑨	⑩
2	이용 시 부가시설(음향, 방음, 바닥)에 만족한다.	⓪	①	②	③	④	⑤	⑥	⑦	⑧	⑨	⑩
3	이용 시 내부시설(공간, 탈의실, 휴게실)에 만족한다.	⓪	①	②	③	④	⑤	⑥	⑦	⑧	⑨	⑩
4	이용하시는 시설의 주차장 시설에 만족한다.	⓪	①	②	③	④	⑤	⑥	⑦	⑧	⑨	⑩
5	이용 시 수업용 기구(스피닝 바이크, 매트)에 만족한다.	⓪	①	②	③	④	⑤	⑥	⑦	⑧	⑨	⑩
6	이용 시 공간 내 냉난방 시설에 만족한다.	⓪	①	②	③	④	⑤	⑥	⑦	⑧	⑨	⑩
7	이용 시 공간 내 위생 · 청결 상태에 만족한다.	⓪	①	②	③	④	⑤	⑥	⑦	⑧	⑨	⑩

2. 귀하가 프로그램을 이용할 때 수업내용(지도)에 대한 만족도에서 다음의 사항 중에 해당되는 번호에 표시해 주십시오.

	설문항목	매우 불만족			보통이다					매우만족		
1	수업을 진행하는 강사의 성실성에 만족한다.	⓪	①	②	③	④	⑤	⑥	⑦	⑧	⑨	⑩
2	수업을 진행하는 강사의 이론적 지식에 만족한다.	⓪	①	②	③	④	⑤	⑥	⑦	⑧	⑨	⑩
3	수업을 진행하는 강사의 실기능력에 만족한다.	⓪	①	②	③	④	⑤	⑥	⑦	⑧	⑨	⑩
4	수업을 진행하는 강사의 지도방법에 만족한다.	⓪	①	②	③	④	⑤	⑥	⑦	⑧	⑨	⑩
5	지도강사의 수업 방식에 대해 만족한다.	⓪	①	②	③	④	⑤	⑥	⑦	⑧	⑨	⑩

– 위의 설문지는 크게 시설에 대한 문항과 수업내용에 대한 문항으로 이루어져 있으며, 시설관련문항 7개, 수업내용문항 5개로 구성되어 있다. 설문지를 연구조사에 사용하기 위해서는 설문지의 신뢰도와 타당도를 검사하여 검사도구로 사용 가능한지를 확인하여야 한다. 연구자는 설문지를 이용하여 응답자들로부터 응답결과를 얻어냈으며, 이를 분석하기 위해서 코딩을 하였다고 가정하자. 설문지를 이용하여 조사한 데이터를 코딩한 모습은 다음과 같다.

신뢰도타당도예제raw_data - SPSS 데이터 편집기

파일(F) 편집(E) 보기(V) 데이터(D) 변환(T) 분석(A) 그래프(G) 유틸리티(U) 창(W) 도움말(H)

	No	문항1_1	문항1_2	문항1_3	문항1_4	문항1_5	문항1_6
1	1	5	5	2	2	5	5
2	2	10	10	10	5	10	10
3	3	5	5	7	10	5	7
4	4	9	10	10	5	10	10
5	6	9	9	9	9	9	9
6	7	6	6	6	7	6	7
7	8	10	9	5	9	8	8
8	9	10	7	10	10	10	10
9	10	1	10	9	8	8	8
10	11	5	5	5	5	5	5
11	12	4	5	5	6	9	5
12	13	10	5	7	5	8	8
13	14	9	10	10	10	9	10
14	15	10	5	1	5	5	5
15	16	10	5	8	8	8	6

데이터 보기 / 변수 보기

SPSS 프로세서 준비 완료

– 신뢰도분석을 하기 위해서 데이터편집기 화면에서 다음과 같이 분석(A)->척도화분석(A)->신뢰도분석(R)...을 차례로 선택한다.

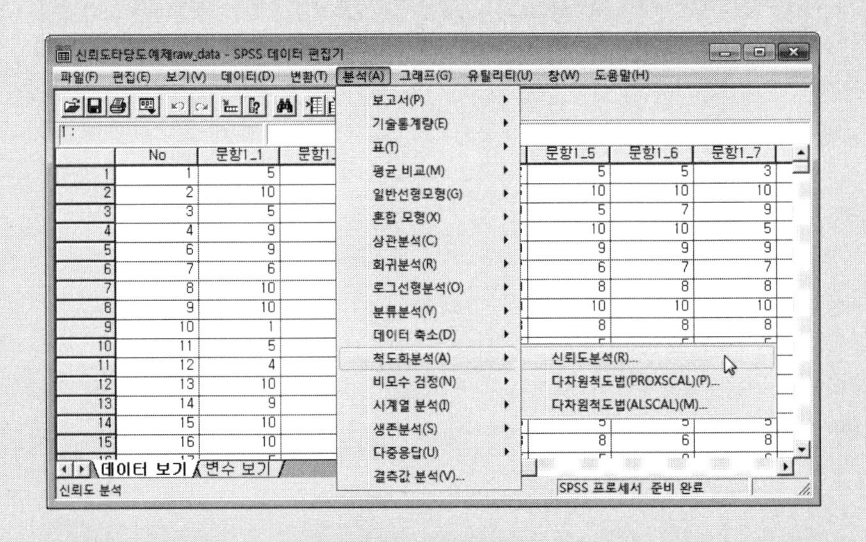

– 신뢰도분석은 선택하면 다음과 같이 신뢰도분석 대화상자가 나타난다. 왼쪽에는 코딩할 때 입력한 문항번호들이 나타나 있다. 여기서 신뢰도분석에 사용될 문항들을 선택해서 항목(I)으로 옮긴다. 여기에서는 설문지의 처음에 제시된 시설만족도문항들의 신뢰도를 검정할 것이므로 문항1_1부터 문항1_7까지 선택하여 항목(I)으로 이동시킨다.

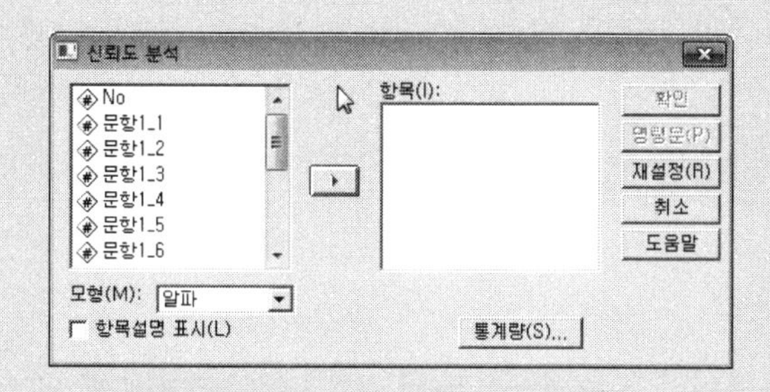

– 이동이 완료된 모습은 다음과 같다.

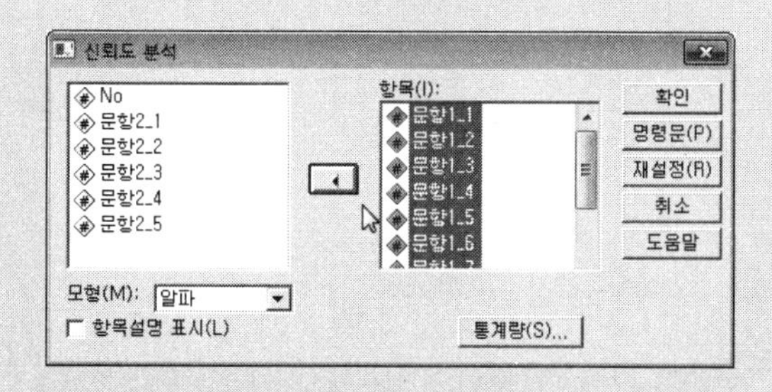

– 문항이동을 완료한 후 통계량(S) 버튼을 선택하면 다음과 같은 신뢰도분석 : 통계량 대화상자가 나타난다. 항목(I), 척도(S), 항목제거시척도(A)를 체크한 후 계속 버튼을 누르면 위로 돌아가게 된다.

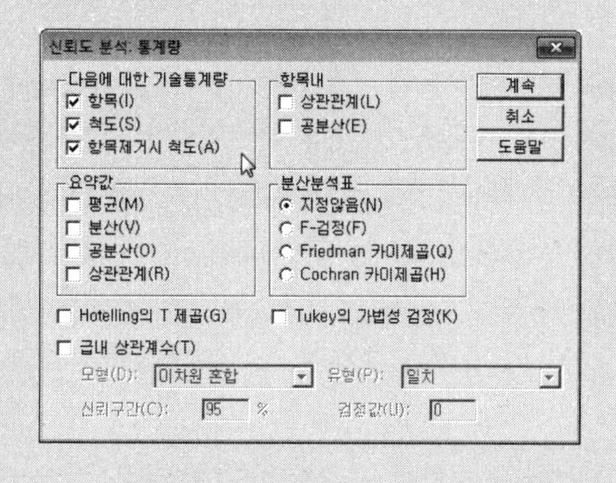

– 위의 화면에서 확인 버튼을 누르면 다음과 같이 검정결과가 출력된다.

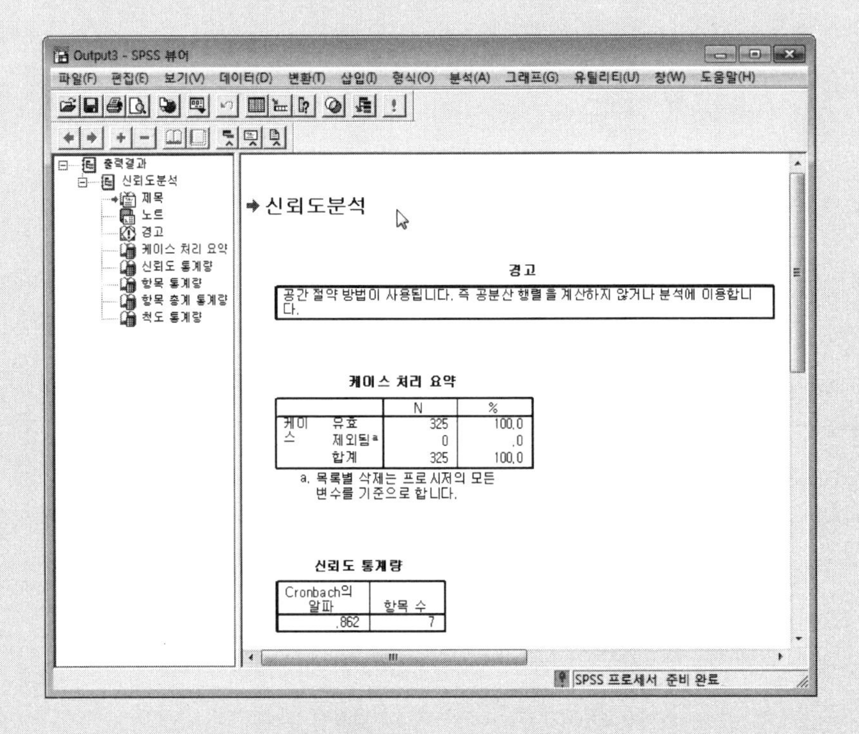

– 출력된 결과들 중에서 집중해서 봐야 할 내용은 신뢰도통계량과 항목총계통계량이다. 먼저 신뢰도통계량을 살펴보면 Cronbach α항목에 신뢰도계수가 나타나 있다. 여기에서는 문항들에 대한 신뢰도계수가 .862로 나타나 있다. 이 정도의 신뢰도계수라면 매우 높은 것으로 판단할 수 있다.

신뢰도통계량

Cronbach α	항목수
0.862	7

– 다음은 '항목총계통계량'을 본다. 이 부분이 실제 신뢰도검사에서 매우 중요한 역할을 수행한다. 가장 중요한 항목은 '항목이 삭제된 경우 Cronbach α'이다. 여기에 표시된 내용은 각 문항을 삭제하였을 경우에, 즉 해당문항을 검정에 사용하지 않았을 경우에 나타나는 신뢰도계수값을 보여주고 있다. 결과를 살펴보면 문항1_1을 삭제하였을 경우에 Cronbach α 값이 .868로 높아지는 것을 볼 수 있다. 그 외에 다른 문항들은 삭제할 경우 신뢰도계수 값이 위에서 본 신뢰도통계량에서 제시한 Cronbach α 값보다 낮아지는 것을 볼 수 있다. 따라서 문항1_2부터 문항1_7까지는 그대로 사용하는 것이 바람직함을 알 수 있다. 문항 1_1은 삭제하면 신뢰도계수값은 높아지지만 크게 향상되고 있지는 않다. 따라서 연구자의 판단에 따라 신뢰도계수값을 조금 손해보더라도 문항 1_1을 사용하거나 아니면 삭제하면 된다. 이렇게 신뢰도검정을 하면 어느 문항이 신뢰도에 악영향을 미치는 알아 볼 수 있으며, 어느 문항이 좋은지를 판단할 수 있다. 이 결과를 봤을 때 전체적인 신뢰도계수값이 .8을 넘어서고 있으므로 7개 문항 전체를 사용하는 것에는 문제가 없다고 할 수 있다.

항목총계통계량

	항목이 삭제된 경우 척도 평균	항목이 삭제된 경우 척도 분산	수정된 항목전체 상관관계	항목이 삭제된 경우 Cronbach α
문항1_1	36.53	179.293	.430	.868
문항1_2	37.34	157.520	.724	.830
문항1_3	37.81	156.474	.724	.830
문항1_4	37.83	156.754	.574	.854
문항1_5	37.51	158.905	.715	.831
문항1_6	37.88	169.226	.551	.854
문항1_7	37.77	158.846	.731	.829

이와 같은 방법으로 문항2_1부터 문항2_5까지 넣어서 신뢰도분석을 해보면 전체적인 검정절차를 이해할 수 있을 것이다. 신뢰도검사는 관련된 문항들만을 가지고 수행하는 것이므로 시설의 만족도와 관련된 문항들의 신뢰도검사를 위해서는 문항1_1부터 문항1_7까지를 사용해서 검정하고, 수업내용과 관련된 문항들의 신뢰도검사는 문항 2_1부터 문항 2_5까지를 사용해서 분석하면 된다.

신뢰도검사가 완료되었으면 이제 타당도검사를 수행해야 한다. 신뢰도검사에서는 시설만족도와 수업내용 만족도 문항들을 따로 분리하여 검사하였으나 타당도검사에서는 이들 문항 모두를 한번에 검사하게 된다. 고객의 만족도에는 하위요인으로 시설과 관련된 것과 수업내용에 관련된 것으로 구분할 수 있다. 따라서 이들 문항들이 정말 두 개의 요인으로 분류되는지, 그리고 각 문항들은 설계한 대로 시설만족과 수업내용만족으로 묶이는지를 검정할 필요가 있다.

- 타당도검사는 탐색적 요인분석을 이용하여 검정하므로, 이를 수행하기 위해서는 다음과 같이 분석(A)->데이터축소(D)->요인분석(F)...을 차례로 선택한다.

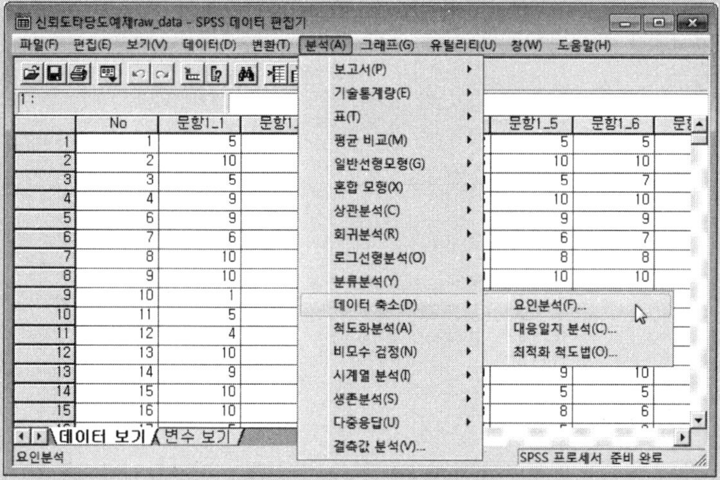

– 다음과 같이 요인분석 대화상자가 나타나면 문항들 모두를 선택하여 변수(V)로 이동시킨다. 요인추출(E) 버튼을 클릭하면 요인분석 : 요인추출 대화상자가 나타난다.

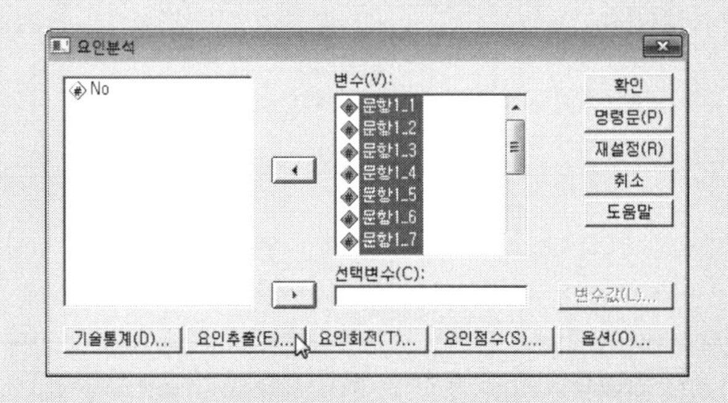

– 요인추출방법은 주성분분석을 사용하며, 요인추출을 위한 기준으로는 고유값기준(E)이 1 이상인 것을 사용하는 있는 것으로 나타나 있다. 다음과 같이 각 옵션들이 선택되어 있는지를 확인한 후 계속 버튼을 눌러 이전화면으로 복귀한다. 요인회전 버튼을 클릭하면 요인분석 : 요인회전 대화상자가 나타난다.

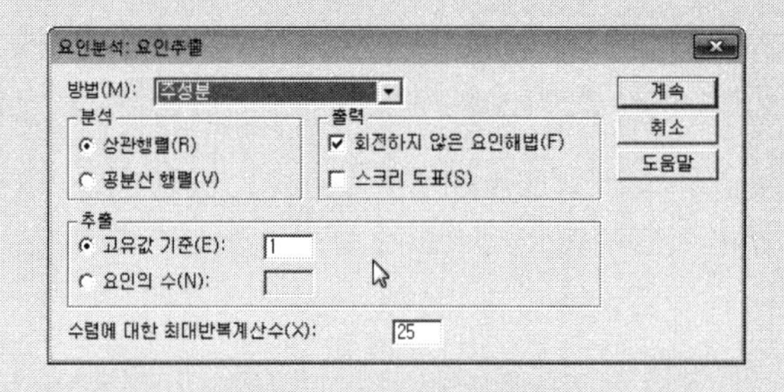

– 요인회전방법에는 사각회전과 직각회전방식이 있으며 그에 대한 내용은 앞에서 살펴본 바 있으므로 여기서는 자세한 설명을 생략한다. 여기서는 직각회전방식인 베리멕스(V)를 선택한다. 계속 버튼을 클릭하여 이전화면으로 복귀한 후 옵션버튼을 클릭하면 다음과 같은 요인분석 : 옵션 대화상자가 나타난다.

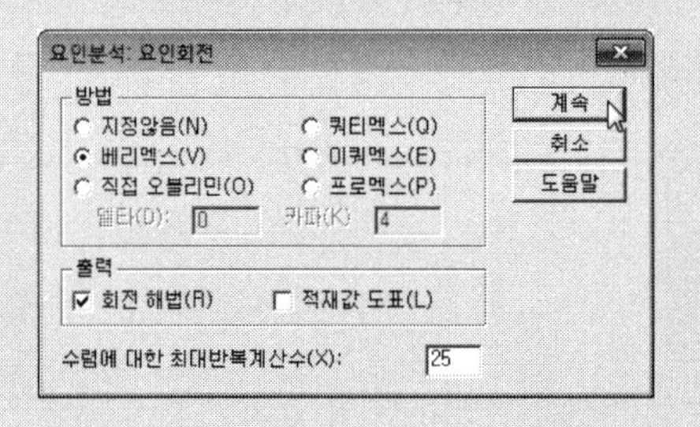

– 요인분석 : 옵션 대화상자에서는 목록별 결측값제외(L)와 크기순정렬(S)을 선택한다. 여기서 '크기순정렬'을 선택하는 이유는 출력될 결과들을 보기 편하게 하기 위해서이다.

– 계속 버튼을 선택하여 이전화면으로 복귀한 뒤 확인 버튼을 클릭하면 다음과 같은 분석결과가 나타난다.

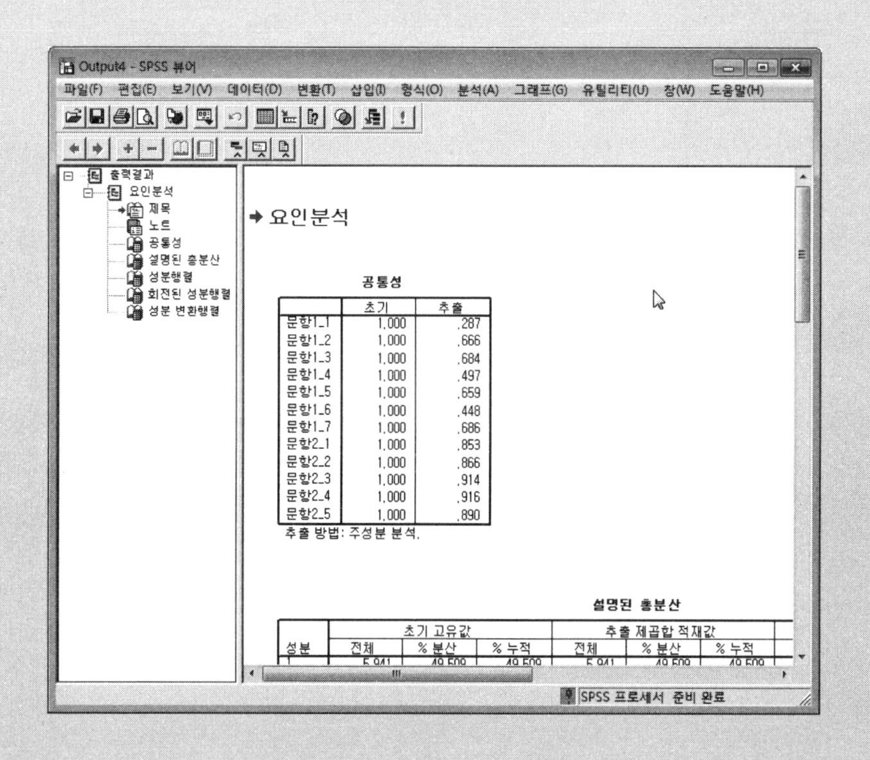

공통성

	초기	추출
문항1_1	1.000	.287
문항1_2	1.000	.666
문항1_3	1.000	.684
문항1_4	1.000	.497
문항1_5	1.000	.659
문항1_6	1.000	.448
문항1_7	1.000	.686
문항2_1	1.000	.853
문항2_2	1.000	.866
문항2_3	1.000	.914
문항2_4	1.000	.916
문항2_5	1.000	.890

추출 방법: 주성분 분석.

설명된 총분산

성분	초기 고유값			추출 제곱합 적재값		
	전체	% 분산	% 누적	전체	% 분산	% 누적

– 검정결과 출력되는 내용들 중 중요한 부분은 '설명된 총분산'과 '회전된 성분행렬'이다. '설명된 총분산'은 몇 개의 요인이 추출되었는지와 추출된 요인들이 데이터를 설명할 수 있는 능력을 알려준다. 설명된 총분산은 다음 표와 같다. 먼저 살펴봐야 할 것은 초기고유값이다. 전체항목을 보면 고유값이 1 이상인 것은 2개로 나타나 있다. 따라서 분석에 사용한 문항들이 2개의 하위요인으로 묶인 것을 알 수 있다. 다음은 2개의 하위요인이 데이터를 얼마나 설명할 수 있는가를 살펴봐야 한다. 왜냐하면 2개의 하위요인으로 묶였다 하더라도 데이터를 충분히 설명할 수 없다면 쓸모없기 때문이다. 추출된 하위요인들이 데이터를 얼마나 설명하는가는 %누적항목에 나타나 있다. 결과를 살펴보면 69.711%로 나타나 있다. 이 정도면 충분하지는 않지만 사용하는데 문제가 없을 정도이다.

설명된 총분산 검정 결과

성분	초기고유값			추출제곱합 적재값			회전 제곱합 적재값		
	전체	%분산	%누적	전체	%분산	%누적	전체	%분산	%누적
1	5.941	49.509	49.509	5.941	49.509	49.509	4.443	37.023	37.023
2	2.424	20.201	69.711	2.424	20.201	69.711	3.923	32.688	69.711
3	0.815	6.793	76.503						
4	0.691	5.761	82.264						
5	0.591	4.926	87.191						
6	0.405	3.378	90.569						
7	0.347	2.895	93.463						
8	0.272	2.266	95.73						
9	0.221	1.841	97.571						
10	0.122	1.017	98.588						
11	0.103	0.857	99.445						
12	0.067	0.555	100.000						

추출 방법 : 주성분 분석

- 다음의 성분행렬은 추출된 하위요인들이 어떤 문항들로 구성되는지를 보여주고 있다. 그러나 각 요인이 어떻게 구성되는지 알아보기가 쉽지 않다. 따라서 우리는 각 요인이 명확하게 나타나게 하기 위해서 축회전을 할 필요가 있다.

성분행렬a

	성분	
	1	2
문항2_4	.839	−.461
문항2_2	.839	−.403
문항2_3	.832	−.470
문항2_5	.814	−.477
문항2_1	.807	−.488
문항1_3	.679	.473
문항1_2	.676	.457
문항1_5	.675	.451
문항1_7	.660	.500
문항1_6	.532	.406
문항1_1	.433	.317
문항1_4	.497	.500

요인추출 방법 : 주성분분석

a. 추출된 2성분

- 앞에서 직각회전을 선택한 결과는 다음 표와 같다. 회전된 성분행렬을 보면 요인별로 관련문항들이 명확하게 묶여 있는 것을 볼 수 있다. 묶은 문항들을 살펴보면 문항 2_1부터 문항 2_5까지 하나로 묶여 있고, 문항 1_1부터 문항 1_7까지 묶여 있는 것을 볼 수 있다. 따라서 최초에 의도하고 설계된 형태로 문항들이 묶인 것을 확인 할 수 있다. 따라서 설문지의 시설 관련 문항과 수업내용 관련 문항들은 구성타당도가 있다고 볼 수 있다.

직각회전된 성분행렬a

	성분	
	1	2
문항2_3	.937	.187
문항2_4	.936	.198
문항2_5	.928	.170
문항2_1	.904	.187
문항2_2	.898	.242
문항1_7	.173	.810
문항1_3	.206	.801
문항1_2	.214	.787
문항1_5	.217	.782
문항1_4	.051	.703
문항1_6	.138	.655
문항1_1	.121	.522

요인추출 방법 : 주성분분석
회전방법 : Kaiser 정규화가 있는 베리멕스
a. 3 반복계산에서 요인회전이 수렴되었습니다.

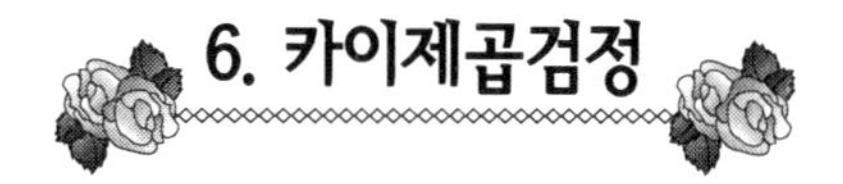

6. 카이제곱검정

스포츠에 대한 사회적 반응조사, 인식에 대한 조사, 스포츠마케팅에서 관찰된 현상 등을 측정한 자료들은 어떤 속성에 따라 도수화시켜 분석해야 하는 경우가 많다. 예를 들면 성별에 따라 선호하는 운동종목을 선택하는 경향을 비교한다든지, 스포츠제품에 대한 연령별 선호빈도에 차이가 있는지를 분석하는 경우가 여기에 해당된다.

이처럼 측정대상을 속성에 따라 몇 가지 범주로 분류한 자료를 범주형자료(categorical data)라고 한다. 이러한 범주형자료의 도수에 의해 관계를 알아보고자 하는 통계기법이 χ^2-검정(chi- square test)이다. 즉 한 변수의 속성이 다른 변수의 속성에 독립적인지 또는 관련이 있는지를 검정하거나, 독립적인 두 개의 표본이 몇 개의 같은 범주로 분류되어 있는 경우에 각 표본에서 어느 특정한 범주에 속할 비율이 동일한지를 검정하는 것이다.

한편 수집된 자료들을 두 가지 변수끼리 연관시켜서 각 변수가 갖는 값의 범주에 따라 행(行, row)과 열(列, column)로 분할하여 각 범주에 해당하는 도수를 기록한 표를 분할표(分割表, contigency table)라 하고, 이들 관계의 분석을 분할표분석 또는 교차분석(cross tabulation analysis)이라고 한다. χ^2-검정의 대부분은 이러한 형태의 자료에 많이 이용된다.

가장 단순한 형태의 χ^2-검정의 예를 들어보자. 100명의 학생들에게 "야구와 축구종목 중 어느 운동종목을 더 선호하는가?"라고 물었을 때, 그 응답결과가 다음과 같다고 하자.

종목	야구	축구	계
응답도수(f_0)	42	58	100
(기대도수(f_e))	-50	-50	
($f_0 - f_e$)	-8	8	
$(f_0 - f_e)^2$	64	64	
$(f_0 - f_e)^2/f_e$	1.28	1.28	

응답결과 야구를 선호하는 학생이 42명, 축구를 선호하는 학생이 58명으로 나타났다. 만약 야구와 축구를 선호하는 경향에 차이 없다면 당연히 50 : 50이 되어야 할 것이다. 이러한 결과를 놓고 '학생들이 야구보다 축구를 더 선호한다'라고 확정적으로 얘기할 수 있는가?

다음의 분석을 통하여 확인하여 보자. 이를 분석하기 위한 통계량은 다음과 같다.

$$\chi^2 = \sum (f_0 - f_e)^2 / f_e = 2.56$$

여기서 f_0 : 실제로 응답한 수치, f_e : 이론적으로 기대되는 수치, 자유도(df)=1

χ^2분포표에 의하여 자유도 1인 경우 5% 유의수준의 χ^2값이 3.84로, 본 통계량의 값 2.56보다 크므로 '학생들이 야구와 축구를 선호하는 경향에는 차이가 있다'고 할 수 없다는 결론을 내릴 수 있다. 즉 위에서 나타난 선호도차이로서는 통계적으로 유의한 차이가 없다고 판단한다.

SPSS를 이용한 예제 분석

[예제] 다음은 C지역 성인남녀 400명의 스포츠참여에 대한 설문결과이다.

(문항 1) 당신은 정기적으로 스포츠활동을 하고 계십니까? ① 예 ② 아니오

(문항 2) 당신의 성별은? ① 남자 ② 여자

분석절차 및 결과

- 범주형자료형식의 변수에 대한 관련성을 검정하기 위하여 χ^2검정을 이용하기로 한다. SPSS데이터편집기 화면에서 다음과 같이 분석(A)->기술통계량(E)->교차분석(C)...을 선택한다.

- 교차분석 대화상자가 나타난다. 여기에서는 스포츠참여 경향이 성별에 따라 차이가 있는지를 검정하고자 한다. 먼저 분석할 변수에 대하여 행(R)변수과 열(C)변수를 지정해야 하는데, 행(R)에는 스포츠참여유무변수를, 열(C)에는 성별변수를 선택한다. 그리고 χ^2-분석을 위하여 통계량(S)을, 그리고 교차표의 각 칸에 출력할 필요한 내용을 지정하기 셀(E) 버튼을 누른다.

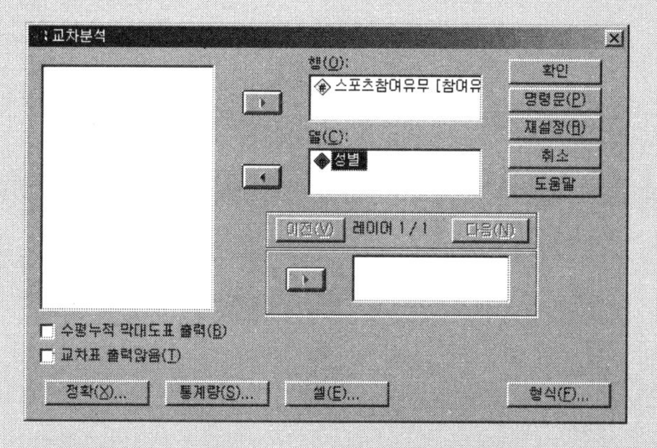

- 통계량 대화상자에서 카이제곱(H)을 선택한 후 계속 버튼을 누른다(물론 연관성의 정도에도 관심이 있다면 나머지 다른 부분을 선택해도 된다).

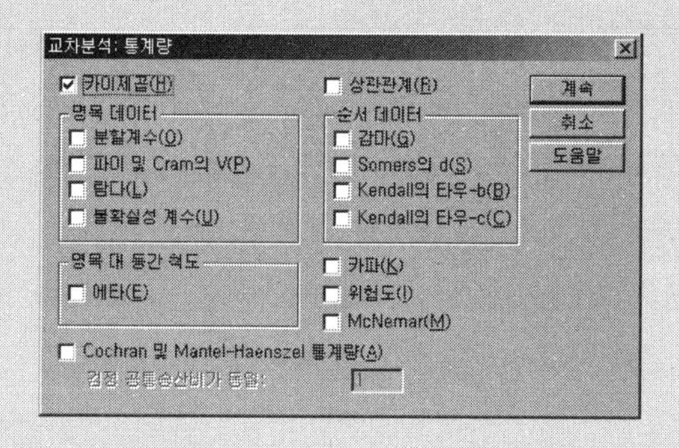

– 교차분석 : 셀출력 대화상자에서는 관측빈도(O), 기대빈도(E), 행(R) · 열(C) · 전체(T)퍼센트 등을 선택한 후 계속 버튼을 누른다.

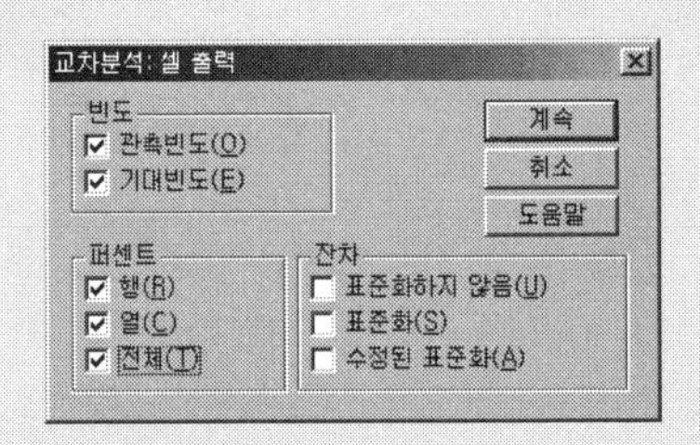

– 다시 교차분석 대화상자로 돌아와서 확인 버튼을 누르면 Output-SPSS뷰어에 다음의 결과가 출력된다.

케이스 처리요약

	케이스					
	유효		결측		전체	
	N	퍼센트	N	퍼센트	N	퍼센트
성별 * 스포츠참여 유무	100	100.00%	0	0.00%	100	100.00%

– 성별과 스포츠참여 유무에 대한 교차분석표 및 이에 대한 χ^2-검정결과가 제시되어 있다.

성별*스포츠참여 유무 교차표

			스포츠참여 유무		전체
			참여	비참여	
성별	남자	빈도	34	16	50
		기대빈도	29.00	21.00	50.00
		성별의 %	68.00%	32.00%	100.00%
		스포츠참여 유무의 %	58.60%	38.10%	50.00%
		전체 %	34.00%	16.00%	50.00%
	여자	빈도	24	26	50
		기대빈도	29.00	21.00	50.00
		성별의 %	48.00%	52.00%	100.00%
		스포츠참여 유무의 %	41.40%	61.90%	50.00%
		전체 %	24.00%	26.00%	50.00%
전체		빈도	58	42	100
		기대빈도	58.00	42.00	100.00
		성별의 %	58.00%	42.00%	100.00%
		스포츠참여 유무의 %	100.00%	100.00%	100.00%
		전체 %	58.00%	42.00%	100.00%

– Pearson χ^2통계량의 값이 4.105, 유의확률 p값이 0.430으로 통계적으로 유의하다. 즉 성별에 따라 스포츠참여 경향이 다르다고 결론지을 수 있다.

카이제곱검정

	값	자유도	점근 유의확률(양쪽검정)	정확한 유의확률(양쪽검정)	정확한 유의확률(한쪽검정)
Pearson 카이제곱	4.105(b)	1	.043		
연속수정(a)	3.325	1	.068		
우도비	4.137	1	.042		
Fisher의 정확한 검정				.068	.034
선형 대 선형결합	4.064	1	.044		
유효 케이스 수	100				

a. 2×2 표에 대해서만 계산됨.
b. 0 셀 (.0%)은(는) 5보다 작은 기대빈도를 가지는 셀입니다. 최소기대빈도는 21.00입니다.

7. 인자분석

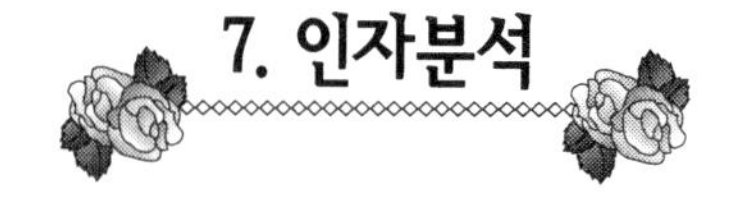

1) 개 념

인자분석(factor analysis)의 목적은 변수들 사이에 내재하는 복잡한 상호의존 및 구조관계를 차원축약(dimension reduction)이라는 관점에서 원래 변수개수보다 훨씬 적은 인자들을 추출하여 이들을 통해 분석하고자 하는 통계기법이다. 즉 인자분석은 다변량확률변수들 간의 내부적 상호의존관계를 그들 아래에 잠재해 있는 가설적 구성개념인 소수 몇 개의 공통인자를 통해 재현 · 해석하고자 하는 데 목적을 두고 있다.

인자분석은 사회과학분야에서 원래변수의 차원을 축약하여 가설적 혹은 이론적 개념을 구축하기 위한 기법으로 널리 사용되고 있다. 인자분석에 관한 실제적 수학모형은 Spearman(1904)이 제안하였다. 서로 상관관계를 맺고 있어서 직접 해석하기 어려운 여러 변수들 간의 구조적 연관관계를 ① 상대적으로 독립이면서, ② 변수들의 저변구조를 이해하기 위해 개념적 의미를 부여할 수 있는, 그리고 ③ 개수에서 원래변수들보다 훨씬 적은 공통인자들을 상정하여 이들을 통해 분석하고자 하는 통계기법이다.

여기에서 공통인자는 변수들이 그들의 구조적 측면에서 서로 공유하고 있는 확률인자로서 변수들 간의 상관관계를 생성시키는 가설적인, 이론적인, 관찰할 수 없는, 저변에 깔려 있는 변수를 의미한다. 예를 들어 '인간의 체력'이라는 가설적 차원은 근력, 순발력, 민첩성, 유연성 등에 관련된 측정가능한 변수들 사이의 상호연관관계를 설명해 줄 수 있는 공통적인 인자로서, 이들 변수가 뿌리를 함께하는 요인으로 생각할 수 있다. 즉 여기에서 '공통'이라는 의미는 변수들이 공유하는 공통인자를 제거한다면 그들 간에는 더 이상 연관관계가 존재하지 않게 된다는 내용을 담고 있다고 해석할 수 있다.

일반적으로 인자분석은 이용하는 연구자의 목적과 자료의 상황에 따라 탐색적 및 확증적 인자분석으로 구분지울 수 있다. 탐색적 인자분석(exploratory factor analysis)은 서로 상관되어 있는 변수들에 대해 얻어진 자료를 변수들의 개수보다 낮은 차원에서 축소 · 요약하고 이를 통해 변수들 간의 상호의존관계를 분석하고자 하는 다변량분석방법 중의 하나이다. 여기에서는 인자(factor)라는 잠재변수(latent variable)와 관찰변수들의 관계를 이용하여 변수의 군집화 및 구조를 파악하게 된다.

한편 확증적 인자분석(confirmatory factor analysis)은 구조방정식모형(structural equation model)의 특수한 경우인데, 이는 관찰변수 및 인자에 대한 연구자의 사전 가설의 타당성을 검정하고 구조를 재파악할 때 많이 쓰이는 분석방법이다. 여기에서는 탐색적인자분석법에 관해서만 다루기로 한다.

연구자는 실제적인 인자분석을 적용하기 전에 수집한 자료가 인자분석에 적합한지를 검토해 보아야 한다. 인자분석의 적용가능성의 문제로 먼저 고려해야 할 사항은 표본의 개수 및 변수 간의 상관도 문제이다. 표본의 개수문제는 일반적으로 인자분석을 적용하기 위해서는 각 변수마다 표본의 수가 50개 이상이 되어야 하며, 변수개수의 두 배는 되어야 한다(김병수 등, 1990). 또한 변수 간의 상관도문제는 인자를 추출하기 위해서는 변수 간의 어느 정도 상관이 존재해야 한다는 것이다. 만일 모든 변수들의 관계가 독립적 또는 낮은 상관을 갖는다면 변수들 간의 상호관계를 찾아내기 위한 인자분석을 적용할 필요가 없다. 이 경우에는 분석결과의 처리와 해석이 주관적인 판단에 많이 의존하며, 결과가 우연인지 아니면 의미있는 것을 반영하고 있는지를 확인할 수 있는 통계적인 검정절차가 없기 때문에 그 해석과 이용에 유의해야 할 것이다.

2) 인자분석의 절차

(1) 자료의 적합성 검정

인자분석은 변수들의 상관관계를 기초로 상관관계가 높은 변수들끼리 묶는 것이므로, 의미있는 인자분석이 행해지기 위해서는 변수들 간의 상관관계가 일정 수준 이상 되어야 한다.

즉 변수들 간의 상관관계가 거의 없다면 인자분석을 행하더라도 의미없는 결과를 낳게 되므로, 분석시행 전에 상관관계행렬(correlation matrix)을 검토하여 자료의 적합성여부에 대한 평가를 내려야 한다.

(2) 인자추출모형 결정

인자추출모형 결정방법은 여러 가지가 있으나, 주성분분석방식이나 공통인자분석방식이 널리 이용되고 있다. 주성분분석방식은 정보의 손실을 최소화하면서 보다 적은 수의 인자를 구하고자 할 때 주로 이용되며, 자료의 총분산을 분석한다. 공통인자분석방식은 변수들 간에 내재하는 차원을 찾아내어 변수들 간의 구조를 파악하고자 할 때 이용된다. 이 방식에서는 자료의 공통분산만을 분석한다.

(3) 공통인자의 개수 결정

최초인자를 추출한 뒤 회전시키지 않은 인자행렬로부터 몇 개의 인자를 추출해야 할 지를 결정하는 방법이다. 인자모형은 인자의 개수에 대한 지식(사전정보)을 가정하고 있다. 그러나 실제로는 인자의 개수가 미지인 경우가 많으며, 따라서 자료에 근거하여 인자의 개수를 선택하여야 한다. 인자의 개수를 선택하기 위해서 주로 다음과 같은 방법이 사용된다.

① 표본상관행렬에서 고유값의 크기가 1 보다 큰 수만큼 선택하는 방법
② 전체변이에 대한 각 인자의 공헌도 또는 누적공헌도를 기준으로 하여 선택하는 방법
③ 스크리(scree) 도형을 이용하여 초기 조정된 상관행렬(또는 공분산행렬)의 고유값의 상대적 크기로부터 선택하는 방법
④ 최대우도인자추정법을 사용했을 때 적합도검정을 실시하는 방법

(4) 인자부하량 산출

각 변수와 인자 사이의 상관관계 정도를 나타내므로, 각 변수는 인자부하량(factor loading)이 가장 높은 요인에 속한다. 즉 인자가 해당변수를 설명해 주는 정도를 의미한다. 인자부하량의 절대값이 0.4 이상이면 유의한 변수로 간주하기도 한다.

(5) 인자회전방식 결정

변수들이 여러 인자에 대하여 비슷한 인자부하량을 나타낼 때에는 변수들이 어느 인자에 속하는지를 분류하기가 힘들다. 따라서 변수들의 부하량이 어느 한 인자에 높게 나타나도록 하기 위하여 인자축을 회전시킨다. 회전방식은 크게 직교회전(orthogonal rotation)과 사각회

전(oblique rotation)이 있다.

직교회전방법에는 쿼티맥스(quartimax), 베리맥스(varimax), 이퀴맥스(equimax) 등의 회전 방법이 있으며, 사각회전에는 오블리민(oblimin)방법이 있다. 직교회전방법으로는 베리맥스법이 많이 이용되며, 사각회전은 인자들이 서로 상관되어 있어 독립적이 아닌 경우에 쓰인다. 따라서 연구자의 입장에서는 여러 회전법을 이용하여 결과를 탐색한 후 종합적으로 결론을 내리는 것이 좋다.

(6) 결과해석

인자가 추출되면 어느 특정인자에 함께 묶여진 변수들의 공통특성을 조사하여 연구자가 주관적으로 인자의 이름을 붙인다. 따라서 추출된 인자에 대한 해석은 연구자마다 다르게 나타나고, 그 의미에 대한 해석도 각자의 판단에 의존하게 된다. 이 경우 추출된 인자는 그 학문의 이론이나 보편적인 지식과 어느 정도 일치해야 한다.

SPSS를 이용한 분석

[예제] 다음은 강남의 어느 고등학교 학생들의 체력측정기록이다.

이 자료를 이용하여 인자분석을 실시해보자.

번호	우악력	좌악력	앞으로 굽히기(cm)	윗몸 일으키기(회)	점프(cm)	턱걸이(회)	100m달리기(초)
1	43	49	22	35	62	25	14.5
2	42	40	19	40	59	25	13.4
3	50	49	15	36	54	22	13.5
4	53	51	20	38	46	10	13.9
5	44	52	19	36	53	15	13.4
6	46	49	15	39	55	17	13.9
7	47	48	23	35	53	24	13.6
8	57	54	15	34	53	17	13.9
9	50	53	17	33	53	17	13.2
10	48	46	24	39	54	21	13.8
11	55	53	21	37	57	31	13.7
12	41	39	26	33	44	18	14.8

분석절차 및 결과

- 체력측정기록을 이용하여 인자분석을 실시한다. 인자분석을 위해서는 데이터편집기 화면에서 통계분석(A)->데이터축소(D)->요인분석(F)...을 선택한다.

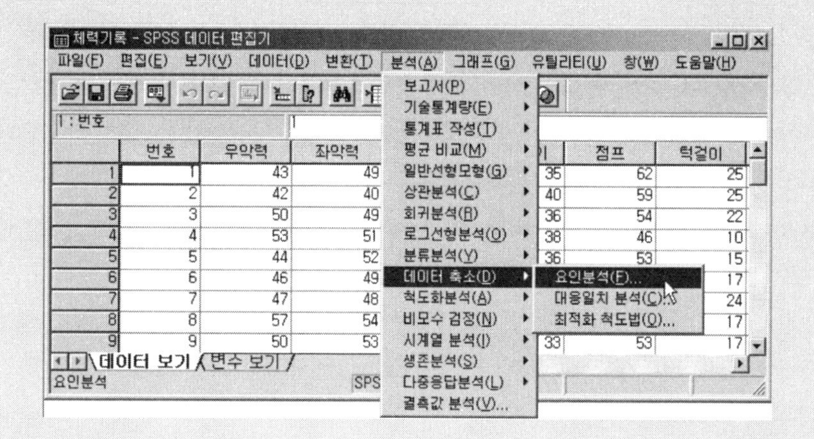

- 요인분석 대화상자가 나타난다. 화살표 버튼을 이용하여 변수(V)에서 분석에 필요한 변수를 선택한다. 그리고 필요한 기술통계량을 선택하기 위하여 기술통계(D) 버튼을 누른다.

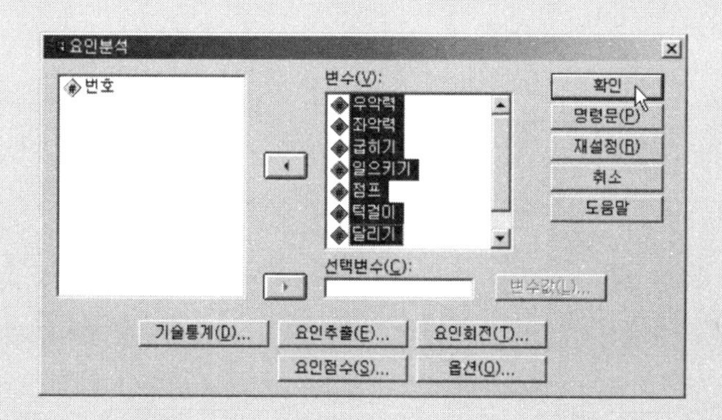

- 기술통계(D)에서는 원하는 통계량과 상관행렬을 선택한다. 통계량으로는 일변량기술통계량(U)과 초기해법(I)을 지정하고, 상관행렬에서는 상관계수(C)를 선택한 다음 계속 버튼을 누른다.

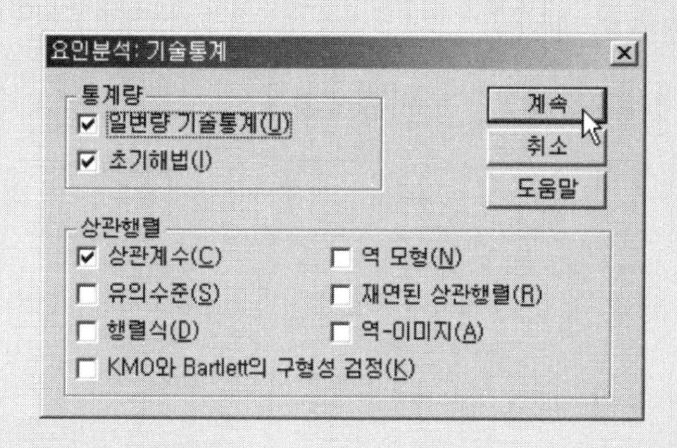

- 요인분석 대화상자에서 요인추출(E)을 누르면 요인분석 : 요인추출 대화상자가 나타난다. 요인추출에서는 초기요인추출방법과 요인의 수 추출방법결정과 출력물에 대한 내용을 선택한다. 먼저 방법(M)에서는 요인추출방법을 지정하는데, 여기에서는 주성분을 선택한다. 분석에서는 변수의 측정단위가 다를 경우 상관행렬을 이용하여 분석하는 것이 바람직하므로 디폴트인 상관행렬(R)을 선택한다. 하단의 추출에서는 추출될 인자의 개수를 지정하는데, 인자의 개수를 결정하는 두 가지 방법 중 고유값기준(E)을 선택한다. 출력에서는 출력하기를 원하는 출력물을 지정한다. 요인해법에 대한 회전하지 않은 요인해법과 요인과 관련된 분산도표로 그대로 유지할 요인의 수를 결정하는 데 사용되는 스크리(scree)도표(S)를 선정한다. 수렴에 대한 최대반복계산수(X)는 디폴트로, 요인추출에 대해 25회의 최대반복계산을 수행한다. 이상과 같이 선택한 후 계속 버튼을 누른다.

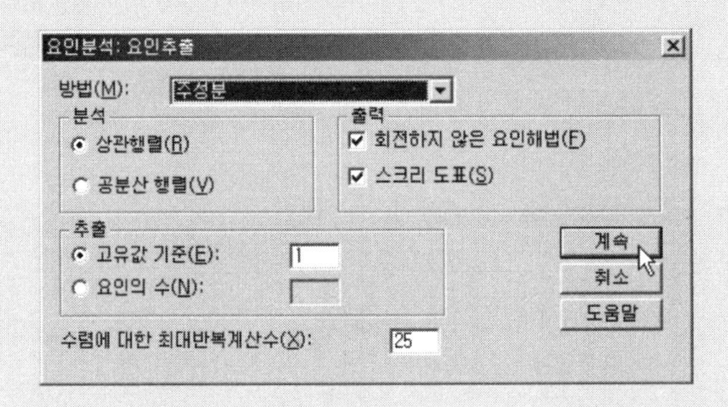

- 요인분석 대화상자에서 요인추출(E)를 누르면 요인분석 : 요인회전 대화상자가 나타난다. 요인회전 지정은 직교회전방법으로 대체적으로 많이 이용하는 베리맥스(varimax)(V)방법을 선택한다. 그리고 출력에서는 추출된 인자를 축으로 하는 그림을 출력하기 위해서 회전해법(R)과 적재값도표(L)를 지정한다. 그리고 계속 버튼을 누른다.

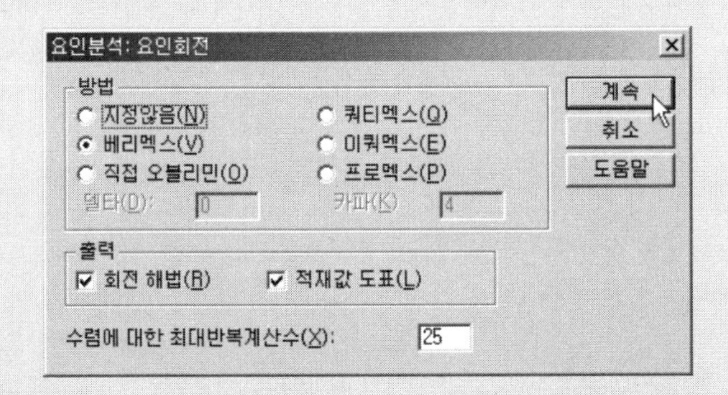

- 요인분석 대화상자에서 요인점수(S)를 누르면 요인분석 : 요인점수 대화상자가 나타난다. 변수로 저장(S)을 선택하면 인자점수의 추정방법을 지정할 수 있는데, 회귀분석(R)을 선택하고, 요인점수계수행렬 출력(D)을 지정한 후 계속 버튼을 누른다.

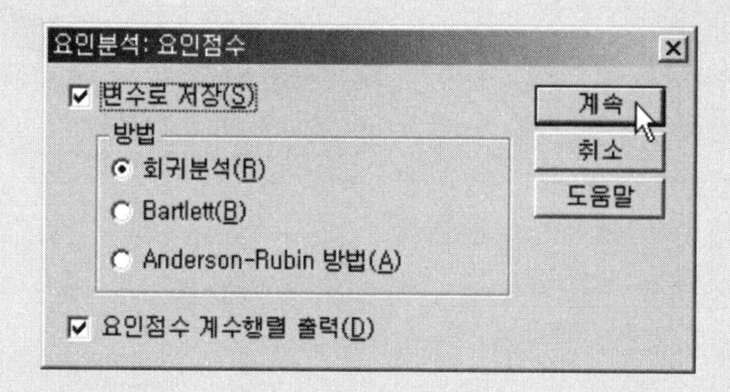

– 요인분석 대화상자로 돌아와 확인 버튼을 누르면 Output-SPSS뷰어에 다음의 결과가 출력된다. 여기에는 각 변수에 대한 평균, 표준편차 및 분석수 등의 기술통계량이 제시되어 있다.

기술통계량

	평균	표준편차	분석수
우악력	48.00	5.17	12
좌악력	48.58	4.85	12
굽히기	19.67	3.70	12
일으키기	36.25	2.38	12
점프	53.58	4.91	12
턱걸이	20.17	5.62	12
달리기	13.80	.461	12

– 상관계수행렬을 잘 살펴보면 어떤 변수들이 밀접한 관계가 있는지를 알 수 있어 추출된 인자의 개수를 정하는 데 도움이 된다. 굽히기는 달리기와 양의 상관관계가 있고 반대로 우악력, 좌악력 및 점프와는 음의 상관관계가 있다. 점프는 일으키기, 턱걸이와 양의 상관관계가 있음을 알 수 있어 전체적으로 3개 정도의 인자이면 설명이 충분할 것 같다.

상관계수행렬

		우악력	좌악력	굽히기	일으키기	점프	턱걸이	달리기
상관계수	우악력	1.000	.739	–.423	–.074	–.097	–.066	–.290
	좌악력	.739	1.000	–.525	–.211	.145	–.164	–.386
	굽히기	–.423	–.525	1.000	–.093	–.234	.239	.522
	일으키기	–.074	–.211	–.093	1.000	.306	.112	–.257
	점프	–.097	.145	–.234	.306	1.000	.668	–.253
	턱걸이	–.066	–.164	.239	.112	.668	1.000	–.028
	달리기	–.290	–.386	.522	–.257	–.253	–.028	1.000

– 변수의 분산 중에서 인자들에 의해서 설명되는 정도를 의미한다. 초기값과 최종적으로 추출된 공통성을 나타낸다. 예를 들면 굽히기가 추출된 인자에 의해 설명된 정도를 의미한다. 인자의 개수 등을 정할 때 도움이 될 것이다.

공통성

	초기	추출
우악력	1	0.716
좌악력	1	0.869
굽히기	1	0.714
일으키기	1	0.759
점프	1	0.868
턱걸이	1	0.908
달리기	1	0.664

추출방법 : 주성분 분석

– 주성분분석을 수행한 결과로 추출된 인자 중에서 고유값의 크기가 1이상을 기준으로 처음 3개의 인자가 보유됨을 나타내고 있는데, 첫 번째 인자는 고유값이 2.514이며, 전체 분산비의 35.909(2.514/7×100)%의 설명력을, 두 번째 인자는 고유값이 1.884이며, 전체 분산비의 26.919(1.884/7×100)%, 그리고 세 번째 인자는 고유값이 1.101이며, 전체 분산비의 15.723 (1.101/7×100)%를 나타내고 있으며, 이들의 총분산기여율은 78.55%임을 보여 주고 있다.

설명된 총 분산

성분	초기고유값			추출 제곱합 적재값			회전 제곱합 적재값		
	전체	% 분산	% 누적	전체	% 분산	% 누적	전체	% 분산	% 누적
1	2.514	35.909	35.909	2.514	35.909	35.909	2.399	34.271	34.271
2	1.884	26.919	62.828	1.884	26.919	62.828	1.673	23.896	58.167
3	1.101	15.723	78.551	1.101	15.723	78.551	1.427	20.384	78.551
4	.645	9.221	87.772						
5	.503	7.191	94.963						
6	.299	4.275	99.238						
7	5.33E-02	.762	100.000						

추출방법 : 주성분 분석

– 스크리도표는 고유값의 크기 순으로 변화과정을 보여주는 것으로, 4번째 인자부터 그 기울기가 완만하므로 그 앞까지의 3개의 인자를 추출하면 충분하다.

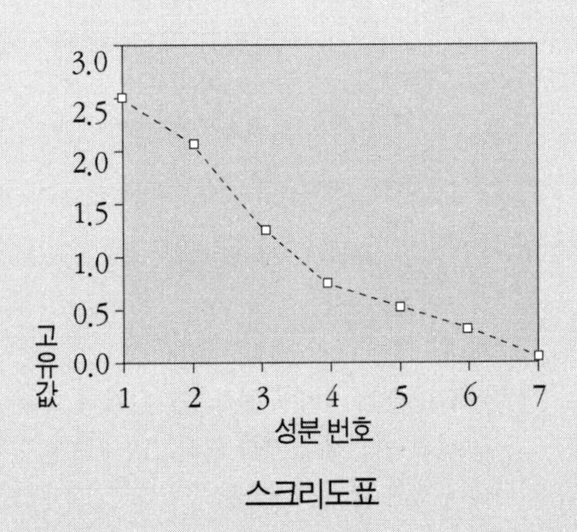

스크리도표

- 성분행렬은 인자적재행렬(factor loading matrix)이라고도 한다. 이는 인자가 변수에 얼마만큼 영향을 미치는지를 의미한다. 한 변수에 관계된 인자적재값은 그 절대값이 어떠한 인자에는 1에 가까운 값을 나머지 인자에 대해서는 0에 가까운 값을 가지는 것이 좋은데, 이는 인자의 의미를 부여하는데 용이하기 때문이다. 그러나 위의 결과는 첫 번째 인자는 우악력(+.776), 좌악력(+.859), 굽히기(-.807), 달리기(-.685)에 높은 부하량을, 두 번째 인자는 윗몸일으키기(+.558)와 점프(+.879) 그리고 턱걸이(+.787)에, 그리고 세번째는 일으키기(-.668)와 턱걸이(+519)에 상대적으로 높은부하량을 나타내고 있어, 인자의 해석이 그다지 용이하지 않다. 따라서 이럴 경우에 인자의 구조를 단순화하기 위해서 인자회전을 실시한다.

성분행렬[a]

	성분		
	1	2	3
우악력	.766	-.238	.270
좌악력	.859	-.182	.314
굽히기	-.807	-3.44E-02	.249
일으키기	4.24E-02	.558	-.668
점프	.218	.879	.218
턱걸이	-.141	.787	.519
달리기	-.685	-.301	.323

요인추출 방법 : 주성분 분석

a. 추출된 3성분

- 요인회전된 성분행렬을 나타내고 있다. 인자 F1은 우악력(+)과 좌악력(+), 굽히기(-), 달리기(-) 등에 높은 적재값(큰 절대값)을 가지며, 인자 F2는 점프(+)와 턱걸이(+)에 높은 적재값을 가지며, 인자 F3는 일으키기(-)와 달리기(+)에 높은 적재값을 가진다. 따라서 인자 F1은 쥐는힘과 굽히기/달리기를 대조하는 인자로, 인자 F2는 점프력과 턱걸이에 관련된 인자로, 인자 F3는 달리기와 일으키기를 대조하는 인자로 의미를 부여할 수 있을 것이다.

회전된 성분행렬[a]

	성분		
	1	2	3
우악력	.839	-5.05E-02	9.62E-02
좌악력	.929	2.17E-02	7.52E-02
굽히기	-.695	8.68E-02	.472
일으키기	-.231	.130	-.830
점프	.109	.868	-.321
턱걸이	-.138	.939	8.16E-02
달리기	-.513	-.101	.625

요인추출 방법 : 주성분 분석

회전방법 : Kaiser 정규화가 있는 베리맥스.

a. 5반복계산에서 요인회전이 수렴되었습니다.

- 회전공간의 성분도표는 3차원공간에 인자회전 후의 각 변수의 인자적재값을 그림으로 나타낸 것인데, 좌표축을 돌려가며 3차원 상의 좌표점의 형태를 파악할 수 있다.

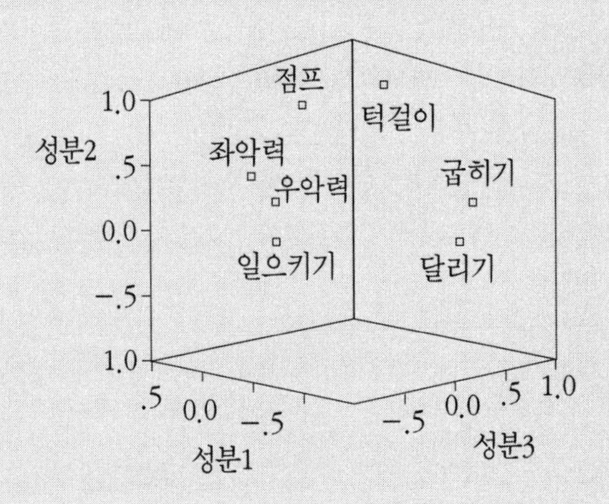

- 직교변환에 적용된 성분변환행렬을 보여주고 있다.

성분변환행렬

	1	2	3
1	.950	.016	-.313
2	-.176	.854	-.489
3	.259	.520	.814

요인추출 방법 : 주성분분석
회전방법 : Kaiser 정규화가 있는 베리맥스

- 요인점수계수행렬 및 요인점수공분산행렬이 나타나 있다. 요인점수는 성분점수계수행렬에서 보여주는 계수값을 대응되는 변수에 곱해서 모두 더하면 계산된다. 주지할 사항은 변수는 표준화된 값을 사용하는 것이다.

성분점수계수행렬

	성분		
	1	2	3
우 악 력	.375	.025	.166
좌 악 력	.415	.071	.172
굽 히 기	-.243	.097	.293
일으키기	-.194	-.062	-.644
점 프	.052	.503	-.094
턱 걸 이	-.005	.601	.197
달 리 기	-.154	.012	.403

요인추출 방법 : 주성분분석
회전방법 : Kaiser 정규화가 있는 베리맥스
요인점수

성분점수공분산행

	1	2	3
1	1.000	.000	.000
2	.000	1.000	.000
3	.000	.000	1.000

요인추출 방법 : 주성분분석

회전방법 : Kaiser 정규화가 있는 베리맥스 요인점수

- 이렇게 해서 만들어진 요인점수는 아래와 같이 데이터 편집기 화면에 저장되며, 그 값의 평균은 0이며 표준편차는 1이다. 즉 표준화된 상태이다.

체력기록 - SPSS 데이터 편집기

	점프	턱걸이	달리기	fac1_1	fac2_1	fac3_1	변수
1	62	25	14.5	-.52804	1.47259	.99681	
2	59	25	13.4	-1.24480	.79116	-1.84898	
3	54	22	13.5	.61070	.13134	-.42893	
4	46	10	13.9	.30033	-1.83887	-.32490	
5	53	15	13.4	.19816	-.60151	-.51131	
6	55	17	13.9	-.04311	-.38811	-1.21498	
7	53	24	13.6	-.18183	.45136	.52096	
8	53	17	13.9	1.56933	-.33624	.70777	
9	53	17	13.2	1.16006	-.32319	.26609	

데이터 보기 / 변수 보기 — SPSS 프로세서 준비 완료

8. 판별분석

1) 개 요

스포츠센터의 회원 관련 정보 즉 나이, 학력수준, 소득수준, 운동빈도, 운동기간 등을 통하여 어떤 회원이 주요고객이며 이탈가능성이 큰 회원인지를 파악할 수 있을까? 또사람의 신체조건 즉, 키, 몸무게, 가슴둘레, 앉은키, 혈압, 헤모글로빈수치 등을 이용하여 남녀를 어떻게 구분할 수 있을까? 이와 같이 두 개 이상의 집단으로 구성된 자료에서 공통으로 측정할 수 있는 변수들을 이용하여, 각 개체들이 어느 그룹에 속하는지를 분류하는 방법을 판별분석(discriminant analysis)이라 한다.

판별분석을 이용하려면 각 개체가 여러 집단 중에서 어느 집단에 속해 있는지 알아야 한다. 소속집단이 이미 알려진 경우에 변수들을 측정하고 이들 변수들을 이용하여 각 집단을 가장 잘 구분해 낼 수 있는 판별식을 만들어 분별하는 과정도 여기에 포함된다. 또한 판별함수를

이용하여 각 개체들이 소속집단에 얼마나 잘 판별되는가에 대한 판별력을 측정하고, 새로운 대상을 어느 집단으로 분류할 것이냐를 예측하기도 한다. 즉 집단구분을 할 때 분류오류율을 최소화할 수 있는 선형결합을 도출하는 것이 판별분석의 주요목적이다.

이선형결합을 선형판별식 또는 선형판별함수(linear discriminant function)라 하는데, 아래의 식과 같이 P개의 독립변수에 일정한 가중치를 부여한 선형결합형태를 나타낸다.

판별함수는 그룹 내 분산(variance within group)에 비하여 그룹 간 분산(variance between group)이 최대화되도록 얻어지는데, 그 식은 다음과 같다.

$$Z=W_1X_1+W_2X_2+\cdots+W_pX_p$$

Z : 판별점수(discriminant score)
W_i : 판별가중값(discriminant weight, 판별함수계수)
X_i : 독립변수(independent variable)

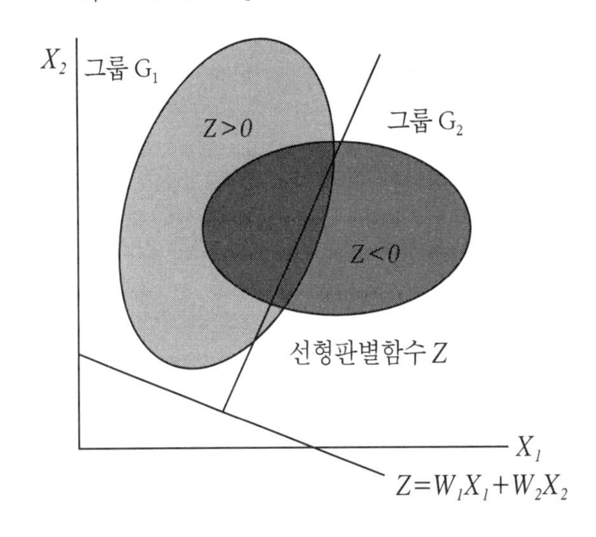

2) 기본가정

판별식을 도출하기 위해 필요한 가정은 다변량정규분포, 각 집단에서 변수들 간의 공분산행렬이 동일해야 한다는 것이다. 그러나 이와 같은 가정은 극단적으로 위배되지 않으면 판별분석을 적용하는 데 큰 지장은 없다. 특히 표본의 크기가 매우 클 때에는 더욱 문제가 되지 않는다.

3) 판별분석의 적용절차

판별분석의 적용절차는 다음과 같다.

① 판별함수의 도출

② 도출된 판별함수의 유의성 평가
③ 독립변수들의 상대적 판별력 평가
④ 판별결과의 평가
⑤ 판별함수를 이용한 추가적인 대상에 대한 집단분류 예측

SPSS를 이용한 분석

[예제] 다음은 농구경기의 승리와 패배를 결정짓는 요인을 분석하기 위하여 2009~2010시즌 한국프로농구에 참가한 어느 팀의 경기내용의 기록자료이다. 경기내용요인 중 팀의 승·패에 미치는 주요 영향력요인을 규명하기 위한 판별분석을 실시하라.

game	w_l	fg2	fg3	ft	of_r	def_r	assist	foul	stealL	turnover	bs	fb
1	2	57.4074	7.6923	76.190	11	25	13	27	6	15	2	2
2	1	52.0833	35.2941	88.462	13	26	17	26	9	10	4	7
3	2	72.3404	19.0476	71.429	9	20	21	24	12	14	1	8
4	1	71.4286	44.0000	60.000	8	25	27	25	6	8	3	8
5	2	39.1304	41.6667	62.500	12	27	14	18	6	14	1	3
6	2	47.3684	12.5000	91.667	11	25	19	15	8	10	4	6
7	1	57.1429	27.2727	60.714	10	28	21	23	10	10	4	10
8	2	53.3333	35.0000	69.565	9	19	22	27	9	13	4	7
9	1	61.3636	52.9412	78.125	3	24	25	18	12	14	6	13
10	1	66.6667	19.6429	61.538	16	34	29	19	5	11	4	15
11	2	48.9362	35.2941	84.615	12	21	16	28	3	16	2	5
12	2	53.4884	35.0000	70.370	10	24	17	23	7	14	1	8
13	2	56.6038	36.8421	81.818	11	26	18	22	4	16	3	3
14	1	58.4906	37.5000	71.429	7	30	24	22	7	11	8	8
15	1	66.6667	30.0000	87.500	5	26	22	18	11	14	2	12
16	2	58.9286	36.3636	88.235	10	28	20	31	7	20	3	6
17	1	61.2245	47.0588	76.923	7	25	18	20	11	13	4	9
18	1	61.8182	29.1667	68.75	14	18	25	24	11	7	3	9
19	1	69.6970	27.2727	70.833	11	34	29	20	7	13	6	18
20	1	66.0000	37.5000	67.742	4	34	34	27	14	18	5	18
21	1	61.9048	31.8182	75.000	9	25	22	21	3	7	3	4
22	1	63.8298	42.8571	60.000	6	27	25	24	6	9	10	10
23	1	71.7391	40.0000	90.000	4	24	30	22	6	16	3	12
24	2	57.4074	8.6957	50.000	18	25	14	22	5	7	3	4
25	1	58.1395	43.7500	81.250	9	33	21	18	6	16	6	6
26	1	60.0000	47.6190	60.714	12	24	27	25	10	12	5	11
27	2	45.8333	38.8889	73.333	10	22	15	20	6	13	6	4

game	w_l	fg2	fg3	ft	of_r	def_r	assist	foul	stealL	turnover	bs	fb
28	1	36.5854	40.9091	87.500	12	29	13	24	4	13	4	5
29	1	51.0638	39.3939	50.000	10	31	26	16	10	8	1	13
30	2	54.7170	19.0476	78.947	18	14	12	26	4	7	4	6
31	2	65.3061	27.2727	71.429	5	23	16	30	7	14	3	6
32	1	68.8525	28.5714	75.000	10	26	28	23	9	12	6	13
33	2	53.0612	24.2424	72.222	15	22	19	31	12	11	6	7
34	2	56.8627	44.4444	83.333	10	23	16	25	4	7	2	8
35	1	56.2500	50.0000	68.750	13	20	25	14	6	10	3	10
36	2	51.1628	26.9231	100.000	11	22	18	29	6	15	1	6
37	2	52.0833	26.0870	72.727	8	30	28	21	7	11	3	10
38	2	53.1915	33.3333	64.706	7	19	14	33	6	13	3	5
39	2	40.0000	43.4783	80.000	5	22	15	33	1	8	3	3
40	2	45.6522	41.3793	72.727	14	15	21	24	11	14	3	6
41	2	46.8085	21.4286	75.000	3	27	8	25	5	11	1	3
42	2	45.2830	25.0000	52.941	13	32	15	22	5	13	4	7
43	1	73.4694	73.6842	85.000	8	20	29	20	8	13	1	8
44	2	46.8085	33.3333	66.667	10	31	22	24	9	12	3	9
45	2	54.5455	31.5789	72.222	7	28	15	18	3	16	3	6

game(게임), w_l(승 · 패 : 1은 승, 2는 패), fg2(2점슛 성공률), fg3(3점슛 성공률),
ft(자유투 성공률), of-r(공격 리바운드), der-r(수비 리바운드), assist(어시스트),
foul(파울수), steal(스틸), turnover(실책), bs(블럭샷), FB(속공)

분석절차 및 결과

– 자료의 입력화면은 다음과 같다.

판별분석(농구승패예측).sav - SPSS 데이터 편집기

파일(F) 편집(E) 보기(V) 데이터(D) 변환(T) 분석(A) 그래프(G) 유틸리티(U) 창(W) 도움말(H)

2 :

	game	w_l	fg2	fg3	ft	of_r	off_r	assist	foul	steal	turnove	bs	fb
1	1.0	2.00	57.4	7.69	76.2	11.0	25	13.00	27.0	6.00	15.00	2.00	2.00
2	2.0	1.00	52.1	35.3	88.5	13.0	26	17.00	26.0	9.00	10.00	4.00	7.00
3	3.0	2.00	72.3	19.0	71.4	9.00	20	21.00	24.0	12.00	14.00	1.00	8.00
4	4.0	1.00	71.4	44.0	60.0	8.00	25	27.00	25.0	6.00	8.00	3.00	8.00
5	5.0	2.00	39.1	41.7	62.5	12.0	27	14.00	18.0	6.00	14.00	1.00	3.00
6	6.0	2.00	47.4	12.5	91.7	11.0	25	19.00	15.0	8.00	10.00	4.00	6.00
7	7.0	1.00	57.1	27.3	60.7	10.0	28	21.00	23.0	10.00	10.00	4.00	10.0
8	8.0	2.00	53.3	35.0	69.6	9.00	19	22.00	27.0	9.00	13.00	4.00	7.00
9	9.0	1.00	61.4	52.9	78.1	3.00	24	25.00	18.0	12.00	14.00	6.00	13.0
10	10.0	1.00	66.7	19.6	61.5	16.0	34	29.00	19.0	5.00	11.00	4.00	15.0
11	11.0	2.00	48.9	35.3	84.6	12.0	21	16.00	28.0	3.00	16.00	2.00	5.00
12	12.0	2.00	53.5	35.0	70.4	10.0	24	17.00	23.0	7.00	14.00	1.00	8.00

데이터 보기 / 변수 보기

SPSS 프로세서 준비 완료

– 프로농구경기의 승 · 패를 예측하기 위하여 판별분석을 실시한다. 판별분석을 실시하기 위해서는 데이터편집기 화면에서 분석(A)->분류분석(Y)->판별분석(D)...을 선택한다.

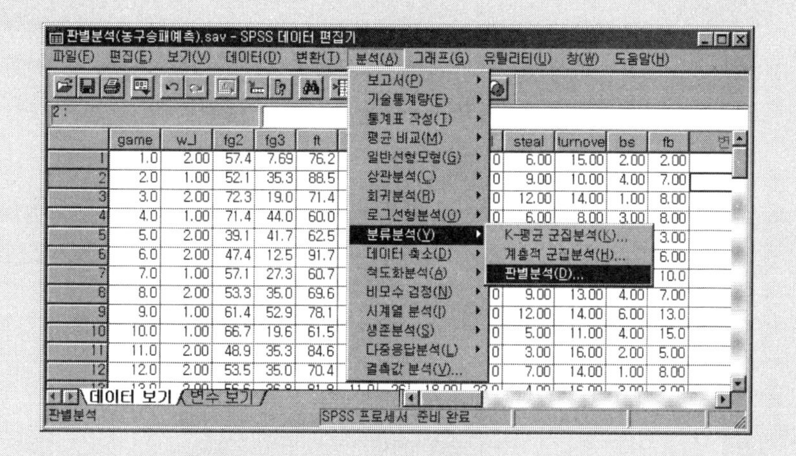

- 판별분석 대화상자가 나타난다. 집단변수(G)에 화살표 버튼을 이용하여 변수 w_1(1승 2패)를 선택한 후 범위지정(D)을 한다. 승패변수의 범위는 최소값이 1, 최대값이 2이므로 1과 2를 기록한 후 확인 버튼을 누르고, 판별분석 대화상자로 돌아와서 독립변수들을 화살표 버튼을 이용하여 선택한다.

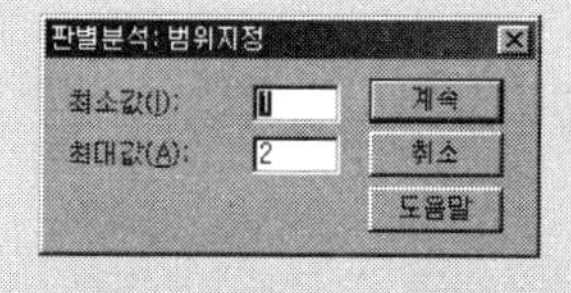

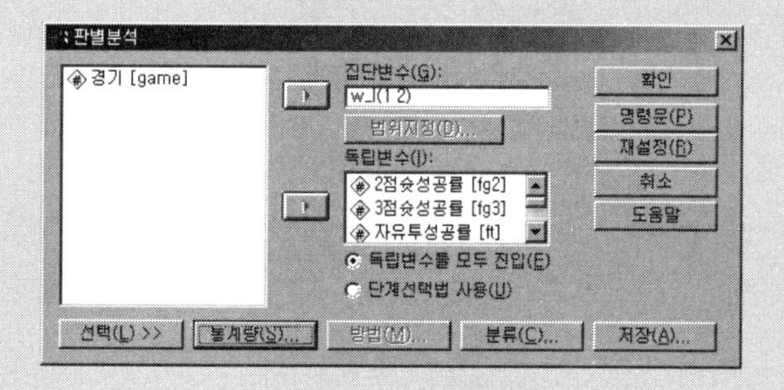

- 판별분석 대화상자 하단에 있는 통계량(S), 분류(C), 저장(A)에서 아래와 같이 선택한다.

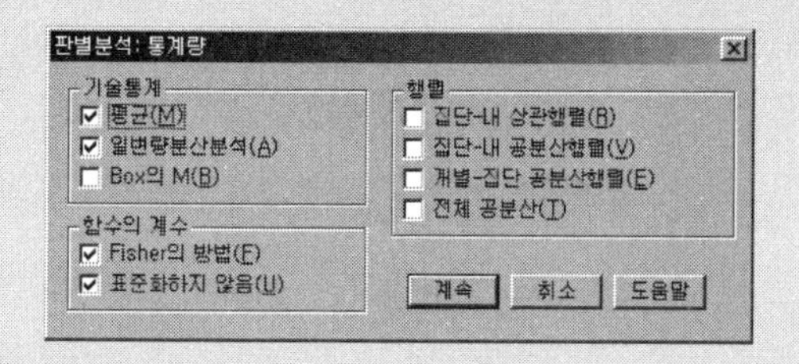

판별분석: 분류

사전확률
- 모든 집단이 동일(A)
- 집단표본크기로 계산(C)

공분산 행렬 사용
- 집단-내(W)
- 개별-집단(P)

계속 / 취소 / 도움말

출력
- ☑ 각 케이스에 대한 결과(E)
- ☐ 첫 케이스부터의 출력수(L)
- ☑ 요약표(U)
- ☐ 순차제거복원 분류(V)

도표
- ☐ 결합-집단(O)
- ☐ 개별-집단(S)
- ☐ 영역도(T)

☐ 결측값을 평균으로 바꾸기(R)

판별분석: 저장
- ☑ 예측 소속집단(P)
- ☑ 판별점수(D)
- ☐ 집단소속 확률(R)

계속 / 취소 / 도움말

XML 파일에 모형정보 내보내기

찾아보기(B)

- 위의 선택사항을 지정하고 계속 버튼을 누르면 판별분석 대화상자로 돌아가는데, 여기에서 확인을 선택하면 Output-SPSS뷰어에 결과물이 다음과 같이 출력된다. 집단통계량에는 승 · 패에 대한 집단 및 전체의 기록요인별 평균과 표준편차가 제시되어 있다.

집단통계량

승패		평균	표준편차	유효수(목록별)	
				가중되지 않음	가중됨
승	2점슛성공률	61.6389	8.4688	21	21.000
	3점슛성공률	39.3453	11.6798	21	21.000
	자유투성공률	72.6300	11.3548	21	21.000
	공격리바운드	9.0952	3.5483	21	21.000
	수비리바운드	26.8095	4.6542	21	21.000
	어시스트	24.6190	4.8834	21	21.000
	파울수	21.3810	3.4275	21	21.000
	스틸	8.1429	2.8685	21	21.000
	실책	11.6667	3.0221	21	21.000
	블락샷	4.3333	2.1756	21	21.000
	속공	10.4286	3.7759	21	21.000
패	2점슛성공률	52.3442	7.4547	24	24.000
	3점슛성공률	29.3558	10.5841	24	24.000
	자유투성공률	74.2768	11.1590	24	24.000
	공격리바운드	10.3750	3.6691	24	24.000
	수비리바운드	23.7500	4.5612	24	24.000
	어시스트	17.0000	4.1178	24	24.000
	파울수	24.9167	4.8087	24	24.000
	스틸	6.3750	2.7790	24	24.000
	실책	12.6667	3.2393	24	24.000
	블락샷	2.8750	1.3929	24	24.000
	속공	5.7500	2.0904	24	24.000

합계	2점슛성공률	56.6817	9.1455	45	45.000
	3점슛성공률	34.0176	12.0816	45	45.000
	자유투성공률	73.5083	11.1529	45	45.000
	공격리바운드	9.7778	3.6300	45	45.000
	수비리바운드	25.1778	4.8067	45	45.000
	어시스트	20.5556	5.8720	45	45.000
	파울수	23.2667	4.5397	45	45.000
	스틸	7.2000	2.9279	45	45.000
	실책	12.2000	3.1450	45	45.000
	블락샷	3.5556	1.9254	45	45.000
	속공	7.9333	3.7863	45	45.000

- 각 판별변수별 집단 간의 차이여부에 관한 검정결과를 제시하고 있다. 즉 독립변수(기록요인)에 대한 집단평균의 동일성을 검정하기 위한 분석결과는 *F*통계량에 대한 유의확률의 크기를 통하여 알 수 있는데, 2점슛 및 3점슛 성공률, 수비리바운드, 어시스트, 파울수, 스틸, 블락샷, 속공에서 유의한 차이를 보여주고 있다.

집단평균의 동질성에 대한 검정

	Wilks 람다	F	자유도1	자유도2	유의확률
2점슛성공률	.737	15.338	1	43	.000
3점슛성공률	.826	9.059	1	43	.004
자유투성공률	.994	.240	1	43	.627
공격리바운드	.968	1.405	1	43	.242
수비리바운드	.897	4.945	1	43	.031
어시스트	.571	32.247	1	43	.000
파울수	.846	7.852	1	43	.008
스틸	.907	4.399	1	43	.042
실책	.974	1.136	1	43	.292
블락샷	.854	7.353	1	43	.010
속공	.611	27.336	1	43	.000

- 집단 내에서 기록요인 사이의 상관계수를 제시하고 있다.

집단-내 통합행렬

		2점슛 성공률	3점슛 성공률	자유투 성공률	공격 리바운드	수비 리바운드	어시스트	파울수	스틸	실책	블락샷	속공
상관	2점슛성공률	1.000	−.150	.009	−.175	−.142	.477	.120	.202	.173	−.060	.358
	3점슛성공률	−.150	1.000	.164	−.305	−.271	.091	.023	−.055	.207	−.092	−.149
	자유투성공률	.009	.164	1.000	−.206	−.216	−.123	.113	−.110	.340	−.134	−.197
	공격리바운드	−.175	−.305	−.206	1.000	−.139	−.091	−.123	−.061	−.339	.016	−.068
	수비리바운드	−.142	−.271	−.216	−.139	1.000	.097	−.210	−.124	.263	.150	.277
	어시스트	.477	.091	−.123	−.091	.097	1.000	−.038	.378	.198	.065	.691
	파울수	.120	.023	.113	−.123	−.210	−.038	1.000	.044	.044	.129	−.068
	스틸	.202	−.055	−.110	−.061	−.124	.378	.044	1.000	.221	.023	.457
	실책	.173	.207	.340	−.339	.263	.198	.044	.221	1.000	−.015	.183
	블락샷	−.060	−.092	−.134	.016	.150	.065	.129	.023	−.015	1.000	.100
	속공	.358	−.149	−.197	−.068	.277	.691	−.068	.457	.183	.100	1.000

– 정준판별함수 하나가 분석에 이용되는데, 이 판별함수의 유의성에 대한 통계량을 보여주고 있다. 고유값의 크기는 2.512이다. 이 고유값이 클수록 판별함수의 기여도가 큰 것을 나타낸다. 여기에서는 집단과 정준판별함수의 관계를 묘사하는 중요한 척도인 정준상관계수는 0.846으로 나타났다.

고유값

함수	고유값	분산의 %	누적 %	정준 상관
1	2.512(a)	100	100	0.846

a 첫 번째 1 정준 판별함수가 분석에 사용되었습니다.

– Wilks의 람다 통계량값은 5% 유의수준에서 유의함을 보여주고 있다.

Wilks의 람다

함수의 검정	Wilks의 람다	카이제곱	자유도	유의확률
1	.285	47.102	11	.000

– 표준화된 정준판별함수의 계수를 제시하고 있다. 이는 각 판별변수의 상대적인 공헌도의 정도를 나타내는 것으로 그 절대값이 크면 판별력에 대한 공헌도가 결정된다. 3점슛성공률(.814), 실책(-.750), 수비리바운드(.720), 2점슛성공률(.665)이 높은 공헌도를 나타내고 있음을 보여주고 있다.

표준화 정준판별함수계수

	함수
	1
2점슛성공률	.665
3점슛성공률	.814
자유투성공률	.410
공격리바운드	.180
수비리바운드	.720
어시스트	-.009
파울수	-.247
스틸	.326
실책	-.750
블락샷	.310
속공	.227

- 원래의 자료를 이용한 정준판별함수의 계수를 제시하고 있으며, 비표준판별계수라고도 한다. 따라서 정준판별함수는 D=-12.069+0.084×2점슛성공률+0.073×3점슛성공률+0.036×자유투성공률+0.050×공격리바운드+0.156×수비리바운드-0.002×어시스트-0.058×파울수+0.116×스틸-0.239×실책+0.172×블락샷+0.076×속공이 된다. 정준판별계수는 자료의 성격을 잘 표현한다는 면에서는 그 의미가 있으나, 각 판별변수의 측정단위가 다르거나 그 변이의 정도가 차이가 날 때는 변수의 중요도에 대한 잘 못 해석할 수 있는 위험성도 있다.

정준판별함수 계수

	함수
	1
2점슛성공률	.084
3점슛성공률	.073
자유투성공률	.036
공격리바운드	.050
수비리바운드	.156
어시스트	-.002
파울수	-.058
스틸	.116
실책	-.239
블락샷	.172
속공	.076
(상수)	-12.069

표준화하지 않은 계수

- 다음은 함수의 집단중심점은 정준판별계수를 이용한 판별함수의 각 집단의 평균을 나타낸다. 승리의 경우는 1.656이고, 패배의 경우는 −1.449임을 보여주고 있다. 각 개체의 판별함수의 값이 함수의 집단 중심점에 가까운 집단으로 분류하게 된다.

함수의 집단중심점

승패	함수
	1
승	1.656
패	−1.449

- 다음은 Fisher의 분류함수의 계수를 나타내고 있는데, 일반적으로 판별함수를 이용하여 집단을 판별하는 것보다 쉽기 때문에 분류함수를 이용하는 방법을 많이 사용하기도 한다. 분류함수를 이용하여 새로운 개체를 분류하는 방법은 각 집단(여기서는 승리와 패배의 경우임)별 분류함수를 이용하여 각 개체의 집단별 분류함수값을 계산한 다음에 점수가 높은 집단에 개체를 분류하게 된다.

분류함수 계수

	승패	
	승	패
2점슛성공률	2.374	2.114
3점슛성공률	1.650	1.423
자유투성공률	1.378	1.265
공격리바운드	4.217	4.062
수비리바운드	5.649	5.163
어시스트	−.779	−.773
파울수	1.726	1.907
스틸	3.999	3.640
실책	−3.710	−2.968
블락샷	1.332	.797
속공	−1.331	−1.566
(상수)	−250.717	−212.918

Fisher의 선형 판별함수

- 다음 표는 판별함수를 이용하여 각 개체를 분류한 결과를 제시한 것으로 실제집단과 예측집단, 그리고 관찰값들이 각 집단에 속할 사후확률값을 보여주고 있다. 각 관찰값들은 사후확률에서 값이 큰 그룹으로 판별된다. 실제 집단과 비교해서 잘못 분류된 케이스는 세 개임을 보여주고 있다.

케이스별 통계량

케이스수	실제집단	최대집단					두 번째로 큰 최대집단			판별점수
		예측집단	P(D>d, G=g)		P (G=g, D=d)	중심값까지의 제곱 Mahalanobis 거리	집단	P (G=g | D=d)	중심값까지의 제곱 Mahalanobis 거리	함수 1
			확률	자유도						
1	2	2	0.044	1	1.000	4.069	1	.000	26.238	-3.466
2	1	1	0.598	1	0.960	0.277	2	0.040	6.649	1.130
3	2	2	0.700	1	0.974	0.148	1	0.026	7.398	-1.064
4	1	1	0.718	1	0.997	0.130	2	0.003	12.013	2.017
5	2	2	0.598	1	0.998	0.278	1	0.002	13.193	-1.976
6	2	2	0.411	1	0.906	0.676	1	0.094	5.212	-0.627
7	1	1	0.304	1	0.836	1.057	2	0.164	4.314	0.628
8	2	2	0.916	1	0.994	0.011	1	0.006	10.307	-1.554
9	1	1	0.318	1	1.000	0.996	2	.000	16.838	2.654
10	1	1	0.798	1	0.996	0.066	2	0.004	11.3	1.912
11	2	2	0.163	1	1.000	1.946	1	.000	20.252	-2.844
12	2	2	0.920	1	0.989	0.010	1	0.011	9.028	-1.348
13	2	2	0.636	1	0.966	0.224	1	0.034	6.928	-0.976
14	1	1	0.695	1	0.998	0.153	2	0.002	12.228	2.048
15	1	1	0.719	1	0.976	0.13	2	0.024	7.537	1.296
16	2	2	0.827	1	0.984	0.048	1	0.016	8.336	-1.231
17	1	1	0.811	1	0.996	0.057	2	0.004	11.189	1.896
18	1	1	0.293	1	0.826	1.104	2	0.174	4.22	0.605
19	1	1	0.154	1	1.000	2.032	2	.000	20.526	3.081
20	1	1	0.669	1	0.998	0.183	2	0.002	12.484	2.084
21	1	1	0.368	1	0.883	0.810	2	0.117	4.862	0.756
22	1	1	0.301	1	1.000	1.071	2	.000	17.143	2.691
23	1	1	0.543	1	0.950	0.369	2	0.050	6.238	1.049
24	2	2	0.889	1	0.995	0.019	1	0.005	10.526	-1.588
25	1	1	0.857	1	0.995	0.032	2	0.005	10.792	1.836
26	1	1	0.855	1	0.986	0.033	2	0.014	8.545	1.474
27	2	2	0.688	1	0.973	0.161	1	0.027	7.312	-1.048
28	1	2(**)	0.450	1	0.922	0.570	1	0.078	5.524	-0.694
29	1	1	0.986	1	0.992	.000	2	0.008	9.751	1.673
30	2	2	0.770	1	0.997	0.085	1	0.003	11.543	-1.741
31	2	2	0.954	1	0.993	0.003	1	0.007	10.005	-1.507
32	1	1	0.826	1	0.996	0.048	2	0.004	11.054	1.876
33	2	2	0.373	1	0.887	0.792	1	0.113	4.907	-0.559
34	2	1(**)	0.740	1	0.978	0.110	2	0.022	7.692	1.324
35	1	1	0.717	1	0.976	0.131	2	0.024	7.523	1.294
36	2	2	0.467	1	0.999	0.53	1	0.001	14.693	-2.177
37	2	1(**)	0.123	1	0.507	2.381	2	0.493	2.440	0.113

38	2	2	0.128	1	1.000	2.317	1	.000	21.412	-2.971
39	2	2	0.621	1	0.998	0.244	1	0.002	12.954	-1.943
40	2	2	0.536	1	0.999	0.384	1	0.001	13.873	-2.069
41	2	2	0.247	1	1.000	1.339	1	.000	18.169	-2.606
42	2	2	0.966	1	0.993	0.002	1	0.007	9.911	-1.492
43	1	1	0.069	1	1.000	3.301	2	.000	24.226	3.473
44	2	2	0.150	1	0.587	2.074	1	0.413	2.773	-0.009
45	2	2	0.976	1	0.991	0.001	1	0.009	9.456	-1.419

** 오분류 케이스

– 판별결과에 대한 분류도표로서, 승리의 경우는 1개가 잘못 분류되었고, 패배의 경우는 2개가 잘못 분류된 것을 보여주고 있으며, 전체적으로 93.3%가 정확하게 분류되었음을 나타내고 있다.

분류결과(a)

			예측 소속집단		전체
	승패	승	패		
원래값	빈도	승	20	1	21
		패	2	22	24
	%	승	95.2	4.8	100.0
		패	8.3	91.7	100.0

a. 원래의 집단 케이스 중 93.3%이(가) 올바로 분류되었습니다.

부 록

부록 1. 확률분포표 ……………………………………………………………………

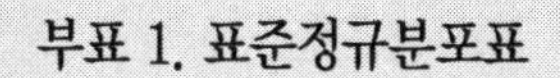

부표 1. 표준정규분포표

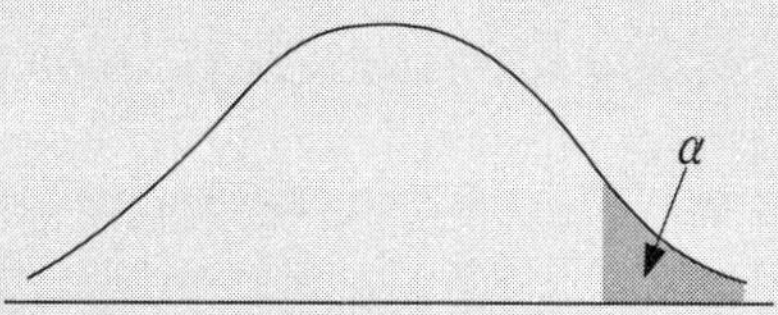

$P[X \geq z] = \int_z^{\infty} \frac{1}{\sqrt{2\pi}} e^{\frac{t^2}{2}} dt$, 상위 $100\alpha\%$ 분위수 z_α : $P\{Z \geq z_\alpha\} = \alpha$

z	.00	.01	.02	.03	.04	.05	.06	.07	.08	.09
0.0	.500	.496	.492	.488	.484	.480	.476	.472	.468	.464
0.1	.460	.456	.452	.448	.444	.440	.436	.433	.429	.425
0.2	.421	.417	.413	.409	.405	.401	.397	.394	.390	.386
0.3	.382	.378	.374	.371	.367	.363	.359	.356	.352	.348
0.4	.345	.341	.337	.334	.330	.326	.323	.319	.316	.312
0.5	.309	.305	.302	.298	.295	.291	.288	.284	.281	.278
0.6	.274	.271	.168	.264	.261	.258	.255	.251	.248	.245
0.7	.242	.239	.236	.233	.230	.227	.224	.221	.218	.215
0.8	.212	.209	.206	.203	.200	.198	.195	.192	.189	.187
0.9	.184	.181	.179	.176	.174	.171	.169	.166	.164	.161
1.0	.159	.156	.154	.152	.149	.147	.145	.142	.140	.138
1.1	.136	.133	.131	.129	.127	.125	.123	.121	.119	.117
1.2	.115	.113	.111	.109	.107	.106	.104	.102	.100	.099
1.3	.097	.095	.093	.092	.090	.089	.087	.085	.084	.082
1.4	.081	.079	.078	.076	.075	.074	.072	.071	.069	.068
1.5	.067	.066	.064	.063	.062	.061	.059	.058	.057	.056
1.6	.055	.054	.053	.052	.051	.049	.048	.047	.046	.046
1.7	.045	.044	.043	.042	.041	.040	.039	.038	.038	.037
1.8	.036	.035	.034	.034	.033	.032	.031	.031	.030	.029
1.9	.029	.028	.027	.027	.026	.026	.025	.024	.024	.023
2.0	.023	.022	.022	.021	.021	.020	.020	.019	.019	.018
2.1	.018	.017	.017	.017	.016	.016	.015	.015	.015	.014
2.2	.014	.014	.013	.013	.013	.012	.012	.012	.011	.011
2.3	.011	.010	.010	.010	.010	.009	.009	.009	.008	.008
2.4	.008	.008	.008	.008	.007	.007	.007	.007	.007	.006
2.5	.006	.006	.006	.006	.006	.005	.005	.005	.005	.005
2.6	.005	.005	.004	.004	.004	.004	.004	.004	.004	.004
2.7	.003	.003	.003	.003	.003	.003	.003	.003	.003	.003
2.8	.002	.002	.002	.002	.002	.002	.002	.002	.002	.002
2.9	.002	.002	.002	.002	.002	.002	.002	.001	.001	.001
3.0	.001	.001	.001	.001	.001	.001	.001	.001	.001	.001

부표 2. t-분포표

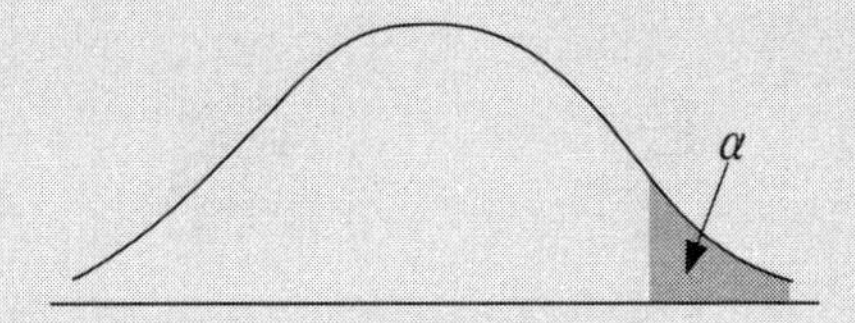

상위 100α%분위수 t_α : $P\{t \geq t_\alpha\} = \alpha$

df	$t^2_{.25}$	$t^2_{.10}$	$t^2_{.05}$	$t^2_{.025}$	$t^2_{.010}$	$t^2_{.005}$	$t^2_{.0010}$
1	1.00	3.08	6.31	12.7	31.8	63.7	318
2	0.82	1.89	2.92	4.30	6.96	9.92	22.3
3	0.76	1.64	2.35	3.18	4.54	5.84	10.2
4	0.74	1.53	2.13	2.78	3.75	4.60	7.17
5	0.73	1.48	2.02	2.57	3.36	4.03	5.89
6	0.72	1.44	1.94	2.45	3.14	3.71	5.21
7	0.71	1.41	1.89	2.36	3.00	3.5	4.79
8	0.71	1.40	1.86	2.31	2.90	3.36	4.50
9	0.70	1.38	1.83	2.26	2.82	3.25	4.30
10	0.70	1.37	1.81	2.23	2.76	3.17	4.14
11	0.70	1.36	1.80	2.20	2.72	3.11	4.02
12	0.70	1.36	1.78	2.18	2.68	3.05	3.93
13	0.69	1.35	1.77	2.16	2.65	3.01	3.85
14	0.69	1.35	1.76	2.14	2.62	2.98	3.79
15	0.69	1.34	1.75	2.13	2.60	2.95	3.73
16	0.69	1.34	1.75	2.12	2.58	2.92	3.69
17	0.69	1.33	1.74	2.11	2.57	2.90	3.65
18	0.69	1.33	1.73	2.10	2.55	2.88	3.61
19	0.69	1.33	1.73	2.09	2.54	2.86	3.58
20	0.69	1.33	1.72	2.09	2.53	2.85	3.55
21	0.69	1.32	1.72	2.08	2.52	2.83	3.53
22	0.69	1.32	1.72	2.07	2.51	2.82	3.50
23	0.69	1.32	1.71	2.07	2.50	2.81	3.48
24	0.68	1.32	1.71	2.06	2.49	2.80	3.47
25	0.68	1.32	1.71	2.06	2.49	2.79	3.45
26	0.68	1.31	1.71	2.06	2.48	2.78	3.43
27	0.68	1.31	1.70	2.05	2.47	2.77	3.42
28	0.68	1.31	1.70	2.05	2.47	2.76	3.41
29	0.68	1.31	1.70	2.05	2.46	2.76	3.40
30	0.68	1.31	1.70	2.04	2.46	2.75	3.39
⋮	⋮	⋮	⋮	⋮	⋮	⋮	⋮
∞	0.67 $=Z_{.25}$	1.28 $=Z_{.10}$	1.64 $=Z_{.05}$	1.96 $=Z_{.025}$	2.33 $=Z_{.010}$	2.58 $=Z_{.005}$	3.09 $=Z_{.0010}$

부표 3. χ^2 분포표

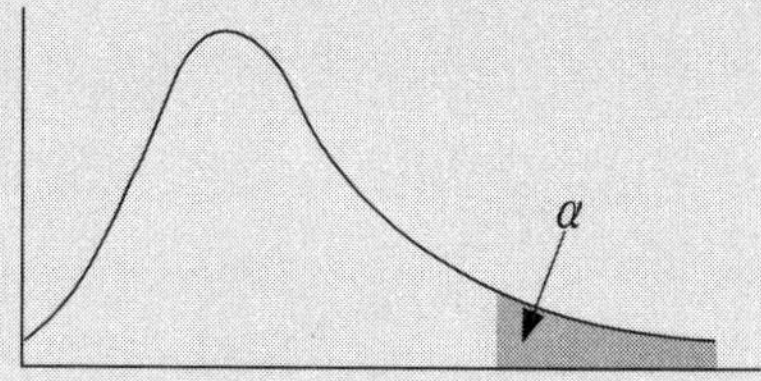

상위 100α% 분위수 $\chi^2_\alpha : P\{\chi^2 \geq \chi^2_\alpha\} = \alpha$

df	$\chi^2_{.99}$	$\chi^2_{.975}$	$\chi^2_{.95}$	$\chi^2_{.05}$	$\chi^2_{.025}$	$\chi^2_{.01}$
1	0.00	0.00	0.00	3.84	5.02	6.63
2	0.02	0.10	0.10	5.99	7.38	9.21
3	0.11	0.22	0.35	7.81	9.35	11.3
4	0.30	0.48	0.71	9.49	11.1	13.3
5	0.55	0.83	1.15	11.1	12.6	15.1
6	0.87	0.83	1.15	11.1	12.8	15.1
7	1.24	1.24	2.17	14.1	16	18.5
8	1.65	2.18	2.73	15.5	17.5	20.1
9	2.09	2.70	3.33	16.9	19	21.7
10	2.56	3.25	3.94	18.3	20.5	23.2
11	3.05	3.82	4.57	19.7	21.9	24.7
12	3.57	4.40	5.23	21.0	23.3	26.2
13	4.11	4.40	5.89	22.4	24.7	27.7
14	4.66	5.63	6.57	23.7	26.1	29.1
15	5.23	6.26	7.26	25.0	27.5	30.6
16	5.81	6.91	7.96	26.3	28.8	32.00
17	6.41	7.56	8.67	27.6	30.2	33.4
18	7.01	8.23	9.39	28.9	31.5	34.8
19	7.63	8.91	10.1	30.1	32.9	36.2
20	8.26	9.59	10.9	31.4	34.2	37.6
21	8.90	10.3	11.6	32.7	35.5	38.9
22	9.54	11.0	12.3	33.9	36.8	40.3
23	10.2	11.7	13.1	35.2	38.1	41.6
24	10.9	12.4	13.8	36.4	39.4	43.0
25	11.5	13.1	14.6	37.7	40.6	44.3
26	12.2	13.8	15.4	38.9	41.9	45.6
27	12.9	14.6	16.2	40.1	43.2	47.0
28	13.6	15.3	16.9	41.3	44.5	48.0
29	14.3	16	17.7	42.6	45.7	49.6
30	15	16.8	18.5	43.8	47.0	50.9
40	22.2	24.4	26.5	55.8	59.3	63.7
50	29.7	32.4	34.8	67.5	71.4	76.2
60	37.5	40.5	43.2	79.1	83.3	88.4
70	45.4	48.8	51.7	90.5	95.0	100.0

부표 4. F-분포표

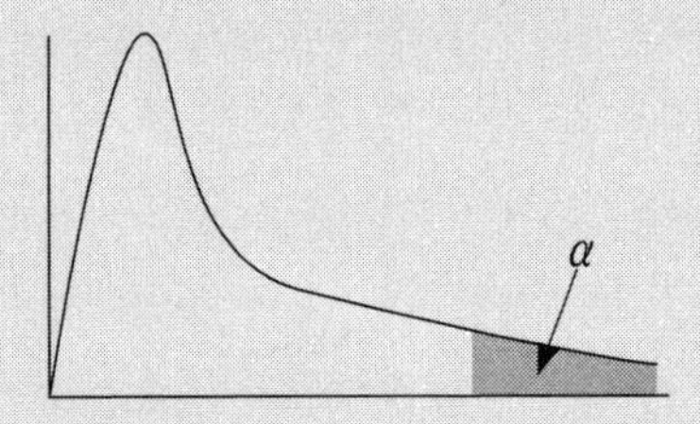

상위 100α%분위수 F_α : $P\{F \geq F_\alpha\} = \alpha$

분모의 자유도	α	분자의 자유도										
		1	2	3	4	5	6	8	10	20	40	∞
1	0.25	5.83	7.5	8.2	8.58	8.82	8.98	9.19	9.32	9.58	9.71	9.85
	0.1	39.9	49.5	53.6	55.8	57.2	58.2	59.4	60.2	61.7	62.5	63.3
	0.05	161	200	216	225	230	234	239	242	248	251	254
2	0.25	2.57	3	3.15	3.23	3.28	3.31	3.35	3.38	3.43	3.45	3.48
	0.1	8.53	9	9.16	9.24	9.29	9.33	9.37	9.39	9.44	9.47	9.49
	0.05	18.5	19	19.2	19.2	19.3	19.3	19.4	19.4	19.4	19.5	19.5
	0.025	38.5	39	39.2	39.3	39.3	39.3	39.4	39.4	39.5	39.5	39.5
	0.01	98.5	99	99.2	99.2	99.3	99.3	99.4	99.4	99.4	99.5	99.5
3	0.25	2.02	2.28	2.36	2.39	2.41	2.42	2.44	2.44	2.46	2.47	2.47
	0.1	5.54	5.46	5.39	2.39	2.41	2.42	2.44	2.44	2.46	2.47	2.47
	0.05	10.1	9.55	9.28	9.12	9.1	8.94	8.85	8.79	8.66	8.59	8.53
	0.025	17.4	16	15.4	15.1	14.9	14.7	14.5	14.4	14.2	14	13.9
	0.01	34.1	30.8	29.5	28.7	28.2	27.9	27.5	27.2	26.7	26.4	26.1
4	0.25	1.81	2	2.05	2.06	2.07	2.08	2.08	2.08	2.08	2.08	2.08
	0.1	4.54	4.32	4.19	4.11	4.05	4.01	3.95	3.92	3.84	3.8	3.76
	0.05	7.71	6.94	6.59	6.39	6.26	6.16	6.04	5.96	5.8	5.72	5.63
	0.025	12.2	10.7	9.93	9.6	9.36	9.2	8.98	8.84	8.56	8.41	8.26
	0.01	21.2	18	16.7	16	15.5	15.2	14.8	14.5	14	13.7	13.5
5	0.25	1.69	1.85	1.88	1.89	1.89	1.89	1.89	1.89	1.88	1.88	1.87
	0.1	4.06	3.78	3.62	3.52	3.45	3.4	3.34	3.3	3.21	3.16	3.1
	0.05	6.61	5.79	5.41	5.19	5.05	4.95	4.82	4.74	4.56	4.46	4.36
	0.025	10	8.43	7.76	7.39	7.15	6.98	6.76	6.62	6.33	6.18	6.02
	0.01	16.3	13.3	12.1	11.4	11	10.7	10.3	10.1	9.55	9.29	9.02
6	0.25	1.62	1.76	1.78	1.79	1.79	1.78	1.77	1.77	1.76	1.75	1.74
	0.1	3.78	3.46	3.29	3.18	3.11	3.05	2.98	2.94	2.84	2.78	2.72
	0.05	5.99	5.14	4.76	4.53	4.39	4.28	4.15	4.06	3.78	3.77	3.67
	0.025	8.81	7.26	6.6	6.23	5.99	5.82	5.6	5.46	5.17	5.01	4.85
	0.01	13.7	10.9	9.78	9.15	8.75	8.47	8.1	7.87	7.4	7.14	6.88
7	0.25	1.57	1.7	1.72	1.72	1.71	1.71	1.7	1.69	1.67	1.66	1.65
	0.1	3.59	3.26	3.07	2.96	2.88	2.83	2.75	2.7	2.59	2.54	2.47
	0.05	5.59	4.74	4.35	4.12	3.97	3.87	3.73	3.64	3.44	3.34	3.23
	0.025	8.07	6.54	5.89	5.52	5.29	5.12	4.9	4.76	4.47	4.31	4.14
	0.01	12.2	9.55	8.45	7.85	7.46	7.19	6.84	6.62	6.16	5.19	5.65

분모의 자유도	α	분자의 자유도										
		1	2	3	4	5	6	8	10	20	40	∞
8	0.25	1.54	1.66	1.67	1.66	1.66	1.65	1.64	1.63	1.61	1.59	1.58
	0.1	3.46	3.11	2.92	2.81	2.73	2.67	2.59	2.54	2.42	2.36	2.29
	0.05	5.32	4.46	4.07	3.84	3.69	3.58	3.44	3.35	3.15	3.04	2.93
	0.025	7.57	6.06	5.42	5.05	4.82	4.65	4.43	4.3	4	3.84	3.67
	0.01	11.3	8.65	7.59	7.01	6.63	6.37	6.03	5.81	5.36	5.12	4.86
9	0.25	1.51	1.62	1.63	1.63	1.62	1.61	1.6	1.59	1.56	1.55	1.53
	0.1	3.36	3.01	2.81	2.69	2.63	2.55	2.47	2.42	2.3	2.23	2.16
	0.05	5.12	4.26	3.86	3.63	3.48	3.37	3.23	3.14	2.94	2.83	2.71
	0.025	7.21	5.71	5.08	4.72	4.48	4.32	4.1	3.96	3.67	3.51	3.33
	0.01	10.6	8.02	6.99	6.42	6.06	5.8	5.47	5.26	4.81	4.57	4.31
10	0.25	1.49	1.6	1.6	1.59	1.59	1.58	1.56	1.55	1.52	1.51	1.48
	0.1	3.28	2.92	2.73	2.61	2.52	2.46	2.38	2.32	2.2	2.13	2.06
	0.05	4.96	4.1	3.71	3.48	3.33	3.22	3.07	2.98	2.77	2.66	2.54
	0.025	6.94	5.46	4.83	4.47	4.24	4.07	3.85	3.72	3.42	3.25	3.08
	0.01	10	7.56	6.55	5.99	5.64	5.39	5.06	4.85	4.41	4.17	3.91
14	0.25	1.44	1.53	1.53	1.52	1.51	1.5	1.48	1.46	1.43	1.41	1.38
	0.1	3.1	2.73	2.52	2.39	2.31	2.24	2.15	2.1	1.96	1.89	1.8
	0.05	4.6	3.74	3.34	3.11	2.96	2.85	2.7	2.6	2.39	2.27	2.13
	0.025	6.3	4.86	4.24	3.89	3.66	3.5	3.29	3.18	2.84	2.67	2.49
	0.01	8.86	5.51	5.56	5.04	4.69	4.46	4.14	3.94	3.51	3.27	3
20	0.25	1.4	1.49	1.48	1.46	1.45	1.44	1.42	1.4	1.36	1.33	1.29
	0.1	2.97	2.59	2.38	2.25	2.16	2.09	2	1.94	1.79	1.71	1.61
	0.05	4.35	3.49	3.1	2.87	2.71	2.6	2.45	2.35	2.12	1.99	1.84
	0.025	5.87	4.46	3.86	3.51	3.29	3.13	2.91	2.77	2.46	2.29	2.09
	0.01	8.1	2.85	4.94	4.43	4.1	3.87	3.56	3.37	2.94	2.69	2.42
60	0.25	1.35	1.42	1.41	1.39	1.37	1.35	1.32	1.3	1.25	1.21	1.15
	0.1	2.79	2.39	2.18	2.04	1.95	1.87	1.77	1.71	1.54	1.44	1.29
	0.05	4	3.15	2.76	2.53	2.37	2.25	2.1	1.99	1.75	1.59	1.39
	0.025	5.29	3.93	3.34	3.01	2.79	2.63	2.41	2.27	1.94	1.74	1.48
	0.01	7.08	4.98	4.13	3.65	3.34	3.12	2.82	2.63	2.2	1.94	1.6
∞	0.25	1.32	1.39	1.37	1.35	1.33	1.31	1.28	1.25	1.19	1.14	1
	0.1	2.71	2.3	2.08	1.94	1.85	1.77	1.67	1.6	1.42	1.3	1
	0.05	3.84	3	2.6	2.37	2.21	2.1	1.94	1.83	1.57	1.39	1
	0.025	5.02	3.69	3.12	2.79	2.57	2.41	2.19	2.05	1.71	1.48	1
	0.01	6.63	4.61	3.78	3.32	3.02	2.8	2.51	2.32	1.88	1.59	1

부록 2. SPSS 사용하기

제1절 SPSS 시작과 종료

1. 시작하기

단축아이콘으로 시작하기

바탕화면에서 SPSS실행 아이콘을 더블클릭한다.

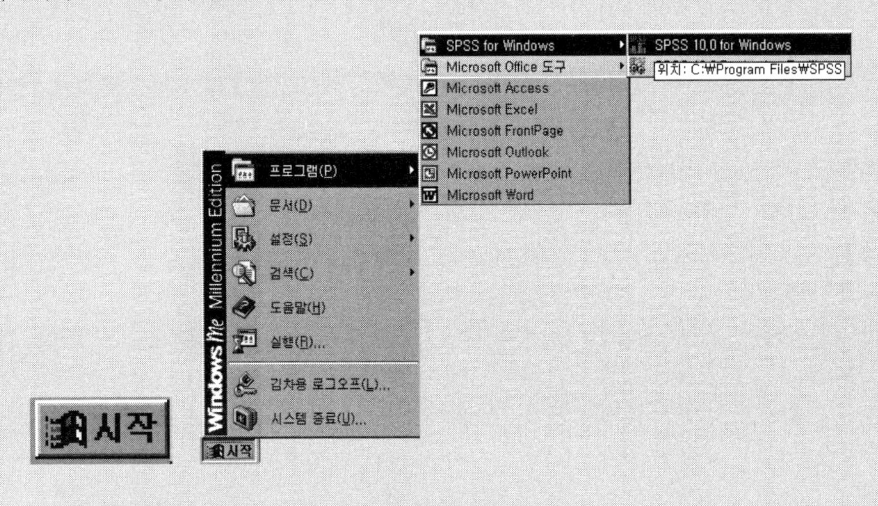

시작메뉴에서 시작하기

작업표시줄의 버튼을 누른 다음 프로그램, SPSS for Window 대화상자에서 SPSS 10.0 for Windows를 선택하여 클릭한다. 그러면 다음과 같은 작업시작화면이 나타난다.

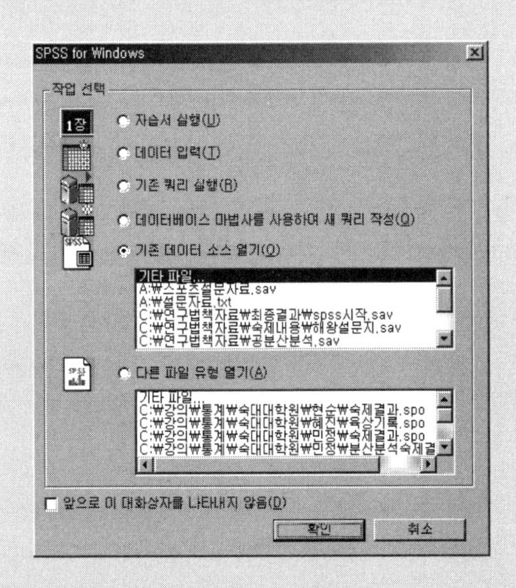

2. 종료하기

SPSS를 종료하기 위해서는 파일메뉴에서 나가기를 선택하면 실행되는 모든 작업이 종료된다. 이때 작업자가 자료를 저장하지 않았다면, 작업하던 데이터에 대한 저장 여부를 대화상자로 묻게 된다. 창닫기 아이콘을 클릭해도 역시 마찬가지이다.

제2절 SPSS 분석의 기본단계

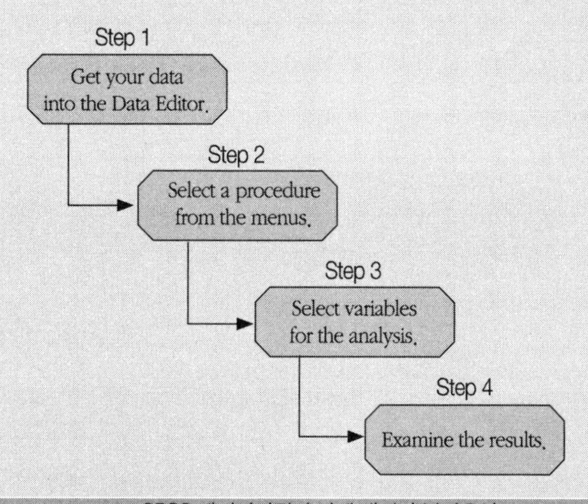

SPSS 데이터편집기 안에 데이터 불러오기
데이터편집기에 분석할 자료를 불러오는 단계로 SPSS에서 작성된 파일은 물론 스프레드시트 파일, 데이터베이스 파일, 텍스트 파일 등을 불러오거나 데이터편집기에서 직접 자료를 입력할 수 있다.
메뉴에서 프로시저 선택
메뉴에서 테이블이나 도표를 작성하거나 통계분석을 위한 프로시저를 선택한다.
분석하고자 할 변수들의 선택
분석하기를 원하는 변수를 지정한다. 이때 데이터화면에 있는 자료의 변수명들이 해당 프로시저의 대화상자에 나타나므로 이를 이용하면 된다.
결과의 설명
프로시저를 실행하면 결과가 보인다.

제3절 SPSS의 화면에서 시작하기

SPSS의 윈도우는 SPSS 데이터화면, SPSS 출력결과 목록(viewer)화면, SPSS 출력결과화면, SPSS 명령문편집화면, SPSS 스크립트편집화면 등으로 구성된다. SPSS에서 사용되는 메뉴의 명령이 데이터화면에 자료가 존재하는 경우에 가능한 것이 대부분이므로 데이터화면에서 작업하는 것을 주로 설명한다.

1. SPSS 화면의 설명

SPSS를 처음 실행할 때 취소버튼을 클릭하거나 창닫기를 하면 다음과 같은 데이터편집기화면이 나타난다.

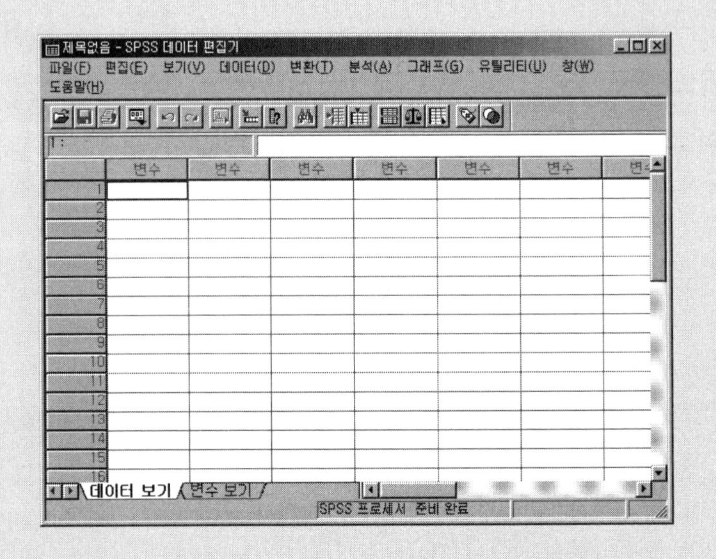

제목 표시줄

새로운 데이터 파일을 작성할 때에는 이곳에 '제목없음'으로 표시되고, 이미 작성된 파일을 읽었을 경우에는 데이터파일의 이름이 표시된다.

메뉴 선택줄

데이터 편집기에서 사용할 수 있는 대부분의 명령이 나열되어 있는 곳으로, 그 구체적인 내용은 다음과 같다.

파일(F) 편집(E) 보기(V) 데이터(D) 변환(T) 분석(A) 그래프(G) 유틸리티(U) 창(W)
도움말(H)

· 파일(File)……저장된 데이터나 다른 프로그램에서 작성된 파일(텍스트, 스프레드시트, 데이터베이스 파일 등)을 불러오거나 새로운 파일의 작성 및 저장, 출력 등을 하는 메뉴
· 편집(Edit)……각 윈도우의 편집(수정, 복사, 삭제 등)이 가능하며, 편집옵션을 변경하는 메뉴
· 보기(View)……편집창의 모양을 사용자의 편의에 따라 설정하는 메뉴
· 데이터(Data)……데이터파일을 전체 또는 부분적으로 수정하는 메뉴
· 변환(Transform)……데이터셋의 변수를 변환하거나 조건을 주어 새로운 변수를 생성하는 메뉴
· 분석(Analysis)……각종 통계분석을 하는 메뉴
· 그래프(Graphs)……결과를 고해상도 그래프로 작성하는 메뉴
· 유틸리티(Utilities)……각종 변수를 확인하고 정보 확인하는 메뉴
· 창(Windows)……윈도우의 배열과 속성을 결정하는 메뉴
· 도움말(Help)……각종 메뉴에 대한 도움말이 문자와 그림으로 설명되어 있는 도움말 메뉴

도구상자 설명

자주 사용되는 명령어를 사용하기 편하도록 아이콘으로 제공되는 부분으로, 각 부분에 대한 구체적인 내용은 다음과 같다.

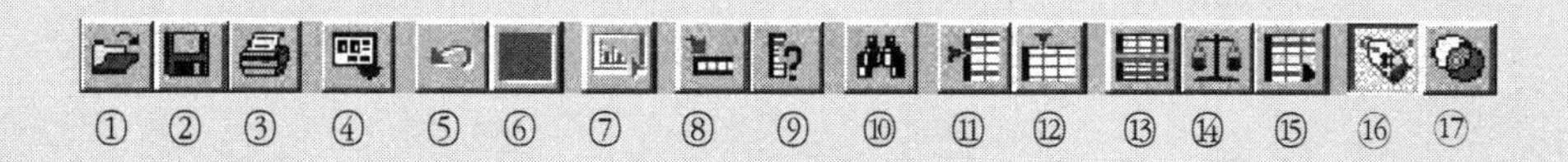

① 파일열기 : 파일→열기……이미 작성한 데이터를 불러올 때 사용한다.

② 파일저장 : 파일→저장……작업한 내용을 저장할 때 사용한다.

③ 인쇄 : 파일→인쇄……데이터를 인쇄할 때 사용한다.

④ 대화상자불러오기……최근 대화상자에서 작업했던 내용을 기억하여 실행한다.

⑤ 복구 : 편집→복구……방금 실행한 내용을 재실행하거나 취소한다.

⑥ redo

⑦ 차트로 이동 : 도표편집화면을 불러온다.

⑧ 케이스로 이동 : 데이터→케이스 이동……데이터 편집기화면에서 원하는 케이스로 이동할 수 있다.

⑨ 변수정보 : 유틸리티→변수정보……현재 작업 중인 변수들의 변수명과 변수라벨에 대한정보를 알려준다.

⑩ 찾기 : 편집→찾기……원하는 데이터를 찾을 때 사용한다.

⑪ 케이스 삽입 : 데이터→케이스삽입……하나의 케이스를 행으로 삽입한다.

⑫ 변수삽입 : 데이터→변수삽입……하나의 새로운 변수를 열로 추가할 때 사용한다.

⑬ 파일 자르기 : 데이터→파일 자르기……조사자가 지정하는 조건에 따라 데이터가 분리된다.

⑭ 가중값 부여 : 데이터→가중값 부여……조사자가 데이터에 일정한 가중치를 부여할 수 있다.

⑮ 케이스 선택 : 데이터→케이스 선택……원하는 조건식에 맞는 데이터를 만들 수 있다.

⑯ 변수값 설명 : 보기→변수값 설명……셀에 있는 데이터의 내용을 숫자나 문자로 볼 수 있다.

⑰ 변수군 사용 : 유틸리티→변수값 사용……변수의 새로운 형태를 지정해 준다.

2. 자료파일 불러오기

SPSS에서 작성된 파일

SPSS의 데이터화면에서 저장된 파일은 파일의 확장자가 sav이다. 확장자가 sav인 SPSS에서 이미 작성된 파일을 불러오는 과정은 다음과 같다.

> 파일 → 열기, Ctrl + O, 도구상자의 파일열기 아이콘 선택

① 파일메뉴의 열기를 선택한 후 데이터를 클릭하면 불러오기를 하려는 파일이 위치한 드라이버 및 폴더를 지정

한 다음 파일을 선택한다. 여기에서는 찾는 파일이 A드라이버에 있는 스포츠설문자료 파일을 지정한 것이다.

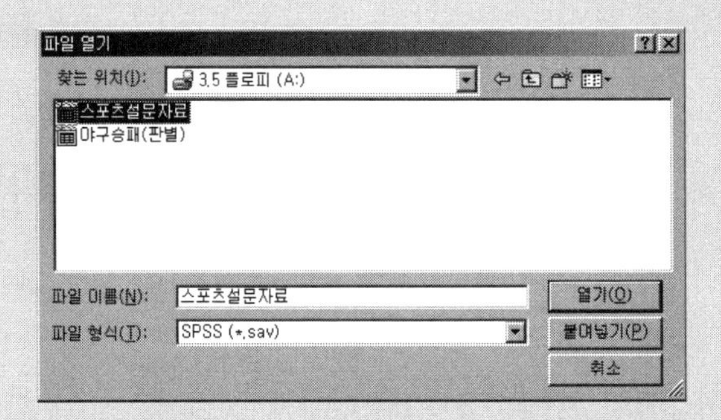

② 파일형식은 SPSS 데이터 파일(*.sav)로 지정(디폴트)한다.

③ 파일이름을 지정한 후에 열기버튼을 클릭하면 다음 그림과 같은 결과가 나타난다. 불러오기를 한 결과에서 보면 한 행은 각기 관찰값(observation 또는 case), 한 열은 변수(variable)를 의미한다.

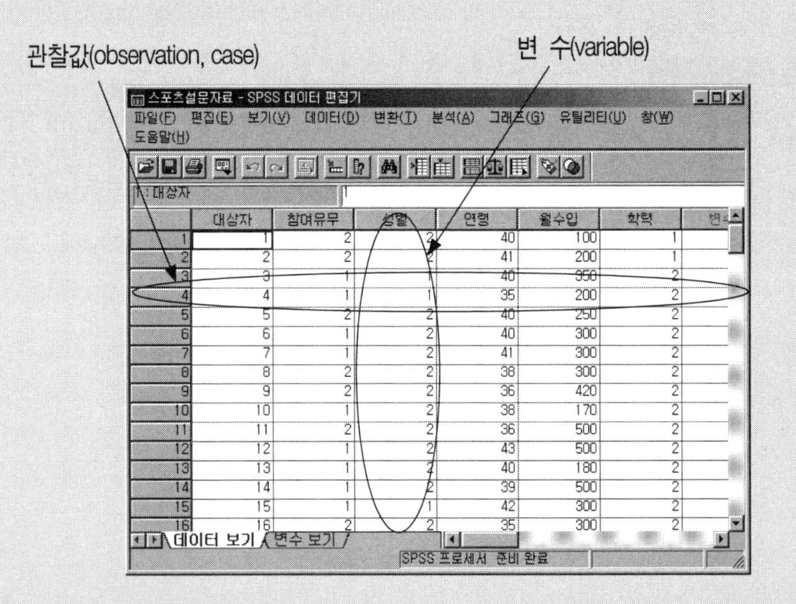

파일의 형식에 대한 구체적인 내용은 다음과 같다.

선택사양	설명
SPSS (*.sav)	SPSS에서 만들어진 데이터 파일
SPSS/PC+ (*.sys)	SPSS/PC+ 상에서 저장되었거나 만들어진 데이터
Systat (*.syd, *.sys)	Systat으로 작성된 페이키 파일
SPSS 포터블 (*.por)	Macintosh나 OS/2와 같은 다른 운영체제에서 만들어진 portable SPSS 파일
선택사양	설명
Excel (*.xls)	Excel 스프레드시트 파일

Lotus (*.w*)	Lotus 1-2-3의 스프레드시트 파일
SYLK (*.slk)	SYLK 포맷으로 저장되어 있는 Excel과 Multiplan 스 프레드시트 파일
dBase (*.dbf)	DBase Ⅰ, Ⅱ, Ⅲ, Ⅳ로 작성된 데이터베이스 파일
텍스트(*.txt)	ASCII 형식의 모든 파일
데이터(*.dat)	데이터 파일
모든파일(*.*)	모든 자료 파일

TEXT(ASCⅡ)데이터 형식으로 작성된 파일

한글 등의 워드프로세서에서 작성된 ASC Ⅱ(완성형 text) 파일은 SPSS에서 파일 → 데이터에서 해당 텍스트 데이터를 선택하든지 아니면 파일→텍스트 데이터 읽기에서 불러올 수 있다. 그러나 한글 등의 워드프로세서에서 데이터를 입력할 때 고정형식(fixed column)으로 입력되었는지 아니면 공백(space), 탭(tab), 콤마(comma) 등으로 변수를 구분한 자유형식(free field)으로 입력되었는지에 따라 데이터 파일을 읽어오는 과정에 약간의 차이가 있다.

① 데이터편집기 화면의 파일(F)에서 텍스트 데이터 읽기(R)를 선택한다.

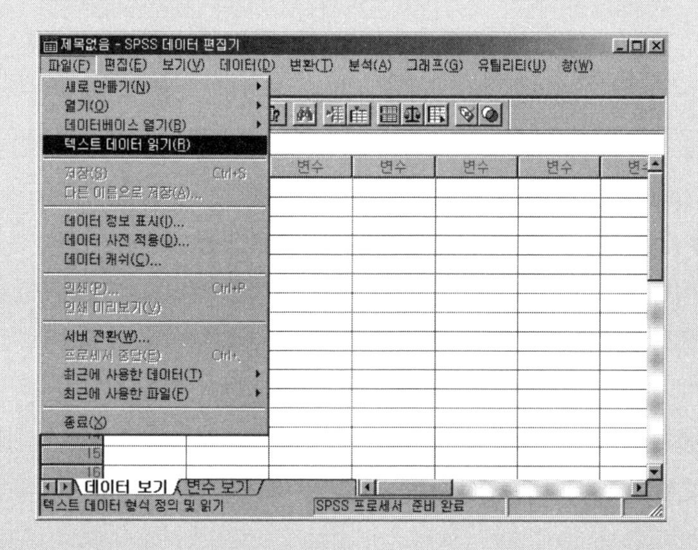

② 파일열기에서 데이터파일을 선택한 후 열기를 누른다.

파일 열기
찾는 위치(I): 3.5 플로피 (A:)
설문자료
파일 이름(N):
파일 형식(T): 텍스트 (*.txt)
열기(O)
붙여넣기(P)
취소

③ 텍스트 가져오기 마법사 1단계로서

– 텍스트파일을 사전정의된 형식으로 저장한 파일이 없으므로 다음 단계로 넘어간다.

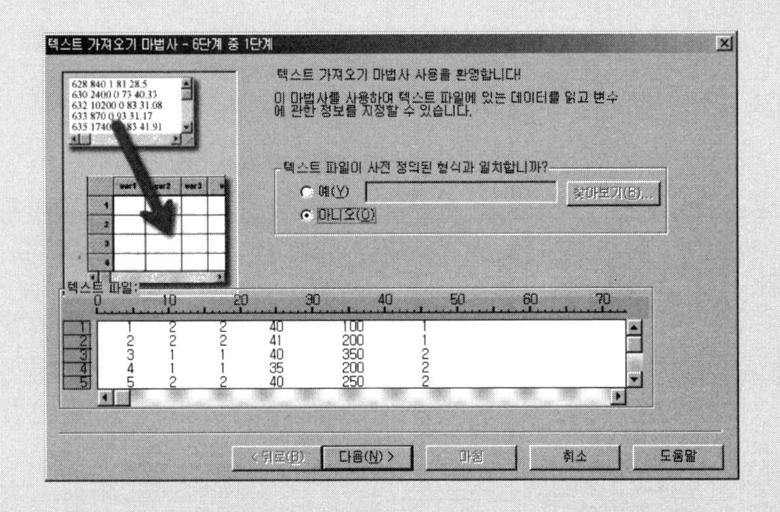

④ 텍스트 가져오기 마법사 2단계로서

– 불러들일 변수 배열에 따라 선택하면 되는데, 고정너비(fixed column)로 되어 있으면 고정너비로 배열(F)를 선택하고, 만약 구분자에 의해 입력된 자료라면 구분자에 의한 배열(D)를 선택하면 된다. 그리고 파일자료의 첫 라인에 변수이름이 없으므로 아니오(Y)를 선택한다.

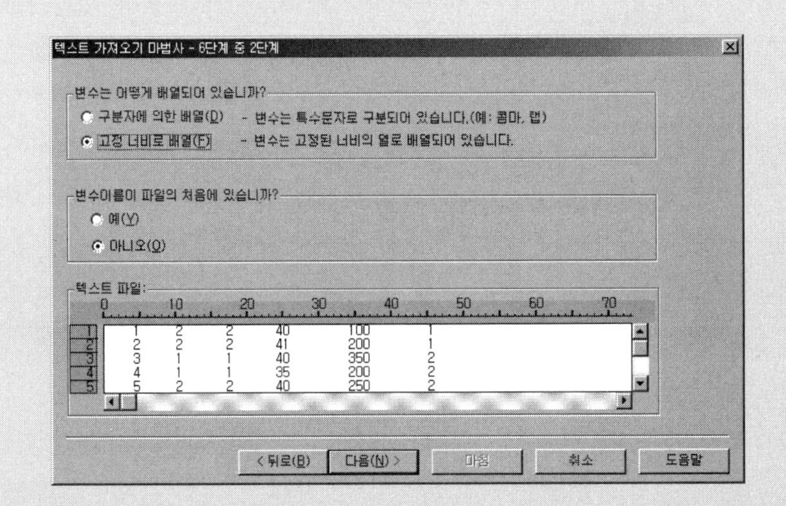

⑤ 텍스트 가져오기 마법사 3단계로서

– 데이터를 시작하는 라인 지정, 케이스범위 지정, 가져올 케이스범위를 지정한다.

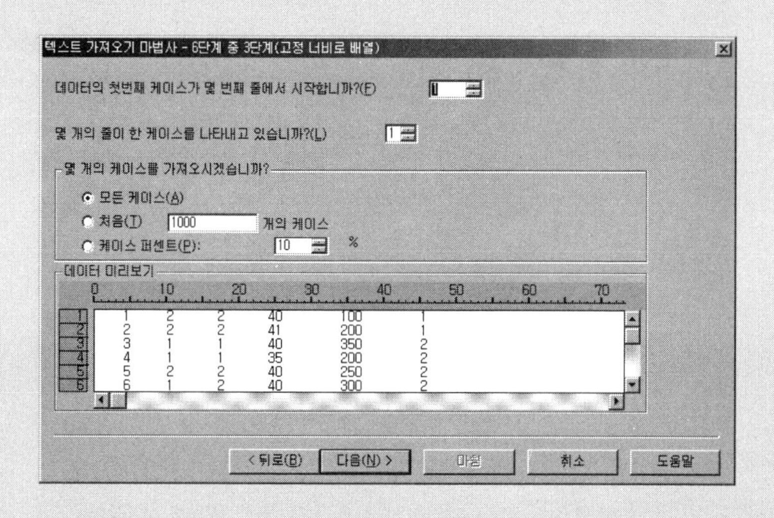

⑥ 텍스트 가져오기 마법사 4단계로서

– 만약 텍스트 가져오기 마법사 2단계 고정너비로 배열(F)을 선택했다면 다음과 같이 나타나며, 구분선은 원하는 위치로 이동하고 불필요한 구분선은 데이터미리보기화면에서 밖으로 끌어내기 한다.

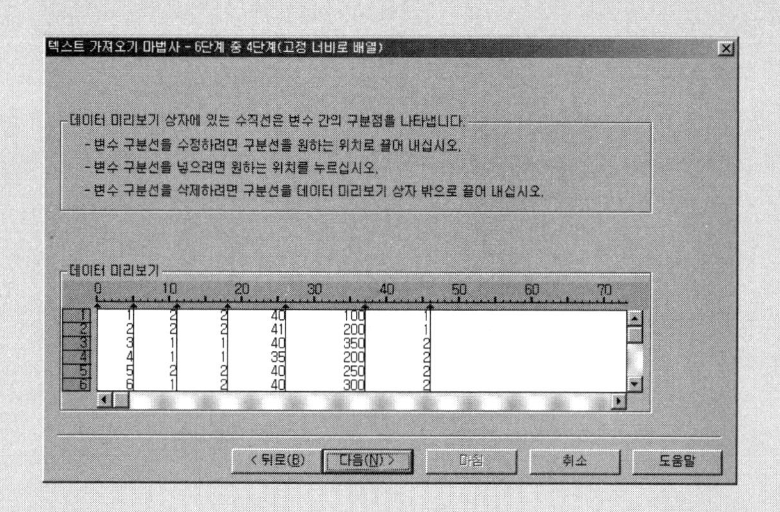

– 구분자에 의한 배열을 선택하였다면 적절한 구분자를 선택한다.

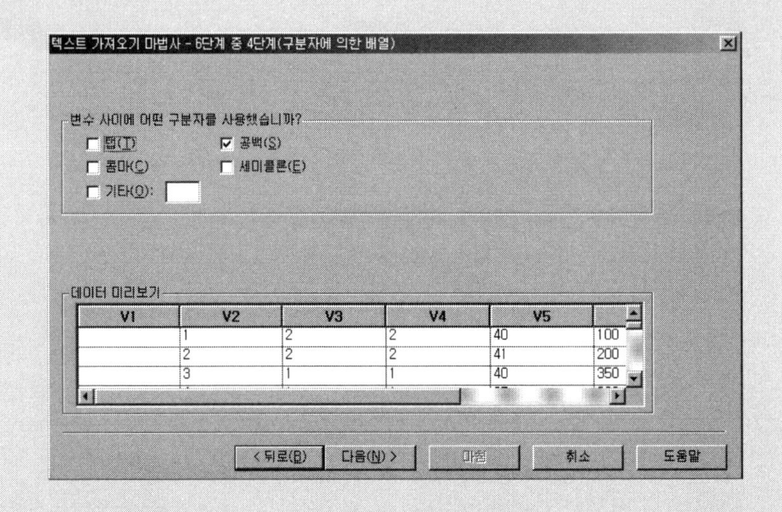

⑦ 텍스트 가져오기 마법사 5단계로서

– 각 변수의 이름을 지정하는 단계인데, 여기서는 따로 지정하지 않고 그대로 둔다.

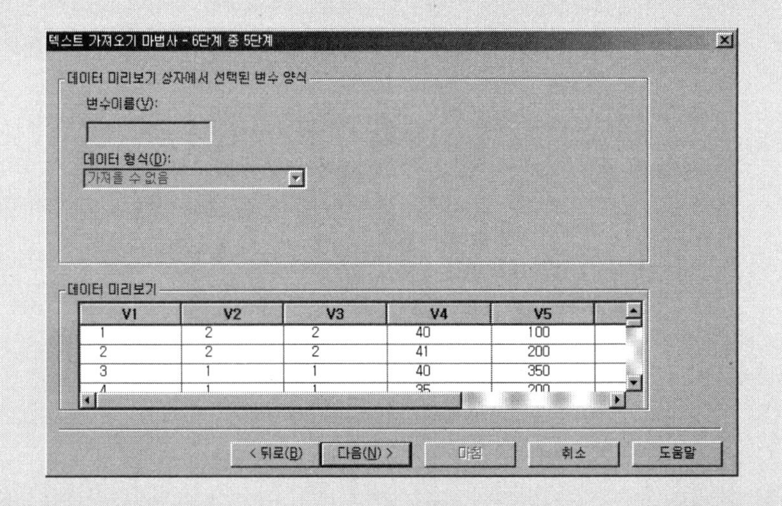

⑧ 텍스트 가져오기 마법사 6단계로서

– 파일의 형식을 정의하는 단계인데, 특별히 나중을 위해 저장하거나, 명령문을 붙이지 않으므로 아니오(O)를 선택하고 마침을 누른다.

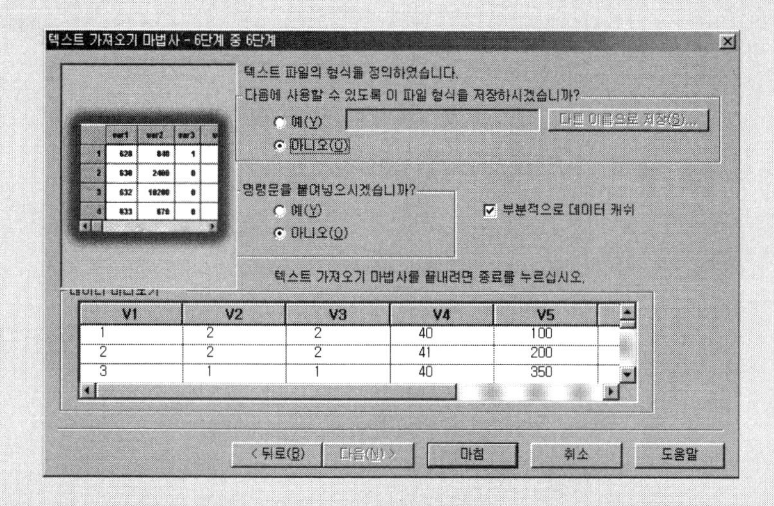

⑨ 앞의 과정을 통해 읽은 데이터편집기의 데이터보기 화면이 나타난다.

SPSS에서 자료입력하기

- SPSS에서 직접 입력하는 방법은 일반 스프레드시트에서 입력하는 것과 거의 유사하다. SPSS 데이터화면에서 차례차례로 사용자가 원하는 자료를 입력하면 된다. 이때 변수명은 자동으로 var00001부터 차례대로 부여된다.

제목없음 - SPSS 데이터 편집기

파일(F) 편집(E) 보기(V) 데이터(D) 변환(T) 분석(A) 그래프(G) 유틸리티(U) 창(W) 도움말(H)

	v1	v2	v3	v4	v5	v6
1	1.00	2.00	2.00	40.00	100.00	1.00
2	2.00	2.00	2.00	41.00	200.00	1.00
3	3.00	1.00	1.00	40.00	350.00	2.00
4	4.00	1.00	1.00	35.00	200.00	2.00
5	5.00	2.00	2.00	40.00	250.00	2.00
6	6.00	1.00	2.00	40.00	300.00	2.00
7	7.00	1.00	2.00	41.00	300.00	2.00
8	8.00	2.00	2.00	38.00	300.00	2.00
9	9.00	2.00	2.00	36.00	420.00	2.00
10	10.00	1.00	2.00	38.00	170.00	2.00
11	11.00	2.00	2.00	36.00	500.00	2.00
12	12.00	1.00	2.00	43.00	500.00	2.00
13	13.00	1.00	2.00	40.00	180.00	2.00
14	14.00	1.00	2.00	39.00	500.00	2.00
15	15.00	1.00	1.00	42.00	300.00	2.00
16	16.00	2.00	2.00	35.00	300.00	2.00

데이터 보기 / 변수 보기

SPSS 프로세서 준비 완료

제목없음 - SPSS 데이터 편집기

파일(F) 편집(E) 보기(V) 데이터(D) 변환(T) 분석(A) 그래프(G) 유틸리티(U) 창(W) 도움말(H)

3 : var00003 | 1

	var00001	var00002	var00003	변수	변수	변수
1	1.00	2.00	2.00			
2	2.00	2.00	2.00			
3	3.00	1.00	1			
4	4.00	1.00	.			
5	5.00	2.00	.			
6	6.00	1.00	.			
7	7.00	1.00	.			
8	8.00	2.00	.			
9	9.00	2.00	.			
10	10.00	1.00	.			
11	11.00	2.00	.			
12	12.00	1.00	.			
13	13.00	1.00	.			
14	14.00	1.00	.			
15	15.00	1.00	.			
16	16.00	2.00	.			

데이터 보기 / 변수 보기 — SPSS 프로세서 준비 완료

3. 자료 저장하기

– 앞에서 작성한 데이터를 저장하는 방법은 다음과 같다.

파일 → 저장(S), Ctrl + O, 도구상자의 저장 아이콘　　　　파일 → 다른 이름으로 저장(A)...

① 파일 메뉴에서 저장을 선택하면 다음과 같이 저장하기의 대화상자가 나타난다. 이때 처음 저장할 경우에는 새 이름으로 저장하기 대화상자가 나타나고, 일단 한 번 파일명을 부여하고 나면 대화상자가 나타나지 않고 그 이름으로 계속 저장된다. 파일이름을 다르게 저장하려면 이 때는 파일 메뉴에서 다른 이름으로 저장(A)...를 선택하면 된다.

② 저장하기 대화상자에서 먼저 저장 위치에 저장할 폴더를 지정한 후(폴더가 존재해야 가능함)에 파일이름을 입력하고, 파일형식을 지정한 후에 저장 버튼을 클릭하면 된다. 위에서는 SPSS 문서 폴더에 SPSS 데이터 형식으로 스포츠설문자료1.sav 파일로 저장한 것이다.

6. 변수의 정의

SPSS 데이터편집기 하단부에 있는 변수보기를 누르면 다음과 같이 (변수)이름, (변수)유형, (변수값의)자리수, 소수점 이하 자리, (변수)설명, (변수)값, 결측값, 열(의 길이), 맞춤, 측도 등을 정의할 수 있는 화면이 나타난다.

① (변수)이름

새로운 변수명을 부여하거나 기존의 변수명을 변경하고자 할 때는 이름 부분을 마우스로 클릭하여 새로운 변수명을 입력한다. 변수이름으로는 영문이나 한글 모두 사용할 수 있으며 영문 8자리, 한글 4글자를 지원하는데, 내용을 쉽게 알 수 있도록 정의하는 것이 좋다. 그러나 중복된 변수명이나 &, !, ?, /, %, ^, 등의 특수기호는 사용할 수 없다.

② (변수)유형

일반적으로 변수값은 숫자(numeric) 형식으로 인식하나 형식을 쉽게 변경할 수 있다. 해당변수셀에서 클릭하면 오른쪽에 반점이 생기는데, 이를 누르면 변수유형이 나타나며, 여기서 적절한 형식을 지정하면 된다. 숫자형식이면 숫자로, 문자형식이면 문자 등을 선택할 수 있다. 선택된 유형에 따라 자리수 등과 소수점 이하 자리수 등을 선택한다.

③ (변수값의) 자리수

변수값의 자리수를 지정하기 위해서는 해당 변수의 행에서 해당하는 셀을 마우스로 클릭하여 적절한 자리수를 선택한다. 기본설정은 8자리이며 변수형식에서도 이를 지정할 수 있다. 이때 지정된 자리수는 소수점을 포함한 수를 의미한다.

④ 소수점 이하 자리

소수점 이하 자리수를 지정하기 위해서는 해당 변수의 행에서 셀을 마우스로 클릭하여 설정한다. 최대소수점의 자릿수는 16자리이며, 최소는 0, 기본설정은 2자리로 설정되어 있다.

⑤ (변수)설명

변수의 설명이란 변수의 내용을 구체적으로 설명해주기 위한 요약이라고 정의할 수 있다. 분석결과에서는 변수명 대신 변수설명이 나타나기 때문에 이를 잘 정의해두면 나중에 결과를 이해하는 데 보다 효과적일 수 있다. 변수설명을 정의하기 위해서는 정의하고자 하는 변수의 행에서 셀을 클릭하고 입력하면 된다.

⑥ (변수)값

변수값에 대한 설명을 할 수 있는 곳이다. 이를 적절히 활용하면 결과물을 보다 쉽게 이해하는 데 도움이 된다.

예를 들어, 변수명 '성별'에서는 변수값이 1 또는 2로 정의되어 있는데, 여기서 1을 남자로 2를 여자로 변수값을 부여하고자 한다면, 성별변수의 행을 따라 값에 해당하는 셀을 마우스로 클릭하면, 오른쪽 부분이 반전되는데, 이를 누르면 다음 그림과 같이 변수값 설명부분이 나타난다.

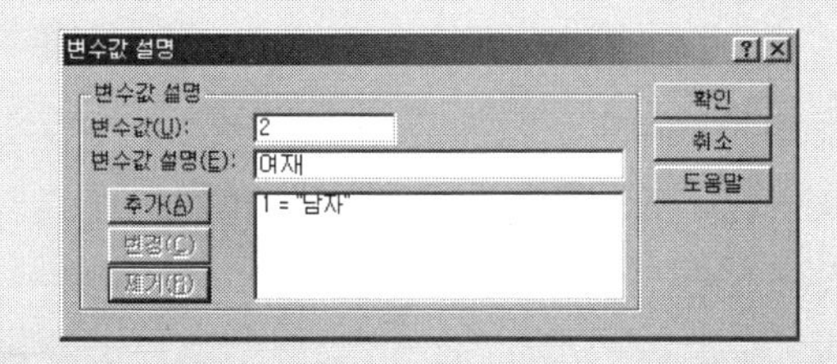

변수값에 1을, 변수값설명에 남자를 지정한 후 추가버튼을 누르고, 다시 변수값에 2, 변수값설명에 여자를 입력하고 추가 및 확인버튼을 누른다.

⑦ 결 측 값

결측값은 시스템결측치(system missing value)와 사용자결측치(user missing value)로 구분할 수 있다. 시스템결측치는 셀에 데이터가 기록되지 않고 공란인 경우이며 일반적으로 점(.)으로 표시된다. 사용자결측치는 결측치를 구분하기 위해 사용자가 임의의 값(9 또는 99 등)을 부여한 경우이다. 결측치를 지정하려면 해당변수의 결측값에 해당하는 셀을 클릭하여 적절히 지정하면 된다.

⑧ 열(의 길이)

해당변수의 열(columns)에 해당하는 셀을 클릭하면 확장버튼이 나타나는데, 이를 누르면 증가한다. 기본설정은 8이며 최대설정은 250, 최소설정은 1이다.

⑨ 맞 춤

변수값의 정렬방식에 대한 정의로 Align에 해당 셀을 마우스로 클릭하면 나타나는 확장버튼을 누르면 오른쪽과 같이 Right(오른쪽 정렬), Left(왼쪽 정렬), Center(가운데 정렬) 등을 선택할 수 있다.

⑩ 측 도

변수의 측도를 정의하기 위해서는 해당 셀을 마우스로 클릭하고 확장버튼을 누르면 비율척도, 순서, 명목척도 등의 변수척도를 선택하여 정의할 수 있다.

이상의 과정을 통하여 최종적으로 작성된 변수보기 형태는 다음과 같다.

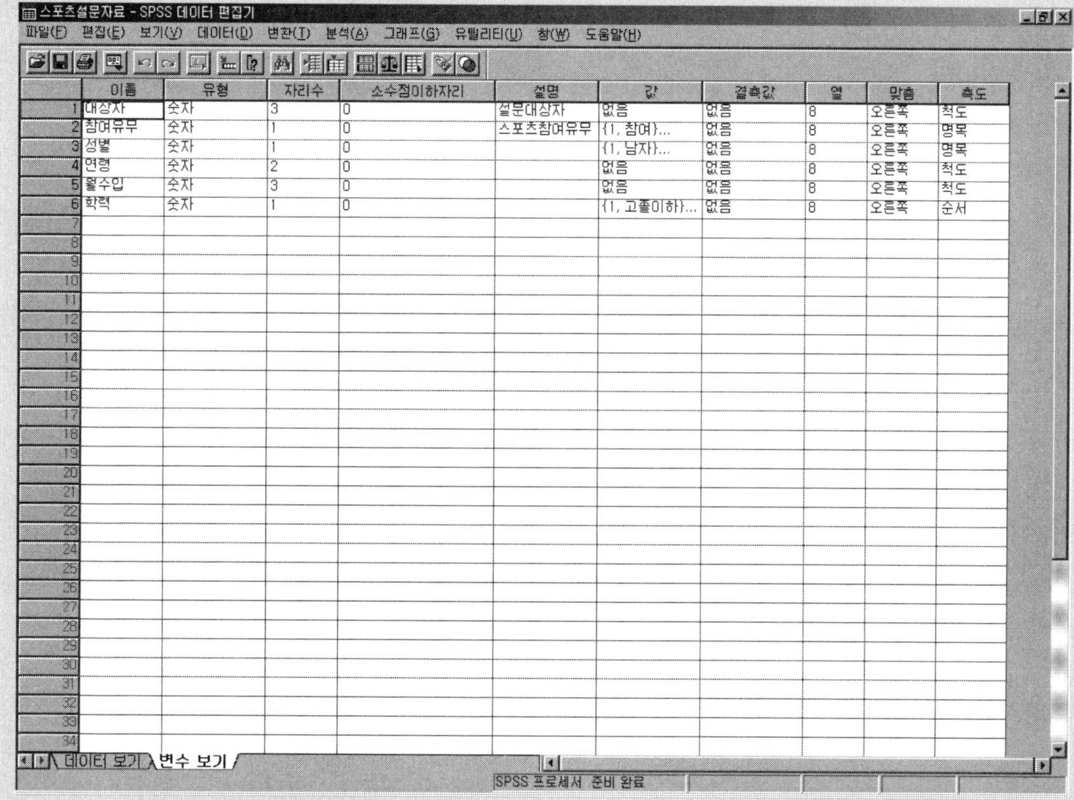

스포츠설문자료 - SPSS 데이터 편집기

파일(F) 편집(E) 보기(V) 데이터(D) 변환(T) 분석(A) 그래프(G) 유틸리티(U) 창(W) 도움말(H)

	이름	유형	자리수	소수점이하자리	설명	값	결측값	열	맞춤	측도
1	대상자	숫자	3	0	설문대상자	없음	없음	8	오른쪽	척도
2	참여유무	숫자	1	0	스포츠참여유무	{1, 참여}...	없음	8	오른쪽	명목
3	성별	숫자	1	0		{1, 남자}...	없음	8	오른쪽	명목
4	연령	숫자	2	0		없음	없음	8	오른쪽	척도
5	월수입	숫자	3	0		없음	없음	8	오른쪽	척도
6	학력	숫자	1	0		{1, 고졸이하}...	없음	8	오른쪽	순서

데이터 보기 / 변수 보기

SPSS 프로세서 준비 완료

부록 3. 측정도구의 신뢰도분석

1. 측정도구의 신뢰도란

연구에 필요한 자료를 수집하기 위하여 어떤 측정도구를 사용할 것인가를 결정하는 문제는 매우 중요하다. 측정이란 어떤 사상(경험세계)을 표준화된 척도(도구 · 방법)에 의해서 관찰한 결과를 객관성 있게 수량화하는 수단인데, 이는 이론을 구성하고 있는 개념들을 현실세계에서 관찰가능한 자료와 연결시켜주는 과정이다.

자연과학분야에서 측정이란 어떤 규칙에 따르는 가시적인 것이지만, 사회과학분야에서는 측정의 문제는 보다 복잡한 일면을 갖고 있다. 즉 대상이 갖는 속성 자체보다는 속성의 지표(indicator)를 측정하기 때문에 관찰한 것에 대한 수치를 부과하는 일이 자연과학에 비해 훨씬 어렵고 논란의 여지도 많다(홍두승, 1972). 측정을 위해서는 측정하고자 하는 개념에 대한 조작화(operation)를 거쳐 얻어질 변수와 조작적 정의를 측정하기 위하여 측정도구가 개발되어야 하며, 개발된 측정도구가 측정하고자 하는 개념을 정확하게 측정할 수 있는 것이냐의 여부가 또한 평가되어야 한다. 결국 측정단계에서는 개념의 조작화와 측정의 본질, 측정의 척도, 측정도구에 대한 개발과 그 평가가 중요하게 다뤄지게 된다.

그러면 "좋은 측정도구란 무엇이며, 어떠한 조건을 만족해야 하는가?"의 기준은 무엇인가? 이러한 문제를 과학적으로 해결하기 위한 노력의 소산이 측정도구의 타당도와 신뢰도의 문제이다. 측정도구의 타당도란 그 도구가 측정하고자 하는 속성 또는 현상을 얼마나 충실하게 측정하고 있느냐의 정도를 나타낸 것이며, 신뢰도는 측정도구가 측정하고자 하는 속성을 얼마나 정확하게, 얼마나 오차없이 측정하고 있느냐의 개념이다. 측정도구의 타당도평가방법은 여러 가지가 있으나 여기에서는 취급하지 않고, 신뢰도에 대해서만 보기로 한다.

2. 측정도구의 신뢰도 측정방법

신뢰도는 동일한 대상을 반복적 측정할 때 같은 결과를 가져올 수 있는 정도를 의미한다. Singleton(1988) 등은 '신뢰도란 안정성(stability) 또는 일관성(consistency)과 관계가 있으며, 조작된 정의나 지표가 측정대상을 일관성 있고 믿을만하게 측정하는가'의 문제라고 하였다.

측정도구의 신뢰도평가에는 ① 재검사신뢰도(test-retest reliability), ② 동형검사신뢰도(parallel-form reliability), ③ 반분신뢰도(split-half reliability), ④ 문항내적일관성신뢰도(inter-item consistency reliability)의 4가지가 있다.

다음은 문항내적일관성신뢰도의 예제이다.

SPSS를 이용한 예제 분석

[예제] 다음은 스포츠센터 회원들의 만족도를 알아보기 위한 자료의 일부이다. 여기에서 7개의 하위문항은 모두 시설만족도를 측정하기 위한 척도로서, 5점 리커트척도(전혀 그렇지 않다=1점, …, 매우 그렇다=5점)로 구성되어 있다. 시설만족도를 측정하기 위한 본 척도의 신뢰도를 문항내적일관성법을 이용하여 구하라.

(문항 1) 시설은 안정성을 충분히 갖추고 있다.
(문항 2) 실내온도, 습도가 스포츠 활동하기에 적절하다.
(문항 3) 샤워시설을 충분히 갖추고 있다.
(문항 4) 조명의 밝기가 스포츠 활동에 적절하다.
(문항 5) 식수대 및 위생시설 등이 청결하다.
(문항 6) 실내디자인은 이용자에게 편안감과 친근감을 준다.
(문항 7) 주차공간은 충분히 확보되어 있다.

대상자	문항1	문항2	문항3	문항4	문항5	문항6	문항7
1	3	4	4	4	4	3	4
2	4	3	4	4	4	3	4
3	3	4	4	4	4	3	4
4	4	3	3	4	4	3	2
5	4	5	5	5	4	4	5
6	3	4	4	4	4	3	3

대상자	문항1	문항2	문항3	문항4	문항5	문항6	문항7
7	5	5	5	4	5	5	5
8	4	5	5	5	5	5	4
9	4	4	4	3	3	3	2
10	3	4	4	4	5	4	3
11	4	3	5	5	3	4	5
12	4	4	5	5	5	5	4
13	4	3	4	5	5	4	1
14	4	4	1	5	5	5	1
15	3	3	1	2	2	3	4
16	4	4	2	3	3	3	4
17	3	4	3	3	4	2	3
18	4	3	4	5	5	4	5
19	2	2	3	4	4	2	4
20	2	2	2	3	3	2	4
21	4	4	4	4	4	3	5
22	3	2	3	3	2	3	4
23	3	4	3	4	3	3	5
24	4	3	4	3	3	3	2
25	3	4	3	4	3	3	4
26	3	3	4	4	3	2	5

분석절차 및 결과

- 자료의 입력형태는 다음과 같다.

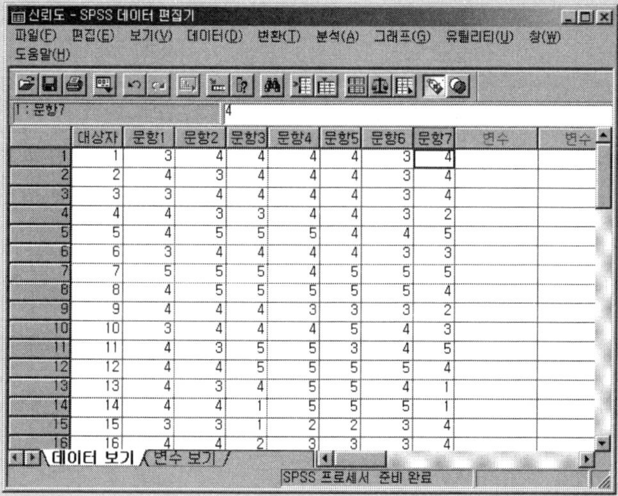

신뢰도 - SPSS 데이터 편집기

파일(F) 편집(E) 보기(V) 데이터(D) 변환(T) 분석(A) 그래프(G) 유틸리티(U) 창(W) 도움말(H)

1 : 문항7 4

	대상자	문항1	문항2	문항3	문항4	문항5	문항6	문항7	변수	변수
1	1	3	4	4	4	4	3	4		
2	2	4	3	4	4	4	3	4		
3	3	3	4	4	4	4	3	4		
4	4	4	3	3	4	4	3	2		
5	5	4	5	5	5	4	4	5		
6	6	3	4	4	4	4	3	3		
7	7	5	5	5	4	5	5	5		
8	8	4	5	5	5	5	5	4		
9	9	4	4	4	3	3	3	2		
10	10	3	4	4	4	5	4	3		
11	11	4	3	5	5	3	4	5		
12	12	4	4	5	5	5	5	4		
13	13	4	3	4	5	5	4	1		
14	14	4	4	1	5	5	5	1		
15	15	3	3	1	2	2	3	4		
16	16	4	4	2	3	3	3	4		

데이터 보기 / 변수 보기

SPSS 프로세서 준비 완료

- 문항의 신뢰도분석을 위해 데이터편집기화면에서 분석(A)->척도화분석(A)->신뢰도분석(R)...을 선택한다.

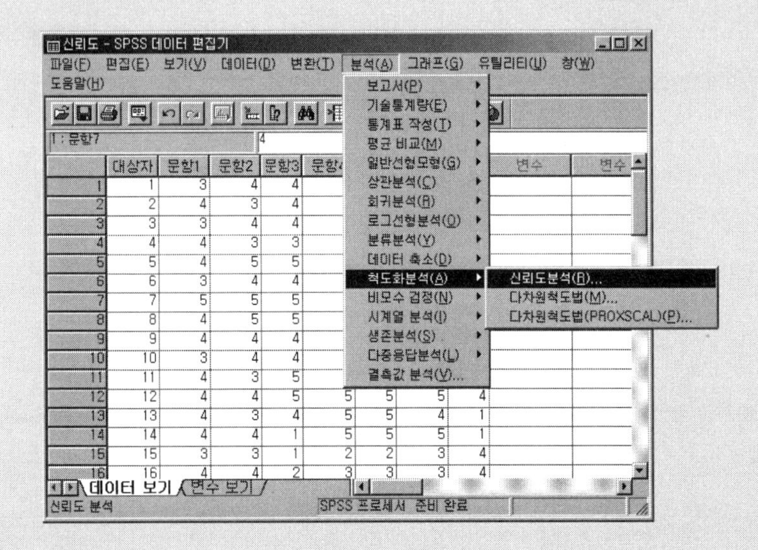

– 신뢰도분석 대화상자가 나타난다. 문항(I)에 문항 1부터 문항 7까지의 변수를 화살표 버튼을 이용하여 선택 한 후 통계량(S)를 누른다.

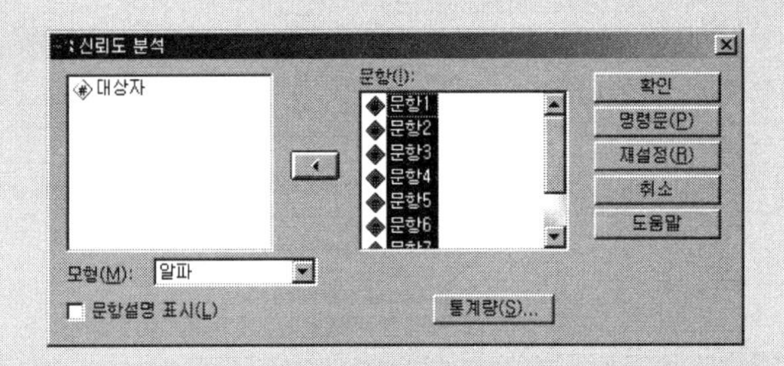

– 통계량 대화상자에서 필요한 기술통계량에서 문항(I), 척도(S), 문항제거시척도(A)를 선택하고, 요약값에서 상관관계(R)를, 문항-내에서 상관관계(L)를 선택한 후 계속 버튼을 누른다.

– 다시 신뢰도분석 대화상자로 돌아와서 확인버튼을 누르면 Output-SPSS뷰어에 다음과 같은 결과가 출력된다. 여기에는 분석대상이 되는 각 문항의 평균, 표준편차, 관찰치 개수(case)에 관한 통계량이 제시되어 있다.

RELIABILITY ANAYSIS-SCALE(ALPHA)

		Mean	Std Dev	Cases
1	문항1	3.5000	.7071	26.0
2	문항2	3.5769	.8566	26.0
3	문항3	3.5769	1.1375	26.0
4	문항4	3.9615	.8237	26.0
5	문항5	3.8077	.9389	26.0
6	문항6	3.3462	.9356	26.0
7	문항7	3.6923	1.2254	26.0

– 각 문항 간 상관관계를 나타낸다. 문항 1-문항 6은 서로 상관이 어느 정도 있으나 문항 7은 상관이 매우 낮게 나타나나 있다.

Correlation Matrix

	문항1	문항2	문항3	문항4	문항5	문항6	문항7
문항1	1						
문항2	0.4953	1					
문항3	0.4227	0.3837	1				
문항4	0.3777	0.3161	0.5369	1			
문항5	0.3916	0.4419	0.4077	0.7142	1		
문항6	0.6953	0.5394	0.3686	0.6408	0.6252	1	
문항7	-0.0923	0.0997	0.3046	0.0671	-0.1926	-0.0778	1

– 문항 1번~문항 7번까지의 합에 대한 평균, 분산, 그리고 변수(여기서는 문항)의 수를 제시하고 있다.

N of Cases=26.0
N of

Statistics for	Mean	Variance	Std Dev	Variables
Scale	25.4615	18.6585	4.3195	7

– 각 문항들 간의 상관계수의 평균, 상관계수 중 최소값 및 최대값과 범위, 최대상관계수와 최소상관계계수의 비율 그리고 상관계수의 분산을 제시하고 있다.

Inter-item

Correlations	Mean	Minimum	Maximum	Range	Max/Min	Variance
	.3555	–.1926	.7142	.9067	–3.7088	.0655

– Scale Mean if Item Deleted 와 Scale Variance if Item Deleted값은 각 문항이 척도에서 제거될 때의 척도의 평균과 분산을 나타낸다.

– Corrected Item Total Correlation은 각 문항과 나머지 문항들의 합과의 상관계수를 나타낸다. 여기서 문항 7은 상관계수가 매우 작기 때문에 이 문항은 다른 문항과 같은 개념을 측정하고 있지 않음을 보여 주고 있다.

– Squared Multiple Correlation은 각 문항을 나머지 문항들로 회귀적합 했을 때의 결정계수를 나타낸다.

– 척도의 Cronbach α 값은 0.7625이고, 각 변수가 표준화된 경우의 Cronbach α 값은 0.7943로 나타나 있다.

– Alpha if Item Deleted는 각 문항이 제거되는 경우의 Cronbach α 값으로서, 그 문항의 적합성을 알아보는 중요한 단초가 된다. 즉 문항척도의 Cronbach α 값 0.7625와 비교하여 볼 때 다른 문항들은 작지만 문항 7의 경우는 0.8443으로 매우 크게 나타나있다. 즉 이 문항을 제거한다면 전체 Cronbach α 값이 0.8443으로 증가된다는 의미이므로 이 문항을 제거하거나 문항을 검토하여 재구성해야 할 필요성을 나타낸다.

RELIABILITY ANALYSIS－SCALE(ALPHA)
Iteme-total Statistics

	Scale	Scale	Corrected		
	Mean if Item Deleted	Variance if Item Deleted	Item-Total Correlation	Squared Multiple Correlation	Alpha if Item Deleted
문항1	21.9615	15.1585	0.5449	0.5747	0.7278
문항2	21.8846	14.3462	0.5514	0.4148	0.7206
문항3	21.8846	12.4262	0.6158	0.478	0.7007
문항4	21.5	13.86	0.6718	0.6718	0.699
문항5	21.6538	13.9154	0.5513	0.6438	0.7185
문항6	22.1154	13.3062	0.6559	0.7068	0.6959
문항7	21.7692	16.7446	0.0441	0.2954	0.8443

Reliability Coefficients 7 items

Alpha= .7625 Standardized item alpha=.7943

– 다음의 신뢰도분석 대화상자로 돌아가서 문항 7을 제거한 문항 1~문항 6까지의 변수를 이용한 분석결과는 다음과 같다. 여기에서 척도의 Cronbach α 값은 0.8443(각 변수가 표준화된 경우의 Cronbach α 값은 0.8524)이며, Alpha if Item Deleted에서의 각 문항의 값들은 모두 0.8443보다 작게 나타나 있다.

RELIABILITY ANALYSIS－SCALE(ALPHA)
Item-total Statistics

	Scale	Scale	Corrected		
	Mean if Item Deleted	Variance if Item Deleted	Item-Total Correlation	Squared Meltiple Correlation	Alpha if Item Deleted
문항1	18.2692	13.0846	0.6177	0.5549	0.8236
문항2	18.1923	12.6415	0.5531	0.3877	0.8318
문항3	18.1923	11.3615	0.5333	0.4036	0.8463
문항4	17.8077	12.0815	0.6959	0.661	0.8067
문항5	17.9615	11.5585	0.6743	0.5797	0.8086
문항6	18.4231	11.2138	0.7429	0.7068	0.7943

Reliavility Coefficients 6 items

Alpha=.8443 Standardized item alpha=.8524

참 고 문 헌

김기형, 이현섭, 강현민(2003). 체육통계학 기초. 대한미디어.
김범종(1988). 사회과학 연구 조사방법론 워크북. 서울 : 석정.
김오중(1984). 세계체육사. 서울 : 고려대학교 출판부.
김해동(1990). 조사방법론. 서울 : 법문사.
박도순(2001). 교육연구방법론. 서울 : 문음사.
서울대학교 사범대학 체육교육과(1996). 체육학의 성과와 과제. 서울대학교 체육교육과 창설 50주년 학술대회.
선병기(1981). 체육측정 및 평가방법론. 서울 : 고려대학교 출판부.
성태제(1995). 타당도와 신뢰도. 서울 : 양서원.
송인승(1989). 연구방법의 이해. 서울 : 성원사.
원태연, 정성원(2001). 통계조사분석. 서울 : 고려정보산업.
이기천(1995). 직전교사의 체육수업 교수행동 수정에 대한 메타분석 연구. 한국체육학회지, 33. 318-327.
이종승(1984). 교육연구법. 서울 : 배영사.
이현섭, 강현민(2010). Inside 통계분석 & SPSS. 이담북스.
장산효(1987). 실험연구의 이론과 실제. 서울 : 삼문당.
채서일(1992). 사회과학 조사방법론. 서울 : 학현사.
한철언(1999). 21세기 한국 스포츠관광 활성화 방안과 진흥정책. 고려대학교 대학원 박사학위논문.
황정규(1988). 메타분석의 이론과 방법론. 성곡논총, 19, 46-48.

American Psychological Association(1994). *Publication Manual.* Washington, D.C : American Psychological Association.
Anderson, C. L. & Langton, C. V.(1961). *Health Principles and Practice.* Mosby Co.
Babbie, E. R.(2010). *The Practice of Social Reasearch.* Cengage Learning.
Balsley, D. A., Kuh, E. & Welsch, R. E.(1980). *Regression Diagnostics : Identifying Influential Data and Sources of Collinearity.* John Wiley & Sons.
Barzun, J. & Graff, H. F.(1970). *The Modern Researcher.* Harcourt, Brace and World.
Bloom, B. S.(1956). *Taxanomy of the Educational Objectives: Cognitive Domain.* New York : Mckay.
Campbell, D. T. & Stanley, J. C.(1963). *Experimental and Quasi-experimental Designs for Research.* Chicago : Rand McNally.
Clark, D. H. & Clark, H. H.(1970). *Research Process in Physical Education, Recreation and Health.*

Prentice-Hall.

Clark, H. H.(1967). *Application of Measurement to Health and Physical Education*(4th ed.). Prentice-Hall.

Creswell, J. W.(2009). *Research Design : Qualitative, Quantitative, and Mixed Methods Approaches.* SAGE.

Cronbach, L. J.(1951). Coefficient alpha and the internal structure of test. *Psychometrika, 16.* 297-334.

Cyphert, F. R. & Gant, W. L.(1970). The Delphi technique: A tool of collecting opinions in teacher education. *The Journal of Teacher Education, 21(3)*, 417-425.

Delbecq, A. L.(1975). *Group Techniques for Program Planning.* Scott, Foresman & Co.

Fowler, F. J.(2009). *Survey Research Methods-Applied Social Research Methods.* SAGE.

Glass, G. V., McGaw, B. & Smith, M.(1981). *Meta-analysis in Social Research.* Beverly Hills, CA : Sage.

Harrison, C. H.(1967). *Application of Measurement to Health and Physical Education*(4th ed.). Prentice-Hall.

Harrow, A. J.(1972). *A Taxonomy of the Psychomotor Domain.* New York : McKay.

Jackson, E. L. & Burton, T. L.(1989). Mapping the past. In E. L. Jackson & T. L. Burton(Eds.). *Understanding Leisure and Recreation : Mapping Past, Charting the Future*(pp. 3-28). State College, P. A. : Venture Publishing.

Johnson, B. L. & Nelson, J. K.(1969). *Practical Measurements for Evaluation in Physical Education.* Burgess Publishing Co.

Jorgensen, D. L.(1989). *Participant Observation-A Methodology for Human Studies-Applied Social Research Method.* SAGE.

Marczyk, G. R., DeMatteo, D., & Festinger, D.(2005). *Essentials of Research Design and Methodology.* John Wiley & Sons.

Mayshark, C. & Irwin, L. W.(1968). *Health Education in Secondary School.* Mosby Co.

Methews, D. K.(1965). *Measurement in Physical Education.* W. B. Sanders Co.

Morgan, G. A., Leech, N. L., Gloeckner, G. W., & Barrett, K. C.(2004). *SPSS for Introductory Statistics-Use and Interpretation.* Lawrence Erlbaum Associates.

Morrow, J. R., Jackson, A. W., Disch, J. G. & Mood, D. P.(1995). *Measurement and Evaluation in Human Performance.* Champaign, IL: Human Kinetics.

Pallant, J.(2007). *SPSS Survival Manual : A Step by Step Guide to Data Analysis Using SPSS.* McGraw-Hill.

Scott, M.(1959). *Research Methods in Health, Physical Education, Recreation*(2nd ed.). AAHPER.

Tashakkory, A., & Teddlie, C. B.(2009). *Mixed Methodology-Combining Qualitative and Quantitative Approaches-Applied Social Research Method.* SAGE.

Thomas, J. R., & Nelson, J. K.(1990). *Research Methods in Physical Activity. Champaign,* IL : Human Kinetics.

Willgoose, C. E.(1961). *Evaluation in Health Education and Physical Education.* McGraw-Hill.

Yin, R. K.(2009). *Case Study Research-Design and Methods-Applied Social Research Methods.* SAGE.

Zeigler, E. F.(1979). Past, present and future development of physical education and sport. The Academy Paper. Monograph, The American Academy of Physical Education.

찾 아 보 기
-국문편-

가

나

다

라

마

바

자

차

찾 아 보 기
-영문편-

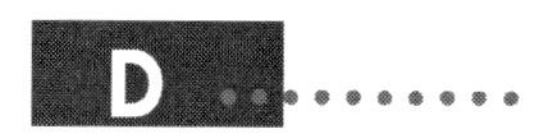

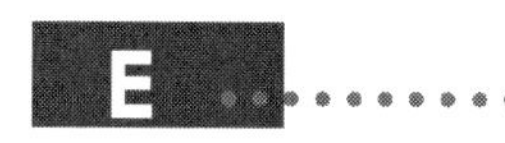

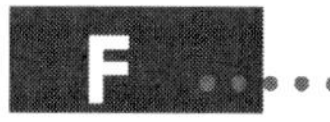

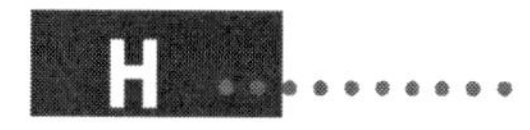

J

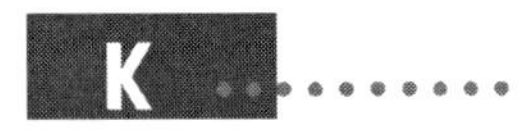
K

L

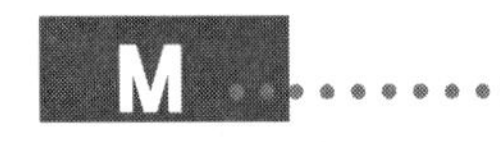
M

N

O

P

Q

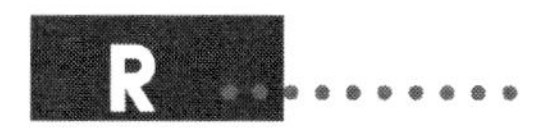

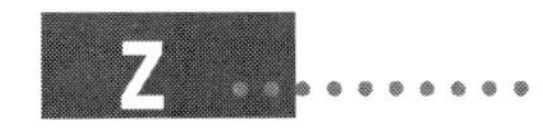